D1327347

PABLO

reavivado por una pasión

BRUNO RASO

LECTURAS DEVOCIONALES PARA ADULTOS

Nampa, Idaho | Oshawa, Ontario, Canada
www.pacificpress.com

Asociación Casa Editora Sudamericana

Gral. José de San Martín 4555, B1604CDG
Florida Oeste, Buenos Aires, Rep. Argentina.

Pablo: reavivado por una pasión

Dirección editorial: **Marcos Blanco**
Edición: Pablo Ale
Diseño de la portada: Mauro Perasso
Diagramación: Mauro Perasso
Procedencia de las imágenes: © Mauro Perasso

*Nuestros libros de meditaciones matinales anuales son preparados rotativamente por ACES (División Sudamericana), **IADPA** y **GEMA** (División Interamericana), **Pacific Press** (División Norteamericana) y **Safeliz** (División Intereuropea).*

ISBN: 978-0-8163-9128-8
Printed in the United States of America

July 2021

PRÓLOGO

Pablo es uno de mis personajes bíblicos favoritos. Admiro su profundidad, compromiso, coraje y foco en la misión. Su ministerio fue tan destacado que Elena de White lo presentó como "un ejemplo vivo de lo que cada cristiano debería ser" (*Nuestra elevada vocación*, p. 365), y el evangelista británico Leonard Havenhil afirmó que "mientras Pablo vivió, el enemigo no tuvo paz".

Fue "de entre los perseguidores más crueles e implacables de la iglesia de Cristo de donde emergió el defensor más hábil y el heraldo más exitoso del evangelio" (Elena de White, *Paulo, o apóstolo da fé e da coragem*, p. 9). Su jornada no fue fácil, "sufrió por causa de la verdad; y sin embargo no oímos ninguna queja de sus labios" (Elena de White, *La edificación del carácter*, p. 95). Aun cuando estuvo preso en Roma, "privado de la luz y del aire del cielo, apartado de sus activas labores del evangelio, y momentáneamente esperaba la condena a muerte, sin embargo, no se rindió a la duda o al descorazonamiento" (*ibíd.*).

Pero, fue delante del poderoso y cruel Nerón que Pablo dejó las últimas grandes marcas de su ministerio. Enfrentó solo al emperador que hacía temblar al mundo y evidenció el gran contraste entre uno de los peores gobernantes de todos los tiempos y uno de los mejores cristianos de todas las edades. Así, fue decapitado por orden de Nerón, en el año 67 d.C., y murió confiando en la resurrección. Al año siguiente, Nerón huyó de Roma, amenazado por fuertes crisis políticas, y sin esperanza se suicidó el 9 de junio del año 68 d.C.

La historia de Pablo está repleta de capítulos inspiradores que conocerás de manera más profunda en estas lecturas devocionales. Serán 365 mensajes especiales, basados exclusivamente en la vida y los escritos de Pablo, conforme a lo registrado en el libro de Hechos y en sus catorce epístolas, combinando profundidad teológica con aplicaciones prácticas y testimonios motivadores con experiencias personales. Tu comunión diaria podrá ser reavivada por la misma pasión del apóstol.

Recomiendo la lectura de este libro no solo porque aprecio la historia de Pablo y la profundidad de sus escritos, sino también porque conozco y admiro a su autor, el pastor Bruno Raso. Él es un hombre de Dios con más de 43 años de ministerio, quien ha liderado a la iglesia en diferentes países sudamericanos como pastor, evangelista y administrador. Su vida y su ministerio, siempre consagrados y equilibrados, tienen mucha semejanza con el personaje central de este libro.

En los últimos 18 años he trabajado a su lado, en diferentes funciones de liderazgo, y veo la misma dedicación incansable, conocimiento profundo, capacidad intelectual, foco en la misión, amor por la Biblia, y el mismo compromiso con la predicación que tuvo el apóstol. Además, su capacidad teológica es impresionantemente conocida a través de los programas *Reavivados por su Palabra*, y *Creed en sus profetas*, que presenta diariamente por TV y Radio Nuevo Tiempo e Internet, donde ya comentó dos veces todos los 1.189 capítulos de la Biblia.

Buena lectura, y que puedas ser animado por las enseñanzas de Pablo, tocado por los comentarios del autor y reavivado por el Espíritu Santo.

Pr. Erton Köhler,
Presidente de la División Sudamericana.

AGRADECIMIENTOS

A mi esposa, Dorita, y a mis hijas, Doris y Cris, fuente de apoyo, motivación y amor.

Al pastor Erton Köhler, por su liderazgo y su ministerio apasionado por Jesús y por la iglesia, sus ideas, contenidos y sostén constante. Por el privilegio de trabajar a su lado y ser impulsado siempre por su incansable dedicación y compromiso con la causa del Señor.

Al pastor Gabriel Cesano, gerente de la ACES, por la iniciativa, la confianza y la ayuda; así como a los pastores Marcos Blanco y Pablo Ale (editor de este libro), que sustentaron y acompañaron todo el proceso.

A mis colegas de la División Sudamericana, por su gran contribución con materiales e historias: Adolfo Suárez, Luís Goncalves, Herbert Boger y Rafael Rossi.

Al pastor Daniel Belvedere, quien "inyectó" en nuestras venas la "pasión" de Jesús y de Pablo por la salvación de las personas. A los pastores Mario Veloso, Enrique Chaij, Carlos Rando, y al contador Marcelo Cerdá.

In memorian, a quienes descansan en las promesas de Jesús, pero que han dejado marcas en mi vida, pues sus obras siguen vigentes: mis padres, mis suegros, y a los pastores Walter Weiss, Rubén Pereyra, Heriberto Müller, Víctor Peto y Juan Francisco Darrichón.

A tantos hermanos, amigos y familiares, presentes en estas páginas o en mi camino a lo largo del ministerio, pues me enseñaron, fortalecieron y ayudaron a crecer en el cumplimiento de la misión y la consumación de la esperanza.

Al Dios de quien me considero un permanente deudor, manantial inagotable de sostén y motivación, por amarme y concederme la dicha de servir en la causa del evangelio. ¡A él sea la gloria!

¡EMBARCANDO!

El apóstol Pablo siempre me cautivó. Fue el primer y mayor escritor del Nuevo Testamento, pilar indispensable para el crecimiento de la iglesia cristiana primitiva y el movimiento de la Reforma, así como para la doctrina y la misión adventistas.

Cristo, su Palabra y el evangelio fueron su **pasión.** Esta palabra tiene a veces un sentido negativo, refiriéndose a una vida "carnal" separada del Señor. Sin embargo, tiene un sentido extremadamente positivo, como **emblema, bandera, identidad, propósito innegociable, caminar infatigable y "un celo sin límites".** Ese que Pablo tenía por Dios y la misión (Elena de White, *Los hechos de los apóstoles*, p. 389).

Por su parte, la Real Academia Española define "pasión" como una "inclinación o preferencia muy vivas de alguien a otra persona". **Desde que Pablo preguntó: "Señor, ¿qué quieres que haga?" (Hech. 9:6), siempre vivió inclinado hacia Jesús.** Cristo fue lo primero, lo último y lo mejor. **Su inclinación y su preferencia fueron categóricamente vivas. Vivir por Cristo fue su delicia; y morir testificando por él, su gran honor.**

Pablo tuvo días muy difíciles, pero ningún tipo de tormenta lo limitaba: ni personal, ni climática, ni social, ni política, ni racial, ni religiosa. Nada lo detenía ni lo fragilizaba. Cristo fue su pasión, al punto de exclamar que el amor por él lo constreñía, sin dejarle otra opción que amarlo y servirlo (2 Cor. 5:14). **Cristo fue su vida, y su vida fue de Cristo. Que, como Pablo, nuestra pasión por Jesús sea más fuerte y más intensa a fin de ser consumados en la comunión y consumidos en la misión.**

El 23 de octubre de 1878, pocos días después de un congreso mundial de la iglesia, en medio de una fuerte tormenta de viento y nieve, Elena de White escribió lo siguiente: "Cuanto más inclemente es el tiempo, mayor es nuestra necesidad de que obtengamos el brillo del sol de la presencia de Dios. Esta vida, aun en su mejor expresión, es solamente el invierno del cristiano; y los fríos vientos del invierno –chascos, pérdidas, dolor y angustia– son nuestra suerte aquí; pero **nuestras esperanzas están puestas en el verano del cristiano, cuando cambiaremos de clima. Dejaremos todas las ráfagas invernales y las fieras tormentas detrás, y seremos llevados a las mansiones que Jesús ha ido a preparar para aquellos que lo aman"** (*Notas biográficas*, p. 264).

Más allá de las tormentas presentes o futuras, Cristo es nuestro Piloto. En este espíritu y necesidad, **los dejo con Pablo, una voz de esperanza, un reavivado por una pasión.**

Pr. Bruno A. Raso,
junio de 2020.

¿QUÉ MIRARÁS HOY?

"Entonces todos los que estaban sentados en el Concilio, al fijar los ojos en él, vieron su rostro como el rostro de un ángel" (Hechos 6:15).

Saulo tenía un pasado que lo condenaba y lo descartaba totalmente para ser un buen cristiano. Su nombre significaba "Aquel que fue deseado o pedido insistentemente". Lejos estaba de cumplir los sueños de sus padres, y menos los de Dios. Nació en una ciudad gentil, era ciudadano romano y educado en Jerusalén por uno de los más eminentes rabinos, llamado Gamaliel. Saulo se presentaba a sí mismo como hebreo, fariseo, perseguidor de la iglesia e irreprochable (Fil. 3:5, 6).

Saulo también había depositado toda su expectativa en la venida del Mesías, pero, chasqueado, después de la muerte de Cristo se unió a los sacerdotes y los príncipes para perseguir y terminar con los seguidores de Jesús. Los dirigentes judíos habían supuesto que la nueva fe y el entusiasmo de los cristianos cesarían al clavar a Cristo en la cruz. Sin embargo, las escenas del Pentecostés y las posteriores mostraban una iglesia activa y poderosa.

Saulo se volvió un acérrimo defensor de las doctrinas defendidas por los fariseos, y dedicó todas sus energías a conducir a los cristianos a los tribunales, a la cárcel y a la muerte. Sin embargo, ni las amenazas, ni las prohibiciones ni los castigos parecían suficientes para apagar tanto fuego que ardía en el corazón de los nuevos creyentes. Hasta la persecución fue un recurso de difusión del evangelio.

Así, un siervo valiente y comprometido como Esteban, lleno de gracia y poder, haciendo prodigios, fue mal juzgado por blasfemia contra Dios, injustamente sentenciado y, finalmente, apedreado. La muerte de Esteban pareció una derrota, pero Dios siempre escribe derecho sobre líneas torcidas. Su vida, sus últimas palabras, su semblante, sus gestos y su compromiso con la verdad conmovieron a muchos, incluso a Saulo. Y Dios transformó la aparente derrota en una resonante victoria.

Dejamos atrás un año marcado por la pandemia y sus consecuencias: pérdida de vidas, recursos, trabajo, lo que generó dolor, angustia y sufrimientos como nunca. Al empezar este nuevo año, tu vida puede estar cargada de prejuicios, miedos, fracasos, tristezas, culpas y sueños no alcanzados. No te angusties. Como a Saulo, Dios quiere darte nuevas oportunidades. Como Esteban, mira hacia arriba, porque allí está la clave para obtener la paz y la victoria.

Inicia estos nuevos doce meses buscando a Jesús. Recibe como propias las palabras de Elena de White para su hijo Edson: **"Descansa constantemente en tu Salvador; ve a él en busca de sabiduría, de valor, de firmeza de propósitos y para todo cuando necesites"** (*Carta 3*, del 12 de mayo de 1877).

DE SAULO A PABLO

"Lo echaron fuera de la ciudad y lo apedrearon. Los testigos pusieron sus ropas a los pies de un joven que se llamaba Saulo" (Hechos 7:58).

Son escasos los detalles biográficos directos del joven Saulo. Tan solo una mención pasajera a su madre y a sus antepasados hebreos, que no era hijo único y que al octavo día fue circuncidado. Es posible que su familia lo considerara un rebelde cuando se convirtió al cristianismo y rompiera toda relación con él, aunque algunos de sus parientes llegaron a ser cristianos.

Jerónimo afirma que los padres de Saulo vivieron originalmente en Giscala de Galilea y que en el año 4 a.C. fueron llevados como esclavos a Tarso, donde obtuvieron su libertad, prosperaron y se hicieron ciudadanos romanos. Allí les nació Saulo, su hijo. Como era de la tribu de Benjamín, esta elección bien pudo haber sido en honor a Saúl, el primer rey de Israel.

Es sumamente probable que la familia de Saulo fuera de cierta alcurnia y de una riqueza más que común. Así, Saulo valoraba su herencia racial y religiosa. Él era "hebreo de hebreos" (Fil. 3:15), y le añadía un orgullo especial ser un auténtico fariseo. Por eso vivía conforme a la más rigurosa secta de la religión judía, fariseísmo heredado de su padre y amplificado por causa de su educación bajo la tutela de Gamaliel en Jerusalén, donde fue enviado cuando tenía doce años (Hech. 22:3).

Saulo se introduce en el relato del libro de Hechos como miembro celoso de la secta más estricta del judaísmo, presenta su apoyo y da asentimiento a la muerte de Esteban. Él siempre está listo para perseguir a los cristianos.

Después de 18 referencias a Saulo en Hechos, aparece el cambio. Ahora "Saulo" se transforma en "Pablo". Lucas, autor del libro, sabía que el apóstol tenía dos nombres (Hech. 13:9): Saulo, para un ambiente judío; y Pablo, para un ambiente gentil. Cuando él fue circuncidado, recibió un nombre judío, pero como vivía en una comunidad gentil se le dio también un nombre latino relativamente común: "Paulus".

"Por el apedreamiento de Esteban, los judíos sellaron finalmente su rechazo del evangelio. Los discípulos, dispersados por la persecución, 'iban por todas partes anunciando la palabra'; poco después se convirtió Saulo el perseguidor, y llegó a ser Pablo, el apóstol de los gentiles" (Elena de White, *El Deseado de todas las gentes*, p. 200).

Estos dos nombres, más que dos idiomas, ilustran dos actitudes o escuelas de vida. Una recorre la Tierra buscando poder y sembrando odio y muerte; la otra mira hacia el Cielo ofreciendo vida y buscando restaurar en el nombre de Jesús. Una se opone, la otra apoya. Una destruye, la otra construye. Una persigue, la otra salva.

¿Eres un Saulo o un Pablo?

¿QUÉ QUIERES QUE YO HAGA?

"Saulo, Saulo, ¿por qué me persigues? Él dijo: ¿Quién eres, Señor? Y le dijo: Yo soy Jesús, a quien tú persigues; dura cosa te es dar coces contra el aguijón. Él, temblando y temeroso, dijo: Señor, ¿qué quieres que yo haga? (Hechos 9:4–6).

El más cruel e implacable perseguidor de la iglesia se transforma en el más hábil defensor y paladín de Jesucristo. Su día se volvió noche. Cuando su vista oscureció, él vio definitivamente la luz del evangelio.

La persecución de los seguidores de Jesús llevó a muchos de estos a refugiarse en Damasco, un centro comercial ubicado a unos 100 kilómetros del Mar Mediterráneo y a 240 kilómetros al nordeste de Jerusalén, en la provincia romana de Siria. Varias rutas comerciales conectaban Damasco con otras ciudades del Imperio Romano. La presencia cristiana en ese lugar era una oportunidad para la extensión del cristianismo y hacia allá fue Saulo, con autoridad, fuerza, vigor y celo equivocado para perseguir, encarcelar y matar a los supuestos herejes.

Casi llegando a la ciudad, mientras contemplaban la verde y fructífera vegetación, lo rodeó una luz del cielo más fuerte que el sol en su esplendor; lo arrojó al suelo, y se escuchó una fuerte y poderosa voz que decía: "Saulo, Saulo ¿por qué me persigues?" Esta experiencia única iba a transformar su vida para siempre.

Aquel de quien Saulo pensaba que era un blasfemo, un impostor, un falso Mesías, cuyos seguidores eran unos fanáticos engañados, ahora le pregunta por qué lo perseguía. Saulo había imaginado otra entrada en Damasco, una repleta de honores y aplausos. Después de todo, él llegaba para terminar con aquella plaga del cristianismo. Saulo escuchó, pero no entendió; vio luz, pero no vio a nadie. Fue conducido por terceros; estuvo tres días incomunicado y en soledad; en penumbra física, pero en reflexión, oración y arrepentimiento. En la oscuridad, todo se le hizo claro. Vio realmente quién era y, sobre todo, quién era Jesús.

Tal vez de manera consciente o inconsciente, tímida o rebelde, estás persiguiendo a Jesús con tu indiferencia, con tu inestabilidad y con tu falta de compromiso. **¿Crees que puedes terminar con Jesús y con su mensaje? Quien aun temblando se anima a preguntar como Saulo: "Señor, ¿qué quieres que haga?", seguro recibirá la mejor respuesta. Este inicio del año es un buen momento para renovar tu entrega y tu compromiso con Dios y con su Palabra.**

Como muy bien decía Spurgeon: "Nadie está tan seguro como aquel a quien Dios guarda; nadie está tan en peligro como aquel que se guarda a sí mismo".

Si no me creen, pregunten a Saulo.

UN PERSONAJE EXTRAORDINARIO

"Entonces Bernabé, tomándolo, lo trajo a los apóstoles y les contó cómo Saulo había visto en el camino al Señor, el cual le había hablado, y cómo en Damasco había hablado valerosamente en el nombre de Jesús" (Hechos 9:27).

Si hay un personaje extraordinario en el libro de los Hechos, ese es **Bernabé**. Era oriundo de la Isla de Chipre, y su nombre significa **"Hijo de ánimo, de consuelo, o de exhortación"**. Ningún otro nombre más que ese es el más adecuado para ilustrar lo que fue el propósito de su vida.

Bernabé fue una influencia clave en la formación de Pablo y de Juan Marcos. Dios lo usó para llevarlos a un compromiso con la misión. Estuvo al lado de ellos, acompañando, motivando y guiándolos en el proceso del discipulado. Bernabé fue un discípulo que generó otros discípulos.

Bernabé fue un constructor de puentes entre los creyentes y un recién convertido, Saulo, y arriesgó su propia reputación en favor de un hombre que todos rechazaban. Es él quien percibe el potencial de Saulo, él mismo cuenta su conversión y lo presenta a los demás dirigentes de la iglesia. Bernabé fue el primero en viajar con Pablo y formar un equipo misionero, fue el primero en donar su propiedad y ponerla al servicio de la iglesia. Es decir, era un hombre sensible a las necesidades de los hermanos y de la misión.

Bernabé demuestra ser digno de confianza. Cuando en Antioquía el evangelio se extiende entre los gentiles, se alegra y apoya el crecimiento. Busca a Saulo en Tarso y lo lleva como evangelista. Los dos se convierten en maestros, y la iglesia se multiplica. Fue allí donde se llamó a los creyentes "cristianos" por primera vez (Hech. 11:25).

Bernabé es un siervo generoso, sensible, sacrificado, humilde y comprometido con la tarea de la predicación. Es un hombre de fe y de coraje. Y es un formador de dirigentes de la iglesia.

Bernabé era esa clase de discípulo que no atrajo las luces para sí mismo. Esto se refleja en una historia particular, registrada en Hechos 14:8 al 23. En aquellos días, muchos creían que los dioses podían mezclarse con los hombres. Era tal su influencia que, en Listra, Bernabé y Pablo fueron recibidos como dioses. A Bernabé se lo llamó Júpiter por su porte; y a Pablo, Mercurio, por su oratoria. Por supuesto, ambos rechazaron tal cosa. Nuestro proceder y nuestra vida siempre ejercen influencia.

Bernabé no dejó nada escrito, pero Pablo, su discípulo más notable, inspirado por Dios, escribió casi la mitad del Nuevo Testamento. **La iglesia necesita de Pablos arriesgados y valientes, expuestos siempre en el frente de batalla contra el mal. Pero además necesita de los Bernabés, que también son arriesgados y valientes, y no obstante obran detrás de escena, formando, animando, enseñando y discipulando.**

Recuerda que sin Bernabés no hay Pablos.

UNA MANO EXTENDIDA

"Ahora, pues, he aquí la mano del Señor está contra ti" (Hechos 13:11).

No hay obra de arte mayor ni mecanismo más ingenioso que la simple mano del hombre. Diseñada por el gran Diseñador, Isaac Newton, erudito y matemático y uno de los científicos más destacados de la historia, llegó a exclamar: "Ausentes otras pruebas, me bastaría el pulgar para convencerme de la existencia de Dios".

La mano humana, maravilla de diseño y de ingeniería, se compone de 29 huesos, 29 articulaciones, más de 100 ligamentos, 35 músculos, y un sinnúmero de nervios y arterias. Solamente para controlar el pulgar, necesitamos nueve músculos y el esfuerzo conjunto de tres nervios principales de la mano. La capacidad de la mano humana es impresionante: fuerza, flexibilidad, destreza, resistencia y control motor refinado. La punta del dedo es un instrumento sensorial dotado de una increíble capacidad para detectar, y lo hace con un grado de sensibilidad que la ingeniería humana apenas si empieza a emular con la disciplina de la robótica.

Si maravillosas nos parecen las obras de nuestras manos, qué decir de las manos de Dios. La Biblia utiliza expresivas figuras materiales para ilustrar ideas morales y espirituales. En toda la Escritura, incluso en los dichos de Pablo, las manos son un símbolo del amor, la sabiduría y el poder de Dios (en el caso de esta historia, para reprender a Barjesús –o Elimas–, un falso profeta).

La mano de Dios es poderosa: su mano sembró de estrellas los cielos, que siguen fielmente su órbita determinada.

La mano de Dios es sabia: su diestra hace maravillas; qué decir del átomo o, simplemente, de un copo de nieve. Bien decía Luis Pasteur: "Un poco de ciencia aleja de Dios, pero mucha ciencia nos devuelve a él". Admiramos una computadora y un teléfono inteligente; entonces, ¡imagina el cerebro humano!

La mano de Dios es suave: como la mano experta de un médico que usa el bisturí de manera milimétrica y experta.

La mano de Dios es protectora: nos ha creado, nos cuida, nos moldea y también nos guarda.

La mano de Dios es justa: a su debido tiempo, coloca cada cosa en su lugar.

La mano de Dios puede ser resistida: porque Dios nos hizo libres para decidir. Y, si hacemos una mala elección, viene a nuestro auxilio (si se lo pedimos) para transformar nuestro carácter a su imagen.

He tenido el privilegio de estrechar las manos de autoridades y presidentes, pero nada más honroso que el Rey del Universo te extienda su mano, esa mano poderosa, sabia, suave, protectora, justa y respetuosa.

Esas mismas manos que fueron clavadas en la Cruz se extienden para abrazarnos y guiarnos. La mano del Señor esta siempre extendida, solo se necesita que la tomes.

SUBLIME GRACIA

"Nosotros también os anunciamos el evangelio de aquella promesa hecha a nuestros padres" (Hechos 13:32).

En Antioquia de Pisidia, Pablo fue a la sinagoga en sábado, a adorar a Dios como Creador y a predicar. En este primer sermón, él destaca tres grandes temas.

En primer lugar, la omnipresencia de Dios: él está en todo lugar. El Dios de su mensaje está en todas partes y tiene acceso a todos los sitios.

En segundo lugar, la soberanía de Dios: él está sobre todo y sobre todos. En su sermón, se destacan los verbos "escoger", "enaltecer", "sacar", "soportar", "dar", "levantar", "temer" y "conocer". Estos son verbos que muestran el propósito específico de la soberanía de Dios a través de los tiempos y las personas. Incluso, la misma presencia de Pablo entre ellos era resultado de la voluntad y los planes de Dios. La soberanía de Dios parece ser contraria a la libertad de elección; sin embargo, ni la soberanía de Dios suprime nuestra libertad, ni nuestra elección puede eludir esa soberanía divina.

En tercer lugar, la gracia de Dios: él nos ama. Pablo muestra un Dios bondadoso, cercano, presente, que siempre busca ayudar, acompañar, salvar y restaurar; a pesar de la reiterada inestabilidad y rechazo de su pueblo.

John Newton era un capitán de barco. Era un hombre vulgar, tosco, blasfemo y arrogante. Miembro de la Marina Real Inglesa, se dedicaba al comercio de esclavos en las costas de Sudáfrica. Cierta noche, una tormenta abatió terriblemente su embarcación, tanto, que el miedo lo llevó a pedir a Dios un poco de misericordia. Este fue el origen de su conversión al cristianismo, y tiempo después, abandonó el comercio de esclavos y estudió Teología. En 1764 fue ordenado como ministro en la Iglesia de Inglaterra y empezó a componer himnos, junto con el poeta William Cowper. Como testimonio de su conversión, escribió el conocido himno "Sublime gracia":

Sublime gracia del Señor, a un pecador salvó.
Fui ciego, mas hoy veo yo; perdido, y él me amó.
En los peligros o aflicción, que yo he tenido aquí,
Su gracia siempre me libró, y me guiará feliz.
Su gracia me enseñó a temer; mis dudas, ahuyentó.
Oh, cuán precioso fue a mi ser, al dar mi corazón.
Y, cuando en Sion por siglos mil, brillando esté cual sol,
Yo cantaré por siempre allí, su amor que me salvó.

¡Qué bueno es saber que Pablo presentó en aquel sermón a un Dios siempre presente, soberano, y que te ama como si fuera lo único que tuviera que atender en todo el Universo! Ese mismo Dios es quien hoy está esperando a que respondas a su sublime gracia.

MI PRIMER SERMÓN

"Nosotros también os anunciamos el evangelio de aquella promesa hecha a nuestros padres, la cual Dios nos ha cumplido a nosotros, sus hijos, resucitando a Jesús" (Hechos 13:32, 33).

Tenía trece años cuando la bendición y la misericordia de Dios, y la osadía y el apoyo de mis pastores, me llevaron a predicar mi primer sermón. Fue en un Culto de Oración, en la Iglesia Adventista de Lomas de Zamora, Buenos Aires. Aún conservo el manuscrito a mano del bosquejo sobre Josué 1:9. Recuerdo el contraste, porque, mientras por un lado estaba nervioso y temblando, por el otro intenté comunicar a la iglesia las alentadoras palabras de Josué: "No temas ni desmayes".

¿Saben? Mi sermón terminó antes del tiempo estipulado, por una combinación de nervios y emoción debida al tremendo privilegio de invitar a la iglesia a confiar en las promesas de aquel que está siempre a nuestro lado.

De los treinta sermones que se registran en el libro de Hechos, once corresponden a San Pablo. Así, en Hechos 13:15 al 52 se registra el primer y más extenso sermón del apóstol recientemente convertido. Si lo leemos, notamos que es como una mezcla del sermón de Pedro (Hech. 2:14–39) y el de Esteban (7:2–53); y el único predicado en una sinagoga. Con notable sabiduría, Pablo presenta un bosquejo de la historia de Israel hasta David, desde los tiempos de David hasta Jesús, y concluye su mensaje con una amorosa invitación y una clara advertencia.

En su primer sermón, Pablo presenta a Jesús, cuya venida había sido profetizada por la Escritura. No obstante, los estudiosos, lejos de ver en él el cumplimiento de la profecía, terminaron siendo instrumentos para llevar a Cristo a la misma muerte. Desde luego que su muerte y su resurrección también se efectuaron con el fin de cumplir la profecía y la promesa de salvación. La muerte y la resurrección de Cristo son el asunto central en el primer sermón de Pablo, pues solo así el perdón y la vida son ofrecidos a todo pecador, que por intermedio de la fe recibe y acepta la gracia de Dios.

El sermón termina con una invitación y una advertencia. Siempre Dios nos concede el derecho a la elección, sin dejar de mostrarnos las consecuencias dispares de nuestra elección. Podemos elegir los actos, pero no las consecuencias. Podemos elegir la semilla, pero no los frutos. No podemos sembrar espinos y esperar cosechar flores. Quien siembra un acto cosecha un hábito; y quien siembra hábitos cosecha un carácter.

Según M. Henry, **"cuanto mayores sean los privilegios que disfrutemos, tanto más intolerable será la condenación en que hemos de incurrir si no recibimos con fe y correspondemos con obediencia a la gracia que tales privilegios comportan". Seamos agradecidos por las bendiciones recibidas y actuemos en consecuencia.**

"¿QUÉ ES LO QUE USTED VE?"

"Los gentiles, oyendo esto, se regocijaban y glorificaban la palabra del Señor, y creyeron todos los que estaban ordenados para vida eterna" (Hechos 13:48).

Jorge navegaba su propio velero pequeño con Mirta, su esposa. Su sueño era navegar el Río de la Plata y el Océano Atlántico para llegar al famoso puerto de Punta del Este, Uruguay. Había planificado entrar en el puerto ese mediodía, en un horario de buena visibilidad. Unas seis horas antes del arribo se desató una fuerte tormenta, con vientos de frente y olas que alcanzaban los seis metros. Era su primer viaje en el océano. No tenía GPS, solo contaba con una carta náutica. Ya era casi medianoche, la visibilidad era casi nula, y la incertidumbre y el peligro iban en aumento.

En cada puerto se señaliza el canal de acceso con boyas luminosas verdes que se dejan ver a la derecha (estribor), y boyas con luces rojas que se dejan ver a la izquierda de la embarcación (babor). Las luces de la ciudad lo confundían. Se conectó con la torre de control con un grito desesperado: "Aquí, embarcación... ¡Por favor! ¡Ayuda!" Recibió una clara respuesta: **"¿Qué es lo que usted ve?"** Ante las respuestas del navegante, el operario de la torre respondió: "Tranquilo, lo llevaremos al puerto". Y así, guiado, pudo dejar atrás los peligros de la noche y la tormenta, y arribar con seguridad al muelle.

Pablo tenía limitaciones en su visión física, pero sus ojos espirituales y misioneros ya habían sido abiertos por el Señor. Cuando muchos judíos rechazaron el mensaje de Pablo porque no se consideraban dignos de la vida eterna, los gentiles fueron alcanzados por la predicación. Entonces él aceptó el mandato del Señor de ser luz para los gentiles, a fin de que la salvación pudiera llegar hasta lo último de la Tierra, porque para Dios no hay últimos de la fila. Cuando estos oyeron, se regocijaron y celebraron la Palabra de Dios. Sus vidas oscuras encontraron luz, sus ojos cerrados fueron abiertos. Escucharon, aceptaron, practicaron y compartieron la Palabra.

Como Jorge y como Pablo, nosotros también navegamos en una noche oscura y tormentosa. Las luces de la ciudad pueden parecer encantadoras, pero nos confunden y distraen. Nuestra única salvaguardia es llegar al Puerto seguro. **"¿Qué es lo que usted ve?" Solo hay un canal de acceso al Puerto. La voz de la torre de control es amorosa, clara y poderosa. Las luces de la Escritura marcan el sendero. Necesitamos humildad para escuchar y seguir las orientaciones.**

"Solo los que hayan fortalecido su espíritu con las verdades de la Biblia podrán resistir en el último gran conflicto" (Elena de White, *Consejos para la iglesia*, p. 76).

Abre la Biblia y escucha la voz de Dios. Él te dice: "Tranquilo, te llevaré al Puerto".

LLENOS DE GOZO

"Y los discípulos estaban llenos de gozo y del Espíritu Santo" (Hechos 13:52).

¿Es posible en la época en que vivimos hablar, escribir y –sobre todo– experimentar una vida de pleno gozo? ¿Cómo mantenernos gozosos en medio de tantas angustias e incertidumbres? Pocos han sufrido tanto en la vida como el apóstol Pablo; sin embargo, es él mismo el que dice que estaba lleno de gozo. Este es un concepto que él presenta en sus escritos de manera reiterada.

El diccionario define "gozo" como una emoción intensa y placentera causada por algo que gusta mucho. En la Biblia se nos explica que el pecado, es decir, la separación de Dios, es la causa de la falta de gozo. En realidad, el pecado promete gozo, pero siempre produce tristeza. El gozo que ofrece es superficial, aparente y pasajero.

En la Biblia, el gozo no es placer, ni entusiasmo, ni júbilo ni risa. Gozo es un profundo sentimiento que viene como resultado de sentir la aprobación de nuestro actuar por parte de Dios. Gozo es la seguridad de saberse en los caminos y en la voluntad de Dios, independientemente de toda situación o adversidad que debamos enfrentar.

Contrariamente a la idea generalizada que lleva a pensar que es haciendo lo que me gusta (es decir, lo que yo quiero) como encuentro el pleno gozo, en la Biblia, el verdadero y completo gozo solo es posible en la presencia de Dios. **Él es el Dios del gozo, y nos lo concede como un regalo, como un don, una dádiva, y como un fruto del Espíritu.** Si es un fruto, entonces es un resultado, es decir, una consecuencia. **Es el resultado de confiar y obedecer la Palabra de Dios.** Es el resultado de saber que Dios está actuando para cumplir su propósito, aun en las circunstancias más difíciles.

El gozo es también un don que debe ser compartido. El pastor que encuentra a su oveja y la mujer que halla su moneda comparten su gozo con sus vecinos, en tanto los ángeles del cielo se regocijan por un pecador que se arrepiente.

"Porque separados de mí nada podéis hacer. **Nuestro crecimiento en la gracia, nuestro gozo, nuestra utilidad, todo depende de nuestra unión con Cristo. Solo estando en comunión con él diariamente y permaneciendo en él cada hora es como hemos de crecer en la gracia.** Él no es solamente el autor de nuestra fe sino también su consumador. Ocupa el primer lugar, el último y todo otro lugar. **Estará con nosotros, no solo al principio y al fin de nuestra carrera, sino en cada paso del camino"** (Elena de White, *El camino a Cristo*, p. 69).

¿TRANSPIRACIÓN O MILAGROS?

"Apedrearon a Pablo y lo arrastraron fuera de la ciudad, pensando que estaba muerto" (Hechos 14:19).

La transpiración es un líquido (compuesto por dióxido de carbono y vapor de agua) que segregamos naturalmente por los poros de la piel, y en mayor cantidad cuando la temperatura del ambiente es elevada. Se puede dar también porque el cuerpo genera calor (como cuando hacemos ejercicio) y ante situaciones de estrés.

Entre las funciones de la transpiración, podemos destacar la termorregulación –lo que mantiene nuestro organismo en una temperatura estable e ideal–, la eliminación de toxinas y la refrigeración.

Más allá de lo fisiológico, también usamos la expresión para ilustrar el grado de identificación con un ideal o con una causa. Si decimos que alguien "transpira la camiseta" es porque está identificado, apasionado, centrado y totalmente comprometido con una actividad.

Por su parte, un milagro es una intervención divina. Es un acto sobrenatural que se percibe o recibe a través de la fe. Para otros, es tan solo una hipótesis que pretende explicar ciertos fenómenos sin ninguna comprobación científica posible. Y, para los que no quieren creer, un milagro es un defecto o una debilidad del necesitado corazón humano.

Pablo fue apedreado en Iconio y arrastrado fuera de la ciudad. Auxiliado por hermanos, Pablo se levantó, y se dirigió a Derbe para seguir predicando. Todavía las manchas de sangre no se habían secado en su túnica, y él seguía adelante con su misión.

Después de anunciar el evangelio en aquella ciudad y de hacer muchos discípulos, volvió a Listra, Antioquía e Iconio, para seguir predicando, aun en medio de tribulaciones, a fin de extender el Reino de Dios.

De este modo, Pabló visitó algunas de las principales ciudades de aquel entonces. Es verdad que muchos milagros acompañaron el ministerio de Pablo, pero también es verdad que él se entregaba por completo a la causa.

¿Estamos hoy precisando más transpiración, más identificación y más compromiso? ¿Necesitamos más comunión, más foco en la misión y más milagros? ¿Acaso no necesitamos desintoxicar nuestro organismo del egoísmo y el orgullo, manteniendo la temperatura ideal del primer amor, refrigerada permanentemente por Cristo, nuestra Fuente de la vida?

"Los que logran los mayores resultados son los que confían más implícitamente en el Brazo todopoderoso" (Elena de White, *Patriarcas y profetas*, pp. 508, 509). **El Señor hizo muchos milagros de la nada, pero también hizo muchos milagros sobre la base de la transpiración. Actuemos como si todo dependiera de nosotros, confiemos como si todo dependiera de Dios.**

¿PASAR O POSAR?

"Si habéis juzgado que yo sea fiel al Señor, hospedaos en mi casa" (Hechos 16:15).

En Filipos no había creyentes suficientes para organizar una sinagoga. Se necesitaban diez jefes de familia para que eso ocurriera. Entonces, cuando eso sucedió, un grupo de oración al aire libre, cerca de un río, congregaba a los pocos creyentes.

Lidia, original de Tiatira, era vendedora de púrpura. Los tejidos de púrpura eran raros y costosos; por lo tanto, eran utilizados por personas de la realeza y por los ricos. Era un negocio sumamente lucrativo. La casa de Lidia era muy amplia, con lugar suficiente para albergar creyentes y cobijar una naciente iglesia. Antes de abrir su casa a la difusión del evangelio, abrió su corazón, recibió el mensaje, fue bautizada y se constituyó en una adoradora de Dios. Ella pidió que tanto Dios como el mensaje quedaran en su casa, en su familia... y en su vida. **No le interesa al Señor, y no nos sirve a nosotros, que él tan solo pase por nuestra casa o nuestra vida; necesitamos que él pose, que permanezca para siempre.**

Mientras tanto, una joven esclava, que tenía espíritu de adivinación y que producía un gran negocio para sus dueños, salió al encuentro de Pablo con alaridos estruendosos, que la gente consideraba como oráculos divinos. Los dueños de esta esclava habían descubierto el extraño poder, y lo estaban explotando para su propio beneficio. La muchacha interrumpía el caminar misionero de los apóstoles. Aun poseída por el demonio, gritaba animando al pueblo a seguir la enseñanza apostólica presentada por los siervos del Altísimo, un Dios más alto que Zeus, el dios más supremo que ellos tenían.

Los siervos de Dios, en el nombre del Altísimo, liberaron a aquella mujer de la presencia del demonio, y abrieron para ella una nueva vida. Esto generó bendición para la mujer y una fuerte oposición para los misioneros, porque no solo afectaron el negocio de aquellos dueños sino también los del mismo enemigo de Dios.

Para Dios no hay primeros ni últimos. Tanto para la acaudalada empresaria como para la joven esclava, existen los mismos ofrecimientos y oportunidades de salvación; como así también el mismo escozor en las huestes del mal.

"Por los esfuerzos de Satanás para destruirla, la simiente incorruptible de la Palabra de Dios, la cual vive y permanece para siempre, se esparce en los corazones de los hombres; por el oprobio y la persecución que sufren sus hijos, el nombre de Cristo es engrandecido y se rediman las almas" (Elena de White, *El discurso maestro de Jesucristo*, p. 32).

Renueva ahora tu compromiso de fidelidad con Jesús y con su Palabra. No pases de largo. ¡Quédate con él!

12 de enero

¿QUÉ SIGNIFICA "CREER"?

"Señores, ¿qué debo hacer para ser salvo? Ellos dijeron: Cree en el Señor Jesucristo, y serás salvo tú y tu casa" (Hechos 16:30, 31).

El enemigo quiso acallar la voz de los predicadores, y envió a Pablo y a Silas a la cárcel. Dios podía haberlo impedido, pero lo permitió para cumplir propósitos que iban más allá de lo visible. Los misioneros confiaron porque sabían que a los que aman a Dios todas las cosas les ayudan para bien.

El carcelero tenía la orden de mantener bajo suprema vigilancia a esos dos presos especiales, y tomó todos los recaudos necesarios. Pablo y Silas fueron azotados y encarcelados en las peores celdas, en el fondo, en un lugar oscuro, con escaso aire y con ajustados cepos que atrapaban sus pies. De repente, sucedió lo inesperado: la tierra se movió. El carcelero presupone que ese es su fin, y saca su espada y decide matarse. Después de todo, la única razón y misión de su función era mantener a los presos a salvo, es decir, presos. Cuando Pablo le dice que nadie se escapó y que todos estaban ahí, él percibe que Alguien más está detrás de toda esta historia, y entonces pregunta qué debe hacer para ser salvo.

Él estaba totalmente confundido. Nunca antes había visto ni escuchado a presos cantar y alabar a Dios en paz. No era muy lógico. Más que presos parecían ángeles. Es evidente que el enemigo quiso desanimar a los predicadores, pero aun presos ellos seguían animados, orando, cantando y testificando. **"Aunque el cuerpo está encarcelado, aunque la carne está en prisión, todas las cosas están abiertas al espíritu. La pierna no siente la cadena cuando la mente está en el Cielo"**, declaró Tertuliano.

El enemigo puso cárceles y custodios para evitar la predicación, y la cárcel fue abierta; y los custodios y sus familias, convertidos y bautizados. Un terremoto termina en fiesta, en la que se celebra la nueva vida.

Para ser salvo, solo había que creer. ¿Qué significa eso realmente? **Creer es reconocer nuestra total insuficiencia y aceptar y confiar en la suficiencia de Dios.** Es reconocer nuestra absoluta indignidad, mientras aceptamos la total dignidad del Señor para salvarnos. Es reconocer que es nuestra independencia lo que nos lleva a la muerte, y que es la dependencia permanente de Jesús lo que nos lleva vida.

Que esta pueda ser hoy tu oración: **"Señor, dejo de lado mi insuficiencia, mi indignidad e imposibilidad. Ayúdame a depender permanentemente de ti y que, sin importar las circunstancias que tenga que enfrentar, viva una vida de oración y estudio de tu Palabra todos los días".**

DILIGENTES Y PERSEVERANTES

"Estos eran más nobles que los que estaban en Tesalónica, pues recibieron la palabra con toda solicitud, escudriñando cada día las Escrituras para ver si estas cosas eran así" (Hechos 17:11).

Aquel ataque terrorista destruyó casi por completo el edificio y terminó con la vida de casi un centenar de personas. Recuerdo que nos acercamos con un grupo de voluntarios para ofrecer ayuda a quienes estaban removiendo escombros, con la esperanza de encontrar con vida y rescatar a las personas. Recuerdo el ir y venir de un joven. Me acerqué a él y me dijo que su esposa estaba debajo de los escombros. Estaba angustiado porque ya habían pasado trece horas del atentado, y la esperanza de rescate se desvanecía.

Por otro lado, los especialistas y el equipo de rescatistas trabajaban con toda diligencia, sin pausa y con prisa, con responsabilidad, con esfuerzo y con compromiso. Así, fueron rescatadas varias vidas.

Pablo visitó a los creyentes de Berea y, al compararlos con los de Tesalónica, dijo que eran más nobles que ellos. Es decir, eran distintivos, leales y generosos porque recibieron el mensaje sin prejuicios, y escudriñaban, profundizaban, investigaban y comparaban por sus propios medios la palabra escuchada de Pablo con la Palabra escrita. Los bereanos fueron instruidos por la Palabra y fortalecidos por la Palabra. Estudiaban las Escrituras con toda solicitud, con diligencia y con el intenso anhelo de obtener más conocimiento. El diccionario define "diligencia" como cuidado, prontitud, agilidad, prisa, solicitud, disposición, eficiencia y búsqueda incesante hasta alcanzar el objetivo. **"Si deseas que tu esperanza de salvación crezca en fortaleza y solidez, estudia con diligencia la Palabra de Dios. El cristiano es concebido por la Palabra y debe alimentarse de ella"**, expresó William Gurnal.

En un tiempo de superficialidad y de falta de profundidad, cada vez se piensa, se reflexiona y se medita menos. Por eso, como los bereanos, debemos ser perseverantes en el estudio de la Biblia, y debemos hacerlo cada día.

"El estudio de la Biblia requiere nuestro más diligente esfuerzo y nuestra más perseverante meditación. Con el mismo afán y la misma persistencia con que el minero excava la tierra en busca del tesoro, debemos buscar nosotros el tesoro de la Palabra de Dios" (Elena de White, *La educación*, p. 170).

Como aquellos voluntarios que buscaban vida en la profundidad de los escombros, necesitamos un compromiso mayor con el estudio de la Palabra. Seamos diligentes y perseverantes en su estudio y en su aplicación.

UN DIOS DESCONOCIDO

"El Dios que hizo el mundo y todas las cosas que en él hay, siendo Señor del cielo y de la tierra" (Hechos 17:24).

Atenas era la capital de la antigua Ática y de la moderna Grecia. Existían en aquellas colinas cerca de tres mil estatuas, mayormente dedicadas a sus ídolos y divinidades. Fue en esta ciudad donde Pablo, frente a filósofos e incrédulos, presentó una defensa de la fe y del evangelio. Hechos 17:16 al 34 relata cómo empezó hablando de la doctrina de Dios y de la Creación, y presentó al Dios viviente como Creador, Soberano y Padre. Luego siguió con la doctrina del hombre, animando a vivir una vida no centrada en el ser humano sino en Dios. Finalmente, concluyó con la doctrina del Juicio y de la Resurrección.

Pablo fue a la gente donde la gente estaba, enfrentó la filosofía epicúrea (que sostenía que el objetivo principal de la vida es evitar el dolor) y les habló en su propio lenguaje. Los griegos no negaban la existencia de Dios, pero pensaban que estaba demasiado ocupado y demasiado lejos como para interesarse en el quehacer diario de cada criatura. A su vez, los estoicos enseñaban el autodominio. Así, el objetivo principal era entrenar a las personas para alcanzar un lugar de indiferencia tanto al placer como al dolor. Además, los atenienses creían en alguien superior, desconocido, que actuaba sobre las leyes naturales.

Era tanto el fervor de los atenienses por complacer a todas sus divinidades que existían algunos altares dedicados "al dios no conocido", con el objeto de no caer en el pecado del descuido o del olvido. Entonces, Pablo les hace un juego de palabras: ustedes tienen un dios no conocido; ese dios que adoran sin conocer es el Dios que yo conozco, adoro y anuncio. Por eso, a Pablo lo llamaron el anunciador o proclamador de nuevos dioses: **"Con un tacto nacido del amor divino, apartó cuidadosamente sus mentes de las deidades paganas, y les reveló el Dios verdadero, que era desconocido para ellos"** (Elena de White, *Los hechos de los apóstoles*, p. 195).

¿Qué y cuánto conoces de Dios? En tu vida, ¿Dios es Dios "por si acaso"? En los días de la Reforma protestante, Lutero caminaba por una calle cuando fue sorprendido por una persona que debajo de su abrigo tenía un arma. "¿Por qué caminas solo?", le increpó el atacante. Y Lutero respondió: "Estoy en manos de Dios, él es mi amparo y mi fuerza".

Para Pablo y para Lutero, Dios no era un Dios desconocido; era un Dios presente, actuante, cercano. Era un Padre y un Amigo. Que Dios sea en tu vida un Dios conocido y reconocido. Eso marcará toda la diferencia. Reconozcámoslo en todos nuestros caminos, y vivamos hoy y siempre en las manos de Dios.

HAGAN TODO LO QUE ÉL DICE

"Pablo salió de Atenas y fue a Corinto. Y halló a un judío llamado Aquila, natural del Ponto, recién venido de Italia con Priscila, su mujer" (Hechos 18:1, 2).

Julián y Marta estuvieron casados 68 años, siempre sirviendo juntos al Señor y a la iglesia. Marta, como directora de Dorcas-ADRA, y Julián como jefe de diáconos y predicador evangelista. Cuando tenían 56 años de casados, Julián se cayó de una escalera mientras pintaba la iglesia y sufrió una ruptura del bazo, con sangrado abdominal. La situación era grave. Su vida corría peligro. Lo llevaron de urgencia al hospital. El cirujano necesitaba hacer una tomografía, pero el equipo no funcionaba hacía dos semanas. No obstante, tal estudio era indispensable para confirmar el diagnóstico y resolverlo.

En ese momento, Marta, la familia y la iglesia oraban por Julián. Dios siempre se manifiesta cuando sus hijos oran. Ante el asombro del personal hospitalario, el tomógrafo funcionó para ese único paciente. Julián fue operado, le salvaron la vida y siguió junto con Marta sirviendo al Señor hasta descansar en sus promesas. Ejemplificadora es la entrega completa y el compromiso total de este fiel matrimonio dedicado al Señor.

En Hechos 18 encontramos otro matrimonio entregado absolutamente a la causa del evangelio. Aquila y Priscila conocieron a Pablo en su segundo viaje misionero. Ellos habían sido expulsados de Roma por un decreto del emperador Claudio contra los judíos. En Corinto, comenzaron a fabricar tiendas para ganarse la vida. Ellos ayudaron a Pablo en el trabajo de armar carpas, para que él tuviera su sustento; y él los ayudó en su vida espiritual y misionera. Ellos ofrecieron su casa en Corinto y, años más tarde, en Roma, como base para el crecimiento de la iglesia. Fueron ellos los que llevaron a Apolo a la conversión y a un compromiso misionero.

Aquila y Priscila nunca son mencionados en la Biblia de manera separada, siempre están juntos como matrimonio, ya sea en el trabajo como en la iglesia. Entre ellos se complementan. En ellos observamos ciertas cualidades prácticas: fuerte comunión con Dios y con la misión, flexibilidad, capacidad para establecer relaciones duraderas, motivación propia, habilidad para trabajar en equipo, hospitalidad, sabiduría y responsabilidad.

¿Hay algo que debe ser fortalecido, restaurado o hecho nuevo en tu matrimonio? Recuerda que nunca es tarde. El mismo Dios que creó el matrimonio, el mismo que realizó su primer milagro en la boda de Caná, puede y quiere marcar una diferencia en tu matrimonio presente o futuro. Recuerda las palabras que María indicó a los criados en aquella boda, con relación a Jesús: **"Haced todo lo que él os diga".**

UNO PLANTA, OTRO RIEGA

"Llegó entonces a Éfeso un judío llamado Apolos, natural de Alejandría, varón elocuente, poderoso en las Escrituras. Este había sido instruido en el camino del Señor; y siendo de espíritu fervoroso, hablaba y enseñaba diligentemente lo concerniente al Señor" (Hechos 18:24, 25).

Apolos era natural de Alejandría. Esta ciudad era un gran centro cultural y poseía una de las bibliotecas más grandes del mundo antiguo. Apolos era erudito, capaz, fuerte, elocuente y un brillante orador. Había sido "instruido", palabra de la que se deriva "catequizar" y significa que, además de haber estudiado por sí mismo, había sido enseñado por alguien. Había aceptado la enseñanza de Juan el Bautista acerca de Jesús y, con la ayuda de Aquila y Priscila, su conocimiento de la revelación de Dios, el ministerio de Cristo, la obra del Espíritu Santo y el papel de la iglesia fue ampliado. Eso lo llevó a ser aún más eficiente al enseñar diligentemente con precisión y con esmero.

Él era muy preparado e instruido, pero eso no cerraba las puertas a crecer en el conocimiento. **Es necesario aprender, desaprender y reaprender. Nadie sabe tanto que no pueda aprender alguna cosa más, y nadie es tan ignorante que no pueda enseñar.**

Después de ampliar sus conocimientos y la comprensión de la verdad, Apolo se transformó en el predicador favorito en Corinto, incluso en comparación superlativa por encima de Pablo, pero él nunca perdió de vista el objetivo, el foco y la misión.

Apolos tenía en claro su responsabilidad individual, pero al mismo tiempo sabía que el equipo, el mensaje y el Originador del mensaje estaban por encima de todo. No es el poder humano lo que asegura el éxito, es la unión de lo divino y lo humano, la bendición de Dios sobre nuestros esfuerzos.

"Un Pablo puede plantar y un Apolo regar, pero es Dios el que da el crecimiento. El hombre no puede hacer la parte de Dios [...]. Como agente humano, puede cooperar con los seres celestiales, y con sencillez y humildad hacer lo mejor que pueda, comprendiendo que Dios es el gran Artífice maestro" (Elena de White, *Servicio cristiano*, p. 322).

Apolos no se prestó a crear rivalidad ni enfrentamientos. Al contrario, buscó sumar, porque "ningún jugador es tan bueno como todos juntos"(Alfredo Di Stéfano). Pablo afirma que se necesita del que planta y del que riega, pero el crecimiento viene solo de Dios.

Por eso, te invito hoy a dejar de lado el individualismo y a que unas tus fuerzas luchando por el crecimiento. Ya lo decía muy bien Martin Luther King, Jr.: "O aprendemos a vivir juntos como hermanos o vamos a perecer juntos como necios".

AFORTUNADOS

"Entonces descendió Pablo y se echó sobre él, y abrazándolo, dijo: No os alarméis, pues está vivo [...]. Llevaron vivo al joven, y fueron grandemente consolados" (Hechos 20:10-12).

Su nombre significa "Afortunado" y pasó a la historia por ser el joven que se quedó dormido mientras Pablo predicaba en Troas. Él se cayó de un tercer piso y falleció. Estamos hablando de Eutico; quien, "afortunadamente", fue resucitado.

Pablo había estado una semana en esa ciudad predicando el evangelio. En la última noche, junto con la cena de despedida, predicó su último sermón antes de continuar su viaje. En el piso superior de la vivienda, repleto de gente, el humo de las velas que iluminaban el salón, la poca ventilación y la extensión de la reunión hicieron que este chico (que tendría entre diez y catorce años) buscara la brisa fresca sentado en el borde de la ventana.

A simple vista, podríamos decir que se trataba de un oyente distraído, en un ambiente tóxico, y con un programa intenso y extenso. Y que esta serie de factores llevaron a que Eutico cayera de la ventana hacia el patio exterior. Podemos imaginar la confusión en el auditorio: unos tratando de reanimarlo y otros procurando echar culpas.

Entonces Pablo, interrumpiendo su sermón, desciende y se echa sobre él, así como Elías lo había hecho con el hijo de la viuda y Eliseo con el de la sunamita. Pablo lo abrazó y dijo que estaba vivo, pues había resucitado. Así, se lo llevaron y todos fueron grandemente consolados.

Podríamos decir que hay tantos Euticos distraídos, con un pie "adentro y otro afuera" de la iglesia, tal como hay tantos adultos indiferentes, distantes y distraídos del proceder de las nuevas generaciones. Tal vez nuestros ambientes estén sobrecargados de las velas y el humo de los protocolos y las ceremonias, sin la buena ventilación de la participación y la integración. Acaso nuestros discursos y programas son tan intensos y extensos, centrados en procesos y no en las personas.

No es tiempo de buscar culpables. Es tiempo de renovar nuestro compromiso como adultos, como padres y como educadores para las nuevas generaciones. No podemos jugar al distraído y dejar que se balanceen entre la vida y la muerte en el borde de la ventana. No podemos ofrecer un ambiente que se hace tóxico por la falta de coherencia, ya que nuestros discursos quedan muy distantes de nuestros hechos.

"La gente joven necesita modelos, no críticos", dijo John Wooden. Pablo ya no está para resucitar a nuestros "Euticos", pero somos "afortunados" porque el Obrador de aquel milagro quiere repetirlo. Solo necesita contar contigo como su instrumento.

¿QUÉ ES UNA LÁGRIMA?

"Sirviendo al Señor con toda humildad, con muchas lágrimas" (Hechos 20:19).

Si preguntamos a un químico qué es una lágrima, nos dirá que es una solución acuosa compuesta por clorato de sodio y otras sustancias químicas.

Si preguntamos a un estoico, nos dirá que es una señal de flaqueza.

Por su parte, un fisiólogo nos responderá que es un líquido lubricante para mantener los ojos húmedos.

Si habláramos con un epicúreo, nos dirá que no significa nada, y nos recomendará comer, beber y gozar de la vida porque mañana moriremos.

Ya sea que consultemos a unos o a otros, la realidad es que las lágrimas existen y, aunque no todas expresan angustia o dolor, muchas de ellas nos hablan de un corazón herido, de un hogar desecho, de una salud quebrantada, de un recurso faltante o de la pérdida irreparable de un ser querido.

Jesús lloró al vernos dispersos como ovejas sin pastor. Pablo también derramó lágrimas; en realidad, sirvió al Señor con lágrimas. Aunque enfrentó muchas dificultades personales, no se ve al apóstol derramar lágrimas por su propio sufrimiento. No obstante, sí lo hace por ser perseguido y enfrentar una fuerte oposición a la predicación del evangelio (Hech. 20:19) y cuando se angustiaba por las personas que necesitan aceptar el mensaje de Dios y ser convertidas (Hech. 20:31).

En toda su vida, Pablo se entregó completamente para servir al Señor y a la iglesia. Y lloró, pero no por las heridas y los desprecios que él hubiese recibido como siervo y esclavo de Cristo. Lloró por sus hermanos judíos que rechazaban la salvación. Se apenó por las piedras que colocaban en el camino de la verdad. Sintió dolor por todos aquellos que se perdían. Experimentaba tristeza por la dureza de los corazones humanos. Él mismo aconsejaría años más tarde que no sufrieran como resultado de malas decisiones y acciones, pero sí animó a no avergonzarse del sufrimiento por la causa de Cristo sino, más bien, agradecer, dar gloria a Dios y seguir adelante.

¿Estás derramando lágrimas por la salvación de los que sufren y para que el evangelio pueda llegar a todos? Sigamos el ejemplo de Pablo, tal como lo describe Elena de White: **"Predicando el arrepentimiento, el retorno a Dios y la fe en nuestro Señor Jesucristo. Se encontraba con los hombres en sus hogares y les suplicaba con lágrimas, declarándoles todo el designio de Dios"** (*El ministerio de la bondad*, p. 65). Y recordemos Salmo 126:6: "Porque irá andando y llorando el que lleva la preciosa semilla, pero al volver vendrá con regocijo trayendo sus gavillas".

UN ESPLENDOR REFULGENTE

"Pero de ninguna cosa hago caso ni estimo preciosa mi vida para mí mismo, con tal que acabe mi carrera con gozo, y el ministerio que recibí del Señor Jesús, para dar testimonio del evangelio de la gracia de Dios" (Hechos 20:24).

Pablo invita a los ancianos de Éfeso a recorrer los 55 km de distancia hasta Mileto, a fin de compartir con ellos un discurso de despedida. Es consciente de los peligros que lo esperan, incluso de muerte, pero no se escapa. Otra persona lo habría hecho; no él. Pablo va a luchar hasta el final, porque "los ganadores nunca se rinden y los que se rinden nunca ganan" (Vince Lombardi).

Pablo reconoce que su capital más valioso es el Señor. Como en la parábola de la perla preciosa (Mat. 13:45, 46), bien valía la pena vender todo para quedarse con el tesoro. Su vivir era Cristo, y Cristo era su vida. Pablo no solo quiere terminar su carrera, quiere hacerlo de manera victoriosa y gozosa. **Su ministerio es propiedad del Señor, no le pertenece. Dios es el Dueño y el sueño de Pablo es responderle como fiel administrador. Él está listo para rendir cuentas.**

Pablo se consideraba responsable por dar testimonio del evangelio y de la gracia de Dios, como fiel testigo tanto por medio de la vida que vivía como por el mensaje que predicaba. Es el heraldo que declara y predica un mensaje como representante del Rey. El testigo declara lo que vio suceder, pero el heraldo proclama lo que el rey le dice. Es comisionado y enviado con un mensaje; no es originador del mensaje, sino un transmisor.

Pablo se veía como un atalaya. Esta es una referencia al centinela en las murallas de Ezequiel 33:1 al 9. Su misión era estar despierto y alerta, listo para hacer sonar la alarma. Tenía que ser fiel porque la seguridad de muchos dependía de él.

"En la historia de aquellos que han obrado y sufrido por el nombre de Jesús, no hay ninguno que brille con un esplendor más puro y refulgente que el nombre de Pablo, el apóstol a los gentiles. El amor de Jesús, brillando en su corazón, lo hizo olvidarse de sí mismo y ser abnegado. Había visto al Cristo resucitado, y la imagen del Salvador se había impreso en su alma y brillaba en su vida. Con fe, valor y fortaleza, para no ser amedrentado por el peligro o retrasado por los obstáculos, anduvo de un país a otro difundiendo el conocimiento de la Cruz" (Elena de White, *Dios nos cuida*, p. 119).

Hoy la misión de la iglesia necesita obreros que brillen. Que tengan esplendor puro y refulgente. Que tengan el fuego y la pasión de Pablo.

EL MÁRTIR

"Y ahora, yo sé que ninguno de todos vosotros, entre quienes he pasado predicando el reino de Dios, verá más mi rostro" (Hechos 20:25).

El capítulo 50 del libro *Los hechos de los apóstoles,* de Elena de White, cuenta el final de la vida Pablo. No hay registro de las últimas escenas, pero sí de su postrer testimonio: **"Como resonante trompeta, su voz ha vibrado a través de los siglos, enardeciendo con su propio valor a millares de testigos de Cristo y despertando en millares de corazones afligidos el eco de su triunfante gozo:** Porque yo ya estoy para ser ofrecido, y el tiempo de mi partida está cercano. He peleado la buena batalla, he acabado la carrera, he guardado la fe. Por lo demás, me está guardada la corona de justicia, la cual me dará el Señor, juez justo, en aquel día; y no sólo a mí, sino también a todos los que aman su venida " (*Los hechos de los apóstoles*, p. 409).

Nerón pronunció la sentencia: Pablo sería decapitado. Fue conducido al lugar de ejecución con la presencia de pocos testigos, pues querían evitar que el testimonio de su muerte ganará más creyentes que su predicación. La sangre de los cristianos era como una semilla que producía más cristianos. Aun los rudos soldados se asombraron y se convirtieron por su paz, su espíritu de perdón y su inquebrantable confianza en Cristo.

Pablo llevaba consigo el ambiente del cielo. Puede ser que los argumentos, por irrebatibles que sean, no provoquen más que oposición; pero **un ejemplo piadoso entraña fuerza irresistible.** Se olvidó el apóstol de sus sufrimientos, al llegar al paraje del martirio; no vio la espada del verdugo ni la tierra que iba a absorber su sangre, sino que a través del sereno cielo miraba esperanzado el Trono del Eterno.

Este hombre de fe vio a Cristo, a los patriarcas y los santos que de siglo en siglo testificaron por su fe seguros de que Dios es fiel. Desde la rueda de tormento, la estaca, el calabozo y cavernas de la Tierra, escuchaba el grito de triunfo de los mártires.

Redimido por el sacrificio de Cristo, lavado del pecado y revestido de su justicia, su alma era preciosa a la vista de su Redentor. Se aferraba a la promesa de resurrección en el día final. Sus pensamientos y sus esperanzas estaban concentrados en la segura venida de su Señor.

Nerón terminó su existencia con estas palabras: "Qué artista que va a perder el mundo", mientras que las últimas palabras de Pablo fueron: "He peleado la buena batalla, he acabado la carrera, he guardado la fe. Por lo demás, me está guardada la corona de justicia, la cual me dará el Señor, juez justo, en aquel día; y no sólo a mí, sino también a todos los que aman su venida" (2 Tim. 4:6-8).

La corona de oro no solo será para él. También hay una para ti.

¡CUIDADO CON LOS LOBOS!

"Porque yo sé que después de mi partida entrarán en medio de vosotros lobos rapaces, que no perdonarán al rebaño" (Hechos 20:29).

Los lobos son los animales más grandes de la familia canina. Poseen un grueso pelaje (ya sea blanco, negro o con combinaciones de marrón y rojizo) que los ayuda a sobrevivir en climas diversos. Los lobos buscan transmitir fuerza, generar sumisión, agresión y miedo. Generalmente viven en manadas, dentro de un territorio establecido (al que marcan). Ellos se comunican a través de aullidos, gruñidos, ladridos, olor y lenguaje corporal. Atacan y consumen por la fuerza, y son rapaces, es decir, dados al robo, al hurto o la rapiña.

Por otro lado, es preciso recordar que el lobo es un animal nocturno con un gran sentido de la vista, y trata de obtener ventaja de sus víctimas potenciales que no ven bien por la noche.

Con semejantes características, no es de extrañar que Pablo usara como metáfora a estos animales para advertir a la iglesia. ¿Quiénes serían los "lobos" deseosos de arruinar al rebaño de creyentes? Pues bien, son los falsos maestros que pretenden reemplazar la antigua Palabra de Dios por novedosas y propias ideas; son los que dicen "Así dijo el Señor", cuando el Señor no ha hablado; son las herejías disfrazadas de doctrinas; son los que se consideran autosuficientes, reclaman su autoridad y actúan como dueños de la iglesia para llevar adelante sus engaños.

Cuidado con los que gruñen, gritan y buscan imponerse por el miedo con amenazas, agresiones y críticas.

Cuidado con los que piensan que son los jueces de la doctrina, de los procedimientos y de la iglesia.

Cuidado con los que trabajan en la oscuridad, aprovechándose de las circunstancias y aun de las debilidades.

Cuidado con los que se creen salvadores de la iglesia, porque Salvador y Dueño de ella hay uno solo: Jesucristo, nuestro Señor, quien, según el mismo Pablo, la compró con su propia sangre.

Cuidado con aquel que, en lugar de permitir ser usado por el Consolador, trabaja para el Acusador.

Cuidado con aquel "que admite la verdad mientras sigue en la injusticia, que declara creerla, y sin embargo la hiere cada día por su vida inconsecuente, se entrega al servicio de Satanás y lleva almas a la ruina. Esta clase de personas tiene comunicación con los ángeles caídos, y recibe ayuda de ellos para obtener el dominio de las mentes" (Elena de White, *Testimonios para la iglesia*, t. 5, p. 133).

No seas lobo ni te dejes llevar por uno de ellos. Déjate guiar hoy y siempre por Jesús, el verdadero Pastor del rebaño.

SANGUIJUELA CHUPASANGRE

"Ni plata ni oro ni vestido de nadie he codiciado" (Hechos 20:33).

Son conocidos popularmente como sanguijuelas o parásitos chupasangre. Hay marinos y terrestres. Son elásticos y flexibles, y pueden vivir unos 27 años. Son depredadores y se alimentan de gusanos y larvas, entre otros. Ciertas especies se alimentan de la sangre. ¿Cómo lo hacen? Se adhieren al organismo y con las mandíbulas cortan la piel de sus presas hasta que sangran. Luego, con la ventosa posterior succionan la sangre al mismo tiempo que liberan un anestésico que evita el dolor (para que la víctima no sienta nada), un vasodilatador para que las venas cercanas al corte liberen mayor cantidad de sangre y un anticoagulante. La cantidad de sangre que succionan no es peligrosa ni para un niño, y no transmiten enfermedades.

La codicia actúa como una sanguijuela chupasangre. Salomón dice que la sanguijuela tiene dos hijas que dicen: "¡Dame! ¡Dame!" (Prov. 30:15). **En otras palabras, la codicia solo puede producir más codicia. Los que pretenden las posesiones de otros nunca se satisfacen.** Como la sanguijuela que succiona sangre de todo aquel a quien se le adhiere, así hace la codicia: siempre va a querer más y más de los demás. En la lengua original del Nuevo Testamento, significa "deseo de tener más"; es decir, un deseo ingobernable de consumir y controlar lo que otros tienen, para poseer más de lo que ya tenemos.

Pablo fue acusado de avaricia, implicando que su pasión por la evangelización escondía el interés por los bienes materiales de los conversos. Él tenía derecho de pedir donativos por sus labores, pero no lo hizo. Con su notable influencia sobre la gente, podría haber conseguido beneficios materiales y enriquecerse. Pero él sabía vivir modestamente y tener abundancia; sabía contentarse, cualquiera que fuera su situación. Nunca obtuvo ganancia de los corintios ni dádivas de los filipenses; él mismo se sostenía trabajado con sus manos, sin permitir que lo sostuvieran.

El mismo Pablo pone en claro que el amor al dinero es la raíz de todos los males; por eso, la codicia está condenada por el mismo Decálogo. **"La avaricia es un pozo sin fondo que agota a la persona en un esfuerzo interminable por satisfacer sus necesidades sin llegar nunca a conseguirlo"**, declaró Erich Fromm.

Es necesario prevenir el gran mal de la codicia. Y, si ya estamos afectados, procuremos la cura, porque "por medio de su experiencia y ejemplo manifestarán que **la gracia de Cristo tiene poder para vencer la codicia y la avaricia; y la persona que somete a Dios los bienes que le han sido confiados será reconocida como un mayordomo fiel**, y podrá demostrar ante otros que cada peso que posee lleva la marca y el sello de Dios" (Elena de White, *Consejos sobre mayordomía cristiana*, p. 21).

¿DAR O RECIBIR?

"En todo os he enseñado que, trabajando así, se debe ayudar a los necesitados, y recordar las palabras del Señor Jesús, que dijo: 'Más bienaventurado es dar que recibir' " (Hechos 20:35).

En el versículo de hoy, Pablo cita una declaración de Jesús que no está en ninguno de los cuatro evangelios. Sin embargo, confiamos en la fuente paulina y creemos que Jesús dijo eso. Aparte, dar está en la misma esencia de Dios. Dice Juan 3:16 (que es, tal vez, el texto bíblico más conocido de la Escritura) que Dios nos ama de tal manera que nos dio a su Hijo. **Dar es un acto que se origina en Dios.**

Por eso, debemos imitarlo. Quien recibe es bienaventurado, quien da lo es aún más. Quien da se desprende de su propio egoísmo y recibe la bendición de Dios. Dar y darse es cada vez más indispensable en el mundo en que vivimos.

"Cuando observo el campo sin arar, me pregunto: ¿Dónde estarán las manos de Dios?

"Cuando observo la injusticia, la corrupción, el que explota al débil; cuando veo al prepotente pedante enriquecerse del ignorante y del pobre, me pregunto: ¿Dónde estarán las manos de Dios?

"Cuando contemplo a esta anciana olvidada, me pregunto: ¿Dónde estarán las manos de Dios?

"Cuando veo al moribundo en su agonía llena de dolor, me pregunto: ¿Dónde estarán las manos de Dios?

"Cuando miro a ese joven antes fuerte y decidido, ahora embrutecido por la droga y el alcohol; cuando veo titubeante lo que antes era una inteligencia brillante y ahora harapos sin rumbo ni destino, me pregunto: ¿Dónde estarán las manos de Dios?

"Cuando aquel pequeño a las tres de la madrugada me ofrece su cajita de dulces sin vender; cuando lo veo dormir en la calle tiritando de frío, con unos cuantos periódicos que cubren su frágil cuerpecito; cuando su mirada me reclama una caricia; cuando lo veo sin esperanzas vagar con la única compañía de un perro callejero, me pregunto: ¿Dónde estarán las manos de Dios?

"Y me enfrento a él y le pregunto: ¿Dónde están tus manos, Señor? Para luchar por la justicia, para dar una caricia, un consuelo al abandonado, rescatar a la juventud de las drogas, dar amor y ternura a los olvidados.

"Después de un largo silencio, escuché su voz: '¿No te das cuenta de que tú eres mis manos? Atrévete a usarlas para lo que fueron hechas' " (Autor desconocido).

Nosotros somos en este mundo las manos de Dios. Sirve con amor, porque más bienaventurado es dar que recibir.

PARA ESO ESTAMOS

"Yo estoy dispuesto no sólo a ser atado, sino también a morir en Jerusalén por el nombre del Señor Jesús" (Hechos 21:13).

Hace un tiempo, visitaba en un hospital a un bombero que había sido afectado por el fuego debido a sus heroicos movimientos en medio de un incendio. Se encontraba en terapia intensiva; su situación no era grave, pero sí delicada. Después del saludo y como intentando animarlo, decidí felicitarlo por su valiente acción y espíritu de servicio. Abriendo apenas sus ojos, con la mano levantada y con voz débil pero convincente, me agradeció. Sin embargo, casi al instante aseguró que no había nada para felicitar. Él dijo simplemente: "Para eso estamos".

Desde entonces, pensé muchas veces en su sermón de tres palabras: "Para eso estamos". En realidad, un bombero no está para quemarse ni dañarse. No obstante, en su servicio para proteger bienes y vidas, si es necesario arriesgar la propia para salvar la ajena, está dispuesto para eso.

Pablo también tenía muy en claro cuál era el propósito de su vida y de su ministerio. En Hechos 20 se narra la profecía de Agabo, quien escenifica lo que le sucederá a Pablo atándose los pies y las manos con el cinto del apóstol, prediciendo así que sería tomado preso en Jerusalén. De manera insistente, los hermanos procuraron que Pablo no fuera a esa ciudad, pero no pudo ser persuadido: no solo estaba dispuesto a ser atado, sino además estaba dispuesto a morir por Cristo, si era necesario. Estaba resuelto a lo que fuese y, por la gracia de Dios, no solo a soportarlo sino también a sufrirlo con gozo.

Al respecto, esto narra Elena de White: "Las pruebas y las penalidades sufridas por Pablo habían agotado sus fuerzas físicas. Padecía los achaques de la vejez. Comprendía que estaba realizando su postrera labor; y a medida que se le iba acortando el tiempo, eran más intensos sus esfuerzos. **Su celo no tenía límites. Resuelto en el propósito, rápido en la acción, firme en la fe, pasaba de iglesia en iglesia por diversos países, y procuraba por todos los medios a su alcance fortalecer las manos de los creyentes para que actuasen fielmente en la obra de ganar almas para Jesús**, y que en los tiempos de prueba que ya se iniciaban permaneciesen firmes en el evangelio y testificasen fielmente por Cristo" (*Los hechos de los apóstoles*, p. 389).

Los esfuerzos de Pablo eran cada vez más intensos. Su propósito misionero era innegociable. Su accionar era urgente y prioritario. Su pasión y su coraje para cumplir la misión no tuvieron límites. **"El coraje no es tener la fuerza para seguir, es seguir aun cuando se acaban las fuerzas"**, dijo Napoleón Bonaparte.

¿Puede decirse lo mismo de nosotros?

UN PECADOR ESPANTADO

"Pero al disertar Pablo acerca de la justicia, del dominio propio y del juicio venidero, Félix se espantó y dijo: Ahora vete, y cuando tenga oportunidad, te llamaré" (Hechos 24:25).

Félix, ex esclavo liberto, era un gobernador corrupto y sin escrúpulos. Se había enamorado de Drusila, hija de Agripa II, una judía de Jerusalén, que estaba casada con Azizus, rey de Emesa. Esto produjo una guerra en la que Azizus fue derrotado por las legiones romanas. Cuando Félix volvió de la batalla, se encontró con este gran misionero y apóstol llamado Pablo.

El gran apóstol no actúa en carácter de acusado. Más que defenderse, defiende el mensaje del cual es portador. No ve en Félix a un gobernante, sino un pecador inquieto asombrado, asustado, aterrorizado y espantado. Considerando que en su vida antigua Félix había sido un esclavo tratado de manera injusta y había llegado a ser gobernador por maniobras y mentiras, Pablo le habla de la justicia de una conducta correcta hacia Dios y el prójimo.

Desde luego que, al no verse reflejada su vida en las palabras que escuchaba, Félix temblaba pensando en el juicio divino. Entonces, Pablo le habla del dominio propio, algo totalmente opuesto a la vida del gran culpable, quien pensaba que podía vivir sin rendir cuentas a nadie. Ahora, Pablo (el acusado) le habla a quien en ese momento era su juez, brindando tanto para él como para su esposa una oportunidad de salvación frente al gran Juicio ante el Juez del Universo.

Sin duda, el Espíritu Santo estaba obrando en aquel hombre, pero él se resistió. Quedó perturbado por su conciencia culpable; incluso buscó sobornar a Pablo para dejarlo libre. Mientras tanto, él se hacía más y más prisionero de sus pecados. Félix no lo rechazó abiertamente, sino que disfrazó su rechazo, posponiendo. Así, prefirió atrasar el momento de su decisión y esperar otra oportunidad. Desde ya, esta no llegó porque el "después" es pariente del "nunca".

El gran culpable seguía temblando. Es que una conciencia culpable siempre incomoda. Cuando Félix extendió su mano para pronunciar una sentencia contra Pablo, también la pronunció contra sí mismo. "Vete, y más adelante te llamaré", expresó.

Ante el Trono de Dios no habrá excusas, mentiras, demoras o indiferencias que justifiquen nuestra indecisión. El único tiempo aceptable es hoy, ahora. ¿Durante cuánto tiempo has estado demorando tu decisión de entrega y de compromiso? Nada resuelve y nada justifica una tardanza. **"Esta vida es el tiempo concedido al hombre a fin de prepararse para la vida futura. Si descuidara los actuales privilegios y oportunidades, sufriría una pérdida eterna; no se le daría un nuevo tiempo de gracia"** (Elena de White, *Los hechos de los apóstoles*, p. 338).

PARA QUE ABRAS SUS OJOS

"[...] Para que abras sus ojos, para que se conviertan de las tinieblas a la luz, y de la potestad de Satanás a Dios; para que reciban, por la fe que es en mí, perdón de pecados y herencia entre los santificados" (Hechos 26:18).

Helen Keller fue una escritora y oradora estadounidense. A los 19 meses sufrió una grave enfermedad que le provocó la pérdida total de la visión y la audición. Su incapacidad para comunicarse fue una realidad muy difícil para Helen y su familia. Cuando cumplió 7 años, sus padres decidieron buscar una instructora, una joven especialista, Anne Sullivan, que se encargó de su formación y logró un avance en la educación especial. Así, Helen logró graduarse y convertirse en una oradora y escritora muy reconocida. Escribió 14 libros y publicó más de 475 artículos y ensayos.

Las dificultades nunca fueron un obstáculo para que transmitiera sus mensajes positivos animando y motivando a tantas personas. **Nunca es fácil llegar donde vale la pena llegar.** Aun cuando sus ojos y sus oídos físicos estaban cerrados, sus ojos intelectuales, emocionales, espirituales, estaban bien abiertos para percibir y valorar la vida y sus desafíos.

Como Pablo, todos somos llamados a abrir los ojos de las personas, a fin de que puedan salir de las tinieblas a la luz, del poder del enemigo al poder de Dios, de la culpa al perdón, de esta vida limitada a la herencia eterna. Pablo sabía que el pecado había cegado los ojos espirituales del ser humano. Él mismo contó, en su testimonio, que al encontrarse con Cristo pudo ver cosas que antes no había visto. **Dejó de mirar hacia la Tierra para mirar hacia el cielo; dejó de estar centrado en su yo para centrarse en su Salvador.**

Antes daba la espalda a la luz y a Dios, y caminaba hacia la oscuridad y la muerte. Desde ese encuentro, dio la espalda a las sombras y al pecado, para caminar hacia la luz y la vida. Antes vivía para el reino de este mundo, ahora vivía para el Reino de Dios.

"Únicamente aquellos que se dedican a servirlo diciendo: 'Heme aquí, envíame a mí', para abrir los ojos de los ciegos, para apartar a los hombres 'de las tinieblas a la luz, y de la potestad de Satanás a Dios; para que reciban, por la fe [...] perdón de pecados y herencia entre los santificados' solamente estos oran con sinceridad: 'Venga tu reino' " (Elena de White, *La oración*, p. 294).

No hay opción intermedia. Tan solo los que cada día renuevan su compromiso, oran, estudian la Biblia, testifican, se preparan y preparan a otros para el cielo, y los que por la gracia de Dios se dedican a "abrir los ojos" de los demás, son los que de verdad anhelan la segunda venida de Cristo.

"Dios no manda a los pecadores a buscar una iglesia, ordena a la iglesia buscar a los pecadores" (Billy Graham).

¿Vamos juntos?

EL LOCO

"Diciendo él estas cosas en su defensa, Festo a gran voz dijo: Estás loco, Pablo; las muchas letras te vuelven loco. Mas él dijo: No estoy loco, excelentísimo Festo, sino que hablo palabras de verdad y de cordura" (Hechos 26:24, 25).

El mote de "loco" se ha adjudicado a muchas figuras eminentes, tanto religiosas como políticas y científicas. El gran predicador y reformador Juan Wesley fue tildado así. Guillermo Carey, fundador de las misiones modernas, fue tratado de loco en el mismo Parlamento inglés. Bacon, a quien se lo ha llamado el mayor genio en ciencias exactas, fue también llamado "loco", y los "sabios" eminentes de Salamanca consideraron insano a Cristóbal Colón, por sus dichos sobre la forma del planeta Tierra.

Sin embargo, miles de años antes, un apasionado apóstol de Jesucristo que estaba delante de Festo dando su testimonio de fe y conversión (y contando cómo el encuentro con Dios lo había cambiado para siempre y cómo el Resucitado había otorgado significado a su vida) también fue catalogado como "loco".

Es así. Quienes aceptan a Cristo experimentan un cambio de vida que no se puede explicar con palabras. Los pensamientos, los afectos, los gustos, el rumbo... todo cambia. Y son llamados "locos".

Festo pensaba que las muchas letras, o conocimientos, habían trastornado la mente de Pablo. El diccionario define la locura como "la privación del juicio o del uso de la razón". ¿Estaba Pablo privado de su juicio o del uso de su razón, o desacertado en su testimonio de vida? No, pero su encuentro con Jesús constituyó un impacto lo suficientemente fuerte para reflejar con convicción y seguridad sus argumentos.

Todos habían escuchado las maravillas que Pablo había experimentado; ese era su tema predilecto. Así, afirmando que emitía palabras de verdad, fue por más, y exhortó al mismo rey Agripa a que creyera y aceptara el mensaje de los profetas. "Profundamente afectado, Agripa perdió de vista, por un momento, todo lo que lo rodeaba y la dignidad de su posición. Consciente solo de las verdades que había oído, viendo al humilde preso de pie ante él como embajador de Dios, contestó involuntariamente: 'Por poco me persuades a ser cristiano' " (Elena de White, *Los hechos de los apóstoles*, p. 349).

Resulta que aquel "loco" no solo era un preso terrenal que presentaba su defensa, sino además un embajador celestial que cumplía su misión. Por algo el mismo Pablo diría a los corintios que la palabra de la Cruz es locura a los que se pierden, pero para los que se salvan es poder de Dios (1 Cor. 1:18).

¡Señor, danos más de estos "locos" como Pablo!

POR POCO

"Entonces Agripa dijo a Pablo: Por poco me persuades a ser cristiano" (Hechos 26:28).

El vuelo 2933 de LaMia partió desde el Aeropuerto Viru Viru (Bolivia) hacia el Aeropuerto José María Córdova (Colombia) con 68 pasajeros y 9 miembros en la tripulación. Se estrelló el 28 de noviembre de 2016 a las 22:15, hora local. Entre los pasajeros, se encontraba el equipo de fútbol brasileño Chapecoense, que iba camino para jugar la final de la Copa Sudamericana 2016 frente a Atlético Nacional.

Solo seis personas sobrevivieron al accidente. Las investigaciones concluyeron que la causa del siniestro fue producto del agotamiento del combustible por un error humano. Esta es una historia muy triste, por la pérdida de tantas vidas jóvenes a causa de un accidente que podría haberse evitado. Cuando se estrelló, ya se divisaba la pista de aterrizaje. Faltaba muy poco para llegar, solo cuatro minutos. *Casi* se salvaron.

El 1º de febrero de 2003, el transbordador Columbia regresó de su misión. Después de pasar 16 días en el espacio, estaba a solo 15 minutos de aterrizar. Las familias se reunieron en Houston para dar la bienvenida a sus seres queridos. Pero, algo terrible sucedió. Un pedazo de aislamiento de espuma se desprendió y dañó una de las alas; y la fuerza y el calor hicieron que la nave se desintegrara y cayera en pedazos sobre Louisiana y Texas. Siete astronautas casi regresaron.

El Rey Agripa escuchó la predicación de Pablo, quien era un orador persuasivo, y presentaba el evangelio con un mensaje poderoso. Agripa entendió todo, pero dijo: "Por poco me persuades a ser cristiano". He aquí un hombre medio convertido que no podía negar su fe en los profetas. A su lado estaba un gobernador pagano, quien había dicho unos momentos antes a Pablo que estaba loco. No sabemos el resultado de aquel testimonio de Pablo. Nadie se levantó, sino las autoridades, para dar por terminada la sesión. Agripa conservó su dignidad humana, pero a un alto precio: su propia alma. **Él estuvo muy cerca, "casi" aceptó a Jesús; pero el "casi salvo" significa totalmente perdido. Si la salvación es lo más valioso que podemos experimentar, no alcanzarla es realmente la mayor tragedia.**

Pensemos juntos. ¿Hay algún "casi" en tu vida o un "por poco", que están dejándote afuera de todo? Casi fiel es nada fiel. Casi comprometido es nada comprometido. **¿Qué falta para que tu entrega y tu fidelidad sean completas? ¿Algo en tu corazón, en tu trabajo, en tus relaciones, en tu testimonio? ¿Qué falta para que te persuadas?**

Por placentero que parezca el vuelo, lo realmente trascendente es llegar al destino.

UNO DE 276

"Por tanto, tened buen ánimo, porque yo confío en Dios que será así como se me ha dicho" (Hechos 27:25).

En el capítulo 42 del libro *Los hechos de los apóstoles,* Elena de White relata con maestría el naufragio sufrido por Pablo, narrado en Hechos 27. En aquellos días, viajar por mar traía innumerables dificultades y peligros. Los viajes se efectuaban a la luz del sol y orientados por las estrellas. En tiempos de tormenta no se realizaban viajes, porque la navegación segura era casi imposible. Pero, en este relato, la travesía enfrenta una tormenta feroz, que termina en el naufragio del barco frente a las costas de Malta. Pablo soportó las penurias de ese largo viaje a Italia como preso encadenado.

Los vientos contrarios obligaron al navío a hacer escala en un puerto intermedio. Como allí no podían quedarse, y si lo hacían no llegarían a tiempo a su destino final, tuvieron que zarpar. Poco después, el buque, azotado por la tempestad, con el mástil roto y las velas hechas trizas, era arrojado de aquí para allá por la furia de la tormenta.

No había ni un momento de descanso para nadie. Durante catorce días, 276 personas (Hech. 27:37) fueron llevadas a la deriva (Hech. 27:16) bajo un cielo sin sol y sin estrellas. Como consecuencia lógica, habían perdido toda esperanza de salvarse (Hech. 27:20). ¿Todos? No. Había uno que tenía palabras de esperanza para la hora más negra y tendió una mano de ayuda en semejante emergencia. Era uno que se aferraba por la fe del brazo del poder infinito y su fe se apoyaba en Dios. No tenía temores por sí mismo; sabía que su Creador lo preservaría para testificar en Roma a favor de la verdad de Cristo. Aun en una situación límite, su corazón se conmovía por las pobres almas que lo rodeaban.

Ese uno era el gran apóstol Pablo, quien casi de manera ilógica ordena a todos que tengan buen ánimo; porque solo habría pérdidas materiales y ninguna humana. ¿Por qué? Porque se apoyaba en las promesas divinas: "El ángel del Dios del cual yo soy, y al cual sirvo, dice: Pablo, no temas; es menester que seas presentado delante de César; y he aquí, Dios te ha dado todos los que navegan contigo" (Hech. 27:23, 24). Estas palabras despertaron la esperanza, sacudieron la apatía y renovaron los esfuerzos. ¿El final? "Sucedió que todos llegaron a tierra y se salvaron" (Hech. 27:44).

Pablo era minoría, uno entre 276. Estaba enfermo, padecía en carne propia el fuerte viento y el agua helada, y estaba encadenado. **Pero era prisionero de su fe y libre de sus pecados. Tenía identidad porque sabía de quién era y a quién servía. Ese uno fue determinante.**

Puede que tus circunstancias no sean tan desfavorables como las de Pablo, pero tu testimonio y tu fidelidad con la esperanza necesitan ser los mismos.

VÍBORAS AL ATAQUE

"Pero él, sacudiendo la víbora en el fuego, ningún daño padeció" (Hechos 28:5).

Aldi Novel Adilang, joven indonesio de 19 años, sobrevivió 49 días a la deriva en alta mar en una trampa flotante para peces, en la que trabajaba cuando los fuertes vientos rompieron las amarras y lo enviaron mar adentro. Lo rescató un barco carguero cuando se encontraba a más de 2.000 kilómetros de distancia del lugar, en aguas de Guam, y lo dejó en Japón. Durante su odisea, tuvo que lidiar con la soledad, el miedo, la sed y el hambre. Tenía una Biblia, y a ella y al Dios de la Biblia se aferró. Después del rescate, volvió con mucha alegría al seno de su familia.

La Biblia habla de otro naufragio, que dejó a Pablo y a sus compañeros de navegación en Malta, una isla rocosa a unos 100 km de Sicilia, Italia. Ellos son recibidos por los isleños, con clima frío, pero tratados con calidez. Acaban de emerger de un mar helado y están alrededor de una hoguera, calentándose. El servicial Pablo ayudaba a juntar ramas y fue justo en ese momento cuando una víbora se le prendió y quedó colgando de su mano.

"¿Había andado por el peligroso océano para morir en la orilla?", sin duda pensó más de uno. De ninguna manera. ¿Acaso Dios no había prometido que testificaría de él, delante del César? Pablo tenía suficientes motivos para seguir confiando.

Mientras tanto, los isleños, asustados, esperaban que el cuerpo envenenado de Pablo se desplomara ante sus ojos. Pensaban que estaban en presencia de un gran malhechor, todavía encadenado y que, habiéndose salvado del naufragio, era alcanzado por Diké (la diosa del Olimpo, hija de Zeus), que personificaba la justicia moral. Pero el tiempo pasó y, al ver que nada sucedía, cambiaron de opinión y consideraron a Pablo un ser especial, venerándolo como a un dios. Él mantuvo la calma y salió indemne y prestigiado, ya que no solo quedó demostrada su inocencia, sino también pudo dar testimonio del poder y el amor de Dios.

Este hecho no solo muestra el valor de confiar en el Señor, sino también cuán inestables son nuestros juicios, ya que los isleños pasaron de considerarlo un reo a considerarlo un dios. Por causa de Pablo, todos fueron muy bien tratados y suplidas sus necesidades, durante los tres meses que permanecieron en aquel lugar. "Pablo y sus compañeros en el trabajo aprovecharon muchas oportunidades de predicar el evangelio. De manera notable, el Señor obró mediante ellos" (Elena de White, *Los hechos de los apóstoles*, p. 356).

El compromiso de Pablo con la misión y la esperanza era tal que nada podía detenerlo. "La esperanza no es la convicción de que algo saldrá bien, sino la certeza de que algo tiene sentido, independientemente de cómo resulte" (Vaclav Havel).

Como Pablo, cumplamos siempre el propósito de Dios.

SIENTO QUE...

"[...] Y recibía (en Roma) todos los que a él venían, predicaba el reino de Dios y enseñaba acerca del Señor Jesucristo, abiertamente y sin impedimento" (Hechos 28:30, 31).

El libro de Hechos nos muestra el crecimiento del evangelio desde Jerusalén hasta Roma. Un tema central del libro es el rechazo del mensaje por parte de muchos judíos y la aceptación del evangelio por parte de muchos gentiles. El abanderado en llevar las buenas noticias a estos nuevos grupos fue el apóstol Pablo; por eso su anhelo por llegar a Roma era intenso. El camino no fue fácil, pero Dios lo sostenía para cumplir su misión.

Sin embargo, pensar en este gran hombre de Dios preso en Roma confunde mis sentimientos. Siento tristeza, aceptación y alegría. Dos años enteros pasó este gigante de la oratoria y la enseñanza en arresto domiciliario. ¡Cuántas predicaciones públicas podría haber hecho en ese tiempo! Sin embargo, fue durante estos dos años que escribió sus cartas a los Efesios, a los Filipenses, a los Colosenses y a Filemón.

Dios siempre tiene un propósito para nuestra vida que va más allá de lo que nosotros podemos entender y percibir. No podríamos tener hoy el audio de los sermones de Pablo en esos años, pero tenemos sus necesarias e inspiradoras cartas. El Pablo escritor llegó más lejos que el Pablo predicador.

Siento admiración por la pasión sin límites de Pablo. Está encadenado, pero trabajando. Pusieron un cepo a sus pies, pero no a sus manos. El mensajero está preso, pero el mensaje está libre. Por la gracia de Dios, él convierte su celda en una iglesia; y su prisión, en un púlpito. El registro bíblico dice que recibía a todos, les predicaba y les enseñaba de Jesús. El evangelio estaba llegando al mismo corazón del Imperio y del mundo. ¡Cómo no admirar tamaña entrega y sublime compromiso!

¿Qué harías si estuvieras preso de manera injusta? ¿Te quejarías? ¿Te deprimirías? Mira lo que hizo Pablo: **"No se desanimó mientras permanecía preso. Por el contrario, una nota de triunfo resonaba en las cartas que escribía desde Roma a las iglesias"** (Elena de White, *Los hechos de los apóstoles*, p. 386).

Siento que puedo aprender de Pablo la manera en que Dios está en el control de todo lo que nos pasa; que nada lo toma distraído y que todo lo que él hace o permite tiene destino de eternidad.

Siento que, como él, todos somos llamados por Dios como sus mensajeros, sin depender de la situación que estemos atravesando.

Siento que tengo que aprender a mirar más allá de lo que se ve.

Siento que tengo un deber y un honor: predicar y enseñar de Jesús y de su Reino.

Siento que, por la gracia de Dios, puedes tú sentir lo mismo hoy.

1º de febrero

CREDENCIALES Y DOCUMENTOS

"Pablo, siervo de Jesucristo, llamado a ser apóstol, apartado para el evangelio de Dios" (Romanos 1:1).

Pablo inicia su carta a los Romanos presentando sus documentos, de siervo, de apóstol y de apartado.

Pablo como siervo. La palabra "siervo", en el griego original, es mucho más fuerte que la que usamos hoy. Literalmente significa "esclavo". Se estima que había unos tres millones de esclavos en el Imperio Romano. El esclavo era considerado un objeto y no una persona. Podía ser comprado y vendido. El esclavo carecía de todo derecho y estaba sometido de manera absoluta al dominio de su dueño.

En el caso de Pablo, no era un amo determinado, ni el César. Era Cristo, el verdadero Señor del Universo, a quien servía en voluntaria elección y amorosa dependencia. Pablo utiliza varias veces esta expresión en sus cartas, incluso la aplica a todos los creyentes que pertenecen a Cristo por haber sido comprados por su sangre.

Pablo como apóstol. En contraste con su anterior credencial, también usa la de "apóstol". Esto significa que él es enviado como mensajero y con autoridad para cumplir una misión especial. Los emperadores y los reyes tenían sus emisarios y sus representantes. Solo quien había visto al Cristo podía ser apóstol. Pablo vio a Cristo en el camino a Damasco y fue allí que Cristo lo llamó a ser "el apóstol a los gentiles".

Pablo como apartado. Esto quiere decir "separado de otros". Cuando era rabí judío, fue apartado como fariseo para las leyes y las tradiciones judías. Pero, cuando se rindió a Cristo, fue apartado para el evangelio y su ministerio. "Evangelio" significa "buenas nuevas". Cristo murió por nuestros pecados, fue sepultado y resucitó; y ahora puede salvar a todos los que confían en él.

Para un ciudadano romano, presentarse como siervo o esclavo era algo inadmisible, pero Pablo prefirió presentarse así. Esta credencial, para él, más que un deber era una honra. Desde aquel mediodía en Damasco cuando de rodillas le había preguntado al Señor qué quería que hiciera, siguió haciendo esa misma pregunta todos los días, yendo o no adonde el Señor le indicara, haciendo y dejando de hacer según la voluntad de Dios, ya sea en el camino, en un barco, en una iglesia o en una cárcel.

Con alegría y fe, **Pablo fue un siervo para obedecer, un apóstol para misionar y un apartado para vivir en y por el evangelio.**

¿Puedes ponerte de rodillas ahora? ¿Puedes elevar tu mente a Dios en oración? ¿Te animas a preguntar: "Señor, ¿qué quieres que haga?" Hazlo ahora. Dios te responderá.

HIJO DE DIOS, HIJO DE HOMBRE

"Evangelio que se refiere a su Hijo, nuestro Señor Jesucristo, que era del linaje de David según la carne, que fue declarado Hijo de Dios con poder, según el Espíritu de santidad, por su resurrección de entre los muertos" (Romanos 1:3,4).

El evangelio, es decir las buenas nuevas de salvación, se centraliza en el Hijo de Dios e Hijo del Hombre. El mismo Pablo explica que todos pecaron, que todos están destituidos de la gloria de Dios y que la paga del pecado nos conduce a todos a la muerte.

Solo podía salvarnos quien tuviera vida propia. Alguien que fuese Dios y que, al mismo tiempo, viviera como humano sin pecado, pues no podía expiar sus propios pecados y los ajenos.

Pablo hace un resumen del evangelio: dice que Dios se hace hombre, por medio de su encarnación como descendiente de la familia de David. Juan, en Apocalipsis, habla del Señor como raíz y rama de David. Raíz porque como Dios existía desde antes, desde siempre; y rama porque nació como humano, como descendiente del linaje de David. Jesús fue divino y humano a la vez, fue Dios con nosotros. Fue hijo de María y del Espíritu Santo. No fue hijo de José. Fue Hijo del Hombre, pero era también Hijo de Dios.

Jesús fue entregado para salvar a su pueblo de sus pecados, pero de nada serviría un Salvador muerto. Tanto la encarnación como la resurrección de Cristo muestran el amor y el poder de Dios, y garantizan nuestra salvación. Isaías había profetizado que un niño no es nacido, un hijo nos es dado. Vivió una vida sin pecado, murió ocupando nuestro lugar y resucitó de entre los muertos.

La resurrección de Cristo asegura nuestra salvación, porque "si Cristo no resucitó, entonces no era el Hijo de Dios, y en ese caso el mundo se halla desolado; el cielo, vacío; el sepulcro, oscurecido; el pecado, sin solución; y la muerte será eterna" (Mullins). El mismo apóstol Pablo les dice a los Corintios que si Cristo no resucitó vana es nuestra fe.

En la Biblia, el origen del mal es explicado como el misterio de la iniquidad; y para resolver ese misterio hay otro misterio, el de la piedad, porque solo un amor inexplicable podría haber hecho por nosotros lo que fue hecho. **Los años sin fin de la eternidad no alcanzarán para estudiar de un amor tan maravilloso e inmenso.**

Estas son las buenas nuevas del evangelio: el Hijo de Dios fue hecho Hijo del Hombre, para que nosotros, los hijos de los hombres, podamos llegar a ser hijos de Dios. ¡Que nuestra gratitud y compromiso sean permanentes!

SANTOS

"A todos los que estáis en Roma, amados de Dios y llamados a ser santos: Gracia y paz a vosotros, de Dios nuestro Padre y del Señor Jesucristo" (Romanos 1:7).

¿En serio la Biblia me hace un llamado para que yo sea un santo? ¿Qué significa ser un santo? ¿Una imagen en un vitral colorido y costoso en lo alto de una iglesia? ¿Una estatua que en su cabeza tiene una aureola? ¿Habrá que esperar a que una persona muera para declararla y canonizarla como santo y hacerla objeto de culto? En el vocabulario popular, algunos se expresan así: "Tal persona es un santo", y se refieren a su disposición y su conducta. El diccionario define como "santo" a la persona que carece de toda culpa, que es perfecta y llena de bondad, y dedicada totalmente a Dios.

Sin embargo, cuando la Biblia y Pablo se refieren a "ser santos", siempre se trata de personas vivas. Pablo con frecuencia llama "santos" a los cristianos. Esto sucede 38 veces en todos sus escritos. Ahora bien, el título de "santos" ¿es un estatus o un estilo de vida? En la Biblia, "santo" es aquello que se dedica a Dios, y puede tratarse del templo, del sábado, del matrimonio, del pueblo y el sacerdocio. Así, para Pablo, la dedicación y la obediencia son parte de la santidad. Santos son aquellos que por su profesión de fe y bautismo pueden considerarse como separados del mundo y consagrados a Dios.

En este caso, Pablo llama "santos" a los creyentes de Roma, en virtud de que Dios los ha llamado para separarse, apartarse del mundo, de otros cultos, y dedicarse al servicio de Dios. **No son llamados por ser santos, son llamados santos en virtud del poder de Dios y de la obra transformadora del Espíritu Santo.**

Entonces, es interesante destacar que la declaración previa dice "amados de Dios". Es decir, es por su amor y por sus méritos que se nos convoca y se nos llama a ser santos. El santo es una persona cuya culpa ha sido borrada sobre la base de aceptar a Jesús por medio de la fe y la gracia ofrecida por el sacrificio de Cristo, y que, en consecuencia, gracias al poder del Espíritu, que mora en él, decide vivir para la gloria de Dios, apartado y consagrado para servir al Señor.

En este sentido, Elena de White asevera: "El que está procurando llegar a ser santo mediante sus esfuerzos por observar la Ley está procurando una imposibilidad. **Todo lo que el hombre puede hacer sin Cristo está contaminado de egoísmo y pecado. Solo la gracia de Cristo, por medio de la fe, puede hacernos santos"** (*El camino a Cristo*, p. 60).

El gran reformador John Wesley había hecho un pedido: "Denme cien hombres que no teman más que al pecado y no deseen más que a Dios, y cambiaré el mundo". ¿Quieres ser parte de este grupo hoy y siempre?

UNA VERGÜENZA

"No me avergüenzo del evangelio" (Romanos 1:16).

Cuando Martín Lutero llegó a Roma, la ciudad de las siete colinas, cayó de rodillas, emocionado. Luego, levantando las manos hacia el cielo, exclamó: "Salve, Roma santa". Quien luego se convertiría en el gran reformador hizo esto porque se prometía indulgencia a todo aquel que subiese de rodillas la "escalera de Pilato". La tradición decía que era la misma que había pisado nuestro Salvador al bajar del tribunal romano, y que había sido llevada de Jerusalén a Roma de un modo milagroso. Sin embargo, mientras Lutero estaba subiendo devotamente aquellas gradas, recordó las palabras escritas por Pablo en Romanos 1:17: "El justo vivirá por la fe". La frase repercutió como un trueno en su corazón.

Rápidamente se puso de pie sintiendo vergüenza. Desde entonces, vio con más claridad el engaño de confiar en las obras y los méritos humanos para la salvación y cuán indispensable es ejercer fe constante en los méritos de Cristo. Lutero se avergonzó porque habían desvirtuado totalmente el evangelio.

Por otro lado, Pablo dice que no se avergüenza del evangelio. Muchos judíos creían que Pablo era un traidor. Lo consideraban la escoria del mundo y el desecho de todos. Su predicación sobre la Cruz era una locura para griegos y piedra de tropiezo para judíos. Pero, para Pablo, que había experimentado las buenas nuevas en su propia vida perdonada y transformada, este evangelio era motivo de gloria.

¿Qué implica la vergüenza? Es un sentimiento de pérdida de dignidad causado por una falta cometida o por una humillación o insulto recibidos. Es un sentimiento de incomodidad producido por el temor a hacer el ridículo, es un sentimiento paralizante de la acción.

Todos se avergonzaban de la Cruz: era una locura, un ridículo, un insulto, una humillación. Ellos esperaban un Mesías libertador del yugo romano, no uno que muriera en un madero. Pablo se siente honrado por el inmerecido llamado de Dios, por eso no hacen mella en él la indiferencia, el odio, el prejuicio o el maltrato. No le importa que lo vinculen con ese impostor rechazado por los dirigentes judíos, negado por la cultura griega y crucificado bajo la ley romana. Él sabe que ese Cristo y ese evangelio transformaron su vida. Por eso, no solo no se avergüenza, sino que siente honra y de manera osada lo proclama. Pablo había sido preso en Filipos, expulsado en Berea, burlado en Atenas, considerado loco en Corinto, apedreado en Galacia y, así y todo, quería ir a predicar a Roma.

Cuando todos se burlan o niegan, no es fácil dar un paso al frente y decir "es mi Cristo" y "es mi evangelio". **¿Cuán dispuestos estamos, así como Lutero y como Pablo, a jugarnos y comprometernos –frente a todo y frente a todos– por este evangelio que transforma nuestra vida?**

5 de febrero

EL PREMIO NOBEL DE LA PAZ

"No me avergüenzo del evangelio, porque es poder de Dios para salvación de todo aquel que cree, del judío primeramente y también del griego" (Romanos 1:16).

¿Cuál fue el origen del evangelio? El punto central del evangelio es Jesucristo. Pablo lo llama "el evangelio de Cristo", "el evangelio de Dios", "el evangelio de nuestro Señor Jesucristo", pero insiste y defiende que hay un solo evangelio.

¿Cuál es el poder del evangelio? Roma se jactaba de su autoridad y del temor que infundía en el Imperio por el mal uso del poder. Pablo, que ya había estado en otras ciudades impías como Corinto y Éfeso, confiaba en que este evangelio de Cristo también transformaría vidas en Roma.

¿Cuál es el resultado del evangelio? Es la actuación poderosa de Dios para salvar, liberar, perdonar, transformar, restaurar; no es solo para judíos y gentiles sino para todos, en todos los tiempos.

La salvación, en la Biblia, tiene tres tiempos:

1-Pasado: En la Cruz y por su muerte, Jesús nos salvó de la condenación del pecado. El pecado nos condena a morir, pero la muerte de Cristo nos conduce a la vida.

2-Presente: Él nos salva de la culpa del pecado, cuando arrepentidos confesamos nuestras faltas, y nos concede la paz del perdón.

3-Futuro: Cuando el Señor venga a establecer su Reino definitivo, él nos salvará de la presencia del pecado, las primeras cosas habrán pasado y todas serán hechas nuevas.

El poder del evangelio libera y rescata. Libera de la esclavitud, de la oscuridad, de la perdición, de la autoindulgencia pecaminosa y de la ignorancia espiritual deliberada. Rescata a la criatura del castigo final por sus pecados, rescatándola para la vida eterna.

Alfred Nobel patentó la dinamita en 1867 con fines pacifistas. La idea original fue usarla como un sistema revolucionario para la construcción, al permitir dividir las rocas, cavar túneles o construir raíles de forma más sencilla, sin necesidad de tanto esfuerzo manual.

Cuando murió, en 1896, Nobel dejó una herencia equivalente a 256 millones de dólares, para establecer los Premios Nobel, que serían concedidos a los que hicieran grandes contribuciones en un amplio campo de conocimiento y progreso. El premio mayor se destinaría a quien lograra el mayor o mejor trabajo para la hermandad de las naciones, y hoy es conocido como el Premio Nobel de la Paz.

El evangelio es el poder de Dios que dinamita nuestros pecados. Todos somos llamados a recibir de regalo el Premio Nobel de la Paz.

VIVIR POR LA FE

"Pues en el evangelio, la justicia de Dios se revela por fe y para fe, como está escrito: Mas el justo por la fe vivirá" (Romanos 1:17).

Pablo comienza la epístola con el seguro "está escrito" y cita el pasaje de Habacuc 2:4 (**"El justo por la fe vivirá"**) tres veces: a los Romanos, a los Gálatas y a los Hebreos. Este es el texto que Dios usó para abrir los ojos de Martín Lutero y producir el gran movimiento de la Reforma protestante. Lutero entendió que no era por sus penitencias, esfuerzos, obras, méritos, que podría alcanzar la salvación. Él, como muchos, pensaba que Dios es justo y obra justamente al castigar al injusto hasta que entendió que la justicia de Dios es la capacidad de Dios, por su gracia y misericordia, de justificar al pecador por medio de la fe.

Ser justo, entonces, significa que un pecador que confía en Jesús recibe el perdón y experimenta no solo la sustracción del pecado sino también la adición de la justicia de Cristo. Ya Isaías lo había dicho en su capítulo 53. Él lleva nuestros pecados para que nosotros llevemos su justicia. Fue en la Cruz que el Señor adquiere derecho legal de perdonar y seguir siendo justo. **"Mire la cruz del Calvario, y vea cómo allí la misericordia y la verdad se encontraron, cómo la justicia y la paz se besaron. Allí, por medio del sacrificio divino, el hombre puede ser reconciliado con Dios"** (Elena de White, *Consejos sobre la obra de la Escuela Sabática*, p. 191).

Dios no nos pide buena conducta para salvarnos; nos pide que creamos, y aceptemos por fe su regalo. Y entonces que vivamos agradecidos y comprometidos con ese regalo.

La palabra "justicia" se usa más de 60 veces en Romanos. La justicia de Dios se muestra en el evangelio, porque, en la muerte de Cristo, Dios reveló su justicia al castigar el pecado; y en la resurrección de Cristo, Dios reveló su justicia poniendo la salvación al alcance del pecador que cree. En la epístola hay más de 45 referencias a la fe, porque la única manera en que el pecador puede llegar a ser justo ante Dios es por la fe.

En el evangelio tenemos la justicia de Dios en acción. Es una justicia que, en lugar de perseguir al pecador para condenarlo, está empeñada en perseguirlo para salvarlo. El justo no vivirá por confiar en sus propias obras y en sus méritos, sino por su confianza y su fe en Dios.

Nuestra oración agradecida puede ser la misma de Lutero:

"Señor Jesús: Tú eres mi Justicia, así como yo soy tu pecado. Has tomado sobre ti todo lo que soy, y me has dado y cubierto con todo lo que tú eres. Tomaste sobre ti lo que tú no eres y me diste lo que yo no soy".

7 de febrero

CUANDO DIOS TIENE IRA

"La ira de Dios se revela desde el cielo contra toda impiedad e injusticia de los hombres que detienen con injusticia la verdad" (Romanos 1:18).

¿Sufriste alguna vez un ataque de ira? ¿Fuiste la víctima o el victimario? Algunos hasta lo consideran un asunto normal, de supervivencia y universal; es decir, algo que todos experimentan.

Pero, la ira de Dios es más difícil de entender y de aceptar. ¿Cómo es que un Dios bueno puede tener ira? La Biblia habla de la ira del hombre, y nos advierte de toda ira desenfrenada o arrebato de furor, y de la ira de Dios. Así como la justicia de Dios se revela, la ira de Dios también "se revela".

El destinatario de la ira de Dios es la impiedad y la injusticia de los pecadores. No se trata de un sentimiento, una emoción o un enojo de parte de Dios; sino un acto de retribución y justicia divinas. Es un hecho contra la impiedad y la injusticia. La impiedad es el mal hacer contra Dios y la injusticia es el mal hacer contra los hombres. La impiedad es el mal en el corazón (o sea, la semilla) y la injusticia es el mal en la acción (es decir, la planta y el fruto).

Dios ama al pecador, pero odia al pecado; porque el pecado ha dañado a su criatura y un día su ira (es decir, su justicia) será manifiesta. "Los hombres se están dejando adormecer en una seguridad fatal y solo despertarán cuando la ira de Dios se derrame sobre la Tierra" (Elena de White, *Consejos para la iglesia*, p. 47).

¿Qué es lo que apacigua la ira de Dios? La muerte y el sacrificio de Cristo apaciguan la ira de Dios. Cuando aceptamos ese sacrificio en nuestro lugar, estamos "huyendo" de la ira de Dios. En la historia de Jonás y su envío a Nínive resulta claro el propósito divino. Dios envió al profeta a salvar Nínive. Él quería destruir a esa gente. El Señor le dio a Jonás un mensaje para transmitir: "De aquí a cuarenta días Nínive será destruida". El tiempo otorgado era un llamado al arrepentimiento y la vida. El mensaje fue oído; las oportunidades, aprovechadas; y las personas fueron alcanzadas por la salvación. Eso muestra que Dios no quería destruir sino salvar.

El gran día de la ira de Dios está cercano. Él no quiere la muerte del que muere, sino que todos procedan al arrepentimiento. Vivimos con un dilema: por un lado, anhelamos que Dios haga justicia y, por otro, reclamamos porque hace justicia.

La promesa es segura: Dios hará cielos y Tierra nuevos, en los cuales mora la justicia. Quien no acepta a Jesús como su Abogado lo enfrentará como Juez. Puedes quedar afuera de la ira de Dios, si tan solo quedas adentro del amor del Señor.

UN JUICIO JUSTO

"Pero sabemos que el juicio de Dios contra los que practican tales cosas es según la verdad" (Romanos 2:2).

Cierta vez, en una ciudad, estábamos pasando frente al Ministerio de Justicia y escuché que se referían a ese edifico público como "el Ministerio de Injusticia". Esto es algo natural que suele suceder en el imaginario colectivo. El ser humano se ha desviado tanto del camino de Dios que muchos de sus actos son el reflejo de su inconducta y de su falta de valores.

Al contrario de lo que sucede en este mundo, Pablo dice que **el Juicio de Dios no será sobre supuestos,** cngaños, pruebas fraguadas o falsos testigos; sino según la verdad.

El Juicio de Dios es universal; es para todos y a la vez es para cada uno, sea judío o gentil, creyente o ateo.

El Juicio de Dios será ecuánime, ya que todos serán juzgados sobre la misma base: el metro tendrá 100 centímetros para todos.

El Juicio de Dios no es optativo; es obligatorio, no hay vías de escape, ni atajos, ni salida lateral. No hay arreglos especiales, ni excusas válidas.

El Juicio de Dios tendrá en cuenta el conocimiento de la voluntad de Dios adquirido por las personas, como así también las oportunidades ofrecidas y aprovechadas de conocer y practicar el mensaje de Dios.

El Juicio es inevitable pero el amor de Dios es incomparable. Él nos ha creado a su imagen con libre albedrío; es decir, con la capacidad de elegir. Es en el mal uso de la libertad, al separarnos de Dios, que creamos este mundo de pecado y sus consecuencias. El Señor no vino para condenar, sino para salvar. Cuando gritaban "a otros salvo a sí mismo no puede salvarse", estaban gritando una verdad.

No vino a salvarse, vino a salvarnos. **El Juicio pondrá en evidencia que los actos de la vida han mostrado la aceptación del plan de Dios,** de su amor, de su sacrificio, ya que ninguna condenación hay para los que descansan en Jesús.

Escuchemos el fuerte llamado del Señor, reflexionemos y actuemos:

"¿Qué diré para despertar al pueblo remanente de Dios? Me fue mostrado que nos esperan escenas espantosas; Satanás y sus ángeles oponen todas sus potestades al pueblo de Dios. Saben que, si los hijos de Dios duermen un poco más, los tienen seguros, porque su destrucción es cierta. Insto a todos los que profesan el nombre de Cristo a que se examinen, y hagan una plena y cabal confesión de todos sus yerros, para que vayan delante de ellos al Juicio, y el ángel registrador escriba el perdón frente a sus nombres" (Elena de White, *Joyas de los testimonios,* t. 1, p. 91).

¡HIPÓCRITAS!

"Tú, pues, que enseñas a otro, ¿no te enseñas a ti mismo? Tú que predicas que no se ha de robar, ¿robas?" (Romanos 2:21).

¿Q**ué es un hipócrita?** Es alguien que actúa, interpreta un texto, finge y usa máscaras que ocultan su verdadero rostro. La hipocresía tiene dos herramientas básicas que pueden actuar de manera individual o combinadas: la simulación y el disimulo. **La simulación consiste en mostrar algo distinto de lo que se es,** en tanto que el **disimulo oculta lo que no se quiere mostrar.** En Romanos 2, Pablo plantea algunas actitudes hipócritas.

En primer lugar, jactarse en la Ley por creer que ella nos hace superiores. La jactancia es siempre pecado (incluso de un hecho cierto), pero mucho más si se trata de una falsedad.

Pablo habla de personas que piensan que, por conocer la voluntad divina, son superiores, guías y maestros de otros. Son instructores, pero no practicantes. Tienen la forma, pero no el fondo ni el contenido. El apóstol dice que llevan un nombre como título y como una pretensión, pero solo de palabra. Tienen el conocimiento intelectual pero no experimental; es decir, algo que no llena ni el corazón ni la vida. Es como la lluvia sobre un cuerpo: puede mojarlo, humedecerlo, enfriarlo y calentarlo; es decir, todos efectos externos. No hay humilde dependencia, ni lealtad, ni obediencia. Solo hay jactancia, hipocresía y pecado.

La segunda actitud es no practicar lo que se enseña. Esto implica **pasar de la jactancia hipócrita a la falsedad hipócrita.** Decir, pero no hacer; pretender ser maestros, pero ni siquiera ser alumnos. Pablo denuncia la hipocresía en la enseñanza, la predicación, la moral, la religión y la doctrina. Todas estas exigen fidelidad, autenticidad y coherencia. La hipocresía es siempre un mal testimonio; por esto, el nombre de Dios es blasfemado.

Recordemos que no podemos engañar a Dios en ningún momento y que si **"fingimos lo que somos; seamos lo que fingimos"** (Pedro Calderón de la Barca), recordando que de nada sirve una "apariencia de piedad" que contrasta con "la eficacia de ella" (2 Tim. 3:5).

Elena de White, hablando de la lucha de Jacob, dijo: **"Jacob salió hecho un hombre distinto [...]. En vez de la hipocresía y el engaño, los principios de su vida fueron la sinceridad y la veracidad. Había aprendido a confiar con sencillez en el brazo omnipotente; y en la prueba y la aflicción, se sometió humildemente a la voluntad de Dios. Los elementos más bajos de su carácter habían sido consumidos en el horno, y el oro verdadero se purificó, hasta que la fe de Abraham e Isaac apareció en Jacob con toda nitidez"** (*Patriarcas y profetas*, p. 185).

TENGO UN SUEÑO

"Por cuanto todos pecaron y están destituidos de la gloria de Dios, y son justificados gratuitamente por su gracia, mediante la redención que es en Cristo Jesús" (Romanos 3:23, 24).

En 1964, con 35 años, Martin Luther King fue galardonado con el Premio Nobel de la Paz por su constante apelación a la no violencia y por su lucha por los derechos cívicos. Él fue el principal impulsor de la histórica marcha a Washington, en la que el 28 de agosto de 1963 participaron doscientos mil personas. Ante la multitud, y en las gradas del Lincoln Memorial, pronunció un emotivo discurso, del que destaco lo siguiente:

"Sueño que algún día... la gloria de Dios será revelada y se unirá todo el género humano... No estamos satisfechos y no quedaremos satisfechos hasta que la justicia ruede como el agua y la rectitud como una poderosa corriente. Sé que algunos han venido con grandes pruebas y tribulaciones... No nos revolquemos en el valle de la desesperanza.

"A pesar de las dificultades del momento, yo aún tengo un sueño profundamente arraigado. Sueño que un día los hijos de los antiguos esclavos y los hijos de los antiguos dueños de esclavos se puedan sentar juntos a la mesa de la hermandad.

"Sueño en un oasis de libertad y justicia. Por eso, ¡que repique la libertad, y podremos acelerar la llegada del día cuando todos los hijos de Dios, negros y blancos, judíos y cristianos, protestantes y católicos, puedan unir sus manos y cantar las palabras del antiguo himno: '¡Libres al fin! ¡Libres al fin! Gracias a Dios omnipotente, ¡somos libres al fin!' "

Resulta conmovedor pensar en los ideales que impulsaron a soñar y a actuar a Luther King, defendiendo los derechos de los desprotegidos y recibiendo como recompensa el Premio Nobel de la Paz. Pero, más conmovedor es pensar en el sueño de Dios cuando las barreras de separación sean destruidas, cuando todos seamos uno, cuando la esclavitud del pecado finalice y recibamos el premio nobel de la corona de la vida.

Pablo dice que todos los seres humanos están sumergidos en la desgracia del pecado y todos están destituidos de la gloria de Dios. Cuando el pecado entró en la raza humana, perdimos la imagen de Dios, y para que la recuperemos fuimos redimidos. **La redención era la recompra de un esclavo perdido o la compra de un cautivo que perdió su libertad en la guerra. En ambos casos, había un precio que pagar.** No lo pagaba el esclavo ni el cautivo; lo pagaba el "goel"; es decir, el pariente más cercano.

Jesús es nuestro pariente más cercano, nuestro Redentor. Fuimos comprados a un precio infinito para Dios y gratuito para nosotros. Nadie vende un regalo, menos Dios. Él es amor y generosidad en esencia. Cuenta con él ahora.

EL BRAZO DE ORO

"Mediante la redención que es en Cristo Jesús, a quien Dios puso como propiciación por medio de la fe en su sangre" (Romanos 3:24, 25).

Conocido como el "Hombre del brazo de oro", James Harrison nació en 1936 en Australia. Cuando tenía catorce años le extirparon un pulmón, y sobrevivió gracias a las múltiples transfusiones de sangre que recibió. Al salir de la clínica, prometió que cuando llegaría a la mayoría de edad se transformaría en donante.

No solo cumplió, sino además registró 1.173 donaciones durante más de sesenta años. James ha recibido múltiples reconocimientos, incluida la Medalla de la Orden, una de las mayores distinciones de su país. Además, es poseedor de un Récord Guinness como el mayor donante de sangre de la historia.

Resulta conmovedor pensar en alguien dispuesto a ayudar y salvar a tantas personas. Sabemos que la sangre es un fluido vital que circula por el cuerpo para llevar los nutrientes y el oxígeno a todo el organismo, y a la vez los desechos para su eliminación.

Sin embargo, más conmovedor aún es pensar en aquel cuya sangre fue derramada para eliminar nuestros desechos de pecado, llevar el nutriente y el oxígeno salvador y que, asumiendo el costo de nuestras faltas, muere en nuestro lugar.

"Sangre" es una palabra clave para entender el mensaje redentor de la Biblia, desde los sacrificios en los tiempos del Antiguo Testamento, que prefiguraban al Cordero de Dios que llevaría los pecados del mundo. Más importante aún, la palabra "sangre" constituye un tema fundamental para comprender la obra y el ministerio de Cristo.

La sangre como símbolo de una vida entregada voluntariamente para rescatar al pecador, y la sangre como el derramamiento de la vida misma. Al igual que la palabra "cruz", la frase "sangre de Cristo" es una expresión específica para el sacrificio y la muerte redentores de Cristo.

Gracias a nuestro Señor Jesucristo, quien tiene el verdadero brazo de oro y es el mayor donante del Universo, podemos nacer de nuevo. ¿Cómo no apreciarlo y comprometerse?

Que la decisión de Spurgeon sea también la nuestra: "Si no estamos dispuestos a morir por Cristo, no tendremos ningún gozo en el hecho de que Cristo murió por nosotros".

UN ACTO DE FE

"Creyó Abraham a Dios y le fue contado por justicia" (Romanos 4:3).

El patriarca Abraham nació en Ur y fue llamado por Dios para vivir en Canaán. La promesa divina implicaba convertirse en padre de multitudes y en hacer de sus descendientes una gran nación. Esta promesa fue cumplida inicialmente en Israel y posteriormente en la iglesia cristiana.

Como señal del pacto y de la promesa, Dios le da a Abram (nombre que significa "Padre venerado") un nuevo nombre: "Abraham" (que significa "padre de muchedumbre"). Además, el patriarca fue llamado también amigo de Dios, por su fe, su obediencia, su fidelidad y su intercesión.

¿Cómo obtuvo Abraham su salvación? Pablo explica lo que dice la Escritura y nos muestra el camino para todo asunto de la vida: ir a la Biblia para ver qué dice la Escritura. Bien decía Spurgeon que **"cuando una Biblia está hecha pedazos por su uso, quien la usa está entero".** Y la Escritura dice que fue por fe (Rom. 4:3). Ahora bien, dice el texto que "le fue contado". Esta es una expresión contable que implica algo que fue "depositado" o "transferido a la cuenta personal". **La fe de Abraham le fue acreditada en su cuenta con Dios como justicia.**

Pablo profundiza al decir que, si consideramos la salvación como un salario, sería un pago o retribución por el trabajo realizado, una recompensa o una remuneración. Por el contrario, la salvación es un don inmerecido que se recibe como un presente, un regalo. El pecador está privado, lejos, destituido. Pero la gracia de Dios no da una compensación por servicios ofrecidos; Dios coloca a disposición su don gratuito, que debe ser recibido y aceptado por fe.

Los judíos tenían a Abraham por modelo, y Pablo sabía eso; solo que para ellos era un modelo de hombre justo. Ellos pensaban que su obrar y su fidelidad le habían hecho ganar méritos delante de Dios. Pero Pablo va al corazón del tema, para mostrar que es un modelo de fe y de un caminar siempre con Dios.

El problema fue siempre el mismo, en los días de Abraham, de Pablo o en nuestros días. **Es la autosuficiencia lo que nos lleva a la destrucción.** Nadie quiere sentirse necesitado, dependiente; todos quieren valerse por sus propios medios. Pero es allí, **cuando reconocemos nuestra necesidad, cuando damos permiso a la actuación de Dios, cuando admitimos la enfermedad, que el médico, el remedio y el tratamiento se aplican y resultan eficaces.**

En la angustia de una noche, Abraham oyó otra vez la voz divina: "No temas, Abram, yo soy tu escudo, y tu galardón será sobremanera grande" (Gén. 15:1).

No temas. Cree en sus promesas hoy.

PERDONADO

"Por eso también David habla de la bienaventuranza del hombre a quien Dios atribuye justicia sin obras, diciendo: Bienaventurados aquellos cuyas iniquidades son perdonadas, y cuyos pecados son cubiertos. Bienaventurado el hombre a quien el Señor no culpa de pecado" (Romanos 4:6-8).

Al igual que Abraham, David creyó, pero su situación al escribir el salmo al que alude Pablo en los versículos de hoy era diferente. Él no tenía buenas obras para mostrar; al contrario, incurrió en una conducta que lo avergonzaba delante de Dios y delante de la comunidad. ¿Cómo se salvó David? No hay bienaventuranza en cuanto al perdón para el incrédulo, solo para aquel que cree.

David escribió su conocido Salmo de arrepentimiento, el Salmo 32, escrito un año después de su triste historia de adulterio y de asesinato perpetrado para encubrir su culpa y resguardar su imagen. Sin duda, fue un tiempo de angustia, de lucha espiritual y de culpa, ya que sentía que sus sacrificios no eran aceptados por Dios.

Por eso, David dice que es bienaventurado aquel a quien Dios perdona sus transgresiones y cubre sus pecados; por lo tanto, no lo culpa de pecado. Pablo dice que David es justificado no por ausencia de pecados, o por ser un hombre bueno, sino porque sus pecados son perdonados.

El Salmo 32 muestra a un David aliviado, ya que se siente como un pecador perdonado. Es tanta su paz que muestra el camino a los demás pecadores para que confíen en el Señor, acepten la manera en que él justifica al pecador, sean alcanzados por la misericordia de Dios y el gozo de la salvación.

Dios esconde de su vista los pecados del creyente, como si no existieran. La base no es la inocencia del hombre, sino la gracia de Dios, que no carga en la cuenta del pecador sus pecados.

Recuerdo a una persona que asistió a una conferencia bíblica que estaba dando en una ciudad. Antes de ir, había estado tres meses encerrado en su pieza, atormentado por la culpa de su vida pasada. Al terminar me agradeció, pero me dijo que se consideraba fuera del alcance del perdón de Dios. Entonces le aseguré que Jesús ya había pagado por sus pecados. Vi unas lágrimas que rodaban por su rostro, en aceptación del perdón.

Él siguió asistiendo a las conferencias, estudió la Biblia y se bautizó junto con su esposa. Hoy, tanto su hijo como su nieto son pastores adventistas.

¿Cómo rechazar el perdón, cuando para recibirlo solo necesitamos tener fe? Si el Salmo dijera: "Bienaventurado el que no tiene pecado", entonces nadie tendría esperanza. ¡Felizmente, dice otra cosa! Expresa que Dios no ve nuestros pecados porque están cubiertos por la sangre de su Hijo amado. Por eso son benditos los que creen, ya que han sido perdonados.

Experimenta la gracia del perdón ahora mismo.

¿PLACEBO O REMEDIO?

"Justificados, pues, por la fe, tenemos paz para con Dios por medio de nuestro Señor Jesucristo" (Romanos 5:1).

¿Qué es la paz? ¿Quién tiene paz? El diccionario define paz como la situación en la que no existe lucha armada en un país o entre países; la armonía sin conflictos entre las personas; la ausencia de ruido o ajetreo; el estado de quien no está perturbado por ningún conflicto ni inquietud. **Es también el sentimiento de armonía interior que los fieles reciben de Dios. La paz verdadera profunda proviene de Dios, y es el resultado de estar bien con él y, por extensión, con los demás.**

En el Antiguo Testamento, la palabra paz es *shalom* e indica un estado de pleno bienestar. Este es un concepto amplio, que incluye la paz espiritual (salvación), la paz física (salud), la paz psicológica (integración) y la paz social (justicia y libertad).

Pablo afirma que esa paz verdadera es profunda y solo viene de Dios. Es por él que la recibimos. Cuando Dios originó la vida, todo era armonía y paz. El pecado provocó división y rebeló al hombre contra Dios, contra el prójimo, contra sí mismo y contra la naturaleza. Así, se produjo un estado de desarmonía que solo puede ser recuperado cuando restablecemos la comunión con Dios.

Todos necesitamos paz. Algunos la buscan por caminos alternativos y se apropian de placebos, es decir, de una sustancia que carece de actividad farmacológica, pero que puede tener un efecto terapéutico cuando el paciente que la ingiere cree que se trata de un medicamento realmente efectivo. Desde luego, el placebo no cura la enfermedad primaria real, sino que solo puede aliviar síntomas superficiales.

En esencia, el pecado es el gran destructor de la paz; esto es, la separación de Dios nos lleva al egocentrismo, la idolatría, el temor, la ansiedad y el odio. La paz completa es un don de Dios y se mantiene en el tiempo a través de una relación de comunión permanente, por medio del estudio de la Biblia, la oración, la meditación y el testimonio.

Necesitamos paz, perdón y el amor del Cielo. Esto es algo que no se consigue con dinero, ni con inteligencia, ni con sabiduría ni con esfuerzos personales. "Dios los ofrece como un don, sin dinero y sin precio. Son vuestros, con tal que extendáis la mano para tomarlos. El Señor dice: '¡Aunque vuestros pecados fuesen como la grana, como la nieve serán emblanquecidos; aunque fuesen rojos como el carmesí, como lana quedarán!' **'También os daré un nuevo corazón, y pondré un espíritu nuevo en medio de vosotros'** " (Elena de White, *El camino a Cristo*, p. 49).

Muy pronto la paz será definitiva y eterna; mientras tanto, no uses placebo. El remedio es inmejorable.

ACCESO DIRECTO

"Por quien también tenemos entrada por la fe a esta gracia en la cual estamos firmes, y nos gloriamos en la esperanza de la gloria de Dios" (Romanos 5:2).

En ocasión de una emergencia planteada en cierta ciudad, el Pr. Víctor Peto (un amigo, quien además era un gran hombre de Dios, y hoy descansa en la bendita esperanza) estaba conduciendo a un grupo para prestar un servicio en esa comunidad. En su recorrido, se cruzó con el mismísimo presidente de la Nación, le extendió la mano y le dijo quién era. El primer mandatario, sin soltar su mano, agradeció la labor con estas palabras: "Yo sabía que los adventistas estarían aquí, siempre son los primeros en llegar cuando la gente necesita ayuda".

Un servicio desinteresado y bien realizado siempre abre puertas y facilita la entrada. Vivimos en una sociedad de puertas y corazones cerrados. Las fronteras tienen fuertes controles; hay barrios y condominios cerrados, con lugares más costosos de adquirir porque, en teoría, son más seguros. Hay llaves, tarjetas, dispositivos y huellas digitales que nos abren puertas.

Solo Pablo utiliza la palabra "entrada", tanto aquí como en Efesios. Otras versiones de la Biblia usan la palabra "acceso" o "presentación en la misma presencia de Dios". **La fe nos abre la puerta para entrar en la gracia divina. No fuimos solos, fuimos llevados de la mano de Jesús.**

Es como la entrada de un barco al puerto, donde las boyas flotantes marcan el canal de acceso. A veces, por causa del mal tiempo, están cubiertas por la marejada y el canal no es visible. Pero el práctico (operario naval encargado de asesorar al capitán en las maniobras de entrada y salida del puerto) conoce la profundidad y los escollos o rocas; sabe a qué velocidad encarar y cómo guiar la entrada segura al puerto deseado. Cristo es nuestro "practico", que lleva nuestra embarcación al puerto del Trono de Dios.

En algunos lugares solo es posible entrar con una ropa adecuada. Cristo nos vistió con el traje de su justicia, a fin de que podamos entrar donde no teníamos ningún mérito para ello. El pecado nos cerró la puerta y nos destituyó de la gloria de Dios. La gracia nos abre la puerta y nos lleva a la misma gloria de Dios.

El documento de acceso no es temporario, no tiene fecha de vencimiento y no está sujeto a visados especiales. El acceso es completo. No somos llevados a la cámara del Rey para tener una entrevista, sino para permanecer para siempre con él.

"El Señor nos anima a depositar ante él nuestras necesidades y perplejidades, nuestra gratitud y nuestro amor. Cada promesa es segura. Jesús es nuestra Garantía y Mediador, y ha colocado a nuestra disposición todos los recursos a fin de que podamos tener un carácter perfecto" (Elena de White, *En los lugares celestiales*, p. 20).

FELICES EN LAS PRUEBAS

"Y no solo esto, sino que también nos gloriamos en las tribulaciones, sabiendo que la tribulación produce paciencia; y la paciencia, prueba; y la prueba, esperanza" (Romanos 5:3).

¿Cómo es posible alegrarse en las tribulaciones? La palabra tribulación viene de "tribul", que era un pedazo de madera utilizado para golpear y separar el pasto de la paja. Así, se separaba la paja, que era más liviana. Los golpes de la vida nos dejan presionados, acongojados, afligidos y aplastados. Es decir, atribulados.

Ni Pablo ni el Señor han prometido a los creyentes que estarían libres de problemas. **No promete la Biblia librarnos del horno de fuego, pero sí que Alguien estará a nuestro lado y utilizará ese sufrimiento para fortalecer nuestra fe, perfeccionar nuestro carácter y llevarnos a testificar del poder de Dios.** No tenemos que provocar el sufrimiento ni buscarlo, como si eso nos agregara méritos. Dios no es el originador del dolor; solo lo permite y lo encauza siempre con un propósito de eternidad.

Quizá ningún otro seguidor de Cristo haya sufrido tanto por causa del evangelio como Pablo. Él sabía por experiencia propia lo que la tribulación produce: lleva a la paciencia, la resistencia y la perseverancia.

El hombre pecador ve en el sufrimiento a un Dios indiferente, distante y castigador. No percibe el propósito escondido. Cristo enfrentó el dolor y la injusticia con valor y entereza. El hijo de Dios, justificado por su gracia, se regocija en la adversidad porque ve en ella una oportunidad de crecimiento, de mayor dependencia y de dar testimonio. Las pruebas y las aflicciones que son soportadas con paciencia muestran que nuestra fe y nuestro carácter son genuinos. La fe se hace más fuerte; y la esperanza, más firme.

Bien decía el sabio Salomón que el oro se purifica en el fuego (Prov. 17:3); así como nosotros en el sufrimiento, si corregimos la conducta y ponemos nuestra confianza en el Señor. Un antiguo refrán dice: "No todo lo que brilla es oro". ¡Cuidado con guiarnos por las apariencias, ya que no todo lo que parece bueno o valioso es tal! El color o el brillo no aseguran que sea oro. En contraste, existe el oropel, una lámina de cobre o latón que suele utilizarse para aparentar oro.

El fuego purifica y pone a prueba nuestra fe. Ahora bien, cuando somos probados, ¿somos también aprobados?

Señor, ayúdame a no brillar como el oropel, que parece oro pero que no lo es, sino como el oro auténtico. Que tus propósitos se cumplan en mí y que cuando mi fe sea probada, por tu gracia, sea aprobada.

ADÁN VERSUS CRISTO

"No obstante, reinó la muerte desde Adán hasta Moisés, aun en los que no pecaron a la manera de la transgresión de Adán, el cual es figura del que había de venir" (Romanos 5:14).

¿Cuál es el descubrimiento más grande de la historia? Algunos hablan del fuego, de la rueda y de la imprenta. Otros, de la computadora y de Internet. Pero Pablo, en Romanos 5, habla de dos acontecimientos y dos personas que marcaron la historia.

Se trata del primer Adán y de Cristo, el segundo Adán. Uno es el gran perdedor; otro, el gran ganador. Uno es el fracasado; otro, el victorioso. Uno es quien fundó y fundió la raza humana; otro, el que la redime y la refunda. Uno nos llevó a la muerte; el otro nos lleva a la vida.

Por uno perdimos el Edén y la herencia; por el otro recuperamos la herencia y el nuevo Edén. Por uno terminó todo lo bueno; por el otro terminará todo lo malo, y lo bueno será recuperado para siempre. Uno viene de la Tierra, el otro viene del cielo. Por la desobediencia de uno entró la muerte, y por la obediencia del otro se recupera la vida.

Adán fue probado en un jardín hermoso; Cristo fue tentado en el desierto. El Antiguo Testamento es el "libro de las generaciones de Adán" y termina con una maldición (Mal. 4:6). El Nuevo Testamento es el "libro de la genealogía de Jesucristo", y termina con la promesa de que no habrá más maldición (Apoc. 22:3).

En resumen, Adán y Cristo ilustran dos escuelas de vida y dos reinos. Uno es terrenal, y el otro es celestial.

La transgresión de Adán es también la nuestra. Literalmente, "transgredir" significa pasar la línea. ¡Y vaya si nosotros la hemos traspasado!

Somos descendientes de Adán, heredamos su naturaleza pecaminosa y sus consecuencias. **Pero Cristo asumió nuestros pecados y sufrió nuestro castigo. Cristo venció donde Adán falló.**

Por eso, Satanás es un enemigo vencido, y "nadie está eximido de entrar en la batalla del lado del Señor, pues no hay razón para que no podamos ser vencedores si confiamos en Cristo: 'Al que venciere, le daré que se siente conmigo en mi trono, así como yo he vencido, y me he sentado con mi Padre en su trono' (Apoc. 3:21)" (Elena de White, *La temperancia*, p. 250).

¡Gracias, Señor, porque juntos podemos vencer!

SABER VERSUS VIVIR ESE SABER

"¿O no sabéis que todos los que hemos sido bautizados en Cristo Jesús, hemos sido bautizados en su muerte?" (Romanos 6:3).

¿Sabemos qué significa "saber"? Técnicamente es conocer, tener noticias de algo, o habilidad o capacidad para hacer algo. Sin embargo, Pablo nos desafía en Romanos 6 a saber, por lo menos, tres cosas.

El primer saber es que estamos unidos a Cristo y su muerte por medio del bautismo. El pecado nos separó de Cristo, pero en el bautismo somos unidos a él, a su muerte y a lo que esto significa. Dejamos de estar bajo el reino de Adán, para formar parte del Reino de Cristo. En el bautismo, crucificamos el pecado en nuestros corazones, morimos a la vida vieja, somos sepultados, inmersos juntamente con él, para emerger, resucitar a una nueva vida.

Así, somos plantados e injertados con él para una vida nueva. Este símbolo bíblico del bautismo se suma al resto de evidencias bíblicas de que el bautismo es por inmersión, para que se cumpla su significado y para seguir el ejemplo de Jesús.

El segundo saber enfatiza la crucifixión de nuestro viejo hombre juntamente con Cristo. Seguimos teniendo una naturaleza pecaminosa, pero por Cristo y la obra del Espíritu Santo, dependiendo siempre de él, podemos vencer.

Así como la muerte del esclavo lo liberaba de su servidumbre, el creyente que muere con Cristo en el bautismo queda liberado de la esclavitud del pecado.

El tercer saber se relaciona con la resurrección de Cristo. El Señor no quiere solo conducirnos a la muerte y la sepultura, sino también a la resurrección y a una vida nueva. Así como Cristo no volverá a la tumba porque ya ha vencido a la muerte, el creyente también será vencedor. La muerte ya no tendrá autoridad.

La conclusión de este saber es que vivamos, es decir, apliquemos, el conocimiento a la vida. Saber y no aplicar lo que sabemos no nos otorga ventajas; por el contrario, aumenta nuestra responsabilidad, porque "al final, no se nos preguntará qué sabemos, sino qué hemos hecho con lo que sabemos" (Jean de Gerson).

¿Qué cosas podrían separarnos de aplicar lo que sabemos? Incoherencia entre el discurso y la acción, indiferencia, fanatismo, desidia, desvalorizar el conocimiento, prejuicios, presiones, burlas y oposición, entre otras. Pero nada disculpa ni justifica que un buen conocimiento no se practique; mucho menos cuando este tiene que ver no solo con el presente, sino con la eternidad.

¿LEY VERSUS GRACIA?

"¿Qué, pues? ¿Pecaremos porque no estamos bajo la Ley, sino bajo la gracia? ¡De ninguna manera!" (Romanos 6:15).

¿C**reer u obedecer? ¿Qué viene primero?** La respuesta es clave, ya que la comprensión de la armonía entre creer y obedecer nos permitirá diferenciar entre libertad y libertinaje.

Sin duda, primero está el creer, porque el pecador está muerto en sus pecados, y un muerto nada puede hacer. Ya hemos visto que somos justificados por la gracia del Señor, que recibimos por la fe. Algunos piensan que somos justificados por la fe y santificados por las obras. Pero la obediencia también es resultado de la fe, que nos lleva a una vida dependiente del Señor.

Tenemos toda la libertad para hacer el bien. No hay libertad para hacer el mal. Quien no usa la libertad de manera responsable en el marco de la ley, pierde su libertad.

Hay una verdadera y una falsa libertad. Adán y Eva vivieron la falsa libertad, no se sujetaron a la voluntad de Dios y dejaron de ser libres. Cayeron en libertinaje y se hicieron esclavos del pecado. El libertinaje es el abuso de la libertad, para hacer lo que se quiere sin reglas, ni respeto ni ley.

Si quebramos la ley que nos protege perdemos nuestra libertad, porque la misma ley que protege la libertad de los que la respetan pone en la cárcel a los infractores. No somos libres para no obedecer la Ley de Dios. Pensar que el Señor nos libera para que podamos hacer lo que queramos es desvirtuar el sacrificio de Cristo tanto como pensar que podemos ser salvos por nuestra propia obediencia.

La gracia, como el agua, limpia nuestra suciedad del pecado. El papel de la Ley, como un espejo, es mostrar nuestra suciedad y llevarnos al agua de la gracia de Cristo. Romper el espejo porque no sirve para limpiar es distorsionar su propósito. Entonces, ¿vamos a desobedecer la Ley porque no estamos bajo la Ley sino bajo la gracia? Pablo respondió: "¡De ninguna manera!"

Exactamente lo mismo hizo Jesús con la mujer sorprendida en adulterio (Juan 8:1-11): no la limpió con la Ley, sino con su gracia, su amor y su poder perdonador. Reflotó su vida del abismo de la culpa y del pecado, y luego le dijo que se fuera, pero que no pecara más.

Sujeta hoy tu vida a Cristo y a su Ley. "No ganamos la salvación con nuestra obediencia; porque la salvación es el don gratuito de Dios, que se recibe por la fe. Pero la obediencia es el fruto de la fe [...]. He aquí la verdadera prueba. Si moramos en Cristo, si el amor de Dios está en nosotros, nuestros sentimientos, nuestros pensamientos, nuestros designios, nuestras acciones, estarán en armonía con la voluntad de Dios, según se expresa en los preceptos de su santa Ley" (Elena de White, *El camino a Cristo*, p. 61).

PECADO VERSUS GRACIA

"Porque la paga del pecado es muerte, pero la dádiva de Dios es vida eterna en Cristo Jesús, Señor nuestro" (Romanos 6:23).

Hagamos un resumen de lo que el pecado nos quitó y lo que la gracia, o dádiva, puede restaurar. Tengamos en cuenta que el pecado es la separación voluntaria del Señor; y la dádiva es un donativo, o regalo, desinteresado e inmerecido.

El pecado nos privó del árbol de la vida. La obediencia al mandato divino no solo era una prueba de amor y lealtad, sino de formación de un carácter dependiente de Dios, probado y aprobado. **La gracia nos restaura el derecho al árbol de la vida.** Hoy, promesa; en breve, realidad. Ese árbol es símbolo de la vida eterna que procede de la Fuente de vida.

El pecado nos colocó bajo sentencia de muerte. El destino final del pecador es la tumba, a través de un camino de dolor y sufrimiento. **La gracia nos da la victoria sobre la muerte.** El don de Dios es ofrecernos vida y vida en abundancia, incluso para aquellos que han pasado al descanso confiando en sus promesas, porque los que creen en él, aunque estén muertos, vivirán.

El pecado nos arrojó afuera para ganar el pan con sudor, cansancio, esfuerzo y dolor. La gracia nos provee el maná escondido. Cristo es nuestro Maná, él es nuestro alimento y nuestro Pan de vida.

El pecado nos robó nuestro dominio. Pasamos de ser gobernantes del mundo a esclavos de Satanás. **La gracia nos da autoridad sobre todas las naciones, ya que Dios restaura nuestra dignidad.** Hoy somos parte del Reino de la gracia, y en breve, en su regreso, seremos parte del definitivo Reino de la gloria, que desmenuzará todos los otros reinos simbólicos y perdurará para siempre.

El pecado nos dejó desnudos, física y espiritualmente. Nos quitó la inocencia y el pudor; nos trajo culpa y vergüenza. **La gracia nos concede vestiduras blancas,** que representan la justicia de Cristo, que nos es contada como justicia.

El pecado nos alejó de la presencia de Dios. Adán y Eva se escondieron, y nosotros hacemos lo mismo. Pero ¿a dónde iremos? En cambio, **la gracia nos promete que siempre estaremos en su presencia.** El Señor nos busca, no para condenarnos, sino para darnos otra oportunidad y asegurarnos que un día recuperaremos el vivir para siempre en su presencia.

El pecado nos devuelve al polvo. El hombre fue hecho del polvo de la tierra, y allí volverá. **La gracia nos coloca en el Trono de Dios** para ser reyes conjuntamente con él.

¡Gracias, Señor, por tu gracia, que nos concede todo este bien presente y el eterno!"

LAS TRES ERRES

"¡Miserable de mí! ¿Quién me librará de este cuerpo de muerte? ¡Gracias doy a Dios, por Jesucristo Señor nuestro!" (Romanos 7:25).

¿Qué es un miserable? Es un desdichado, alguien de escaso valor, un perverso, un desperdicio y una basura. Sin duda, estas definiciones son fuertes, pero esta es la realidad que nos toca enfrentar. No son aspectos ajenos.

La basura, por ejemplo, es parte de nuestra historia. Los griegos y los romanos desarrollaron el hábito de enterrar sus residuos. En la Edad Media, la basura acumulada comenzaba a provocar epidemias. La Revolución Industrial multiplicó la producción de materiales y el consumo. El deterioro de la capa de ozono, el calentamiento global, la contaminación del aire y del agua, el aumento desenfrenado del consumo y el uso de materiales no biodegradables, electrónicos y nucleares, causan un caos planetario, a punto tal que el tema se ha transformado en una de las mayores preocupaciones mundiales de nuestros días. Por año, en nuestro planeta se producen treinta mil millones de toneladas de basura. En los países más desarrollados, la producción diaria de basura sobrepasa los tres kilos por persona.

Hay tres acciones para disminuir los problemas que la basura acarrea: **Reducir, Reutilizar y Reciclar.** Las 3R puestas en práctica generan muchos beneficios, entre los que se destacan la disminución de la contaminación, el cuidado de la salud y la prolongación de la vida.

Pensar que el producto recién salido de la mano del Creador era perfecto: todo era bueno, y en gran manera. Desdichadamente, el pecado se infiltró en el producto original. El ser humano elige degradarse a sí mismo y se transforma en una descomposición que genera frustración, dolor y muerte.

En los días de San Pablo se castigaba al malhechor encadenando a su cuerpo la evidencia de su delito, es decir, un cadáver. Aplicando esto a la vida espiritual, Pablo exclama que es un miserable, ya que nadie lo podría librar de ese cuerpo de muerte. Felizmente, el mismo Espíritu que le permitió reconocer su situación lo llevó al remedio: Jesucristo, su esperanza.

El plan de Dios también incluye las 3R. Él quiere **Reducir, o deshacer, las obras del diablo**. Él quiere **Reutilizar este residuo que es nuestra vida como un canal que redistribuya el agua de vida.** Y él quiere **Reciclar la Tierra, para terminar con el caos planetario y la basura del pecado,** transformando lo mortal en inmortal y lo corrupto en incorruptible. Será un reciclado total y definitivo.

Somos miserables, pero alcanzados por Dios, transformados y utilizados por él, para terminar con el residuo del pecado y disfrutar la eternidad.

¡Gracias, Señor, por redimirnos, y reutilízanos como mensajeros de esperanza, para que pronto seamos reciclados para tu Reino!

SIN CONDENA

"Ahora, pues, ninguna condenación hay para los que están en Cristo Jesús, los que no andan conforme a la carne, sino conforme al Espíritu" (Romanos 8:1).

¿Qué significa andar conforme a la carne? La palabra "carne" designa al cuerpo humano e ilustra lo exterior. También puede representar a los parientes y la comunidad. En un sentido moral, significa lo que está **opuesto o enemistado con Dios, centrado en lo material y en lo temporal.**

Carnal es el hombre que se considera autosuficiente y cree que puede salvarse por sí mismo. Para Pablo, "carne" es un poder actuante en el ser humano, contrario al Espíritu de Dios. Andar en la carne es opuesto totalmente a andar en el Espíritu. Lo carnal no tendrá parte en la eternidad con Dios; sí el cuerpo, que será transformado en incorruptible e inmortal.

¿Qué implica andar en el Espíritu? Es caminar con Dios, así como lo hizo Enoc. Es ser guiados por el Espíritu, quien nos lleva a toda verdad, nos enseña todas las cosas, glorifica y revela a Cristo y nos conduce en todo el proceso de la salvación.

El Espíritu nos convence de pecado (habilitándonos para creer en Jesús), nos convence de justicia (capacitándonos para vivir la vida cristiana) y nos convence de juicio (dándonos la certeza de la salvación y una oportunidad de producir una vida nueva: amor, gozo, paz, paciencia, benignidad, bondad, fe, mansedumbre y templanza).

Además, graba la Ley de Dios en nuestro corazón y nos da la seguridad de ser llamados hijos de Dios, dependientes, obedientes, fieles y misioneros.

La carne y el Espíritu son dos naturalezas que luchan entre sí por dominar y dirigir nuestra vida, como una embarcación con dos motores que empujan en sentidos opuestos. El motor que alimentamos más es el que dará el rumbo.

Nacemos con la enfermedad hereditaria del pecado, con inclinación hacia lo malo. La lucha y la victoria son permanentes. Tenemos que dar el alimento y el combustible diarios para hacer morir lo carnal y mantener siempre vivo lo espiritual. **Alimenta tu espíritu, en lugar de tu carne.**

¿Cómo hacerlo? El pastor Mark Finley destaca tres consejos prácticos para hacer más profunda y relevante la vida devocional:

1-Leer con oración, conversando interactivamente con Dios.

2-Leer y meditar en las últimas escenas de la vida de Cristo, tanto en la Biblia como en el Espíritu de Profecía.

3-Tener un momento para compartir la devoción personal con otra persona, con una aplicación a la vida diaria.

El evangelio nos ofrece la seguridad de que Cristo no vino a condenar a los pecadores sino al pecado.

23 de febrero

MUCHAS GRACIAS, PAPÁ

"Pues no habéis recibido el espíritu de esclavitud para estar otra vez en temor, sino que habéis recibido el Espíritu de adopción, por el cual clamamos: ¡Abba, Padre!" (Romanos 8:15).

"Abba" es una expresión aramea usada para indicar una estrecha relación entre el padre terrenal y sus hijos, que implica cariño e intimidad. Literalmente, significa "papá" o "papito"

Luego, por extensión, "Abba" comenzó a usarse entre los cristianos para dirigirse a nuestro Padre que está en los cielos. El primero en aplicarla a Dios fue Jesús mismo, cuando dijo: "Abba, Padre, todas las cosas son posibles para ti; aparta de mí esta copa; mas no lo que yo quiero, sino lo que tú" (Mar. 14:36). Pablo la empleó en las cartas a los Romanos y a los Gálatas, para demostrar que somos hechos hijos de Dios gracias al sacrificio de Cristo.

Lo que posibilita ese grado de intimidad es la obra del Espíritu, que nos guía, y nos adopta como hijos. Así, Pablo contrasta la servidumbre o la esclavitud con la libertad del hijo de Dios. Es decir, el Espíritu que nos guía nos asegura que somos aceptados como hijos. No somos esclavos, sino hijos. Es la aceptación de esta adopción lo que genera afecto, confianza, gratitud, compromiso, al punto de decir "Abba Padre".

Adoptar es recibir y tratar a un extraño como a nuestro propio hijo, y Pablo aplica el término a los cristianos porque Cristo los trata de esa manera, aunque por naturaleza eran extraños y enemigos.

En términos jurídicos, se entiende como adopción el acto por el cual se establece un vínculo de parentesco entre una o más personas en una relación de maternidad o paternidad. En sus orígenes, en la adopción romana existía lo que denominaban *adoptio plenay*, que incluía la cesión de la patria potestad, y *adoptio minus plena*, que establecía un vínculo entre adoptante y adoptado, pudiendo o no generar derechos, es decir, no eran obligatorios.

Un niño estaba siendo hostigado por sus compañeros de clase por ser adoptado. Sin embargo, él no se sentía inferior o discriminado por eso. Así que, les preguntó: "Ustedes ¿no son adoptados? ¡Qué pena, no se preocupen, alguien los va a adoptar!" Era tal el privilegio que sentía que su autoestima estaba alta, se sentía valorado, querido, tenía sentido de pertenencia, un nombre, una familia, una educación, un presente, un futuro y una herencia.

Fue el amor lo que movió a nuestro Padre que está en los cielos a adoptarnos de manera plena con todos los derechos presentes y eternos. Y es el amor lo que debe llevarnos a decir en palabras y en una vida consecuente: "Abba, Padre... Muchas gracias, papá".

AFLICCIONES VERSUS GLORIA

"Tengo por cierto que las aflicciones del tiempo presente no son comparables con la gloria venidera que en nosotros ha de manifestarse" (Romanos 8:18).

Pablo parece contrastar el presente y el futuro: aflicciones de hoy por gloria de mañana, lo temporal por lo eterno. En verdad, es un contraste incontrastable e incomparable. El apóstol ya había sufrido mucho, y mucho sufrimiento más le aguardaba por causa del evangelio, hasta su martirio.

Igualmente, por experiencia y por revelación, él tiene por cierto y asegura que las aflicciones son leves y pasajeras en comparación con la gloria, que es inmensa y eterna. Es como si Pablo tuviera en sus manos una antigua balanza de dos platos: en uno de ellos coloca los sufrimientos presentes; y en el otro, la gloria eterna.

El sufrimiento es a causa del pecado. Sufrimos de manera directa cuando cosechamos lo que sembramos; o de manera indirecta, por la existencia del mal en el mundo. Sufrimos por enfermedad, desengaños, falta de trabajo, falta de recursos, injusticia, frustraciones, soledad, culpa, odio y todo otro dolor del tiempo presente. Podemos sufrir también por causa del evangelio, al vivir y compartir la fe, al dar testimonio de la verdad y del Señor. Aun en medio de tanto dolor, necesitamos recordar que es temporal y que tiene un límite.

La gloria de Dios es consecuencia de la gracia. Es ilimitada y eterna. Pero ¿solo en la eternidad? ¿Podemos tener un anticipo de esa gloria en esta Tierra? Es posible "algo" de gloria en el presente para contrastar con lo "mucho" de aflicciones. Si todos nuestros días presentes son de aflicción, comparados con los días interminables de gloria, igual vale la pena. No importa la cantidad y la severidad de nuestros sufrimientos presentes, quedan insignificantes al compararlos con la gloria eterna. Pero, además de la esperanza del mañana, necesito fuerzas para hoy.

La gloria que muy pronto será revelada incluye el resplandor brillante del regreso de Cristo. Los justos vivos serán transformados, y los justos que descansan serán resucitados, para recibir la gloria, la vida de Dios para siempre. Los injustos que vivan no podrán soportar el resplandor de la gloria de la venida de Jesús. Los justos trasladados al cielo, de regreso a la Tierra, compartirán la gloria de Dios por toda la eternidad.

Experimentando la paz, el perdón, el consuelo, la esperanza, y en el cumplimiento de la misión viendo los milagros de Dios que transforman vidas, tenemos un anticipo de la gloria venidera. Romanos 8:1 dice que tenemos que aguardar esa manifestación con deseo ardiente; es decir, con la cabeza levantada, seguros, confiados, fieles y comprometidos, porque desde su serena eternidad Dios está en el control de todas las cosas.

GEMIDOS

"Sabemos que toda la creación gime a una, y a una está con dolores de parto hasta ahora. Y no solo ella, sino también nosotros mismos, que tenemos las primicias del Espíritu, nosotros también gemimos dentro de nosotros mismos, esperando la adopción, la redención de nuestro cuerpo" (Romanos 8:22, 23).

Pablo dice que la Creación gime como con dolores de parto, y que también gemimos nosotros y el Espíritu. El dolor durante el trabajo de parto es ocasionado por las contracciones de los músculos y la presión sobre el cuello uterino. Además, se puede sentir en el abdomen, las ingles y la espalda. La sensación de dolor puede variar de una mujer a otra, pero el dolor del parto es considerado, junto a otros, como de los más dolorosos, tales como migrañas, herpes zóster, cálculos renales y biliares, dolor de muelas, neuralgia del trigémino y quemaduras. En el caso del dolor producido por el parto, la alegría de la vida sobrepasa el sufrimiento.

Vivimos en un tiempo de malestar generalizado. La Creación entera, nosotros incluidos, clamamos y esperamos una intervención. Elena de White lo describe claramente en estas tres citas.

"Las tormentas braman con destructiva violencia. El hombre, las bestias y las propiedades sufren daños. Debido a que el hombre sigue transgrediendo la Ley de Dios, él les retira su protección. El hambre, los maremotos y la pestilencia se suceden porque el hombre ha olvidado a su Creador. El pecado, la plaga del pecado, mutila y desfigura a nuestro mundo; y la Creación agonizante gime bajo la iniquidad de sus habitantes" (*Elena de White en Europa*, p. 208).

"En el mundo, todo es agitación. El Espíritu de Dios se está retirando de la Tierra, y una calamidad sigue a otra por tierra y mar. Hay tempestades, terremotos, incendios, inundaciones, homicidios de toda magnitud" (*El Deseado de todas las gentes*, p. 590).

"Satanás ve que su tiempo es corto. Ha puesto a todos sus agentes a trabajar a fin de que los hombres sean engañados, seducidos, ocupados y hechizados hasta que haya terminado el tiempo de gracia, y se haya cerrado para siempre la puerta de la misericordia" (*ibíd.*).

Mientras tanto, el Espíritu coloca a disposición todo su poder para que entendamos los tiempos en que vivimos, y actuemos con fidelidad, a fin de que los dolores de parto concluyan y alumbremos la vida eterna.

Cuando "la creación gime a una", el corazón del Padre infinito gime porque se identifica con nosotros. Para destruir el pecado y sus consecuencias, dio a su Hijo amado y nos permite que, mediante la cooperación con él, terminemos con esta escena de miseria.

UNA PROMESA VIGENTE

"Sabemos, además, que a los que aman a Dios, todas las cosas los ayudan a bien" (Romanos 8:28).

Cuando Elena de White ya era viuda, fue a servir a Dios y a la iglesia a la lejana Australia. Esto sucedió a fines del siglo XIX, cuando el país no era la próspera nación que es hoy y cuando no había aviones para viajar hasta allí de manera rápida.

En Australia, Elena sufrió durante once meses de fiebre palúdica y de reumatismo inflamatorio. Pasó por el mayor sufrimiento de su vida. No podía levantar los pies sin sufrir gran dolor. La única parte del cuerpo sin dolor era el brazo derecho, del codo para abajo. Las caderas y la espina dorsal dolían constantemente. No podía estar acostada por más de dos horas. Se arrastraba a una cama similar para cambiar de posición. Así pasaban las noches. Los médicos le dijeron que nunca volvería a caminar.

Al principio de su sufrimiento e invalidez, sintió que no podía soportarlo, pero no mucho tiempo después pudo entender que la aflicción era parte del plan de Dios. Recordó que el Señor nunca le había fallado. Entonces, oró fervientemente y notó cuán dulce es el consuelo que hay en las promesas de Dios.

¿Cómo pudo sobrellevar todo? "Mi Salvador parecía estar muy cerca de mí. Sentía su sagrada presencia en mi corazón y estaba agradecida por ello. Estos meses de sufrimiento fueron los meses más felices de mi vida, debido al compañerismo de mi Salvador. Él era la esperanza y corona de mi regocijo. Estoy muy agradecida de que tuve esta experiencia porque conozco mejor a mi precioso Señor y Salvador" (*Mensajera del Señor*, p. 65).

Elena de White sufrió mucho en su vida. Sin embargo, fue una mujer notablemente productiva y activa, y de su sufrimiento provino una filosofía del sufrimiento que ha sido una roca sólida para millones. Su libro *El ministerio de curación*, además de centenares de cartas, jamás podría haber sido escrito sin que su propia experiencia proveyera el marco humano para principios divinos básicos sobre este tema.

Muchos cobraban ánimo al ver su alegría y su firme resolución bajo intensa adversidad. Los años vividos en Australia fueron los más productivos: ayudó a establecer un sólido programa educativo y evangelizador, y escribió *El Deseado de todas las gentes*, más miles de cartas oportunas. Sus 87 años, sus escritos y su ministerio demuestran que con el Señor podemos vencer. Su último escrito también rebosaba de esperanza y gozo cristiano.

Para Pablo, para Elena y para cada uno de nosotros, la promesa sigue vigente: "A los que a Dios aman, todas las cosas ayudan a bien".

27 de febrero

EL SEGURO MÁS COMPLETO

"Por lo cual estoy seguro de que ni la muerte ni la vida, ni ángeles ni principados ni potestades, ni lo presente ni lo por venir, ni lo alto ni lo profundo, ni ninguna otra cosa creada nos podrá separar del amor de Dios, que es en Cristo Jesús, Señor nuestro" (Romanos 8:38, 39).

Seguridad significa certeza, certidumbre, convicción, convencimiento, persuasión y evidencia. Las personas quieren y necesitan sentirse seguras en su vida, sobre su salud, sobre sus bienes y sobre sus movimientos. Existen decenas de seguros (personales, patrimoniales y de servicios), que intentan, en parte, brindar seguridad frente a eventuales imprevistos.

Romanos 8 presenta el mejor y más completo seguro. Comienza diciendo que ninguna condenación hay para los que están en Cristo Jesús y termina diciendo que nada puede separarnos del amor de Dios. Es decir, nada de nada, ni de esta vida, ni del Universo, ni del tiempo, ni nada que exista. ¿Qué más podría haber dicho Pablo para hacernos sentir seguros?

Dios nos ofrece su justicia; por eso, no podemos ser condenados. Nos ofrece su Espíritu; por eso, podemos vencer la carne y vivir según Dios. Nos ofrece su gloria; por eso, superamos las tribulaciones.

Es el amor del Padre, que envió a su Hijo y nos reveló su amor; es el amor del Hijo, que ofreció su vida e intercede por nosotros; y es el amor del Espíritu Santo, que nos convence de pecado, nos guía a la justicia, a la verdad y la obediencia, y al testimonio.

Con esta explicación de ilimitada confianza en el amor de Dios que salva, Pablo enfatiza el plan divino de restaurar en el hombre la imagen perdida. Esa restauración y salvación provienen de aquel cuyo propósito de salvar es tan poderoso que nada puede hacer perdernos esa salvación, a menos que la rechacemos. Por eso, el apóstol consideraba un imperativo (para él y para nosotros) la proclamación de nuestra confianza, gratitud y obediencia.

Nuestra seguridad no está basada en el amor frágil e inconstante que nosotros podamos tener hacia Dios, sino en el amor invariable e ilimitado que él tiene por nosotros. Pablo tenía todas las respuestas, todas las provisiones y todas las seguridades para declarar, totalmente convencido, que nada de nada lo separaría de ese amor.

El mismo Pablo que en Romanos 7 dice que nada bueno hay en él es quien afirma que nada puede separarlo de ese amor, y es el mismo que les dice a los filipenses que todo lo pueden en el Señor (Fil. 4:13).

Solo Dios puede atender a todos y al mismo tiempo. Él puede atenderte como si fueras lo único en todo su Universo. Sería muy bueno recordar que "lo que somos es el regalo de Dios para nosotros, y en lo que nos convertimos es el regalo de nosotros para Dios (Eleanor Powell).

Que nada te separe de este amor.

UN DOLOR INTERMINABLE

"Tengo gran tristeza y continuo dolor en mi corazón, porque deseara yo mismo ser anatema, separado de Cristo, por amor a mis hermanos" (Romanos 9:2, 3).

En el 56º Festival Internacional de Publicidad realizado en Berlín (celebrado en febrero de 2006), fue elegido como el mejor cortometraje uno titulado "Pollo a la carta". La historia, basada en un hecho real, muestra el caminar nocturno de un hombre que recorre las calles y los negocios buscando restos de comida que han sido dejados como desechos o sobrantes.

El desperdicio de unos es la supervivencia de otros. Revuelve los cestos de basura y selecciona a la carta aquellas porciones que aún conservan el rótulo de alimentos comestibles. Al terminar el trabajo de búsqueda y selección, él regresa a su casa. Sin embargo, en el camino, va compartiendo en el vecindario parte de los "trofeos obtenidos". Es consciente de las necesidades propias y de las ajenas. Los otros tienen hambre, y para ellos también hay alimento.

Produce mucha tristeza y dolor los miles, la mayoría niños, que diariamente desfallecen, viven al límite y mueren porque no pueden alimentarse como corresponde; y un dolor mayor aún por los que viven sin el Pan espiritual.

Pablo siente tristeza y continuo dolor por su gente, por sus hermanos y por la salvación de los perdidos. ¿Cuánta tristeza y dolor sentimos nosotros por los que sufren sin esperanza?

Somos hambrientos alimentados y recuperados por el Pan de vida. Somos los privilegiados y responsables de compartirlo con nuestra familia, nuestros vecinos y todos los que están a nuestro alcance. ¿No somos nosotros los urgidos de llegar con el Pan antes de que sea demasiado tarde?

Nos conmovemos al saber que miles mueren por falta de alimento, y ¿qué hacemos por los miles que mueren o viven sin sentido por falta de Jesús? Elena de White, hablando del Señor, dijo: "Cuán espiritual era el alimento que impartía diariamente al distribuir el Pan de vida a miles de almas hambrientas. Su vida consistía en un viviente ministerio de la Palabra. Era la luz del mundo; señalaba a los hombres el camino, la verdad y la vida. Él mismo era el alimento de ellos" (*Cada día con Dios*, p. 281).

Necesitamos comer el Pan de vida todos los días para fortalecer nuestra comunión, y compartirlo con fidelidad para cumplir la misión. El mismo Jesús que dijo: "No solo de pan vivirá el hombre, sino de toda palabra que sale de la boca de Dios" (Mat. 4:4) es el mismo que con toda autoridad en el cielo y la Tierra indica: "Dadle vosotros de comer" (Luc. 9:13).

JUGAR CON VENTAJA

"Que son israelitas, de los cuales son la adopción, la gloria, el pacto, la promulgación de la Ley, el culto y las promesas [...] los patriarcas, de los cuales, según la carne, vino Cristo, el cual es Dios sobre todas las cosas, bendito por los siglos. Amén" (Romanos 9:4, 5).

Solemos utilizar la expresión "jugar" en muchos sentidos: "Jugar a dos puntas", cuando no hay una opinión definida; "jugar con fuego", cuando se encara algo serio de manera frívola, superficial o peligrosa; "jugar al gato y al ratón", cuando dos personas intentan comunicarse de forma infructuosa; "jugar fuerte", cuando apostamos todo a una meta; y "jugar con ventaja", cuando tenemos condiciones, situaciones y ayudas extras (lícitas o ilícitas) que nos garantizan la victoria.

Saulo de Tarso parecía jugar con ventajas personales. El resumen de su CV decía que fue circuncidado al octavo día, era judío, de linaje especial, miembro exclusivo del partido farisaico, celoso por Dios, organizador de la persecución de los cristianos, devoto defensor de la Ley y de conducta irreprochable (Fil. 3:5, 6). No obstante, estas ventajas humanas no fueron ventajas, y quedaron en la oscuridad cuando la Luz lo rodeó camino a Damasco.

El pueblo de Israel también tuvo ventajas: fue adoptado como hijo, vio la gloria de Dios, el Señor hizo un pacto con él, le concedió la Ley, los cultos, sus promesas, y era el canal para bendecir e iluminar a las naciones y preparar la venida del Mesías. **Pero, muchas veces las ventajas no son tales: no son aprovechadas o distraen del centro de atención.**

El 29 de diciembre de 2019 se realizaba la tradicional carrera urbana de Sao Silvestre, en San Pablo, Brasil. El keniano Kibiwott Kandie, de 23 años, se consagró ganador de esta 95ª edición, una de las competencias de mayor tradición en el país y en el mundo. Jacob Kiplino, un debutante de 19 años oriundo de Uganda, que dominó de principio a fin, parecía imbatible, pero un *sprint* en el último suspiro dio al keniano Kandie, quien marchaba cómodo y lejos en la segunda posición, la victoria.

Fue en los metros finales cuando Kandie mostró que todavía tenía reservas y traspasó al ugandés en el último segundo. Kandie registró un tiempo de 42 minutos y 59 segundos, y se convirtió en el primer atleta que culmina la carrera de 15 kilómetros por debajo de los 43 minutos, mientras que quien llevaba todas las ventajas terminó ¡solo por un segundo! en segundo lugar.

Es tiempo de no jugar con fuego y jugar fuerte, sin dar vueltas, sin dormirnos ni distraernos por las ventajas y aprovechando toda oportunidad para crecer en fidelidad. Bien decía Víctor Hugo: "El futuro tiene muchos nombres: para los débiles, inalcanzable; para los temerosos, desconocido; y para los valientes, oportunidad".

DIOS ¿TE ODIA?

"Como está escrito: 'A Jacob amé, mas a Esaú aborrecí'" (Romanos 9:13).

¿Es esto realmente así? ¿Puede Dios amar a uno y aborrecer al otro? ¿Dónde quedan el amor y la justicia del Señor? El diccionario define "aborrecer" como despreciar, detestar, odiar, abominar, reprobar, condenar. Es decir, Dios ¿ama a uno y desprecia, detesta, odia, reprueba, condena al otro? ¡¿Cómo es posible?!

Sin embargo, hay que destacar que la expresión bíblica de ninguna manera significa odio, sino elección. Por ejemplo, Jesús dice que para seguirlo hay que aborrecer padre y madre, y aun la propia vida. Esto no significa odiar a los padres o a uno mismo, sino seguirlo a él antes de todo. Ahora bien, igual seguimos en problemas, porque Dios elige a uno y no a otro, ¿verdad?

Entonces, hay que expresar que el texto no se está refiriendo a personas, sino a líderes y a cabezas de dos grupos. Pablo explica la razón por la cual Dios eligió a Jacob y rechazó a Esaú, así como a los dos pueblos que de ellos descendieron: Israel y Edom.

Cuando Dios eligió a Israel como su pueblo, no lo hizo en virtud del odio al otro, sino a fin de usarlo como canal de bendiciones para los otros pueblos. La elección no hace injusto a Dios; más bien, tiene el propósito de extender la bendición a todos.

Nadie queda afuera de las oportunidades de salvación, pero Dios escoge los instrumentos para hacerlo. Antes fue Israel, mientras cumplió su propósito. Hoy es la iglesia y tiene que cumplir el objetivo.

No obstante, Éxodo 9:2 dice que fue Dios quien endureció el corazón del Faraón. ¿Qué culpa tiene el Faraón de esto? Aquí debemos recordar que, en la Biblia, a Dios se le atribuye lo que él hace como también lo que él permite. Es decir, él "produce" lo que no impide. El corazón de una persona se endurece porque elige rechazar las oportunidades recibidas por la obra del Espíritu Santo. En cada oportunidad de salvación rechazada se endurece aún más el corazón, y esto la hace responsable de su elección.

El surgimiento de las naciones, su desarrollo y su caída parecen muchas veces depender de su propia voluntad, esfuerzos, ambición o caprichos, pero "en la Palabra de Dios se descorre el velo, y contemplamos detrás, encima y entre la trama y la urdimbre de los intereses, las pasiones y el poder de los hombres, los agentes del Ser misericordioso, que ejecutan silenciosa y pacientemente los consejos de la voluntad de Dios" (Elena de White, *La educación*, p. 157).

Hoy ten la seguridad de que puedes sentirte amado, elegido por Dios, confiado y fuerte para encarar el día, porque aquel que tiene el Universo en sus manos puede tener también tu vida.

RESISTE UN POCO MÁS

"¿Dirá el vaso de barro al que lo formó: 'Por qué me has hecho así'? ¿Acaso no tiene potestad el alfarero sobre el barro para hacer de la misma masa un vaso para honra y otro para deshonra?" (Romanos 9:20, 21).

Cuando el alfarero moldea la arcilla y la somete a una temperatura apropiada, se transforma en un recipiente valioso. Pablo utiliza esta figura bien ilustrativa para establecer una gran diferencia entre el barro y el ser humano: nosotros podemos resistirnos al cambio, impidiendo al alfarero que logre su producto final.

¿Podemos armonizar el asunto de la soberanía de Dios y la responsabilidad humana? ¿Hasta dónde el poder de Dios se impone ante la fragilidad humana, y hasta donde el débil ser impide la actuación divina? Pablo dice que no podemos altercar con Dios, ¿acaso puede el barro discutir con el alfarero? ¿Hay prefabricados vasos de ira, listos para oponerse, y vasos de misericordia, listos para dejarse moldear?

El mismo sol que derrite la nieve endure la arcilla. El sol es el mismo, pero la composición del suelo es diferente. Tanto el sembrador como la semilla son los mismos, pero es la receptividad y la disposición del suelo lo importante. A veces la semilla ni penetra el suelo; otras, penetra y luego se ahoga; y solo en uno cumple el propósito y produce los mejores frutos.

Cierta parábola cuenta que una pareja visitó un negocio y encontraron una valiosa taza que llamó mucho su atención, pues nunca habían visto un producto tan fino. Para su sorpresa... ¡la taza comenzó a hablarles!:

"No siempre he sido así. Yo solo era un montón de barro hasta que mi alfarero me golpeó y amoldó. Entonces me desesperé y le grité: '¡Déjeme en paz!' Él sonrió y me dijo: 'Resiste un poco más'. Después, me puso en un horno. ¡Nunca había sentido tanto calor!

"Luego, él me dejo enfriar, pero solo lo suficiente para ser cepillada y pintada. La pintura era asfixiante. Yo le gritaba, pero él solamente decía: 'Resiste un poco más'. Otra vez al horno (ahora mucho más caliente), y otra vez grité y lloré, solo para volver a escuchar: 'Resiste un poco más'. Después de un tiempo en la repisa, mi creador me dijo: 'Ahora eres un producto terminado. Eres lo que yo tenía en mente cuando te empecé a formar' ".

Tal vez haya cosas en tu vida que aún necesitan ser moldeadas. El Alfarero tiene en mente lo mejor para ti. Quiere y puede hacerlo. Pero, desde luego, necesita tu consentimiento. No dudes en entregarte a él por completo, y si estás pasando por dificultades, escucha su voz: "Resiste un poco más".

EL DIOS QUE SALVA

"Llamaré pueblo mío al que no era mi pueblo, y a la no amada, amada. Y en el lugar donde se les dijo: 'Vosotros no sois pueblo mío', allí serán llamados 'hijos del Dios viviente' " (Romanos 9:25, 26).

El nombre "Oseas" es una abreviatura de Josué y significa "Dios salvó". El profeta Oseas cumplió su ministerio por unos 25 años, durante un tiempo de intenso dolor nacional. Israel, el Reino del Norte, cayó en manos de los asirios. Fue derrotado y llevado en cautiverio en dos momentos diferentes.

En esa época de luto y dolor, Oseas escribe su libro. No era momento de sentir simpatía y cariño por los extranjeros, pero el profeta no habla desde sus propios sentimientos de angustia sino por la revelación del Señor. Pablo cita a Oseas para mostrar a los creyentes de Roma que el evangelio debía alcanzar a todos.

Dios le había pedido a Oseas algo extraño: "Me dijo otra vez Jehová: ve y ama a una mujer amada de su compañero y adúltera; así ama Jehová a los hijos de Israel, aunque ellos se vuelven a dioses ajenos" (Ose. 3:1). Dios le pide que ame a una mujer infiel, que no merece ser amada; así como él ama a un pueblo infiel, que no merece ser amado. La infidelidad de Gomer es un espejo de la infidelidad y la idolatría del pueblo para con Dios.

El primer hijo de Oseas y Gomer se llamó Jezreel, que significa "Dios esparció". La segunda hija se llamó "Lo-Rohuama", que significa "No compadecida", para mostrar así el sufrimiento en el exilio. Por su parte, el tercer hijo se llamó Lo-ammi, que significa "No mi pueblo", para mostrar que el pacto entre Dios y su pueblo estaba quebrado. Se usa el significado metafórico de los tres hijos para representar la relación matrimonial restaurada.

Antes de la restauración, Jezreel significaba: "Dios esparcirá", pero luego significó "Sembraré". Antes, Lo-ruhama significaba "No compadecida", después significó: "Tendré misericordia". Antes, Lo-ammi significaba "No pueblo mío", pero después significó "Tú eres pueblo mío".

Por eso, Pablo asegura que Dios llamará "Pueblo mío" al que no era su pueblo y "Amada" a la no amada, con el fin de mostrar a todos los cristianos que Dios siempre estuvo interesado en alcanzar a todos con el mensaje del evangelio. Así, esas naciones también podían ser parte del pueblo de Dios y serían llamadas "hijos del Dios viviente".

Fue para esto que el Hijo de Dios se hizo Hijo del Hombre: para que todos los hijos de la humanidad, sin ninguna discriminación, sean llamados hijos de Dios. Bien decía C. S. Lewis: "El cristiano no cree que Dios nos amará porque somos buenos, sino que Dios nos hará buenos porque nos ama".

EL REMANENTE FIEL

"También Isaías proclama acerca de Israel: 'Aunque el número de los hijos de Israel fuera como la arena del mar, tan sólo el remanente será salvo' " (Romanos 9:27).

¿Qué es un remanente? Técnicamente, es "lo que queda" y "el resto". Dios siempre ha tenido, a través de la historia, un remanente que permanece fiel a su Palabra. Isaías cumple su ministerio cuando Asiria está en su apogeo y arrasa con todos los pueblos. El siervo del Señor claramente profetiza: "Aunque el número de los hijos de Israel fuera como la arena del mar, tan sólo el remanente será salvo" (Isa. 10:22).

La nación entera no escaparía del castigo divino; solo se salvaría un remanente. El mensaje del remanente fue clave en las enseñanzas y la misión de Isaías; incluso Dios le ordenó que pusiera a uno de sus hijos el nombre de Sear-jasub (que significa "Un remanente volverá"), para recordar la promesa. Los que eran parte del remanente habían sido sostenidos por la misericordia de Dios y sobrevivido a guerras, cautiverios, pestes y hambrunas. Además, habían soportado y rechazado la idolatría, y fueron preservados por el Señor como su pueblo elegido, fiel y misionero.

Por eso, en Romanos 9:27, Pablo aplica el término "remanente" a los judíos de sus días que ya eran cristianos. En Romanos 11:5 habla de estos judíos cristianos como de "un remanente escogido por gracia", y el "remanente" de Apocalipsis 12:17 es el cuerpo de fieles de Dios, es decir, "lo que queda" de esta larga línea que sobrevivió a los ataques del enemigo a través de todos los tiempos.

Mis amigos Jorge y Mirta siempre desearon vivir en un lugar soñado, de paz, cerca de la ciudad, donde llevar a jóvenes y familias a fortalecer su fe y su fidelidad a Dios. Oraron mucho, se desprendieron de muchas cosas, y haciendo un gran sacrificio adquirieron una propiedad con una tierra muy fértil y productiva, con sembrados de trigo, maíz y soja.

El nombre que le pusieron a la propiedad fue "El remanente". Esta designación no solo les permitía testificar a los vecinos mediante el nombre, sino también con su testimonio y con una gran variedad de actividades espirituales, de estudio de la Palabra y alabanzas a Dios.

Dios adquirió como su propiedad al remanente con su propia sangre, para ofrecernos su paz, para que nos volvamos a él, para que demos la espalda al pecado y para que vivamos fielmente leales a Jesús, a sus mandamientos y a su misión. Como bien decía Spurgeon: "El cristiano debe ser el hombre más contento del mundo, pero es el menos contento con el mundo".

Recuerden nuestra preciosa identidad: somos el remanente de Dios. Renueva hoy tu gratitud y el compromiso de fortalecer diariamente la comunión con Dios, y cumple fielmente la misión.

UN CASO PERDIDO

"Hermanos, ciertamente el anhelo de mi corazón, y mi oración a Dios es por la salvación de Israel" (Romanos 10:1).

Se suele llamar "caso perdido" a una persona o situación que ha llegado a un punto limite, sin solución. Pablo se refiere, en Romanos, a aquellos que buscaron su propia justicia en lugar de la justicia de Dios; que confiaron en los méritos propios en lugar de los méritos del Señor; que hicieron las cosas a su manera y no a la manera de Dios; y que siguieron sus planes y no los de Dios. Pero él, como apóstol de Jesucristo, no los consideraba un caso perdido.

Entonces, ¿qué hizo Pablo con estos judíos equivocados? Hizo tres cosas:

1-Los trató de hermanos.

2-Tuvo un deseo ferviente de corazón.

3-Oró por su salvación.

Todo esto confirma que Dios no impone ni excluye a nadie de la salvación, sino que la ofrece a todos, de manera reiterada e insistente.

El apóstol usa el término "hermanos" muchas veces, y representa afecto, amistad y cariño. Él no deja de quererlos porque ellos lo hayan rechazado. Al contrario, los sigue amando, y el deseo más ferviente de su corazón es su salvación.

En las antiguas esculturas romanas, la mano inexperta del escultor podría mal usar su herramienta y producir un defecto en la escultura, que los deshonestos tapaban con cera. Este engaño resolvía momentáneamente el problema, porque cuando el sol calentaba la cera, esta se derretía. En cambio, el escultor honesto que había hecho un trabajo cabal colocaba un cartel con esta leyenda en latín: *sine cera*. Esto implicaba la ausencia de un elemento que "maquillaba" y ocultaba el defecto. Algunos afirman que este es el origen de la palabra "sincero". Otros sostienen que proviene de un rostro libre de cera, es decir, de maquillaje. Como sea, lo cierto es que una persona sincera es tal cual se expresa. Es veraz, no esconde nada y sus motivos siempre son puros.

Puede ser que hoy tengas un familiar, un amigo o un hijo que está rechazando a Dios. Quiero decirte que nunca hay un caso perdido para él. No desistas, y sigue el consejo de Pablo: trátalo siempre con afecto y amor, actúa con sinceridad y ora mucho.

"¿Qué se puede hacer para romper el hechizo que Satanás ha echado sobre estas almas? No veo ninguna ayuda, excepto que los padres presenten a sus hijos al Trono de la gracia, en oración humilde y fervorosa, rogando al Señor que se una a sus esfuerzos y a los de sus ministros, hasta que la convicción y la conversión sean el resultado" (Elena de White, *El ministerio pastoral*, p. 320).

¿CELOSO O FANÁTICO?

"Tienen celo por Dios, pero no conforme al verdadero conocimiento"
(Romanos 10:2).

El celo (no confundir con "celos") es un deseo reconcentrado, devoto y entusiasta por algo. "El celo es una cualidad neutral y puede ser el mayor de los vicios. Lo que determina su carácter es el objeto al que se dirige" (J. Murray).

Dios es celoso en el sentido de que espera exclusiva adoración, pues desea siempre el bienestar de sus hijos y que nada surja entre ellos que quiebre esa bendición. Así, la Biblia describe los celos como la emoción que surge al violar ese derecho de exclusividad, de la misma forma que un matrimonio espera de manera recíproca fidelidad de parte de su cónyuge. Pablo dice a los corintios (2 Cor. 11:2) que los celaba con el celo de Dios; y a los romanos, que el celo de muchos judíos no era conforme al verdadero conocimiento.

No obstante, un celo inapropiado y mal dirigido desemboca en el fanatismo. "El celo es como el fuego: en la chimenea es uno de los mejores sirvientes, pero fuera de la chimenea es uno de los peores tiranos. El celo encuadrado dentro del conocimiento y la sabiduría, ubicado en su lugar correcto, es un servidor escogido para Cristo y sus santos, pero el celo que no está amordazado mediante la sabiduría y el conocimiento es el camino directo para deshacer todo y convertirlo en un infierno" (Thomas Brooks).

El fanatismo es una actitud exagerada, obsesiva, intolerante e intransigente. "El fanatismo es hijo del celo falso y de la superstición, padre de la intolerancia y la persecución; es muy distinto de la piedad, aunque algunas personas se gozan en confundirlos" (Juan Fletcher).

El fanático se considera iluminado, referente y autoridad. Sus impresiones y sus opiniones son absolutas. Tiene todo para enseñar y nada para aprender. Siente que debe corregir a todos y no ser corregido por nadie.

No necesitamos fanáticos. Pero hay algo que sí necesitamos: "Lo que se necesita es ferviente celo cristiano, un celo que se manifieste en obras. Todos deben trabajar ahora para sí mismos, y cuando tengan a Jesús en su corazón lo confesarán a otros. Más fácil es impedir que las aguas del Niágara se despeñen por las cataratas que impedir a un alma poseedora de Cristo que lo confiese" (Elena de White, *Joyas de los testimonios*, t. 1, p. 234).

Las cataratas del Niágara pueden mover, en promedio, unos 110.000 metros cúbicos por minuto, lo que nos permitiría llenar 2.500.000 botellas de un litro. Es más fácil impedir la caída de esas aguas que alguien que tiene a Jesús no lo confiese. Mostremos a Jesús, sin fanatismos, hablando y actuando humildemente conforme al verdadero conocimiento de la Palabra.

Sea nuestra oración: Señor, haznos tener celo por tu causa y límpianos de todo fanatismo.

DE CORAZÓN

"Si confiesas con tu boca que Jesús es el Señor y crees en tu corazón que Dios lo levantó de entre los muertos, serás salvo, porque con el corazón se cree para justicia, pero con la boca se confiesa para salvación" (Romanos 10:9, 10).

Todo lo que viene del corazón sale por la boca. Entonces, las palabras que salen por la boca ¿muestran la calidad del corazón? Exacto. Pablo dice que con el corazón se cree para justicia y con la boca se confiesa para salvación. Todo empieza en el corazón.

Verena tenía siete años cuando, enojada, salió de la cocina dando un portazo... el cual, de manera poco delicada, golpeó a su abuela Nilda. Fue una situación simple, que no produjo ninguna consecuencia mayor. Pero en la familia, todos querían enseñar a Verena que tenía que pedir perdón. Después de tanta insistencia adulta, la niña se paró frente a la abuela. Quería abrir su boca para hablar, pero le costaba mucho. Finalmente, dijo: "Esto es muy difícil".

Pensemos: ¿Qué era lo "difícil"? ¿Hablar? ¡No! Lo difícil era hablar sobre algo que no salía del corazón. En este caso, se trataba de pedir perdón. El problema siempre está en nuestro interior.

Según el sabio Salomón al escribir los Proverbios, el corazón aparece como el lugar desde donde mana la vida. En la Biblia, el corazón representa la totalidad de la vida interior del ser humano: la mente, las emociones, el intelecto y la voluntad.

El hombre mira afuera, pero Dios puede mirar y leer el corazón. Jesús lo explica de la misma manera, al decir que "el hombre bueno, del buen tesoro de su corazón saca lo bueno; y el hombre malo, del mal tesoro de su corazón saca lo malo, porque de la abundancia del corazón habla la boca" (Luc. 6:45). Lo que se confiesa con la boca es lo que se cree y recibe en el corazón.

Confesar sin creer es tanto ineficaz como muy difícil, tanto para el que lo recibe como para el que lo transmite, porque "el profesar que se pertenece a Cristo sin sentir ese amor profundo, es mera charla, árido formalismo, gravosa y vil tarea" (Elena de White, *El camino a Cristo*, p. 45). Y en la página 18 del mismo libro declara: "Debe haber un poder que obre desde el interior, una vida nueva de lo Alto, antes de que el hombre pueda convertirse del pecado a la santidad. Ese poder es Cristo. Únicamente su gracia puede vivificar las facultades muertas del alma y atraer esta a Dios, a la santidad".

Mario, un profesor que tuve, me dijo cierta vez: "Empieza siempre por lo más difícil, porque eso es lo que vale la pena". Por eso, aunque sea muy difícil, vamos a empezar por donde corresponde: nuestro corazón.

9 de marzo

¿QUIÉN PREDICARÁ?

"¿Cómo, pues, invocarán a aquel en el cual no han creído? ¿Y cómo creerán en aquel de quien no han oído? ¿Y cómo oirán sin haber quien les predique? ¿Y cómo predicarán si no son enviados?" (Romanos 10:14, 15).

Sin duda, una declaración poderosa y enfática del apóstol Pablo es la de Romanos 10:13: "Todo aquel que invoca el nombre del Señor, será salvo". Luego, expresa cuatro preguntas, que tantas personas han intentado responder. He aquí la vida de un gran predicador.

William Franklin Graham Jr. hizo una gran contribución al cumplimiento de la misión. Más conocido como Billy, entregó su corazón a Jesús a los 16 años en una campaña de evangelismo. Y ese compromiso lo acompañó toda su vida. Creció durante la Gran Depresión de los años '30; por esa razón, aprendió el valor del trabajo duro, y se dedicó intensamente a la lectura.

Se casó en 1943 con Ruth Bell, nacida en China, quien era hija de misioneros en aquel país. Su padre, L. Nelson Bell, era cirujano general en un hospital presbiteriano a quinientos kilómetros de Shanghai. Ruth sufrió para decidir entre Billy y el campo misionero, y a fines de abril de 1941, después de mucha oración, comprendió que su misión estaría al lado de Billy y su pasión por el evangelismo.

Poco después de su graduación, se casaron. Dedicó su vida a apoyar el ministerio de su esposo y educar a sus hijos. Siempre ayudaba a Billy a investigar y a preparar sus sermones y libros. Tuvieron 5 hijos, 19 nietos y 28 bisnietos. Franklin y Anne también son evangelistas, siguiendo los caminos de su padre.

Billy fue el predicador que alcanzó el mayor número de personas en los tiempos modernos. En sus cruzadas, que comenzaron en 1948, en estadios, parques y otros lugares, alcanzó una audiencia directa de 210 millones de personas en 185 países. Según informes de su equipo, a partir de 1993, más de 2,5 millones de personas habían respondido a sus llamados.

La cruzada de Los Ángeles, en 1949, lo hizo conocido internacionalmente. Las reuniones duraron ocho semanas, con multitudes de asistentes. En 1992 anunció que sufría de Parkinson, lo que lo obligó a alivianar su trabajo. En 2005 inició su última cruzada en Nueva York. Con casi cien años, falleció en 2018.

Su mayor legado, después de sesenta años de ministerio, ha sido la predicación bíblica. Él hablaba el lenguaje de las personas y no usaba otro recurso que no sea la Palabra. Su gran consejo fue: "Estudie la Biblia para ser sabio, crea en la Biblia para ser salvo, siga sus preceptos para ser santo". ¿Cómo se salvarán, si no hay quien les predique? Billy ya hizo su parte. ¿Y nosotros?

UN PIONERO DESTACADO

"Como está escrito: '¡Cuán hermosos son los pies de los que anuncian la paz, de los que anuncian buenas nuevas!' " (Romanos 10:15).

Pablo, una vez más, se basa en lo que está escrito en el Antiguo Testamento para enseñarnos esta verdad. Así, cita Isaías 52:7 y expresa el valor de un enviado. En los tiempos de Isaías, el mensaje produjo alegría porque anunciaba la liberación del cautiverio en Babilonia, que prefiguraba la venida del Mesías. Pablo, por su parte, al escribir a los romanos, se refiere a la redención y la definitiva liberación de la esclavitud del pecado. El mensaje no es cualquier mensaje. ¡Son las buenas nuevas del evangelio!

La historia del Pr. J. N. Andrews es sencillamente extraordinaria. Él fue el primer misionero oficialmente enviado al extranjero por la Iglesia Adventista, fue el tercer presidente de la Asociación General y fue quien logró leer la Biblia en siete lenguas, y podía repetir de memoria todo el Nuevo Testamento. Cuando Elena de White escribió a los primeros creyentes en Europa, les dijo: "Les enviamos al hombre más capaz que teníamos en nuestras filas".

Su jovencita hija Mary fue de gran ayuda en el campo misionero, en la preparación de la primera publicación al francés. Desdichadamente, contrajo tuberculosis. El Pr. Andrews buscó la mejor atención médica para ella, y noche y día acompañó a su hija agonizante, aun cuando le aconsejaban que se cuidara, para no contagiarse. Mary falleció el 27 de noviembre de 1878, a los 17 años.

En el diario, puede leerse lo siguiente: "Ayer en la mañana, a las 4:30, mi querida hija Mary falleció. Esta niña me ayudó mucho en Europa. Incluso cuando pasamos por momentos de privación, ella enfrentó todo con coraje, paciencia, fe y esperanza. Lo que sufrió allá hizo que se enfermara de tuberculosis, la que avanzó rápidamente. Ella enfermó cuando su ayuda se había vuelto muy valiosa. ¿Quién estará allá, que pueda tomar su lugar?"

Andrews había perdido a su esposa y a su hija, pero él seguía pensando con corazón de enviado. Siguió caminando por mar y tierra y, pocos años después, él mismo contrajo tuberculosis. Mientras la enfermedad avanzaba y su cuerpo se deterioraba, pidió un bolígrafo y un trozo de papel. Reuniendo sus últimas fuerzas, escribió: "Dejo quinientos dólares para la Misión en Europa". Luego, dijo: "¿Hay algo más que pueda hacer por la causa de Dios?" Y, mientras los pastores oraban, él descansó.

En Crespo, Argentina, en el museo de la primera iglesia en Sudamérica, hay una inmensa placa que dice: "Por su Espíritu, ellos comenzaron; nosotros terminaremos". Necesitamos el mismo espíritu de sacrificio y compromiso de Andrews y de todos nuestros pioneros.

¿Somos nosotros los que terminaremos la misión para que Jesús pueda venir? Si no somos nosotros, ¿quiénes? Si no es ahora, ¿cuándo?

LA BIBLIA Y EL PARACAÍDAS

"Así que la fe es por el oír, y el oír, por la palabra de Dios" (Romanos 10:17).

¿Dónde se consigue la fe? ¿Cómo se fortalece la fe? Pablo dice a los romanos que la fe viene por oír la Palabra; es decir, por leer, meditar, aprender y aplicar lo que dice la Biblia a nuestra vida. En tanto eso ocurre, fortalecemos la fe.

El Pr. Adolfo Suárez recomienda estos pasos para meditar y espaciarnos en la Palabra:

1-Estudiar la Palabra: Debemos usar y ejercitar el intelecto y la memoria, a fin de alcanzar la comprensión de la Palabra de Dios.

2-Reflexionar sobre la Palabra: Debemos pensar con seriedad, a fin de obtener prudencia y juicio. Reflexionar es inclinarse con calma frente a las orientaciones divinas, con el propósito de aplicarlas a nuestra vida diaria.

3-Hablar de la Palabra: Al estudiar la Biblia y reflexionar en sus enseñanzas, se nos impulsa a guardar en nuestra memoria sus pasajes y sus capítulos. El proceso indicado en Deuteronomio 6:7, por el que se nos insta a hablar, conversar y declarar la Palabra, facilita el memorizar porciones bíblicas.

4-Pensar a partir de la Palabra. El resultado final de este proceso es que la Palabra se vuelve una guía de nuestros pensamientos; es decir, una referencia. Nuestro modo de pensar pasa a construirse a partir de aquello que leemos de la Escritura, y luego nuestros pensamientos impactan nuestras acciones.

Este tipo de estudio, meditación, reflexión sobre la Biblia no solo cultiva nuestro intelecto, sino además imparte, fortalece y aumenta nuestra fe, constituyéndose en el gran agente de Dios para la transformación del carácter.

"Si se la estudia y obedece, la Palabra de Dios obra en el corazón, subyugando todo atributo no santificado. El Espíritu Santo viene a convencer del pecado, y la fe que nace en el corazón obra por amor a Cristo, y nos conforma en cuerpo, alma y espíritu a su propia imagen. Entonces Dios puede usarnos para hacer su voluntad. El poder que se nos da obra desde adentro hacia afuera, induciéndonos a comunicar a otros la verdad que nos ha sido transmitida", sostuvo Elena de White en la página 7 de *El discurso maestro de Jesucristo.*

Roberto es no vidente. Él leyó la Biblia por medio del sistema Braile y medios auditivos 48 veces. ¿Y nosotros? ¿Podemos renovar o iniciar nuevos y mejores hábitos de estudio y reflexión? ¿Estamos leyendo, asimilando, integrando de esta manera el mensaje de Dios a nuestra vida?

La Biblia es como un paracaídas: sino la abrimos, no sirve. Abre, oye, medita, aplica y comparte. Seamos reavivados por su Palabra, porque la fe viene y se hace fuerte por oír y seguir la Palabra.

DÉJATE ABRAZAR

"Pero acerca de Israel dice: Todo el día extendí mis manos a un pueblo desobediente y rebelde" (Romanos 10:21).

El Cristo Redentor, considerado como uno de los mayores monumentos simbólicos de América del Sur, es una obra de arte que plasma a Jesucristo, localizada en el extremo del cerro del Corcovado, a 709 metros sobre el nivel del mar, en la ciudad de Río de Janeiro, Brasil.

Levantado en un lugar paradisíaco, fue elegido en 2007, en una votación por Internet y por teléfono, como una de las siete maravillas del mundo moderno. En 2012, la UNESCO consideró al Cristo Redentor como patrimonio mundial de la humanidad.

El Cristo Redentor tiene una altura de 38 metros (30 del monumento y 8 del pedestal) y equivale a un edificio de 13 pisos. Sus brazos se extienden por 28 metros de ancho. El monumento puede resistir vientos de 250 km por hora. Más allá de la simbología y de la imponencia de esta obra de arte, este Cristo Redentor es de hierro y piedra: un Cristo que extiende sus brazos, pero su rostro no ve, sus ojos están cerrados y su corazón no siente nada. Todo es de piedra.

En el texto de hoy, Pablo vuelve a citar a Isaías para expresar el amor y la paciencia de Dios, a pesar de la desobediencia y la rebeldía de su pueblo. Jesús, el verdadero que está en el cielo, tiene hoy y cada día sus brazos abiertos y extendidos. Son brazos de protección, de compasión, de misericordia y de perdón. Son los brazos que nos formaron y que un día, también extendidos, fueron clavados en una cruz por nosotros.

Elena de White afirma: "Dios, en Cristo, diariamente está rogando a los hombres que se reconcilien con él. Con los brazos extendidos, está listo para recibir y dar la bienvenida no solo al pecador sino también al pródigo. Su amor agonizante, manifestado en el Calvario, es la seguridad que tiene el pecador de aceptación, paz y amor. Enseñe Ud. estas cosas en la forma más sencilla para que el alma entenebrecida por el pecado pueda ver la luz que brilla del Calvario" (*Mensajes selectos*, t. 1, p. 209).

Los brazos de Cristo están siempre extendidos para todos los pecadores, sean desobedientes, rebeldes o pródigos; y ofrecen un abrazo protector y salvador. Su rostro, el mismo que fue "coronado" con una tiara de espinas, nos mira con ternura ofreciendo restauración y vida nueva. Sus ojos, siempre abiertos, atentos a cada uno de sus hijos como si fuera lo único que tuviese que atender en todo su Universo.

Querido lector: Este Cristo no está afectado por huracanes, vientos o rayos. Más bien, tiene capacidad de calmar aun las más furiosas tormentas que podrían afectar tu vida. Sus brazos están extendidos. Déjate abrazar.

¿RAMA O INJERTO?

"Las ramas fueron desgajadas para que yo fuera injertado" (Romanos 11:19).

El olivo es uno de los arboles más antiguos y de larga vida. Es típico de climas mediterráneos, pero su cultivo se ha extendido a casi todo el mundo para la producción de aceitunas y aceites. No se destaca por su altura o belleza, sino por sus raíces profundas, fuertes y extendidas, razón de su supervivencia y producción. Una sola planta puede rendir unos 60 litros de aceite al año.

Una parábola relatada en el libro de Jueces cuenta que los arboles decidieron elegir su rey. ¿Quién fue elegido en primer lugar? El olivo. Los escritores bíblicos utilizaron el olivo en sentido figurado para ilustrar el amor de Dios y su pacto con su pueblo.

Pablo también utiliza la parábola del olivo para referirse a judíos y gentiles. La práctica más usual era injertar vástagos de plantas cultivadas en troncos de plantas silvestres. Desde luego, también ocurría lo contrario: se usaban vástagos de plantas silvestres para ser injertados en las plantas cultivadas, con el propósito de suministrar vigor nuevo.

Por eso, Pablo dice que esos son injertos contra naturaleza, es decir, haciendo algo que no era lo normal, ya que lo silvestre fue injertado en lo cultivado. Así, los gentiles fueron "injertados" en los judíos. El injerto podía combinar la fuerza y la resistencia de las raíces con el vigor juvenil, con el objetivo de conseguir una mejor producción.

Dios tiene una advertencia para los injertados, a fin de que no se consideren superiores a los originales: fueron injertados por su fe. ¡Cuidado con la soberbia y con el pensar grandezas! En cambio, ellos necesitaban mantener la humildad y una vida consecuente.

Dios trata a las ramas desgajadas por su incredulidad con severidad. Es la única vez en todo el Nuevo Testamento que se usa esta palabra, que significa "amputar", "cortar" y "separar". Dios trata a los injertados que son agregados por la fe con bondad y mansedumbre.

Dios les dice que lo fundamental no es la rama original ni el vástago injertado, sino la raíz. Ambos necesitan una dependencia exclusiva y permanente de la raíz.

"A menos que hundan sus raíces en la verdad de la Biblia y se fundamenten en ella y mantengan una conexión viviente con Dios, muchos quedarán infatuados y engañados [...]. Nuestra única seguridad consiste en velar y orar constantemente. Cuanto más cerca de Jesús vivamos, tanto más participaremos de su carácter puro y santo; cuanto más ofensivo nos resulte el pecado, tanto más deseables nos parecerán la pureza y el resplandor de Cristo" (Elena de White, *Consejos sobre la salud*, p. 625).

USTEDES ¿ME VAN A AYUDAR?

"Porque irrevocables son los dones y el llamamiento de Dios" (Romanos 11:29).

En 1989, un terremoto de magnitud 8,2 grados en la escala de Richter arrasó Armenia en menos de cuatro minutos. En medio de la total devastación y el caos, un padre corrió hasta la escuela, donde esperaba encontrar a su hijo. Al llegar, descubrió que el edificio estaba destruido hasta los cimientos. Envuelto en llanto, recordó la promesa que había hecho a su hijo: "Pase lo que pase, yo siempre estaré contigo para ayudarte".

Y fue allí, justo en la ubicación del aula de su hijo, donde inició su obra de rescate. Otros padres, madres, bomberos y policías, todos con buenas intenciones, querían disuadirlo: "Es demasiado tarde, ya no vale la pena ningún esfuerzo".

Pero él clamaba: "¿Van a ayudarme?" y seguía excavando piedra tras piedra, escombro tras escombro... Sus fuerzas decaían y las manos le sangraban. Estuvo ocho horas cavando. Doce. Veinticuatro. Treinta y seis. Y, cuando ya llevaba 38 horas cavando, al retirar un gran trozo de piedra oyó la voz de su hijo y lo llamó con todas sus fuerzas: "¡Armando!"

Emocionado, escuchó la voz de su hijo. Era débil, pero segura: "Papá, les dije a los otros chicos que no se preocuparan, que tú nos salvarías. Tú me prometiste que pasara lo que pasara siempre estarías conmigo. Aquí estamos 14 de los 33 alumnos. Tenemos miedo, hambre y sed, pero gracias a Dios estás aquí. Cuando se derrumbó el edificio se formó una cuña, una cámara de aire que nos salvó la vida".

¡Cuántos yacen bajos los escombros de pecado, ya casi sin oxígeno, sin ninguna posibilidad de salir por sus propios medios! ¡Cuántos necesitados de un equipo de rescate que actúen con urgencia, perseverancia y sacrifico! Somos la única oportunidad de muchos. Nuestro Padre, con corazón sangrante, clama y nos dice: "¿Ustedes me van a ayudar?"

Pablo nos muestra en el versículo de hoy que la elección soberana de Dios por Israel, como así también por todos los creyentes de todos los tiempos, es inmutable porque es la manifestación de su carácter de misericordia expresado en la búsqueda, el rescate y la restauración del pecador. Somos colaboradores con Dios. Como Jesús, debemos buscar y salvar lo que está perdido.

Todas nuestras energías, sueños y prioridades deben ser encauzadas en la obra de salvar a las almas por las cuales Cristo murió, porque "la más alta de todas las ciencias es la de salvar almas. La mayor obra a la cual pueden aspirar los seres humanos es la de convertir en santos a los pecadores" (Elena de White, *El ministerio de curación*, p. 310).

Que nuestra respuesta sea tan irrevocable como su amor.

SI MIL VIDAS TUVIERA...

"Por lo tanto, hermanos, os ruego por las misericordias de Dios que presentéis vuestros cuerpos como sacrificio vivo" (Romanos 12:1).

Los resultados de haber sido justificados por la gracia y por la fe son una vida de santificación. Pablo ruega que, en consideración a las misericordias de Dios, presentemos voluntaria e inteligentemente la vida entera, cuerpo, mente y espíritu, como un sacrificio vivo para Dios. Los servicios ceremoniales del Antiguo Testamento ofrecían sacrificios muertos, pero Pablo desafía a vivir por Cristo. Después de todo, quien vive por él también está dispuesto a morir por él. Tal vez el Señor pida a algunos morir por él, pero nos pide a todos que vivamos para él.

En ocasión de la independencia del Perú, declarada el 28 de julio de 1821 en Lima, ocurrió el sacrificio de José Olaya. Él era un excelente nadador, que servía a la causa de la independencia. Sucre necesitaba comunicarse con los patriotas de Lima, ya que quería conocer los movimientos de los realistas, y Olaya era el portador de los mensajes.

Así, él llevaba de manera escondida los mensajes nadando quince kilómetros por el mar, entre Chorrillos y Lima. Esa ruta estaba muy vigilada, de modo que el riesgo era muy grande. El 27 de junio de 1823, cuando llevaba (entre otros recados) una carta de Sucre para Narciso de Colina, Olaya fue descubierto por los realistas. Antes de ser apresado, arrojó las cartas. Otra versión dice que se comió las misivas.

Para obtener información, sus captores intentaron de todo. Sin embargo, de nada sirvieron halagos, promesas, apaleamientos, extracción de las uñas, trituración de pulgares, ni la presencia dolorosa de su madre. ¡Qué dilema! Escoger entre el afecto entrañable a la madre o la seguridad de los patriotas. ¿Era preferible que su madre lo llorase muerto a que se avergonzara de verlo vivo y traidor? En medio de las torturas y antes de morir fusilado, pronunció su célebre frase: "Si mil vidas tuviera, gustoso las daría por mi patria". Conmueve tal entrega y compromiso en favor de la liberación de su pueblo.

¿Estás dispuesto, como Olaya, a dar tu vida por una causa? ¿Qué costo estás dispuesto a pagar por vivir fielmente tu fe y compartir perseverantemente la esperanza? ¿Cuán dispuestos estamos nosotros a dar nuestra vida en sacrificio vivo y en servicio fiel hasta la muerte?

Nuestra vida debe ser ofrecida a Dios como una ofrenda perfecta y un sacrifico vivo, porque "Dios no quedará satisfecho sino con lo mejor que podamos ofrecerle. Los que lo aman de todo corazón desearán darle el mejor servicio de su vida, y constantemente tratarán de poner todas las facultades de su ser en perfecta armonía con las leyes que nos habilitan para hacer la voluntad de Dios" (Elena de White, *Cristo en su Santuario*, p. 34).

¿Cuántas vidas estás dispuesto a dar?

TRANSFORMADOS

"No os conforméis a este mundo, sino transformaos por medio de la renovación de vuestro entendimiento" (Romanos 12:2).

El mensaje de Pablo es claro y directo. No conformarse al mundo, sino ser transformado. En verdad, a menos que seamos transformados, seremos conformados al mundo.

Conformarse significa adaptarse, acomodarse, concordar, armonizar, adecuar, resignarse, aguantarse, avenirse, plegarse, acceder, transigir y asentir. Conformarse es amoldarse al mundo; es decir, adquirir la forma del mundo, su violencia, sus antivalores, su incoherencia de discursos distantes u opuestos a las prácticas, su materialismo, su egocentrismo, su indiferencia, lo superficial y su "sálvese quien pueda". Somos bombardeados por la publicidad, influenciados por el ambiente, agobiados por un mundo exterior cada vez más fuerte y una vida interior cada vez más débil. Conformarse al mundo no requiere ningún esfuerzo, es solo dejarse llevar por la corriente.

En contraste, la transformación diaria por la renovación del entendimiento es otra cosa. Esto requiere ejercicio de la voluntad, dominio propio, disciplina y lucha permanente; la decisión de conocer y someterse permanentemente a la voluntad de Dios. Es remar contra la corriente. Es un vivir inconforme o disconforme con el mundo. No desde la crítica o la manifestación política, sino desde la conducta que armoniza y muestra el carácter de Jesús.

Podemos ser influenciados por la cultura o influenciadores de la cultura. El ruego de Jesús no fue que fuésemos quitados de este mundo, sino guardados del mal. Él mismo nos envía a todas las naciones a llevar y vivir un mensaje que transforma y cambia vidas, que genera paz, esperanza y destino de eternidad.

¿Hay alguna cosa en la que te estás conformando con el mundo? ¿Un estilo, un hábito, una práctica o una actitud? Necesitamos una transformación por medio de un pensamiento renovado.

Mateo utiliza la misma palabra original que empleó Pablo para "transformación", al relatar la transfiguración de nuestro Señor, cuando su gloria y su interior divino fueron claramente reflejados y evidenciados en su exterior. De igual manera, el creyente transformado lo muestra en su exterior y en su interior redimido por la sangre del Cordero. Esto es mostrar a Cristo en la vida diaria. Y esto solo ocurre cuando nuestra mente se renueva por la acción del Espíritu Santo en el estudio de su Palabra y en el orar sin cesar.

No te conformes hoy a este mundo y sus males. Necesitamos gente inconforme con el mundo, transformada por el Señor y fortalecida por su Palabra. No digas "Todo el mundo lo hace", porque Dios dice "No vivas como vive el mundo". No llevemos el mundo ni a nuestra vida ni a nuestra iglesia; llevemos nuestra vida y la iglesia al mundo.

ACTUALIZA TU VALOR

"Digo, pues, por la gracia que me es dada, a cada cual que está entre vosotros, que no tenga más alto concepto de sí que el que debe tener" (Romanos 12:3).

Según Maxwell Maltz, "la autoestima baja es como conducir por la vida con el freno de mano puesto". Por su parte, Malcolm S. Forbes dijo: "Hay demasiadas personas que sobrevaloran lo que no son y subestiman lo que son". Algunas personas se subvalúan, se consideran debajo de su valor, mientras que otras se sobrevalúan, se ponen un precio mayor del que tienen. ¿Cuál es el punto saludable?

El cuerpo humano contiene oxígeno, carbono, hidrógeno, nitrógeno, fósforo, calcio, potasio, azufre, sodio, cloro, magnesio y cantidades minúsculas de otros elementos. ¿Cuál sería el valor económico de los elementos químicos básicos que componen el cuerpo humano? Pocas monedas. ¿Cuál sería el costo de las estructuras más complejas formadas a partir de los elementos básicos, tales como como ADN, las proteínas, los anticuerpos? Miles de monedas. ¿Cuál sería el costo de órganos vitales, tales como corazón, pulmones, riñones, medula? Millones de monedas.

En tanto lo hagamos con cordura, es decir, con sabiduría, debemos reconocer nuestras virtudes, defectos, fortalezas y debilidades.

La humildad es el resultado de la entrega de la vida a Dios, que nos lleva a tener una mente renovada. Es muy importante estimarse a uno mismo. Esa estimación debe elaborarse con buen juicio y sabiduría. El mismo Jesús nos indicó el camino: amar a Dios por sobre todas las cosas y al prójimo como a uno mismo.

Pablo, además, agrega un detalle: todo es según la medida de fe. La naturaleza pecaminosa se estima según los valores del mundo; cada uno vale por lo que tiene. En contraste, para los que son dependientes de Dios, cuanto más grande es su fe más valiosos se vuelven; pero saben reconocer que es en virtud del amor de Dios. Nunca podemos estar orgullosos de nuestra humildad, porque no sería verdadera humildad.

¿Qué imagen o concepto tenemos de nosotros? ¿Idealizado, ficticio o impostado? Algunos intentan mostrarse en las redes sociales como les gustaría ser, no como son. Si la autoimagen coincide con la realidad, entonces tendremos una personalidad sana; si no, esa incoherencia terminará enfermando y destruyendo todo.

Nada te coloca en verdadera perspectiva como aceptar y agradecer que fuiste redimido por el sacrifico de Cristo. Eres tan indigno que él tuvo que morir. Eres tan digno que lo habría hecho solo por ti. Actualiza tu valor.

AGENTES DE ESPERANZA

"Gozosos en la esperanza" (Romanos 12:12).

El término "agente" se aplica al sujeto que realiza o ejecuta la acción del verbo. Entre tantos otros, encontramos agentes literarios, económicos, de seguridad, infecciosos, biológicos, casuales y permanentes.

Para Pablo, la esperanza es el mayor motivo de una vida gozosa, pues sus alcances son presentes y también eternos. Alguien que se goza en la esperanza es aquel que en nombre del Señor realiza un fuerte impacto en un ambiente infectado por el pecado, y, como agente, transmite buenas noticias restauradoras de la salud y de la vida.

Se requiere agentes de esperanza para llegar a gente sin esperanza. Como bien decía Martin Luther King: "La esperanza es el sueño del hombre despierto, y si ayudamos a una sola persona a tener esperanza, no habremos vivido en vano".

En 1977, en el inicio de mi ministerio en la ciudad de General Roca, Argentina, conocí a una hermandad maravillosa. Tengo de ellos los mejores recuerdos y desbordante gratitud, pues marcaron mi ministerio para siempre. Allí conocí a Héctor, quien había sido muy golpeado por los vicios, especialmente el alcohol. Esto estaba arruinando su salud, su economía y su familia. Un día se cayó en un pozo de 27 metros. Sin salida, todo parecía terminar. Antes de desmayarse, en la profundidad del pozo clamó por auxilio divino. Fue asistido y llevado al hospital. Estuvo semanas entre la vida y la muerte. El Señor salvó su cuerpo, pues también quería salvar su alma.

Apenas tuvo el alta, regresó a su casa, y en cuanto estuvo en condiciones, comenzó a recorrer la ciudad buscando una iglesia. Entonces, encontró la nuestra. Entró y nunca más salió. Luego, él estudió la Biblia y se bautizó junto con su familia. Cuando llegué a General Roca, él era maestro de Escuela Sabática, director misionero y anciano de iglesia. Todos los años tenía la alegría de llevar decenas de personas a Jesús. ¿Por qué? Porque él era un gozoso agente de esperanza que trabajaba por gente sin esperanza.

Cierto día, me contó un "secreto": ¡No sabía leer! Es decir, era maestro, instructor bíblico... ¡y no sabía leer! Entonces, me mostró su Biblia llena de cintas que marcaban los distintos temas y pasajes. Él hacia las preguntas y pedía a la gente que leyera.

¡Cuánto puede hacer Dios cuando colocamos todo en sus manos! Ese día me mostró unas marcas en su pecho, producto de la caída "mortal" en el pozo, que el amor y el poder de Dios transformó en vida nueva. Sus marcas eran de esperanza. Con gratitud y gozo, Héctor vivió como un agente de esperanza. Hoy ya descansa en las seguras promesas del Señor.

¿Qué marcas de gozosa esperanza hay en tu vida? ¿Qué tipo de marcas estás dejando en la vida de otros?

19 de marzo

SUFRIDO, CONSOLADO Y VICTORIOSO

"Sufridos en la tribulación" (Romanos 12:12).

En el pasaje anterior, Pablo enfatizaba los dones concedidos a la iglesia y el gozo de la esperanza. Ahora, de manera inmediata, aparece el contraste de los "sufridos en la tribulación". Pablo insiste mucho con este tema. Él mismo lo sufrió en carne propia toda la vida, por eso recomienda que seamos resistentes, pacientes y sufridos, porque tarde o temprano los propósitos divinos se cumplirán.

Una madre, de apenas 26 años, se paró al lado del lecho de su hijito que transitaba los últimos momentos de su vida. Solo tenía seis años, y no tendría chances de crecer y alcanzar sus sueños. Así que, su mamá hizo todo lo posible para que, al menos, uno de estos fuese realidad. Asegurando con fuerzas la mano de su hijo, le preguntó: "Billy, ¿qué te gustaría ser cuando seas más grande?" Sin dudarlo, el niño dijo: "Siempre quise ser un bombero".

Rápidamente, la mamá hizo los arreglos. Fue al cuerpo de bomberos en Phoenix (Arizona, Estados Unidos) y encontró a un bombero muy gentil, llamado Bob. Le explicó la situación de su hijo, y le pregunto si, como último deseo, podrían darle una vuelta en la autobomba de los bomberos. Sonriente, Bob le ofreció hacer algo más que eso: lo harían bombero honorario durante todo un día, para estar con ellos en el cuartel, compartir la comida, responder las llamadas y salir a atender las emergencias. Incluso, harían un uniforme para él.

Tres días después, el bombero Bob vistió a Billy y le obsequió su nuevo uniforme. Luego, lo llevaron desde el hospital hasta el cuartel en el camión de bomberos. Tres incidentes sucedieron ese día, y Billy estuvo en ellos.

Después de esta demostración de cariño, Billy tuvo una mejoría y vivió tres meses más de lo que los pronósticos médicos habían estimado. Cierta noche, sus signos vitales comenzaron a caer de manera dramática. Toda la familia estaba allí, acompañando, y tuvieron la idea de llamar al cuerpo de bomberos.

El comandante decidió ir con el camión y, frente a la ventana del hospital, hicieron sonar sus sirenas con sus luces. De prisa, con la escalera extendida sobre la ventana, 16 bomberos fueron hasta su cuarto. Con sus últimas fuerzas, Billy preguntó al comandante si había sido un buen bombero. "Sí", respondió el hombre, "¡has sido uno de los mejores!" Con una sonrisa, Billy cerró sus ojos y ya no los volvió a abrir.

Sean cuales fueren tus tribulaciones, puedes ir hasta el "cuartel de bomberos" del Universo. El Comandante te rodeará con todos sus recursos, y en hora y forma cierta tus luchas serán vencidas. De sufrido, no solo pasarás a ser consolado; también serás victorioso. Dios siempre cumple sus sueños. Entrégate hoy en sus brazos.

HÉROES VERDADEROS

"No seas vencido de lo malo, sino vence con el bien el mal" (Romanos 12:21).

Todos sabemos cómo tratar bien a los que nos tratan bien. Sin embargo, no siempre lo conseguimos. Ahora, pretender hacer bien al que nos hace mal es cosa seria. La tradicional "Ley del Talión" es un principio jurídico de justicia retributiva, por el que la norma imponía un castigo acorde al crimen cometido, obteniendo la reciprocidad. "Talión" deriva de la palabra latina *tallos*, que significa "idéntico", o "semejante", es decir, que la pena no debe ser equivalente sino idéntica. Jesús y Pablo presentan un camino inverso a fin de que no seamos vencidos por el mal: declaran que venzamos el mal con el bien.

Cuando la escritora canadiense Margot von Sluytman era adolescente, en 1978, su padre, Theodore, fue asesinado en la tienda donde trabajaba. Cuando la familia recibió la noticia, quedó devastada. Glen Flett, un delincuente reincidente en crímenes, fue preso y condenado por el asesinato. En la prisión fue alcanzado por Cristo, se arrepintió de todos sus pecados y se convirtió al evangelio.

Cuando terminó su condena, descubrió que Margot era una brillante y premiada escritora, y junto con su esposa hizo una donación secreta en favor de su trabajo. Poco después, la esposa de Glen recibió un correo electrónico con la pregunta de si ella estaba casada con Gent Flett, el hombre que había matado a su padre el 27 de marzo de 1978. Este mail abrió un dialogo virtual por un tiempo, hasta que se encontraron cara a cara. Glen pidió perdón, lloró, y Margot abrazó al asesino de su padre. ¿Cómo fue posible esto? Los amigos le decían a Margot que no reabriera sus heridas. Ella solo respondía: "Ahora estamos restaurados y tenemos esperanza".

¡Qué tremendo ejemplo de perdón! No importa la gravedad de la situación, no podemos poner un signo de interrogación donde Dios ya colocó un punto final. Bien decía Tertuliano: "Si quiere ser feliz por un instante, vénguese; si quiere ser feliz para siempre, perdone". Esto significa pagar al mal con el bien. Ese pago hace bien tanto al ofensor como al ofendido. Solo los abrazados por Dios pueden abrazar de esta manera.

"La verdadera grandeza y nobleza del hombre se mide por el poder de los sentimientos que subyuga, y no por el poder de los que lo dominan. El hombre fuerte es el que, aunque sensible al maltrato, domina sus pasiones y perdona a sus enemigos. Los tales son verdaderos héroes" (Elena de White, *Mente, carácter y personalidad*, t. 2, p. 331).

Hoy, sé un verdadero héroe y haz bien al que te hizo mal. No es fácil, pero sí necesario y válido. Dios siempre reparará un corazón quebrado. Para ello, debes entregarle todos los pedazos.

21 de marzo

CÓMO PAGAR TODAS LAS DEUDAS

"No debáis a nadie nada, sino el amaros unos a otros, pues el que ama al prójimo ha cumplido la Ley" (Romanos 13:8).

Vivimos en un tiempo de deudas. Las personas, las familias, las instituciones y hasta los países están endeudados. Se dice que el ser humano tiene tres centros nerviosos: el cerebro, el corazón y... ¡el bolsillo! Al parecer, solemos inquietarnos más cuando nos tocan el bolsillo que cuando están en juego el cerebro y el corazón, ¿verdad? En el texto, Pablo no dice que no debemos pedir prestado dinero; dice que si estás debiendo algo, debes pagarlo. A veces la deuda es legítima, y se dedica a suplir necesidades reales. Otras deudas podrían haberse evitado.

"Muchas personas gastan dinero que no han ganado, para comprar cosas que no quieren, para impresionar a personas que no les agradan", sostuvo W. Smith de manera irónica. Y es así. Las deudas generan complicaciones adicionales. Por ejemplo, muchas relaciones entre familiares y amigos se han visto afectadas por las deudas. Ya lo decía Séneca: "Por una pequeña suma de dinero, se vuelve uno tu deudor; si la suma es grande, se vuelve tu enemigo".

La Biblia nos desafía a evitar la codicia, el materialismo; a hacer previsión, a constituir ahorros y aprender a contentarnos. Pero, más allá de toda actitud y hábito de cuidado, pueden existir situaciones que hacen necesario endeudarse. No tener deudas sería la manera más segura de evitar que se venza el plazo; pero, si existen, Pablo recomienda que se cancelen lo antes posible.

Elena de White también nos aconseja al respecto: "La clase de educación más alta que pueda darse es la consistente en evitar las deudas tanto como se evitaría la enfermedad" (*Joyas de los testimonios*, t. 2, p. 470). Y agrega que podemos vivir en armonía con las entradas, mantener los gastos dentro de esos límites, aprender a economizar, huir de la complacencia egoísta, evitar la ostentación, no gastar en lo innecesario, y no usar las deudas como excusa para dejar de ser fieles en la devolución de los diezmos o generosos con las ofrendas,

El cristiano podrá pagar todas sus deudas, pero Pablo asegura que hay una que nunca podrá pagar: amar al prójimo como respuesta al amor que recibimos de Jesús. Esta es una obligación que nunca será saldada mientras haya un prójimo a quien amar.

Cuando Jesús realizó el milagro de alimentar a la multitud, además de amarlos, les enseñó una lección de economía. Dijo a los discípulos que juntaran todo lo que sobró sin que se perdiera nada.

Que Dios te ayude hoy a cancelar todas tus deudas. Menos una, ya que debemos recordar que "deuda de dinero y deuda de gratitud son cosas diferentes" (Cicerón). Las deudas de dinero se pagan; las de amar al prójimo como expresión de gratitud a Dios duran toda la vida.

ES HOY, ¡AHORA!

"Y esto, conociendo el tiempo, que es ya hora de levantarnos del sueño, porque ahora está más cerca de nosotros nuestra salvación que cuando creímos" (Romanos 13:11).

Es hoy, más que nunca. Ahora es el tiempo. Hay personas que no prestan mayor atención al tiempo. Creen que es accesible en todo momento; algunos olvidan sus compromisos, otros llegan siempre tarde o no llegan, total, "mañana será otro día".

Muchas veces nos vestimos de razones que en el fondo solo son excusas, que por disfrazadas que parezcan no son otra cosa que excusas. Cervantes aseguraba: "Cuando consideramos en qué momento deberíamos comenzar, a menudo es demasiado tarde para actuar". Por su parte, el gran científico Albert Einstein afirmaba: "Cuando pienso en el futuro, siempre viene demasiado tarde". Cuando preguntaron a Alejandro Magno cuál era el secreto de sus conquistas, respondió: "Estar siempre a tiempo y no demorarse nunca".

Dwight Moody (1837-1899) fue un famoso evangelista, fundador del Instituto Científico Moody, que resaltaba al Dios creador y sustentador del Universo, mostrando cómo en cada disputa entre la ciencia y la Palabra, finalmente la Biblia tiene razón. En el comienzo de su ministerio, solía terminar sus predicaciones con este mensaje: "Vayan a casa, piensen y resuelvan qué hacer con este tema estudiado".

Hasta aquella trágica y famosa noche del incendio en Chicago, una de las mayores tragedias del siglo XIX en Estados Unidos. En un juego clandestino de apuestas, un grupo estaba escondido en un establo e iluminado por un farol, y un apostador llamado Cohn derribó la lámpara y se prendió fuego la paja. Las llamas se propagaron de forma muy veloz, y en 48 horas destruyeron 18.000 edificios, 100.000 personas quedaron en situación de pobreza y 300 murieron. Cohn culpó a una vaca, que habría derribado accidentalmente el farol, pero abrumado por la culpa finalmente él mismo confesó su responsabilidad, y dejó a la ciudad de Chicago un generoso donativo y una carta de su puño y letra en la que confesaba la verdad poco antes de su muerte, a los 89 años.

Muchos que había escuchado a Moody esa noche perecieron en el incendio, y desde ese día Moody nunca más admitió tomarse un día para pensar. **"Es hoy, ahora. Si hay una decisión que tomar, un hábito que dejar, una verdad que vivir o una acción que realizar... todo es ahora.** El único latido de corazón que nos pertenece late ahora".

"Desear ser bondadosos y santos es rectísimo; pero si no pasáis de esto, de nada os valdrá. Muchos se perderán esperando y deseando ser cristianos. No llegan al punto de dar su voluntad a Dios. No deciden ser cristianos ahora" (Elena de White, *El camino a Cristo*, p. 48).

Señor, ayúdame a vivir como tu hijo ahora, ahora y ahora.

BOLSILLOS LLENOS, MANOS VACÍAS

"Ninguno de nosotros vive para sí y ninguno muere para sí" (Romanos 14:7).

Un "No" y un "Sí". No vivimos para nosotros, sí vivimos para el Señor. Simple de enunciar, difícil de aplicar. Hay dos maneras de mirar la vida: con lentes egoístas o con lentes altruistas.

El enfoque egoísta es individualista, materialista, temporal, y genera tensiones, miedos, luchas, fobias y odio. Mirar la vida usando lentes oscuros limita nuestra visión del exterior. El egoísmo es el germen del orgullo, y este de la misma ruina. Es un amor exagerado por uno mismo. Fue esto lo que echó a perder a Lucifer. El sentimiento del superhombre no lleva ni a servir ni ayudar al prójimo.

En contraste, Cristo usó otros lentes. Unos bien claros, con una mirada que prioriza al otro. Por eso manifestó que el que pierde la vida por su causa es el que la gana. El altruismo es procurar el bien del otro, de manera desinteresada; incluso en contra del bien propio. La actitud altruista es espiritual, con perspectiva eterna; por lo tanto, genera confianza, paz, fe, esperanza y amor.

Otros proponen un camino intermedio, algo así como "altruismo egoísta". Se basan en la premisa de que el mandamiento divino "amarás a tu prójimo" es imposible de cumplir. Cambian la frase amar al prójimo por la frase ganar el amor del prójimo. Esto es, un altruismo interesado, con el egoísmo camuflado; en esencia, puro egoísmo. Y esto no sirve ni para el que lo ofrece ni para el que lo recibe. No cambia el corazón, solo la conducta exterior; funciona intermitentemente y, a la larga, no permanece.

Pablo afirma que nadie vive para sí. El compromiso de gratitud es tan grande que se vive para este o no se vive para nada. Vivir pensando en el otro es la evidencia de la presencia de Cristo en nuestra vida. Él nos compró por el infinito precio de su sangre, y nos compró para que seamos suyos. Sea que vivamos o que muramos, somos del Señor. No es en aspectos aislados o intermitentes. El propósito de la existencia es no vivir para nosotros, y vivir por el Señor y para él.

Dios no nos ha creado para vivir aislados, sino para tener compañerismo con otros. Construir la relación con Dios es construir también puentes hacia los demás. Sé comprensivo con los demás, busca maneras de ayudar, invita a personas a tu casa para orar y estudiar la Biblia, y realiza actos de bondad sin esperar nada a cambio.

Algunos se cuidan, como un abrigo nuevo guardado en el armario, sin uso, vaya a saber para qué ocasión. Solo viven para sí. Qué triste es llegar a anciano con los bolsillos llenos y las manos sin gastar.

NO HAY UNA MEDALLA PARA TI

"De manera que cada uno de nosotros dará a Dios cuenta de sí" (Romanos 14:12).

Pablo dice que cada criatura es llamada a rendir cuentas delante del gran Auditor, de acuerdo con las oportunidades recibidas y aprovechadas. Es verdad que es posible influenciar o ser influenciado, pero la decisión y el rendir cuentas es un asunto personal.

Desmond Doss (1919-2006) fue el primer objetor de conciencia en recibir la Medalla de Honor y uno de los tres únicos con tal distinción. Doss ingresó en el servicio militar el 1º de abril de 1942 en Lee, Virginia (EE.UU.). Se negó a matar a un soldado enemigo o a llevar armas, debido a su fe adventista, aunque estaba dispuesto a servir de otra manera. Esto le valió la burla de sus pares y el castigo de sus superiores.

Doss sirvió con su pelotón en 1944 en Guam y las Filipinas. En mayo de 1945, en el asalto anfibio de los aliados, un batallón de marines fue enviado a tomar una posición sobre el acantilado de Maeda, de 120 metros de altura. Tras escalar aquella pared rocosa, fueron recibidos por un intenso fuego enemigo. Doss veía caer a sus compañeros y, en lugar de refugiarse, logró sacar de aquella ratonera mortal a 75 marines heridos arrastrándolos o cargándolos uno a uno, para luego llevarlos hasta el borde del acantilado, desde donde serían bajados con cuerdas. Durante varios días continuó atendiendo a los heridos, menospreciando el peligro que lo rodeaba. Hasta que fue alcanzado en las piernas por la detonación de una granada.

Cuando estaba a punto de ser evacuado en una camilla, Doss vio a otro soldado herido, y le cedió su lugar. Entonces, recibió un disparo en un brazo. Sin poder pararse, y sin que nadie pudiese ayudarlo, tomó un fusil para entablillar su brazo y arrastrarse hasta el hospital de campaña. Incluso para sus burladores, Doss se convirtió en símbolo de coraje y determinación.

En 1946 contrajo tuberculosis, perdió un pulmón y cinco costillas. Por sobredosis de antibióticos, quedó sordo en 1976 y se lo consideró con 100 % de discapacidad. Recuperó la audición después de recibir un implante en 1988. Doss formó una familia a partir de 1942; enviudó tiempo más tarde, formó una nueva familia, y falleció a los 87 años, en su casa en Alabama.

Elena de White afirma que "se requieren muchos soldados para formar las filas de un ejército; sin embargo, el éxito de este depende de la fidelidad de cada soldado" (*Consejos para los maestros*, p. 503).

Ni el ambiente hostil y adverso, ni sus limitaciones físicas, fueron impedimento para que Doss viviera su fe con valor y fidelidad, porque cada uno da y dará cuenta personal delante del Señor. No hay una medalla de honor para ti, pero sí la corona de la vida eterna.

UNA LUZ POR LA VENTANA

"Por lo tanto, sigamos lo que contribuye a la paz y a la mutua edificación" (Romanos 14:19).

En Romanos 14, Pablo presenta a los que viven y conviven, con sus fortalezas y debilidades, creciendo en la fe y en la madurez cristianas. Plantea consejos y enseñanzas prácticos y claros.

De este modo, coloca a los creyentes que tienen más experiencia en la fe y, por lo tanto, son más fuertes, en un nivel mayor de responsabilidad respecto de aquellos nuevos o débiles en la fe. Los creyentes no deben despreciar ni condenarse unos a otros, no deben ser jueces de los demás ni inducirlos al error. Tienen que ayudarse a madurar y crecer; aun cuando no puede eludirse ni reemplazarse la responsabilidad individual. Cada uno debe tener su propia convicción a la luz de la Palabra de Dios.

Pablo destaca también, en este capítulo, la rendición personal de cuentas frente al Tribunal divino, asegurando que todo lo que no proviene de la fe es pecado. Esto diferencia con claridad lo correcto, que depende de la voluntad de Dios, de lo incorrecto, independiente de su voluntad.

Cierta vez preguntaron a una niña qué era la conciencia. Esto respondió: "Es algo que tengo adentro que me dice que lo que está haciendo mi hermanito está mal". Más allá de la inocencia infantil, no son pocos los que piensan que "toda voz que proviene de la conciencia" es correcta. En verdad, la conciencia debe ser entrenada, no puede cada uno ser su propio modelo ni parámetro de lo correcto.

Si cada uno define la cantidad de centímetros que hay en un metro, ¿cuántos metros tendríamos? Es necesario someter la conciencia a la voluntad perfecta de Dios, para que él sea la referencia infalible.

Warren Wiersbe (escritor y profesor de Teología) decía que a la conciencia se le puede comparar con una ventana que permite que entre la luz del conocimiento y la verdad de Dios. Si persistimos en nuestra idea personal, la ventana se ensucia y la luz ya no entra. Pablo dice a Tito que la conciencia puede corromperse; a Timoteo, que puede cauterizarse; a los hebreos, que podemos tener una mala conciencia.

La conciencia depende del conocimiento y de la luz que entra por la "ventana". Conforme el creyente estudia la Palabra de Dios, entiende mejor la voluntad de Dios, y su conciencia se vuelve más sensible al bien y al mal. Lutero ató su conciencia a la Palabra de Dios.

Una "buena conciencia" trae paz, fortaleza, valor y seguridad. Guía, Señor, diariamente mi conciencia conforme al GPS de tu Palabra, para que mi vida navegue firme hacia el puerto seguro.

AGRADAR PARA EDIFICAR

"Cada uno de nosotros agrade a su prójimo en lo que es bueno, para edificación" (Romanos 15:2).

En Romanos 15, Pablo sigue con orientaciones prácticas. El apóstol motiva a los experimentados en la fe a que apoyen a los principiantes y débiles, porque la vida cristiana no es una búsqueda de la satisfacción propia. Es necesario pensar en el otro, aconsejar, orientar por precepto y por ejemplo a vivir en obediencia a Dios.

Pablo se muestra como un hombre que planifica, pero que somete sus planes a la voluntad divina. La planificación es humana, pero la realización viene del Señor. La voluntad de Dios se manifiesta claramente en la Escritura. Por eso, cuanto más leemos más comprendemos, y mejor conocemos la voluntad de Dios para nosotros. La paz plena solo es resultado de la presencia de Dios en la vida.

Agradar significa establecer una relación positiva, de paz, que haga sentir bien al otro; pero no es agradar por agradar en sí mismo. En el verdadero sentido de la expresión, agradar al otro significa dejar de insistir en derechos y deseos propios, y subordinarlos al bienestar del hermano, aun el débil o prejuiciado. Esta actitud tiene un propósito o intención: es para edificación; es decir, para beneficiarlo espiritualmente, y ayudarlo en su crecimiento y su madurez cristianos. Desde luego, Pablo no quiere decir que para agradar se deben rebajar los principios o la verdad.

Ciertos elementos son básicos para la edificación del organismo, tales como oxígeno, comida y ejercicio.

En el sentido espiritual, la oración es tan imprescindible como el oxígeno, porque "la oración es el aliento del alma. Es el secreto del poder espiritual" (Elena de White, *Mensajes para los jóvenes*, p. 176).

Además, todos los días necesitamos alimentarnos de manera adecuada. De una dieta equilibrada, obtenemos los nutrientes que mantienen una vida saludable; de igual manera, es indispensable un buen alimento espiritual diario. El estudio de la Biblia y de la Escuela Sabática, la lectura de la devoción matutina y los libros del Espíritu de Profecía constituyen el alimento diario imprescindible.

Si no ejercitamos el cuerpo, nos atrofiamos. De igual manera, si no hacemos ejercicio misionero, perderemos el vigor espiritual. Necesitamos madurar y crecer; salir del egoísmo del niño que quiere todo para sí, y vivir en fidelidad, en servicio a Dios y al prójimo.

Ora siempre, estudia la Palabra diariamente y practica el ejercicio misionero que salva a otros, y que nos salva a nosotros mismos.

PERSEVERANTES

"Las cosas que se escribieron antes, para nuestra enseñanza se escribieron, a fin de que, por la paciencia y la consolación de las Escrituras, tengamos esperanza" (Romanos 15:4).

Pablo dice que el Autor de la Palabra nos acompaña a través de sus escritos para que tengamos esperanza. Son indispensables la paciencia y la perseverancia. La paciencia no es solo una resignación pasiva, es también una virtud activa, una valiente perseverancia y persistencia que no se conmueve por temor al mal o al peligro.

El término "perseverancia" significa constancia y tesón, y se refiere a la capacidad para iniciar y continuar con firmeza, pese a las dificultades y los impedimentos. Perseverante es aquel que se empeña en llegar a una meta cueste lo que costare y sin importar pagar el precio. "El modo eficaz de dar una vez en el clavo es dar cien veces en la herradura", dijo Miguel de Unamuno. Por su parte, Thomas Carlyle sostuvo que "la permanencia, la perseverancia y la persistencia a pesar de todos los obstáculos, el desánimo y las imposibilidades es lo que distingue al alma fuerte de los débiles".

Thomas Alva Edison, el gran científico estadounidense, fue el inventor de la lamparita eléctrica. No podemos negar que tenía una mente brillante, a punto tal de haber patentado más de 1.300 inventos, destacándose, entre otros, el telégrafo, el micrófono de carbón, la batería de níquel de hierro, el mimeógrafo y el dictáfono. Sin embargo, nada le resultó fácil. Necesitó mucha paciencia y perseverancia. A los ocho años ingresó en la escuela, y solo tres meses después su madre tuvo que retirarlo pues lo consideraron un alumno poco productivo y con cierto nivel de retraso. A los doce años comenzó a trabajar como vendedor de periódicos. Edison investigó, al menos, 300 teorías para desarrollar una lámpara incandescente eficiente.

El científico probó cientos y cientos de otros materiales para crear el filamento, incluidas las fibras de unas 6.000 plantas distintas. La perseverancia tuvo su premio en 1880, cuando obtuvo una lamparita incandescente de alta resistencia de 16 watts, que duraba encendida hasta 1.500 horas. Cuando dio a conocer al mundo el proceso por el cual lo había conseguido, expresó: "No fueron mil intentos fallidos, fue un invento de mil pasos".

Jesús mismo nos mostró el camino con su propia vida, porque solo el que persevera hasta el fin será salvo (Mat. 24:13). **"Los elementos del carácter que a un hombre le dan éxito y honra entre los hombres: el deseo irreprimible de un bien mayor, la voluntad indomable, el arduo ejercicio, la perseverancia incansable, no serán extirpados, sino dirigidos por la gracia de Dios a objetos tanto más elevados que los intereses egoístas y temporales como los cielos son más elevados que la Tierra"** (Elena de White, *Consejos para los maestros*, p. 22).

JUNTOS HACIA ARRIBA

"Para que unánimes, a una voz, glorifiquéis al Dios y Padre de nuestro Señor Jesucristo" (Romanos 15:6).

Pablo nos desafía a ser unánimes; es decir, a tener una sola voz, un solo ánimo. La unidad tiene el propósito de conducirnos a la alabanza, la adoración y la misión. El resultado de vivir para agradarnos a nosotros mismos produce división y confrontación. Cuando actuamos hermanados por el amor de Dios, unidos por su sacrificio y comprometidos con su misión, lo glorificamos. Eso es lo mismo que enseñó Jesús en Juan 17 y que vivió la iglesia cristiana primitiva en Hechos 2.

El propósito de la unidad no somos nosotros; el Señor es el fundamento, el camino y la meta. No se trata de un agruparse para sentirnos cómodos, seguros y fuertes, sino para glorificar a Dios como fieles testigos, como Jesús lo dijo, para que el mundo conozca y crea.

La unidad es una aceptación mutua con un mismo sentir, objetivo y dirección. José Carreras, Plácido Domingo y Luciano Pavarotti disfrutaban de cantar juntos. "Nos concentramos totalmente en entregar el corazón a la música; no podemos ser rivales si hacemos música juntos", declararon. No somos rivales si hacemos misión juntos.

Desde que Edmund Hillary conquistó la cumbre del Everest en 1953, unos doscientos montañistas han muerto en su intento de alcanzar la cima. "La práctica de escalar montañas no está hecha para los débiles de corazón" (John Maxwell). Entre 1920 y 1952, siete expediciones trataron de conquistar el Everest. Tenzing Norgay estuvo en seis de esas expediciones. En todas, fracasaron.

Sin embargo, en 1953, Tenzing se embarcó en su séptima expedición al Everest con un grupo británico. Por cada nivel que los escaladores alcanzaban, se necesitaría un grado más alto de unidad. Unos iban adelante, haciendo escalones y asegurando las cuerdas.

El 29 de mayo de 1953, Tenzing Norgay y Edmund Hillary lograron lo que nadie había alcanzado: ¡Pararse en la cima más alta del mundo! ¿Podrían haberlo hecho solos? No. ¿Sin la ayuda de un gran equipo? No. Tenzing lo explicó: "No se sube el Everest en soledad o competencia; se sube sin egoísmos y en unidad. A medida que el desafío crece, la necesidad de un trabajo en equipo aumenta. Esa es la ley del Monte Everest".

Nuestra conquista es el cielo; ciertamente, una cima mucho más elevada que la del Everest. Vivamos unánimes para glorificar a Dios y establecer su Reino. Vamos todos juntos, porque al igual que a la cumbre del Everest, no se llega solo, sino acompañados.

UNA OBEDIENCIA NOTORIA

"Vuestra obediencia ha venido a ser notoria a todos" (Romanos 16:19).

Casi terminando la Carta a los Romanos, el apóstol de los gentiles, el que enseñó que somos salvos por la gracia de Cristo recibida por la fe, elogia a los creyentes porque su obediencia ha venido a ser notoria por todos. Así, Pablo se alegra a causa de la obediencia de ellos, es decir, su docilidad para recibir la fe, y se alegra también porque esa obediencia es notoria, testifica, de la fe.

Hay varios tipos de obediencia. Se habla de la obediencia infantil, de la solidaria, de la sociológica, de la voluntaria, de la "debida". De la obediencia como autodisciplina, de la anticipada, de la ciega, de la forzada y de la obediencia religiosa, que surge como resultado de aceptar las normativas divinas para la vida. Esta obediencia religiosa ha sido muchas veces llevada a extremos. Por un lado, pensar que la obediencia es la que nos permite ganar el favor de Dios y nuestra salvación. Por el otro, que es totalmente tan innecesaria como imposible.

La obediencia a Dios es un deber supremo y es una consecuencia de reconocerlo como Creador, Sustentador y Redentor. Es siempre una respuesta positiva al amor de Dios y al evangelio, es fruto del Espíritu Santo que actúa en la vida. Debe ser de corazón y permanente.

No ganamos la salvación por la obediencia, sino por la gracia. El gran predicador inglés Charles Spurgeon decía que "la fe y la obediencia están unidas en el mismo manojo. El que obedece a Dios confía en Dios, y el que confía en Dios obedece a Dios. El que carece de fe carece de obras, y el que carece de obras carece de fe. No contrapongan la fe a las buenas obras porque hay una relación bienaventurada entre ambas, y si abundan en obediencia, su fe crecerá extremadamente".

La obediencia es la verdadera prueba del discipulado, es un servicio leal, ofrecido por amor; y es por ese amor que guardamos los mandamientos divinos. La fe no nos exime de la obediencia; por el contrario, es la fe la que nos hace partícipes de la gracia de Cristo y nos capacita para obedecer.

La salvación es el don gratuito de Dios que recibimos por la fe: "He aquí la verdadera prueba. Si moramos en Cristo, si el amor de Dios está en nosotros, nuestros sentimientos, nuestros pensamientos, nuestros designios, nuestras acciones, estarán en armonía con la voluntad de Dios, según se expresa en los preceptos de su santa Ley" (Elena de White, *El camino a Cristo*, p. 61).

Querido lector, es caminando de manera permanente con el Señor como nos hacemos parecidos a él. Cuanto más lo contemplemos, más nos asemejaremos. Ora hoy: "Señor, que sea notorio que cada vez se vea menos de mí y más de ti. Amén".

CON SATANÁS A NUESTROS PIES

"Y el Dios de paz aplastará muy pronto a Satanás bajo vuestros pies" (Romanos 16:20).

Aplastar es hacer que una cosa quede plana, deformada o reventada a causa de un peso muy grande o de la presión que se ejerce sobre ella. Además, significa derrotar sobradamente a alguien en una lucha, discusión o enfrentamiento.

Pablo dice a los Romanos que este aplastamiento ocurrirá muy pronto, y que será la última batalla de este conflicto contra el mal y su derrota definitiva. El aplastado será el mismo Satanás, quien también es llamado el maligno, el dragón, la serpiente antigua, el tentador, el príncipe de este mundo y el acusador de los hermanos.

El principal objetivo del enemigo es frustrar el plan soberano de Dios y destruir a su pueblo. Sabe que le queda poco tiempo, y como león muerto de hambre ha salido para devorar a todos (y si fuera posible, incluso a los escogidos).

El enemigo enceguece la mente de los incrédulos, tiene las fuerzas del mal bajo su control. Busca siempre seducir, tentar, destruir; fomenta la indiferencia, la infidelidad y la idolatría. Sin embargo, y pese a su poder, es un enemigo vencido varias y definitivas veces. Jesús lo ha vencido en el desierto, en la Cruz, en la tumba, y puede vencerlo contigo cada vez que te pongas de su lado.

El apóstol va más allá todavía, y dice que Satanás estará bajo nuestros pies. A quien lo hiere no le gusta la guerra, es el Dios de paz, quien va a culminar este triste proceso de pecado. ¡Cuántas veces el archienemigo hace tropezar el pie de los incautos y engaña el corazón de los ingenuos! No obstante, su final será ser aplastado por aquellos a quienes él atribuló. Será Dios quien lo aplaste bajo nuestros pies, ya que, por la gracia de Dios, el enemigo no logró derrotarnos. Si Jesús hubiera cedido, aunque sea a una sola tentación, entonces sí se habría erguido con la victoria.

La lucha aún continúa. Nuestro adversario no da tregua; él hostiga y asedia severamente a los hijos de Dios. No podemos esperar buenos tratos de él, pero una noticia nos fortalece: "Hay ángeles sumamente poderosos que estarán con nosotros en todos nuestros conflictos si tan solo somos fieles. Cristo conquistó a Satanás en nuestro favor en el desierto de la tentación. Él es más poderoso que Satanás, y en breve lo aplastará bajo nuestros pies" (Elena de White, *Testimonios para la iglesia*, t. 3, p. 576).

El Señor promete estar hoy a nuestro lado. Que nosotros podamos estar siempre a su lado, sabiendo que el enemigo tiembla y huye delante del alma más débil que busca refugio en el poderoso nombre de Jesús.

SALVAR Y SALVARME

"La gracia de nuestro Señor Jesucristo sea con todos vosotros. Amén" (Romanos 16:24).

El apóstol Pablo termina su carta a los Romanos saludando personalmente a los hermanos y aconsejándoles evitar toda cosa y persona que cause ofensas y divisiones. En la conclusión, es portador de saludos de otros compañeros de la misión, y concluye con alabanzas y gratitud a Dios.

Pablo fue un gran teólogo, un gran dirigente y un gran pastor, pero desde el comienzo del libro se ha presentado como siervo y esclavo del Señor. Por eso, reconoce y agradece la ayuda que ha recibido de tantos hermanos.

El apóstol llama a Priscila y Aquila "mis colaboradores", que arriesgaron su vida por él; llama a Epíteto "querido"; y a Andrónico y Júnias, "compañeros" y "notables". Urbano es llamado "cooperador". Estaquis, "mi amado". Además, Pablo reconoce que Trifena y Trifosa "trabajaban en el Señor". Nadie es tan bueno que no necesite amigos o colaboradores, pues todas nuestras conquistas involucran no solo nuestros esfuerzos, sino además el esfuerzo de mucha gente que siempre nos apoya.

En enero del 2012, tres edificios en Río de Janeiro se derrumbaron. Un periodista entrevistó al bombero Pinho, después de que rescatara a Marcelo de debajo de los escombros y le salvara la vida. Todos corrieron alejándose del lugar de peligro, pero el bombero fue hacia el peligro. "¿Cuál es la pasión que te moviliza?", le preguntó el reportero. Él respondió: "Siempre que corro en dirección de la tragedia, una sola idea moviliza mi vida; esa es mi pasión: salvar y salvarme".

Cuántos, como Marcelo, están al borde de la muerte, debajo de los escombros de este mundo de pecado, y necesitan imperiosamente acciones decididas, llenas de valentía, sentido de urgencia y prioritarias para ser rescatados. Como el bombero, tenemos que vivir para salvar y salvarnos; esta debe ser nuestra pasión y el movilizador de nuestra existencia.

Salvar a otros y salvarnos a nosotros mismos son acciones que están íntimamente relacionadas, son aspectos de una misma experiencia. Nadie puede disfrutar egoístamente de la salvación sin asumir un compromiso de salvar a otros. De gracia recibimos, de gracia compartimos.

"Nada tienes que hacer como no sea salvar almas. Por consiguiente, gasta lo tuyo y gástate a ti mismo en esta labor", expresó Juan Wesley. En tanto, Elena de White nos pregunta: **"¿Cómo cumplimos nuestra misión? Los representantes de Cristo estarán en diaria comunión con él. Sus palabras serán escogidas; su hablar, sazonado con gracia; su corazón, lleno de amor; y sus esfuerzos, sinceros, fervientes y perseverantes para salvar a las almas por las cuales Cristo murió"** (*Consejos sobre la obra de la Escuela Sabática*, p. 82).

UNIDOS POR LA CRUZ

"Pablo, llamado a ser apóstol de Jesucristo por la voluntad de Dios [...] a la iglesia de Dios que está en Corinto, a los santificados en Cristo Jesús, llamados a ser santos" (1 Corintios 1:1, 2).

La Primera Epístola a los Corintios fue escrita en Éfeso, donde Pablo desarrolló su ministerio por tres años y fue el principal centro de sus actividades durante el tercer viaje misionero. La iglesia de Corinto había sido establecida durante el segundo viaje misionero de Pablo. El apóstol pasó, al menos, 18 meses en aquel lugar. Su obra fue ardua, pero exitosa, ya que dejó establecida una iglesia próspera en una ciudad de referencia.

El propósito de esta epístola es doble: primero, reprochar la apostasía, que había provocado en la iglesia la introducción de prácticas que corrompían las enseñanzas del evangelio; y segundo, fortalecer la creencia y la práctica de algunos temas que los mismos creyentes necesitan clarificar.

En el capítulo 1, Pablo hace un fuerte llamamiento a la unidad, amparado en la autoridad que proviene de Dios. Así, les pide que concuerden en sus dichos y hechos, y que armonicen pensamientos, intenciones y acciones. El punto central del llamado a la unidad es la Cruz y el sacrificio de Jesús, pues solo la salvación une a todos.

El apóstol termina el capítulo 1 hablando del criterio que Dios usa para llamar a las personas y del impacto que eso causa. Para avergonzar a los sabios, Dios escogió lo que el mundo cree que es locura. Para avergonzar a los poderosos, Dios escogió lo que el mundo considera débil. Para destruir lo que el mundo piensa que es importante, Dios escogió lo que el mundo desprecia y dice que no tiene valor. Detrás de la humildad puede haber sabiduría, detrás de la fragilidad puede haber fuerza y detrás de lo simple puede haber algo extraordinario.

Imagina por un momento estar en el Calvario. Si tendríamos que haber firmado el certificado de defunción de Jesús, ¿qué habríamos registrado como causal de su muerte? ¿Algo así?: "Certifico que, en el día de la fecha, a la hora sexta, falleció Jesús nazareno por causa de..." ¿De qué? El mismo Pablo dice: "Primeramente os he enseñado lo que asimismo recibí: Que Cristo murió por nuestros pecados, conforme a las Escrituras" (1 Cor. 15:3).

La Cruz y el sacrificio de Cristo nos hermanan para la misión. Hoy, "antes de que se ponga el sol, piensa en algún acto que lleve a la conversión de alguna persona y ejecútalo con todas tus fuerzas" (Charles H. Spurgeon).

LA LOCURA DE LA CRUZ

"Pero nosotros predicamos a Cristo crucificado, para los judíos ciertamente tropezadero, y para los gentiles locura" (1 Corintios 1:23).

El pastor Daniel Belvedere cita a Martin Hengel (en su libro *Crucifixión*), donde se relatan los tormentos sufridos por un crucificado. Esa información nos permite entender que los dolores eran mucho más crueles de lo que podríamos imaginar. Solemos tener una idea lejana de cómo era en verdad una crucifixión. Los pintores comenzaron a plasmar cuadros de Jesús crucificado mucho después, cuando tal práctica de ejecución se había extinguido. Ciertos hallazgos arqueológicos demuestran que los retratos minimizaron la situación real.

Los condenados a la crucifixión primero eran cruelmente azotados. El azote era un instrumento de castigo sumamente inhumano. El látigo que utilizaban constaba de cuatro o cinco bolas de plomo, unidas a un cabo de madera por medio de cadenas. De cada bola salían pequeños trozos de hierro. Los latigazos no solo rasgaban la piel, sino también destrozaban tejidos y músculos. Los verdugos limitaban estos azotes, pues podrían causar la muerte misma, y la intención era producir un dolor más prolongado: los querían vivos y conscientes para sufrir las agonías de la cruz.

Después de los azotes, completamente ensangrentado, el reo era conducido a un lugar público. Allí era sometido al escarnio y la vergüenza. Eran despojados totalmente de su ropa y expuestos al ridículo. Los artistas, de manera piadosa y compasiva, cubrieron parcialmente los cuerpos en sus obras. El Padre, por medio de nubes oscuras, ocultó misericordiosamente, de los ojos impúdicos de la multitud, la indecorosa escena de su Hijo.

Pero no fueron los azotes previos, ni los tormentos de la cruz ni la lanza del soldado los que le ocasionaron la muerte. A pesar de las humillaciones y del dolor, aun en la cruz seguía pensando y actuando en favor de los demás. Le encargó a Juan que cuidara de su madre, oró y perdonó a sus malhechores, y dio esperanza al ladrón que estaba a su lado.

Elena de White escribió: "No era el temor de la muerte lo que lo agobiaba. No era el dolor ni la ignominia de la cruz lo que le causaba agonía inefable [...] su sufrimiento provenía del sentimiento de la malignidad del pecado [...] Sobre Cristo como sustituto y garante nuestro fue puesta la iniquidad de todos nosotros" (*El Deseado de todas las gentes*, pp. 700, 701).

Si pudieras extender tus brazos hacia los costados, así como Jesús los extendió en la cruz, ¿cuánto tiempo soportarías? ¿Un minuto? ¿Dos? Jesús estuvo seis horas así, crucificado, sin poder siquiera limpiarse las gotas de sangre que caían desde su cabeza por la corona de espinas. Todo fue por amor a ti, a mí, a todos.

¡Que la gratitud y el compromiso sean nuestra respuesta!

¿VACACIÓN O VOCACIÓN?

"Considerad, pues, hermanos, vuestra vocación" (1 Corintios 1:26).

La palabra "vocación" significa un llamamiento divino para desempeñar una misión. Para Pablo, es la respuesta al llamado del Señor y la motivación que la persona siente, procedente de Dios, para llevar adelante una vida religiosa. Entonces, "vocación" ¿es el llamado a realizar un trabajo puntual o es algo de toda la vida? ¿Es un asunto profesional particular y parcial o es completo e integral?

Algunos entienden por vocación la inclinación a ser pastor o ministro religioso. Pero Pablo no se refería solo a los pastores, sino además a que todos los hermanos consideraran la vocación sin importar su oficio, trabajo u ocupación. Todo creyente tiene o debería tener su vocación. Si la vocación es el llamado de Dios, todo creyente tiene vocación de hijo misionero de Dios.

Por su parte, una "vacación" es una suspensión temporal del trabajo, de los estudios o de otras actividades habituales, para descansar. Si no estamos de vocación, entonces estamos de vacación. Es como dice J. Packer: "Nuestra vocación más alta y privilegiada es hacer la voluntad de Dios, en el poder de Dios, para la gloria de Dios".

Por ejemplo, ¿cuál fue la vocación de José o de Daniel? ¿La de gobernantes? ¿O mientras ejercían su función de manera óptima sobresalía su vocación de vida, como hijos de Dios? Así, la vocación no es lo que hago de tanto en tanto, los sábados de mañana en la iglesia o en algún momento aislado en que doy testimonio de mi fe. Para Pablo, vocación es tanto el llamado como la pasión que direcciona y envuelve el ser todo el tiempo y en todo lugar.

Pasé mis primeros 18 días de vida internado en un hospital, y cuando me dieron el alta fue porque los médicos dijeron a mis padres que ya nada podía la medicina hacer por mí. Debían llevarme a morir a casa. Mis padres oraron todo el camino, a su manera: "Si salvas a nuestro hijo, cuando sea grande te lo dedicaremos". Dios resolvió de manera milagrosa mi problema pulmonar y salvó mi vida. Por eso, siempre siento que soy deudor y con una vida prestada. Conocí esta historia después de decir a mis padres que quería ser pastor. Entonces, me contaron lo que Dios había hecho por mí. Dios me llamó a esta inmerecida y sagrada vocación, que por su gracia lleva ya más de cuatro décadas ejerciendo como pastor, pero que abrazo con gratitud para toda la vida.

Si tu vocación está de vacación, hoy terminó el tiempo. Recibe el ruego del apóstol a los creyentes como el ruego de Dios para ti, y vive como es digno de la vocación a la que fuiste llamado.

PETRÓLEO VIVIFICANTE

"Así que, hermanos, cuando fui a vosotros para anunciaros el testimonio de Dios, no fui con excelencia de palabras o de sabiduría" (1 Corintios 2:1).

Pablo era un gran teólogo, profesor y predicador. Pero, cuando fue a visitar a los hermanos de Corinto, su postura fue de humildad y sencillez. Lo que notamos es que la predicación de Pablo no se basó en ostentación de lenguaje o en querer impresionar por su sabiduría; no fue con argumentos filosóficos. Fue a los hermanos con el poder y con la sabiduría de Dios, los cuales superaron la sabiduría del mundo y todo el impacto de los sentidos humanos.

Sin embargo, reconoce que la gente no siempre acepta la sabiduría y el poder de Dios. Muchas veces las personas creen que las cosas de Dios son extrañas y locas. El problema es que muchas personas quieren comprender los caminos y la voluntad de Dios desde la perspectiva natural, a partir de su limitada visión, cuando las cosas concernientes a Dios deben ser comprendidas desde la perspectiva espiritual y eterna.

Pablo sostiene que comprender y aceptar los caminos y la voluntad de Dios es posible en tanto tengamos la mente de Cristo; es decir, unidos a él por el Espíritu Santo, pues la presencia del Espíritu Santo equivale a la presencia de Jesús. Por eso, tenemos el mismo sentimiento de Cristo. Por el Espíritu Santo, Jesús habita en el creyente y nos concede su sabiduría y su poder inagotables.

Es necesario usar sabiamente el petróleo disponible para que no se agote y buscar nuevos recursos sustitutos. El asunto, más allá de lo ecológico, está vinculado a fuertes intereses sociales, políticos y económicos. El petróleo provee energía indispensable para la vida diaria. Desde la comida, elaborada, transportada y presentada, hasta cualquier otra actividad, estamos procesando energía. La energía mueve al mundo. Es imposible vivir sin energía. Tener energía es tener poder. Los pocos lo saben y los muchos lo sufren.

También en el plano espiritual es imposible vivir sin energía. Necesitamos petróleo vivificante. No existen sustitutos ni fuentes adicionales. Hay una sola Fuente de poder, plena y abundante, y con cero costo para todos los usuarios. Pablo fue a los corintios en nombre de ese poder.

"Cuando mora Cristo en el corazón por la fe, su Espíritu llega a ser un poder que purifica y vivifica el alma. Cuando la verdad está en el corazón, no puede dejar de ejercer una influencia correctora sobre la vida" (Elena de White, *Consejos para los maestros*, p. 213).

Hoy el poder de Dios está a nuestro alcance para despertar y vivificar nuestra naturaleza. Concédele el permiso para que él pueda actuar.

SABIDURÍA HUMANA VERSUS SABIDURÍA DIVINA

"Sin embargo, hablamos sabiduría entre los que han alcanzado madurez en la fe; no la sabiduría de este mundo ni de los poderosos de este mundo, que perecen. Pero hablamos sabiduría de Dios en misterio" (1 Corintios 2:6, 7).

Una persona mayor viajaba en tren leyendo un libro de tapas negras. A su lado, estaba un joven universitario leyendo un libro de ciencias. Cuando el universitario se percató de que el libro se trataba de la Biblia, interrumpió al anciano en su lectura y le dijo: "¿Usted todavía cree en ese libro de cuentos y fábulas?" "Sí", respondió el anciano, "pero no es un libro de cuentos, es la Palabra de Dios. ¿Acaso estoy equivocado?" "¡Desde luego!", respondió el joven, "Usted debería estudiar Historia Universal para descubrir que la Revolución Francesa demostró la miopía e insensatez de la religión. Solo personas sin estudio ni cultura pueden creer que Dios haya creado el mundo en siete días. Usted debería conocer acerca de los sabios descubrimientos de nuestros científicos".

Luego de un instante, el hombre de edad preguntó: "Y ¿qué científicos dicen que la Biblia es un libro de cuentos?" Sonriendo, el joven le dijo: "Como voy a bajar en la próxima estación, no tengo tiempo de explicarle. Pero déjeme su tarjeta con su dirección para mandarle material científico por correo con la máxima urgencia". El humilde anciano le dio su tarjeta al muchacho. Cuando este leyó lo que allí decía, salió cabizbajo. En la tarjeta se leía: "Profesor Doctor Louis Pasteur. Director General del Instituto de Investigaciones Científicas de la Universidad Nacional de Francia".

Este hecho, que data de 1892, se recoge en la autobiografía del Dr. Louis Pasteur, quien afirmaba que "un poco de ciencia nos aparta de Dios. Mucha, nos aproxima a él". Pablo dice que no es la sabiduría del mundo la que debemos valorar, sino la sabiduría que viene de Dios. "Frente a la sabiduría divina, Aristóteles no se halla en mejor caso que Julio César", aportó Trenchard. La sabiduría de Dios contiene el plan salvador de Dios para todos los hombres, un misterio oculto y escondido en la gracia de Dios que solo podemos conocer porque nos es revelado por el Espíritu Santo.

El hombre sin Dios puede ser sabio según el mundo, erudito y un gran profesional. Ahora bien, **para ser sabio según Dios, tenemos que clamar por sabiduría, ser instruidos en la Palabra y, de manera sumisa y humilde, someternos a la voluntad del Señor.**

"Nuestro Padre celestial es la Fuente de vida, sabiduría y gozo" (**Elena de White,** *El camino a Cristo*, p. 9).

6 de abril

MÁS ALLÁ DE LO IMAGINABLE

"Cosas que ojo no vio ni oído oyó, ni han subido al corazón del hombre, son las que Dios ha preparado para los que lo aman" (1 Corintios 2:9).

Marco Polo (1254-1324) fue un mercader y explorador veneciano, que junto con su padre y su tío fueron de los primeros occidentales que viajaron hacia China. Tras su regreso a Venecia, lo apresaron y lo llevaron a Génova. Fue allí, en la prisión, donde dictó las memorias de su viaje fabuloso.

El libro se popularizó como *Libro de las maravillas del mundo*. Sus amigos pensaron que él se había vuelto loco, por las cosas increíbles que contaba. Decía que había viajado a una ciudad limpia y brillante (se refería a la plata y al oro), que había visto piedras negras que se quemaban (conoció el carbón), que había visto telas que no se consumían en el fuego, (hablaba del asbesto, o amianto). Además, contaba acerca de nueces del tamaño de la cabeza de un hombre (los cocos). Muchos se burlaron de sus cuentos. Años después, cuando Marco Polo estaba muriendo, un religioso junto a su cama lo instó a retractarse de sus mentiras. "No, de ninguna manera", afirmó. "Todo es verdadero. Es más, ni siquiera dije la mitad".

De igual manera, Pablo menciona que hay cosas, todas verdaderas, que el inconverso no quiere entender. La sabiduría y el poder de Dios son inimaginables para el corazón pecaminoso. El apóstol cita Isaías 64:4: "Nunca nadie oyó, nunca oídos percibieron ni ojo vio un Dios fuera de ti, que hiciera algo por aquel que en él espera".

Los ojos físicos son insuficientes para percibir las verdades espirituales, y no pueden ser entendidas solo por el intelecto. Se necesitan ojos espirituales. Transformar a un pecador en salvo, a un culpable en perdonado, a un justificado en santificado, es algo más de lo imaginable. En el futuro, Dios seguirá haciendo mucho más, hasta conceder definitivamente la liberación del hombre de este mundo, a fin de que sea partícipe de las maravillas del eterno Reino de Dios.

Allí, el dolor no existirá. Ni cáncer, ni ataque cardíaco, ni artritis, ni fiebre, ni miedo ni ninguna enfermedad. Toda consecuencia del pecado desaparecerá para siempre.

Nuestra implacable búsqueda por esa fuente de la eterna juventud por fin terminará. Disfrutaremos de cuerpos perfectos y energía ilimitada para explorar las maravillas del Universo de Dios; refrescados por el río de vida y alimentados por el árbol de la vida. Vida abundante, exuberante y eterna, más allá de lo imaginable.

ORA ET LABORA

"Porque nosotros somos colaboradores de Dios, y vosotros sois labranza de Dios, edificio de Dios" (1 Corintios 3:9).

Como colaborador de Dios, Pablo presenta en este capítulo algunas enseñanzas simples y profundas:

1-Dejar el conocimiento superficial, para obtener el conocimiento más complejo y más profundo. Después de todo, no podemos pasar la vida tomando leche; eso es cosa de niños.

2-Discordar y dividir no son comportamientos de cristianos; esto es comportamiento de quien no conoce a Dios.

3-Actuar como fieles colaboradores de Dios e integrando a otros en ese equipo de cooperadores. Por eso, no tiene sentido discutir quién es mejor y quién es mayor, quién predica mejor o quién sabe más. Todos somos colaboradores de Dios.

4-Reconocer siempre que Cristo es el único y suficiente fundamento de nuestra vida. Nada ni nadie puede ni debe sustituir ese fundamento.

5-Permanecer santos, cuidando también nuestra salud porque somos el templo de Dios.

6-La vida verdadera se fundamenta en Cristo, porque él es el único y suficiente Fundamento. Cuando comprendemos y vivimos eso, nos convertimos en colaboradores de Dios en la predicación del evangelio.

La famosa frase de Benito de Nursia "*Ora et labora*" [Ora y trabaja] fue el lema de la vida de Amanda Barrionuevo. Ella es una mujer simple, dedicada, esforzada y llena de sueños. Gracias a su esfuerzo, a la ayuda de amigos y a la fortaleza espiritual, salió de un asentamiento donde vivía al lado de un cementerio y aprendió el oficio de restauradora.

Así, en virtud de sus sueños y de su nuevo oficio, formó parte del equipo que restauró el famoso teatro Colón, en la ciudad de Buenos Aires (Argentina). Con alegría y brillo en sus ojos, esto declaró en la fiesta de reinauguración: "Es como devolverle la vida a algo que estaba muerto". La confianza en Dios y el trabajo duro le permitieron ser parte del equipo restaurador de uno de los centros culturales más importantes del mundo, que estaba deteriorado por el paso del tiempo.

Nosotros también vivimos en un "cementerio", porque la paga del pecado es la muerte. Pero fuimos llamados a ser colaboradores de Dios a fin de restaurar vidas.

Tenemos el privilegio de restaurar vida en algo que estaba muerto, participar de la "fiesta de reinauguración" del Reino de Dios y formar parte de ese Reino para siempre. Somos llamados a ser colaboradores de Dios para "ser pescadores de hombres, no guardianes del acuario" (Mike Francen).

EDIFICAR JUNTOS

"Conforme a la gracia de Dios que me ha sido dada, yo, como perito arquitecto, puse el fundamento, y otro edifica encima; pero cada uno mire cómo sobreedifica. Nadie puede poner otro fundamento que el que está puesto, el cual es Jesucristo" (1 Corintios 3:10, 11).

Pablo usa varias figuras para ilustrar el papel y la misión de la iglesia. En este caso, usa la imagen de un edificio, y él se presenta como el constructor, arquitecto y siervo que edifica sobre un fundamento inamovible.

El Fundamento es Cristo mismo. No se trata de una persona física, sino de su evangelio, su mensaje y sus revelaciones escritas por los profetas y los apóstoles. El arquitecto no fabrica el fundamento. Es Cristo quien define y coloca el fundamento, y nadie puede poner otro, ni mejorarlo.

El apóstol se refiere ahora a los materiales que pueden ser usados en la construcción (1 Cor. 3:12). Están los costosos, permanentes y durables (como el oro, la plata, y las piedras preciosas), y los baratos, viles y perecederos (como madera, el heno y la paja). Con los primeros, edificamos para el cielo; con los últimos, para la Tierra. Con unos, edificamos la casa de Dios; con los otros, la casa de los hombres.

En tanto la construcción está en marcha, puede no percibirse diferencias, pero a la hora de la prueba, unos y otros serán expuestos. Tal como en la parábola de los dos cimientos relatada por Jesús: una casa edificada sobre la roca y la otra sobre la arena se mantenían aparentemente "iguales" hasta que fueron probadas por los vientos tormentosos.

El fuego probará la obra de unos y otros, y mostrará, por un lado, cristianos maduros, estables, fundamentados en una rica experiencia en Cristo, en la sana doctrina y una vida consecuente. El mismo fuego mostrará, por otro lado, a creyentes inmaduros e inestables, basados en la endeble opinión propia y en la sabiduría humana. El mismo sol que derrite la manteca endurece la arcilla. Dependiendo del material, el mismo fuego refina y purifica a unos; consume y destruye a los otros.

No fue fácil edificar en los días de Pablo. "Uno tras otro, los primeros edificadores cayeron a manos del enemigo. Esteban fue apedreado; Santiago, muerto por la espada; Pablo, decapitado; Pedro, crucificado; Juan, desterrado. A pesar de ello, la iglesia crecía. Nuevos obreros tomaban el lugar de los que caían, y piedra tras piedra se colocaba en el edificio. Así, lentamente se levantaba el templo de la iglesia de Dios" (Elena de White, *Los hechos de los apóstoles*, p. 47).

Tampoco es fácil construir hoy, pero vale la pena. Todavía somos un edificio en construcción. Avancemos juntos, usando los materiales adecuados y terminemos de edificar la iglesia del Señor.

PARA LA GLORIA DE DIOS

"¿Acaso no sabéis que sois templo de Dios y que el Espíritu de Dios está en vosotros? Si alguno destruye el templo de Dios, Dios lo destruirá a él, porque el templo de Dios, el cual sois vosotros, santo es" (1 Corintios 3:16, 17).

Metz dice que son varias las maneras en que una persona puede considerar su cuerpo: mimarlo e idolatrarlo, mirarlo con desdén o vergüenza, utilizarlo como una máquina para producir trabajo y emplearlo como un arma para obtener poder. También puede dedicarlo a los placeres carnales y utilizarlo como instrumento para el vicio. O, como Pablo, puede verlo y cuidarlo como un un templo donde Dios quiere morar.

Pablo, al igual que otros escritores bíblicos, plantea que Dios tiene razón al reclamar su "derecho de autor".

Le pertenecemos **por creación, porque él nos hizo.**

Le pertenecemos **por redención, porque él nos compró con su sangre.**

Le pertenecemos **por adopción, ya que nos transformó de criaturas de Dios en hijos de Dios.**

El plan original de Dios era un cuerpo planificado para vivir por siempre, sano y feliz. Por causa del pecado surgieron el deterioro, la enfermedad y la muerte. Adán no murió de forma inmediata después de su pecado; vivió 930 años. Su hijo, Set, vivió 912 años; y su nieto, Enós, 905 años. Matusalén fue el hombre que más vivió. Llegó a los 969 años.

Estas no son cifras ficticias. Ellos vivieron cerca del tiempo de la Creación, tenían una constitución física perfecta, estaban libres de enfermedades hereditarias, disponían de una muy buena alimentación y moraban en un ambiente libre de toda contaminación.

Por causa del pecado, la longevidad fue disminuyendo. Noé vivió 950 años. Su hijo Sem, 600 años. Su nieto Arfaxad, 438 años; y su bisnieto Sala, 433 años. Cinco generaciones más tarde, Abraham vivió "solo" 175 años. Ya en los días de Moisés, el promedio de vida rondaba los ochenta años.

Cuando Pablo escribe esto a los corintos, los griegos tenían la costumbre de colocar en el interior del templo una imagen de sus dioses. Pablo dice que Dios mora en el templo colectivo que es la iglesia, y en el templo individual que es nuestro cuerpo. Las razones para respetar nuestro cuerpo como templo del Espíritu Santo son dos: Glorificar a Dios respetando la voluntad del Creador y obtener nuestro propio bienestar personal.

No se trata de aplacar la sed de las divinidades paganas; por el contrario, como ocurre con todas las indicaciones de Dios que son seguidas, es el creyente quien recibe las bendiciones.

Ya sea que comamos, bebamos o hagamos cualquier otra cosa, hagamos todo para la gloria de Dios. Hacerlo para su gloria es hacerlo para nuestro propio bienestar, presente y eterno.

SERVIDORES Y ADMINISTRADORES

"Por tanto, que los hombres nos consideren como servidores de Cristo y administradores de los misterios de Dios" (1 Corintios 4:1).

En el capítulo 4 de 1 Corintios, tenemos tres secciones.

En la primera, Pablo se dirige a los pastores, a los predicadores y a los que son responsables del ministerio del evangelio. Ellos no debían ser líderes de facciones de partidos en conflicto. Cristo dio a sus obreros la responsabilidad de compartir su Palabra con el mundo. No se les permite predicar y enseñar opiniones y creencias humanas, sino que son responsables de presentar el mensaje puro de la salvación, no adulterado.

En la segunda sección, Pablo recuerda a los predicadores del evangelio que pueden sufrir mucho, pero deben sobrellevarlo con valor. Ante la mentira, deben bendecir; ante la persecución, deben soportar; y ante las peleas, deben buscar reconciliación.

Finalmente, en la tercera sección, Pablo escribe como un padre a sus hijos. Les plantea el desafío de imitar su comportamiento. Y, como buen padre, les llama la atención diciendo que no deben ser arrogantes.

Aquellos que toman en serio el evangelio de Jesucristo son llamados a ser ejemplos como servidores. Es necesario enseñar, hablar y orientar. Pero también es muy necesario mostrar en nuestra vida el poder del evangelio a través del ejemplo.

Hablar es fácil, pero dar ejemplo es actuar de una manera que los demás pueden imitar. Un ejemplo es la persona digna de ser imitada por sus buenas cualidades. "Por ejemplo" es la expresión que se usa para presentar un caso concreto de lo que estamos explicando, y "tomar ejemplo" es actuar o comportarse siguiendo el modelo de otra persona.

En el texto, Pablo menciona a los servidores. Originalmente se designaba con ese término a los remeros de las galeras de guerra para distinguirlos de los soldados que peleaban en cubierta. Después, comenzó a usarse para cualquier subordinado que hacía trabajos pesados o los ordenanzas que servían al comandante. Por eso, Pablo cree que estos servidores son los ordenanzas del gran Comandante en Jefe, Jesús, siendo así los representantes oficiales humanos de Cristo y los funcionarios regios de su Reino.

Por su parte, los administradores son los mayordomos. Los griegos aplicaban esta palabra a los esclavos o los libertos a quienes se les confiaba el cuidado y el manejo de la casa y la tierra pertenecientes a su amo.

Señor, ayúdanos a ser fieles servidores y administradores de tu iglesia, buscando salvar pecadores, porque "la Biblia no manda a los pecadores a buscar la iglesia, sino que manda a la iglesia a que busque a los pecadores" (Billy Graham).

¿JUZGAR O NO JUZGAR?

"Así que no juzguéis nada antes de tiempo, hasta que venga el Señor, el cual aclarará también lo oculto de las tinieblas y manifestará las intenciones de los corazones. Entonces, cada uno recibirá su alabanza de Dios" (1 Corintios 4:5).

"Ser o no ser, esa es la cuestión" es la famosa frase escrita en su obra Hamlet por el dramaturgo inglés William Shakespeare. Adaptándola, podríamos decir: "Juzgar o no juzgar, esa es la cuestión". Por un lado, somos muy rápidos en juzgar a otros y muy lentos en juzgarnos a nosotros. Olvidas que "tu meta no es ser mejor que alguien, sino ser mejor de lo que solías ser" (Wayne Dyer).

Claro que podemos "juzgar" y evaluar a nuestro prójimo, cuando nos hayamos examinado primero nosotros, cuando tenemos toda la información, cuando lo hacemos con humildad, cuando damos los pasos bíblicos, y lo que nos mueve es el amor y el propósito de restaurar y ayudar a crecer.

Bien vale aplicar el consejo de Tomás de Kempis: "Trata de sobrellevar con paciencia las debilidades y los defectos ajenos, cualesquiera que sean, porque tú también tienes muchos defectos que los demás tienen que soportar. Si tú mismo no puedes ser como deseas, ¿cómo vas a pretender que los demás sean como tú quieres? Pretendemos que sean perfectos y nosotros no enmendamos nuestras propias miserias".

Según Pablo, hay tres problemas en Corinto con los hermanos que juzgan el ministerio. El primer problema es el momento del juicio. Se trata de un juicio anticipado, de antemano, fuera de tiempo, un prejuicio, y por lo general, es negativo. Esa mirada nos lleva a hacer un juicio previo e interpretando mal. El momento adecuado para el juicio es el regreso del Señor.

El segundo problema es juzgar con normas equivocadas. Los corintios medían según sus propias opiniones, sentimientos y prejuicios. La única norma segura es el invariable "Escrito está" de la Palabra de Dios.

El tercer problema es la motivación equivocada. En los corintios, la motivación no era espiritual: golpeaban a los ministros para imponer sus ideas. Promovían las divisiones en la iglesia. Dios es el único que mira el corazón, puede leer las motivaciones y juzgar con justicia.

¿Juzgar o no juzgar? Elena de White nos desafía: **"Cristo se revistió de nuestra humanidad para poder ser nuestro Juez. Ninguno de vosotros ha sido designado para juzgar a otros. Todo lo que podéis hacer es corregiros a vosotros mismos. Os exhorto, en el nombre de Cristo, a obedecer la orden que os da, de no sentaros jamás en el sitial del juez. Día tras día, este mensaje ha repercutido en mis oídos: 'Bajad del estrado del tribunal. Bajad de él con humildad'** " (Elena de White, *Consejos para la iglesia*, p. 469).

¿ESPECTADORES O ESPECTÁCULO?

"Porque, según pienso, Dios nos ha puesto a nosotros los apóstoles en el último lugar, como a sentenciados a muerte. ¡Hemos llegado a ser un espectáculo para el mundo, para los ángeles y para los hombres!" (1 Corintios 4:9).

Un espectáculo es una representación, función o exhibición pública con el fin de entretener. También se refiere a lo que causa escándalo, asombro o admiración.

Pablo dice que a ellos, los apóstoles, Dios los había puesto en el último lugar y llegaron a ser espectáculo, para el mundo, los ángeles y los hombres. Al escribir, él tenía en mente la figura del gladiador romano, derrotado en la arena del Coliseo y condenado a una muerte segura. Estos eran dejados desnudos para el gran final, con fieras incluidas. Era el "espectáculo" mayor. El mundo, los hombres y aun los ángeles contemplaban con asombro.

Pablo se defiende frente a la iglesia usando la ironía: "según la sabiduría de Cristo" y "la locura del evangelio". Nosotros somos "insensatos, débiles y despreciados" y ellos, según la sabiduría y la cordura del mundo, eran "prudentes, fuertes y honorables" (1 Cor. 4:10). Así, resume este presente de hambre, sed, malas vestiduras, heridas, fatigas y maltratos. Concluye que llegaron a ser "como la escoria del mundo, el desecho de todos" (1 Cor. 4:13). Nada les importaba perderlo todo, con tal de ganar a Cristo y almas para él.

Hoy vivimos en un gran Coliseo, frente al último espectáculo. El creyente muchas veces es mal considerado, expuesto al ridículo por su fe y su fidelidad. En este escenario se libra la batalla final entre el bien y el mal, la justicia y la injusticia, la verdad y el error, el Reino de los cielos y el reino de la Tierra.

¿Somos nosotros realmente un espectáculo que llama la atención y que atrae? ¿Lo somos para entretenimiento o para crecimiento? ¿Para condenación o para salvación? ¿Para pasar un momento o para preparar para lo eterno?

Necesitamos estudiar, entender y vivir en consonancia con los tiempos finales de la historia, y estar listos para las luchas finales del gran día de Dios.

"Los que se colocan bajo el control de Dios para ser guiados y dirigidos por él captarán la marcha firme de los sucesos que él ordenó. Inspirados por el Espíritu de aquel que dio su vida por la vida del mundo, no continuarán inactivos en la impotencia, señalando lo que no pueden hacer. Colocándose la armadura del Cielo, avanzarán hacia la batalla deseosos de hacer cosas osadas en favor de Dios, sabiendo que la omnipotencia divina suplirá su necesidad" (Elena de White, *¡Maranatha, el Señor viene!*, p. 159).

Nuestro tiempo como espectadores terminó delante de los hombres, los ángeles y el mundo. Seamos espectáculo de salvación para todos.

PREVENIR Y RESTAURAR

"Y vosotros estáis envanecidos. ¿No debierais más bien lamentarlo y haber quitado de en medio de vosotros al que cometió tal acción?" (1 Corintios 5:2).

Pablo introduce de forma abrupta un nuevo tema, que trata de un caso muy escandaloso: un incesto en la iglesia. Esto trajo vergüenza a la iglesia y, sobre todo, al nombre de Dios.

Tal conducta produjo escándalo y vergüenza, porque es un acto inmoral. A pesar de eso, los miembros de la iglesia estaban convencidos y orgullosos de su condición espiritual. Sin embargo, en vez de eso, debían bajar la cabeza por la vergüenza de que tal impiedad ocurriera entre ellos. Estaban llenos de soberbia y, por lo tanto, debían humillarse ante el Señor y realizar las acciones necesarias para remediar la situación.

En 1 Corintios 5:6, Pablo pregunta: "¿No saben que un poco de levadura acaba fermentando toda la masa?" Mantener en la iglesia a un miembro claramente culpable, con justificación de querer ayudarlo a rehacer su vida, es no considerar el peligro de su influencia en el grupo de creyentes. Con frecuencia, es mejor para el individuo ser separado, a fin de que perciba que sus actos no están en armonía con las normas cristianas, y por eso no pueden ser tolerados. La iglesia debe desaprobar el pecado y ayudar al pecador. Siempre.

Nunca debemos olvidar, por sobre todas las cosas, que es Dios quien juzga los pensamientos, las palabras y los actos de todos. Aunque la persona reconozca o no la soberanía divina, es él quien juzga todos los aspectos de la vida. Él aprueba o condena según su sabia justicia.

Aquí, el problema no era solo social; era también un problema moral y espiritual. La Biblia claramente dice cómo debe ser tratado alguien que yerra, dando los pasos bíblicos de desaprobación, corrección y restauración. Además, se debe enfatizar la prevención, porque siempre es mejor prevenir que curar.

Salomón dijo: "No envidies al hombre injusto ni escojas ninguno de sus caminos. Porque Jehová abomina al perverso; su comunión íntima es con los justos" (Prov. 3:31, 32). Debemos tener profundo respeto por la vida y por la dignidad humanas. Debemos enseñar y aplicar los principios que valoran a niños, adolescentes, jóvenes, adultos y ancianos. Eso también involucra la sexualidad, considerada un don de Dios dentro del contexto de amor y confianza mutuos entre un hombre y una mujer, expresados en el matrimonio.

La iglesia necesita proteger a los que sufren y actuar para recuperar a víctimas y a agresores. Es necesario levantar al caído, en tanto fortalecemos al que está en pie. "Así que todas las cosas que queráis que los hombres hagan con vosotros, así también haced vosotros con ellos, pues esto es la ley y los profetas" (Mat. 7:12).

CADA UNO DA LO QUE TIENE

"¿Se atreve alguno de vosotros, cuando tiene algo contra otro, llevar el asunto ante los injustos y no delante de los santos?" (1 Corintios 6:1).

En 1 Corintios 6, Pablo trata otro problema grave en la iglesia: hermanos que se procesaban mutuamente ante jueces paganos, en vez de resolver sus diferencias entre sí. Esto era contrario a las enseñanzas de Cristo. ¿Qué hacer? Los cristianos no debían llevar a sus hermanos a tribunales infieles, a fin de no exponer la debilidad de la iglesia ante los que no amaban al Señor.

Pablo muestra también cómo el pecado ciega a sus practicantes para que no perciban que están en error. La familiaridad con el pecado hace que se pierda de vista su naturaleza real. Estos pecadores terminan creyendo que pueden vivir transgrediendo la Ley de Dios y, al mismo tiempo, esperar confiadamente la salvación. Dios deja en claro que no hay acuerdo entre el pecado y la justicia, y que cualquiera que se apegue al pecado tendrá su recompensa. Aun en estas circunstancias, hay esperanza para todo tipo de pecado y de pecador.

El cristiano tiene libertad para participar de todo lo que forma parte del estilo de vida enseñado por Dios como el más beneficioso para la humanidad. Es libre para hacer lo que desea, pero hay una condición que debe observarse: no debe hacer algo que cause escándalo a su prójimo. Jesús lo resume: Amar a Dios y al prójimo son los principios que gobiernan la vida del verdadero cristiano. Tenemos plena libertad para hacer lo que deseemos, siempre y cuando no entremos en conflicto con estos dos principios.

La única manera segura de practicar la voluntad de Dios es huyendo de toda impureza, de todo pecado. De esta manera, agradamos a Dios y preservamos la santidad de nuestro cuerpo.

Pablo sentía que la iglesia estaba perdiendo equilibrio interno y fuerza externa para cumplir la misión. Como ocurre con un individuo, que tiene que tener equilibrio interno, a través de la comunión con Dios, y presencia externa de fidelidad y de misión. De igual manera ocurre con la iglesia: equilibrio interno y fuerza externa para cumplir la misión.

En cierto lugar, cierta persona dejaba caer basura por sobre la pared que dividía su casa de la de su vecino. Este, de manera amable, devolvía la "cortesía" con una caja de verduras cultivadas por él mismo, con un cartel que decía: "Cada uno da lo que tiene".

Como personas y como iglesia, damos lo que tenemos. Quien se llena de la basura de los conflictos y los pecados fragiliza su aporte a la comunidad. Quien se llena de Cristo y de su Palabra gana fuerzas para cumplir la misión.

CONFORME AL PLAN ORIGINAL

"Tenga cada uno su propia mujer, y tenga cada una su propio marido" (1 Corintios 7:2).

En 1 Corintios 7, el apóstol Pablo presenta el matrimonio como una protección contra la fornicación. Así, defiende y argumenta con consistencia que la alianza matrimonial no debe ser deshecha y que no debe haber separación. Ante la posible separación, el apóstol pregunta: "¿Qué sabes tú, mujer, si quizá harás salvo a tu marido? ¿O qué sabes tú, marido, si quizá harás salva a tu mujer?" (1 Cor. 7:16).

En cuanto a las relaciones, el apóstol presenta razones para preferir la castidad y para una vida de soltero/a: él dice que los tiempos difíciles son una buena razón para quedarse solo. Convengamos que la vida extremadamente difícil que Pablo llevaba habría complicado mucho su posible matrimonio.

Al final de su carta, Pablo presenta motivos para casarse o quedarse soltero. Él no está prescribiendo un determinado estado civil en detrimento de otro. Lo que hace es advertir a las personas en cuanto a las relaciones en tiempos difíciles.

El otro tema presente en este capítulo es el de la circuncisión. Ni el cumplimiento del rito judío de la circuncisión ni el dejar de hacerlo podía afectar la relación individual con Dios por medio de la fe en Jesús. Pablo enfatiza que las ceremonias y las observancias exteriores no tienen valor sin la fe en Cristo. El cristiano convertido es aceptado por Dios no por medio de alguna obra que pueda realizar, sino por la fe en la obra realizada por Cristo en la Cruz en su favor.

De este modo, el autor de esta epístola parte de la premisa bíblica de que Dios es el autor del matrimonio, y que lo establecido por Dios es la unión de un hombre y una mujer, en una relación de amor y fidelidad. El matrimonio fue creado por Dios con cuatro propósitos específicos:

1-Compañerismo: "No es bueno que el hombre esté solo" (Gén. 2:18).

2-Desarrollo del amor: "Es carne de [tu] carne" (Gén. 2:23).

3-Mejoramiento de la personalidad: "Y serán una sola carne" (Gén. 2:24).

4-Procreación: "Y los bendijo Dios, y les dijo creced y multiplicaos, llenad la tierra (Gén. 1:28).

El enemigo ataca la familia como institución creada y establecida por Dios. Por eso, tenemos que fortalecer la oración y la vigilancia.

"No estáis seguros un momento contra los ataques de Satanás. No tenéis tiempo para descansar de la labor vigilante y ferviente. No debéis dormir un momento en vuestro puesto. Esta es una contienda importantísima. Están implicadas consecuencias eternas. Se trata de vida o muerte para vosotros y vuestra familia" (Elena de White, *Conducción del niño*, p. 171).

Señor, resguarda, rescata y restaura a mi familia.

¿APARENTE O EVIDENTE?

"La circuncisión nada significa, y la incircuncisión nada significa; lo que importa es guardar los mandamientos de Dios" (1 Corintios 7:19).

¿Qué es lo que nos hace cristianos? ¿Una marca en nuestro cuerpo? En los días de Pablo, el judío era circuncidado; y el gentil, no. La discusión instalada era si necesitaban los gentiles circuncidarse para llegar a ser cristianos.

La circuncisión era considerada una marca física de distinción para los judíos. Para algunos, esta era una marca que debía ser observada siempre, mientras que para otros no era obligatoria. La circuncisión era un rito de iniciación en la fe. En el Nuevo Testamento, el bautismo reemplazó la circuncisión, también como compromiso de iniciación y aceptación del Señor.

Pablo dice que de nada sirve hacerlo o no hacerlo. Esas formas tienen que estar acompañadas de entrega y compromiso. De nada sirve tener una cruz como amuleto, arrodillarme para orar sin postrar el corazón ni bautizarme sin comprometerme a vivir diariamente con Jesús.

¿Somos cristianos aparentes o evidentes? Las paradojas de nuestro tiempo fueron expresadas por el actor y comediante George Carlin:

"Tenemos edificios más altos y temperamentos más reducidos; carreteras más anchas y puntos de vista más estrechos. Gastamos más, pero tenemos menos; compramos más, pero disfrutamos menos. Tenemos casas más grandes y familias más chicas. Mayores comodidades y menos tiempo. Tenemos más grados académicos, pero menos sentido común; mayor conocimiento, pero menor capacidad de juicio; más expertos, pero más problemas; mejor medicina, pero menor bienestar. Nos enojamos demasiado y oramos muy rara vez.

"Hemos multiplicado nuestras posesiones, pero reducido nuestros valores. Hemos aprendido a ganarnos la vida, pero no a vivir. Añadimos años a nuestras vidas, no vida a nuestros años. Hemos logrado ir y volver del espacio, pero se nos dificulta cruzar la calle para conocer a un nuevo vecino. Conquistamos el espacio exterior, pero no el interior.

"Hemos limpiado el aire, pero contaminamos nuestra alma. Conquistamos el átomo, pero no nuestros prejuicios. Escribimos más, pero aprendemos menos. Hemos aprendido a apresurarnos, pero no a esperar. Producimos computadoras que pueden procesar mayor información, pero nos comunicamos cada vez menos. Estos son tiempos de comidas rápidas y digestión lenta; de hombres de gran talla y cortos de carácter; de casas más lujosas, pero hogares rotos. Son tiempos de viajes rápidos, pañales desechables, moral descartable y píldoras que hacen todo, desde alegrar y apaciguar, hasta matar".

Qué paradójico que nos esforcemos por el parecer, y no por el ser. Fortalece tu relación de fe y obediencia con Jesús, ahora y siempre.

CONOCIMIENTO CON AMOR

"En cuanto a lo sacrificado a los ídolos, sabemos que todos tenemos el debido conocimiento. El conocimiento envanece, pero el amor edifica" (1 Corintios 8:1).

Antes de entrar en el tema del alimento sacrificado a los ídolos, el apóstol Pablo establece un principio esencial: el saber llena a la persona de orgullo, pero el amor nos hace progresar en la fe.

De este modo, Pablo condena el orgullo por el conocimiento intelectual, que lleva al desprecio y a la negligencia por los menos instruidos. **La persona orgullosa por su conocimiento, al punto de despreciar a los demás e ignorar sus necesidades, demuestra que aún no ha aprendido el principio del verdadero conocimiento.** El que es verdaderamente instruido es humilde, modesto y se preocupa por los demás. No es orgulloso y no es indiferente a la felicidad de los demás.

Al decir esto, Pablo está afirmando que el tema del alimento sacrificado a los ídolos no se resolvería por el mero conocimiento, sino por el amor al prójimo. Sucede que el verdadero cristiano sabe que el ídolo no es nada; no tiene ningún poder. Pero algunos encuentran difícil entender y vivir eso; para algunos, es difícil abandonar de inmediato las supersticiones y las costumbres antiguas. Por eso, es necesario tener amor, paciencia y bondad con esas personas.

En este sentido, hay que cuidar para que la conducta de algunos, que juzgan comprender el asunto, no lleve a otros (con menos entendimiento) a una conducta equivocada. Este es un principio general del comportamiento cristiano, una regla áurea incluso en casos de poca importancia.

Recuerda: el hermano débil es aquel a quien más se debe tratar con paciencia y tolerancia. Cristo murió por los fuertes y los débiles; por eso, no se debe hacer nada que haga infructuoso el sacrificio de Cristo por una persona.

Hay una idea engañosa: toda persona tiene el derecho de hacer lo que desee sin considerar el efecto de ello sobre otros. No podemos pensar así. Aquel que tiene el amor de Jesús en el corazón no desea usar su libertad de forma que sus hermanos se desvíen. Por el contrario, se siente feliz de abstenerse de privilegios y placeres, si con eso puede evitar que alguien se desanime. Esto significa usar el conocimiento con amor.

Usar el conocimiento con amor solo es posible en la medida que estemos ligados con el Alto y Sublime. "Entre más porción del cielo haya en nuestra vida, menos porción de la Tierra ambicionaremos" (Charles Spurgeon).

Que así sea. Amén.

NADA

"Acerca, pues, de los alimentos que se sacrifican a los ídolos, sabemos que un ídolo nada es en el mundo, y que no hay más que un Dios. Aunque haya algunos que se llamen dioses, sea en el cielo o en la tierra (como hay muchos dioses y muchos señores)" (1 Corintios 8:4, 5).

El ídolo representaba una deidad que vivía en los cielos y que de tanto en tanto visitaba la Tierra. Los paganos creían en imaginaciones que llamaban dioses. Eran representaciones de cosas del cielo y de la Tierra, tales como el Sol, la Luna, las estrellas, el fuego, el agua, la tierra, animales, aves, así como seres mitológicos, como Apolo, Júpiter, Venus.

Además, los emperadores romanos se declaraban dioses, levantaban estatuas de sí mismos, y luego perseguían hasta el martirio a los cristianos que no las adorasen. Pablo afirma que el ídolo es nada, representa a un dios que no existe. Nada representando a la nada. Absolutamente nada. Podrá ser una gran obra de arte valiosa, pero carece de poder espiritual.

El ídolo está hecho de madera, piedra o metal, y no significa nada ni en el cielo ni en la Tierra. La palabra "ídolo" no se refiere únicamente a la imagen, sino al dios que se supone que representa. La creencia de que diversas deidades moran en los ídolos hechos por el hombre es solo una fantasía de sus adoradores. Algunos ídolos eran falsos, otros eran manifestaciones de demonios. Sean imaginaciones de la mitología o de la vanagloria humana, son nada. No merecen ni adoración, ni confianza ni dependencia.

Cuan "pagana" es nuestra manera de vivir. Nosotros también podemos tener ídolos. Considerados en exceso, casi a nivel de veneración, pueden tratarse de ciertos bienes de consumo, ciertos personajes políticos, culturales, músicos, deportistas y demás. Pueden ser ciertas ideas, conceptos o prácticas que hemos transformado en algo sagrado. Nosotros también podríamos estar construyendo nuestros propios ídolos para ser adorados.

Adorar ídolos es tanto necedad como pecado. Es pecado, porque ninguna imagen puede capturar ni representar a Dios; él no es representado por ídolos. Y porque el mismo Mandamiento, de manera expresa, nos pide no forjar ni adorar imágenes de ninguna cosa. "Vivimos en un tiempo solemne y terrible. No tenemos tiempo para adorar ídolos, ni lugar para concertarse con Belial ni para amistarse con el mundo. Aquellos a quienes Dios acepta y santifica para sí mismo han sido llamados a ser diligentes y fieles en su servicio, apartados y dedicados a él" (Elena de White, *Testimonios para la iglesia*, t. 2, p. 152).

Como Lutero, podemos pedir perdón "porque hemos pasado de la fe a la incredulidad y de la adoración a la idolatría". Sea nuestra oración: "Señor, ayúdame a dejar todos mis ídolos; a ser diligente, fiel, apartado y dedicado".

PICHANTAÑANI CATUÑANI

"Para nosotros, sin embargo, sólo hay un Dios, el Padre, del cual proceden todas las cosas y para quien nosotros existimos; y un Señor, Jesucristo, por medio del cual han sido creadas todas las cosas y por quien nosotros también existimos" (1 Corintios 8:6).

Pablo dice que para nosotros, los creyentes, solo hay un Dios. Eso contrasta con los miles de dioses de los paganos. Estos son falsos o inexistentes. El nuestro es verdadero y eterno. Este Dios creó todas las cosas, incluso la vida, que además sostiene, mantiene y protege.

A diferencia de los otros dioses inexistentes cuya ira hay que aplacar, o conquistar su favor, el nuestro se presenta como Padre, lo cual hace el vínculo más estrecho. No se relaciona solo como Creador-criatura, Adorado-adorador, Sostenedor-sostenido, Protector-protegido; sino también en una relación de Padre-hijo.

Un Padre que todo lo puede, que está en todo lugar, que todo lo sabe, que ama, que se compadece y que es amigo cercano. Los paganos decían que había muchos dioses; para los cristianos, uno solo. Por medio del Hijo todas las cosas fueron creadas, y en su sacrificio somos redimidos. Creados, salvados y adoptados. Los muchos no pueden nada; él es el Único que lo puede todo. En el Nuevo Testamento, este Padre es el "Padre celestial"; Pablo dice que para nosotros es nuestro Padre.

El pastor Fernando Stahl y familia, dedicados pioneros y misioneros en Bolivia y Perú, llegaron a Queñoani, Perú, cerca de la frontera con Bolivia. Cierto día, un ejército de unos quinientos hombres, armados con látigos, piedras y garrotes, instigados por dirigentes religiosos y autoridades, atacaron la choza donde estaban los misioneros. Fueron incitados a matar con la promesa de que sería un honor terminar con los herejes, y que no sufrirían ninguna consecuencia. Luego se oyó un grito: "Pichantañani Catuñani" (es decir, "Agárrenlos y quémenlos"). De repente, todos huyeron despavoridos. Un indígena, todavía asustado, dijo: "¿Acaso no ven ustedes esa gran compañía de indígenas armados que vienen para defenderlos?"

Es maravilloso recordar que el Dios que nos creó de la nada realiza permanentes milagros para cuidar y sostener la vida de sus hijos. Más maravilloso aún es saber que nos rodea con sus fuertes brazos de Padre. Mientras que el acusador procura nuestra muerte, el Defensor sostiene nuestra vida.

Aunque quinientos rodeen tu choza, aunque el fuego esté encendido y la turba enfurecida, aunque el enemigo quiera aprehender y quemar tu fe, tus sueños y tu vida, sigue adelante, vive fielmente, recordando que por el Dios eterno fuimos creados y redimidos. Por él existimos y por él, muy pronto, viviremos para siempre.

20 de abril

CARRERA CON OBSTÁCULOS

"¿No soy apóstol? ¿No soy libre? ¿No he visto a Jesús el Señor nuestro? ¿No sois vosotros mi obra en el Señor?" (1 Corintios 9:1).

Pablo defiende su libertad, pero renuncia a ella por el bien de los demás: él está lleno del espíritu de Cristo, y por eso está dispuesto a empeñarse por el avance de los intereses del Reino de Dios.

El ministro debe vivir del evangelio. Así como el soldado recibe para su sustento de aquellos que lo emplean, es correcto que el ministro del evangelio, que vive para la iglesia, sea sostenido por la iglesia. Así como el hombre que planta una viña no desea que su trabajo sea en vano, y anhela comer del fruto de su labor, de igual manera, es correcto que el ministro que dedica su vida a la viña que es la iglesia de Dios sea sostenido por ella. Sin embargo, a pesar de todo su argumento en favor del mantenimiento del ministerio, el mismo Pablo decidió autosostenerse.

Finalmente, Pablo compara la vida cristiana con una carrera. Todos los que competían en las carreras griegas se esforzaban al máximo para ganar el premio. Usaban toda habilidad y todo vigor adquiridos por medio de entrenamiento intensivo. Ninguno de ellos era indiferente, apático o descuidado.

La corona de la vida eterna se ofrece a todos, pero solamente los que se sujetan al entrenamiento tendrán el premio. Esto significa que en todo tiempo el cristiano debe ser guiado en palabra, pensamiento y acción por los elevados estándares bíblicos, y no será controlado por los deseos e inclinaciones del propio corazón. Preguntémonos en cada paso de la jornada: ¿Qué haría Jesús? Esta actitud, este plan, esta recreación, esta música o esta amistad, ¿va a aumentar o disminuir mi fuerza espiritual? Cualquier cosa que de alguna manera interfiera en el progreso espiritual debe ser rechazada; de lo contrario, no se podrá obtener la victoria.

Hace 24 años se practica en Finlandia una particular carrera de obstáculos llamada "cargar con la esposa". El varón debe llevar en su espalda a su esposa, en un circuito que incluye superar varios obstáculos. Gana quien, sin dejarla caer en ningún momento, llega primero. Una pareja lituana se quedó con la edición 2019. El equipo completó los 253,5 metros de circuito en un minuto y seis segundos.

En nuestra carrera de la vida enfrentamos obstáculos; muchos, muy difíciles de superar. Y también tenemos que llevar a otros con nosotros, porque nadie llegará solo al cielo. En esta carrera, todos pueden llegar primero y ganar igual premio. El mismo Pablo, que estaba seguro de su corona, dijo que no había solo para él, sino para todos los que aman la venida del Señor.

UNA PROMESA IMPRESIONANTE

"Así también ordenó el Señor a los que anuncian el evangelio, que vivan del evangelio" (1 Corintios 9:14).

Pablo retransmite el mandato del Señor: los que viven para predicar el evangelio han de ser sostenidos por el evangelio; es decir, por la iglesia.

¿Cómo se efectúa esto? Por medio de la devolución del diez por ciento de lo que cada miembro de iglesia recibe. Así, el diezmo se utiliza para el sostén del ministerio y el cumplimiento de la misión. No obstante, el tema central no es el dinero. El principio bíblico es reconocer que Dios es dueño de todo y, en gratitud, el creyente devuelve una parte a fin de que sea usada para su gloria.

De este modo, el diezmo no es solo para predicar por todo el mundo o para sostener el ministerio. Se trata de la responsabilidad personal de cada adorador de reconocer y administrar con fidelidad la vida y los recursos conforme a la voluntad de Dios.

El Señor espera nuestra consagración completa de lo que tenemos y somos. Quiere saber cuánto apreciamos sus bendiciones y cuánta gratitud sentimos por su misericordia. Él espera no solo nuestra fidelidad en la devolución de los diezmos, sino también nuestra generosidad en la entrega de las ofrendas.

"No solo deberíamos dedicar fielmente nuestros diezmos a Dios, quien los reclama como suyos, sino debiéramos además traer un tributo como ofrenda de gratitud. Llevemos a nuestro Creador, con corazones gozosos, los primeros frutos de todos sus generosos dones; lo más escogido de nuestras posesiones, nuestro mejor y más santo servicio" (Elena de White, *La fe por la cual vivo*, p. 247).

David pregunta: "¿Qué pagaré a Jehová por todos sus beneficios para conmigo?" (Sal. 116:32). Él mismo responde: "Ahora pagaré mis votos a Jehová delante de todo su pueblo" (116:14). Cuando devolvemos el diezmo a Dios, reconocemos que el Señor nos ha capacitado para adquirir todo lo que tenemos. Dios no necesita nuestro dinero, ya que él es el Dueño de todo el Universo ("Mía es la plata y mío es el oro", dice Dios en Hageo 2:8). Nosotros necesitamos entregar el diezmo como un acto de adoración y una actitud de confianza y fidelidad. La promesa de Malaquías 3:10 es impresionante: "Traed todos los diezmos al alfolí y haya alimento en mi casa: Probadme ahora en esto, dice Jehová de los ejércitos, a ver si no os abro las ventanas de los cielos y derramo sobre vosotros bendición hasta que sobreabunde".

Prueba hoy a Dios. Esto no significa prosperidad laboral o económica garantizadas, pero sí bendiciones según su beneplácito hasta que sobreabunden. No sé cuáles son; solo sé que son muchas.

22 de abril

UNA NECESIDAD IMPUESTA

"Si anuncio el evangelio, no tengo por qué gloriarme, porque me es impuesta necesidad; y ¡ay de mí si no anunciara el evangelio" (1 Corintios 9:16).

Hay vocaciones de vida y misiones imperiosas que marcan para siempre. Pablo puede renunciar a su nombre Saulo, a sus derechos de apóstol, a ser sostenido por la iglesia, a su sangre judía, a su ciudadanía romana, a su preparación en la Universidad de Gamaliel y a comer por varios días. Sin embargo, hay algo a lo que no quiere ni puede renunciar, ni siquiera por un momento: a anunciar el evangelio. Esta es su imperiosa necesidad. Y no tiene por qué gloriarse, ya que no es él quien realza al evangelio; es el evangelio el que realza su vida.

Él había sido llamado para anunciar, no para callar. Permanecer callado era pecado, por negar su llamado y la Comisión. La alegría de los que recibían su mensaje era tan grande como la alegría del mensajero. Bien decía Martin Luther King: "No me preocupa tanto el grito de los violentos, como el silencio de los buenos".

En los comienzos de la obra en Chile, las dificultades fueron tremendas. No era fácil ir de lugar en lugar. Los pioneros se consumían por el evangelio. Así, el Pr. Victor Thomann recorría a caballo largas distancias llevando la bendita esperanza. Visitaba a los nuevos creyentes, fortalecía su fe y su compromiso misionero, y llevaba los diezmos y las ofrendas que la generosidad y la fidelidad de los hermanos entregaban para el crecimiento de la iglesia y la misión. Cierta noche fría de 1905, galopaba por bosques de pino, iluminado solo por la luz de la Luna. Iba cantando y alabando a Dios, cuando de pronto notó que era perseguido por alguien, con la clara intención de robarle. Aceleró su ritmo y tomó un camino paralelo al río, hasta que llegó a un puente de madera. Al otro lado se encontró con una casona iluminada, que pertenecía a dos policías que custodiaban la región. "¿Cómo llegó hasta aquí?", le preguntaron. "Crucé el puente de madera", respondió el pastor. "Imposible. Aquí no hay ningún puente", contestaron los policías.

Jesús, el Camino, la Verdad y la Vida, construyó un puente en forma de cruz para salvarnos. De este lado del río, una banda de tentaciones y peligros nos seducen y lastiman. Del otro lado del río, una gran mansión llena de luz y vida nos aguarda.

El mismo Dios que hizo salir agua de la roca y que abrió un camino en el mar formó también un puente de madera para salvar la vida del pastor Thomann. Que como él y como Pablo, nosotros también podamos decir que tenemos una impuesta necesidad.

GANAR Y GANAR

"Por lo cual, siendo libre de todos, me he hecho siervo de todos para ganar al mayor número" (1 Corintios 9:19).

En tan solo siete versículos, Pablo repite seis veces que él quiere ganar el máximo número de personas para el Reino de Dios. Por eso se ha "esclavizado" buscando la salvación de todos. Su salario y su recompensa son las personas. Él buscaba salvar la mayor cantidad de personas, porque en el fondo quería que todos se salvaran. Sin poner en riesgo los principios ni la doctrina bíblica, él se adaptaba a las costumbres, a la cultura, a la filosofía... Su único propósito al adaptarse era conducirlos al Salvador.

Por eso, trabajaba por los judíos que se creían salvos por la Ley y por los paganos que estaban sin Ley, Trabajaba por los débiles, por los que ignoraban, por los temerosos, por los intelectuales, por los ricos y por los pobres. No despertaba prejuicios, no los escandalizaba y no los provocaba, a fin de que, de todas maneras, al menos pudiera ganar a alguien.

Todo el mundo quiere ganar: el que practica un deporte, el que hace negocios, el que compra, el que vende, el que estudia, el que enseña, el que deposita un dinero, el banco que lo recibe, el que vende salud, el que vende seguros de salud. Todos quieren ganar y, mientras sea lícito, está perfecto. Sin embargo, cuando hablamos de ganar almas y cuando decimos que hay que ganar la mayor cantidad, algunos en la iglesia se ponen nerviosos.

Spurgeon decía: **"Cada cristiano es un misionero o un impostor".** Elena de White lo expresó así: "La iglesia de Cristo en la Tierra se organizó con propósitos misioneros, y el Señor desea verla en su totalidad concibiendo maneras y medios para llevar el mensaje de verdad a los encumbrados y a los humildes, a los ricos y a los pobres" (*Testimonios para la iglesia*, t. 6, p. 37).

En diciembre de 2019 conocí en Cayambe, Ecuador, a Amparo Freire. Ella es una misionera voluntaria que, además de atender sus responsabilidades familiares y laborales, llevó al bautismo a 40 personas en 11 meses. Ella visita a las personas en sus casas, las ayuda, les da estudios bíblicos y las lleva a Jesús, a la iglesia, al bautismo y al discipulado misionero. ¡Qué notable!

Nuestro Salvador trabajó con esfuerzo incansable para buscar y salvar. Ningún sacrificio lo detuvo; y nos dice que "sus colaboradores deben trabajar como él trabajó, sin vacilar en la búsqueda de los caídos, sin considerar esfuerzo alguno como demasiado penoso, ni excesivo sacrificio alguno, con tal de que puedan ganar almas para Cristo" (Elena de White, *Consejos para los maestros*, p. 481).

¡Señor, cuenta conmigo ahora!

LA NUBE Y EL MAR

"No quiero, hermanos, que ignoréis que nuestros padres estuvieron todos bajo la nube, y todos pasaron el mar" (1 Corintios 10:1).

En 1 Corintios 10, Pablo presenta varios temas, los que podríamos resumir de esta manera:

1. No seamos idólatras. Adorar a alguien o algo que no sea Dios es desestimar todo su cuidado y su amor por nosotros.

2. No practiquemos inmoralidades. Los actos inmorales atentan contra nuestra mente, nuestro cuerpo, y contra nuestro Dios.

3. No pongamos a Cristo a prueba. Sabemos lo que es cierto. No insistamos con comportamientos erróneos.

4. No murmuremos. Murmurar es reclamar, encontrar defectos y estar descontentos por todo. Los murmuradores se creen perfectos pero están equivocados. No van a la iglesia para adorar, sino para criticar.

5. Nadie está seguro o libre de pecar. "Así que el que piensa estar firme, mire que no caiga" (1 Cor. 10:12).

6. No nos ha venido ninguna tentación que no sea humana. Sin embargo, Dios es fiel y no permitirá que seamos tentados más allá de lo que podemos soportar, y proveerá liberación.

7. Todas las cosas son lícitas, pero no todas convienen. Es decir, no todas edifican; puede incluso ser legal, pero si es inmoral, no debemos practicarlo.

8. Debemos glorificar el nombre de Dios en todas nuestras acciones, con nuestro estilo de vida. Dios necesita que cada uno de nosotros vivamos el cristianismo día a día.

Un prólogo antecede todas estas orientaciones, que nos muestra cómo es posible seguir estos principios.

Pablo nos dice que no ignoremos el testimonio de nuestros antepasados que estuvieron bajo una nube, símbolo de la protección y la presencia visible de Dios. Una nube de día y una columna de fuego por la noche, acompañando la peregrinación en el desierto, desde Egipto hasta Canaán. Y cruzaron milagrosamente el mar Rojo. Moisés dio la orden de marchar, las aguas se abrieron, y pasaron a salvo.

En ese momento, como una figura del bautismo, quedaron rodeados de agua a sus costados y de la nube arriba. Así, fueron sumergidos, bautizados en cierta manera, y rodeados por el amor y el poder de Dios. Saliendo de la esclavitud, la oscuridad y la suciedad del pecado, para entrar en la liberación, la luz y la limpieza de una vida nueva.

De Egipto a Canaán, de criatura de Dios a hijo de Dios, de la Tierra al cielo. Dios quiere hacer lo mismo en nuestra vida. ¿Puedes darle permiso?

UNA ANTIGUA MONTAÑA

"Y todos bebieron la misma bebida espiritual, porque bebían de la roca espiritual que los seguía. Esa roca era Cristo" (1 Corintios 10:4).

Es considerada una obra maestra de la arquitectura y de la ingeniería. Sus peculiares características arquitectónicas y paisajísticas, y el velo de misterio que envuelve la zona, la han convertido en uno de los destinos turísticos más populares del planeta. Nos referimos a Machu Picchu, un conjunto cultural y ecológico que fue declarado Santuario Histórico Peruano en 1981; Patrimonio de la Humanidad por la Unesco desde 1983; y desde el 7 de julio de 2007, como una de las nuevas siete maravillas del mundo moderno.

Ubicada en la Cordillera Oriental del sur del Perú, a 2.430 metros sobre el nivel del mar, en la región Cusco y sobre el Valle Sagrado de los Incas, el nombre Machu Picchu proviene del quechua y significa "Vieja montaña". Anualmente, 1.000.000 de personas visitan el lugar, fascinadas y admiradas por la maravilla de esta antigua montaña.

Yo también quedé fascinado y tengo admiración, pero por otra maravilla: Cristo, la antigua Roca. Pablo nos recuerda que todos bebieron la bebida espiritual. La Roca en el desierto había satisfecho la sed del pueblo. Asimismo, Cristo seguía apagando la sed de sus hijos.

La Roca llegó a ser un nombre para referirse a Dios. Ella apaga la sed, alimenta y guía. Es el inmutable el Salvador, siempre dispuesto para apoyar, sostener y fortalecer. Algunos, en lugar de ser reavivados para salvación por la Roca, tropiezan en ella para perdición. No todos aquellos que bebieron de la bebida espiritual en el desierto heredaron la Tierra Prometida. El Señor hizo todo para salvarlos; ellos hicieron todo para perderse. En lugar de ser alimentados y pastoreados en la nueva tierra que fluía leche y miel, fueron esparcidos y desparramados por el desierto. Las promesas y las bendiciones no aseguran inmunidad incondicional; debemos acercarnos a Dios permanentemente.

Lo que ocurrió con el pueblo en el viaje de Egipto a Canaán es un llamado de atención para todos los que viajamos a la Canaán Celestial.

Querido lector, esa antigua montaña, que es Jesús, la verdadera Roca, te sigue, quiere apagar tu sed, alimentar tu alma, y se resiste a que quedes desparramado en este desierto de pecado. La Roca quiere guiarte y llevarte a la Canaán celestial. Solo tienes que seguirlo siempre, bebiendo, alimentándote de él y compartiéndolo, hoy y cada día. Ya lo decía Spurgeon: "La vida es una caminata. Cada día damos pasos. Nuestro mañana está determinado por los pasos que damos hoy".

26 de abril

"TODO ESTÁ BIEN"

"No os ha sobrevenido ninguna prueba que no sea humana; pero fiel es Dios, que no os dejará ser probados más de lo que podéis resistir, sino que dará también juntamente con la prueba la salida, para que podáis soportarla" (1 Corintios 10:13).

Los hermanos de Corinto pensaban que sus pruebas eran las más grandes. Sin embargo, Pablo les dice que sus cargas eran parecidas a la de todos. Por eso, los anima recordando que la fidelidad de Dios es la base de nuestra seguridad. Es indispensable la confianza en la promesa y no entrar en la presunción de ir a terreno enemigo, desoyendo advertencias divinas.

La promesa garantiza que Dios impedirá que el enemigo coloque una carga más allá de nuestras fuerzas. Dios no es autor del sufrimiento; él vino para terminarlo. Él no tienta a nadie, pero cuando lo permite es porque tiene un propósito más elevado que ese dolor. Hay dos tipos de dolor: según el mundo y según Dios. El primero es destructivo, el segundo es constructivo. Es una prueba de fe que extrae lo mejor de nosotros. Es una salida provista por Dios. Como asumió Jesús, esa vía victoriosa de escape reside en el seguro "Escrito está".

Horatio Spadfford era un exitoso abogado que enfrentaba una suma de adversidades, como la muerte de su hijo por escarlatina, situaciones financieras apremiantes y un voraz incendio que consumió casi todos sus bienes en 1871. Invitado por su amigo, el evangelista D. L. Moody, decidió viajar con su familia con el objetivo de descansar y visitar a sus amistades en Inglaterra. A último momento, él tuvo que permanecer y la familia viajó sola. En el Atlántico, el navío donde viajaban sus amados colisionó con el buque inglés Lorchean y se hundió en doce minutos. La mayoría de los pasajeros y la tripulación se ahogó en las aguas del océano. Entre las víctimas fatales, estaban las cuatro hijas de Spafford. Su esposa logró sobrevivir y llegar a Gales.

Una vez allí, consiguió enviar este mensaje por telégrafo: "Salva sola, estoy bien. Tengo paz, gloria a Dios". Spafford tomó el primer barco y viajó a encontrarse con su esposa. En la zona donde el barco con sus hijas se había hundido, escribió un himno que es muy reconfortante para todos los atribulados en el mar de la aflicción. Un himno que ha fortalecido a miles a través de los tiempos: "Todo está bien con mi alma, tengo paz".

Querido lector, tanto la tentación como el dolor provienen del enemigo. El hombre culpa al Creador por la obra del corruptor. Dios puede permitirlo con un propósito de salvación. Dios te fortalece y te da una salida. Aun con lágrimas en los ojos, puedes cantar: "Todo está bien con mi alma, tengo paz, gloria a Dios".

DEJA TU MARCA

"Sed imitadores míos, así como yo lo soy de Cristo" (1 Corintios 11:1).

¿Acaso Pablo es un gran soberbio? Miren cómo comienza este capítulo: nos dice que seamos imitadores de él porque él lo es de Cristo. No obstante, no es la soberbia la motivación que lo impulsa. Él quiere que todos lo imitemos en su imitar a Cristo. Así, este también es nuestro deber. Es nuestro deber, pues otros nos están observando.

Luego menciona cuál debe ser la postura de la mujer en la iglesia. Él trata con algunas cuestiones culturales, pero un principio queda claro: en el Señor, ni la mujer es independiente del hombre, ni el hombre es independiente de la mujer. De hecho, hombre y mujer son criaturas y Dios es el Creador.

Pablo nos recuerda que debemos celebrar la Cena del Señor con responsabilidad y conciencia. ¡Cuidado con jugar con cosas serias! La Cena del Señor es un momento de intensa reflexión personal, pues los símbolos de los cuales participamos están directamente relacionados con el cuerpo de Cristo, y con su sacrificio y su muerte.

Dos grandes lecciones se destacan en el capítulo 11:

1. Somos representantes de Cristo.
2. El hombre y la mujer tienen papeles diferentes, pero eso no los hace ni superiores ni inferiores el uno con respecto al otro.

El correcaminos es una de las aves más interesantes. Se le da este nombre porque prefiere correr, y no volar. Volará si lo encierras y no tiene cómo salir para escapar; pero tan pronto como sea posible, correrá tan rápidamente como se lo permitan sus patas. Es quizás el ave corredora más conocida, y puede alcanzar una velocidad de 24 kilómetros por hora; y más, cuando persigue lagartijas o presas veloces.

Estos pájaros veloces viven en el suroeste de los Estados Unidos y en el norte de México. El correcaminos vive con "su esposa" toda la vida, y se dice que esta ave corredora es un cristiano maravilloso, porque por dondequiera que corra deja impresa en la tierra la cruz de Cristo, debido al trazado de sus dedos.

Pablo dice que somos los representantes de Cristo. Elena de White lo confirma: "Somos los representantes de Cristo en la Tierra. ¿Cómo cumplimos nuestra misión?" (*Consejos sobra la obra de la Escuela Sabática*, p. 82). Billy Graham decía que "nosotros somos las Biblias que el mundo está leyendo y los sermones que la gente está escuchando".

Hasta un simple correcaminos nos ilustra la necesidad de vivir fielmente, dejando las marcas de la Cruz a cada paso.

EN MEMORIA DE ÉL

"Asimismo tomó también la copa [...]. Así, pues, todas las veces que comáis este pan y bebáis esta copa, la muerte del Señor anunciáis hasta que él venga" (1 Corintios 11:26).

Corría enero de 1077. Enrique IV, con su esposa y su hijo, aún de corta edad, emprendieron el paso de los Alpes por el Monte Cenis, donde no existía ningún camino trazado. El descenso fue bajo la nieve y por los ventisqueros. Enrique tuvo que transportar a la emperatriz y a su hijo en un trineo hecho de pieles de vaca, a fuerza de brazos y cuerdas.

Enrique IV estuvo durante cuatro días con la cabeza descubierta y los pies descalzos en la nieve, ayunando e implorando misericordia y perdón, hasta que fue perdonado.

Sufrimientos y sacrificios: ¿será este el medio para alcanzar gracia y salvación? Pablo dice que el recibió del Señor lo que enseñaba. ¿Qué recibió? Él no estuvo presente cuando Jesús lavó los pies de los discípulos y tuvo la Santa Cena. Aun así, lo recibió por instrucción directa de Cristo. Tanto a los corintios como a los gálatas, él les dice que recibía revelaciones del Señor.

El apóstol Pablo menciona que la Santa Cena fue instituida por Jesús mismo, para recordarnos su encarnación y su sacrificio:

"Esto es mi cuerpo", su crucifixión.

"Es el nuevo pacto en mi sangre", su muerte.

"Haced esto", en su memoria.

"En memoria de mí", su misión y su dedicación lo merecen.

Entonces, los tres grandes propósitos de la Cena son: recordar el sacrificio de Cristo, proclamar su muerte y preparar su regreso.

Así como la Pascua se celebraba para recordar la liberación de Israel de la esclavitud de Egipto, la Cena del Señor es un recordativo de la liberación del pecado. Dice Elena de White: "El rito de la cena del Señor fue dado para conmemorar la gran liberación obrada como resultado de la muerte de Cristo. Este rito ha de celebrarse hasta que él venga por segunda vez con poder y gloria. Es el medio por el cual ha de mantenerse fresco en nuestra mente el recuerdo de su gran obra en nuestro favor" (*Consejos para la iglesia*, p. 541).

No es por nuestros méritos, ni por nuestros sacrificios o esfuerzos. No hay que andar "de rodillas en la nieve" para conmover el corazón del Padre. Al contrario, es nuestro corazón el que debe quedar conmovido, agradecido y comprometido, reconociendo el costo de nuestra salvación.

Es por mí que murió; es por él que puedo vivir.

PURO TALENTO

"No quiero, hermanos, que ignoréis acerca de los dones espirituales" (1 Corintios 12:1).

En 1 Corintios 12, hay al menos cinco principios esenciales:

1. Todo cristiano necesita conocer el tema de los dones espirituales, porque los dones permiten la participación activa en la misión que Cristo dejó a su iglesia.

2. Hay diversidad de dones y diversidad de servicios, o ministerios, pero el Señor es el mismo. Y hay diversidad de realizaciones, pero el mismo Dios opera todo en todos.

3. El Espíritu Santo distribuye dones para todos como él quiere.

4. Así como el cuerpo humano tiene varias partes, pero todas ellas forman un solo cuerpo, de la misma manera los dones de Dios conforman el cuerpo de Cristo.

5. No podemos recibir todos los mismos dones por dos razones: primero, la iglesia, como cuerpo, necesita desarrollarse en todos los aspectos para cumplir su misión completamente. En segundo lugar, el Espíritu Santo resolvió distribuir diversos dones como la mejor forma de fortalecer a la iglesia.

Dios nos desafía a utilizar los dones que el Espíritu Santo nos ha concedido con el propósito de que podamos ayudar a fortalecer a la iglesia, mantener su unidad y colaborar personalmente en el cumplimiento de la misión.

"Hay cristianos profesos que piensan que es su deber hacer que todos los demás cristianos sean iguales a ellos mismos. Este es el plan del hombre, no el plan de Dios. En la iglesia de Dios hay lugar para caracteres tan variados como las flores de un jardín. En su jardín espiritual hay muchas variedades de flores" (Elena de White, *El evangelismo*, p. 77)

Cierta vez, la BBC News Mundo presentó un informe titulado: "¿Por qué odiamos a las avispas y amamos a las abejas?" La visión negativa sobre las avispas es injusta, porque son tan beneficiosas para el medio ambiente como las abejas. Polinizan flores, cumplen una función clave matando y comiendo otros insectos considerados pestes, y reducen así el uso de pesticidas.

Las avispas causan aversión en muchos, mientras que las abejas son apreciadas por la mayoría. Una encuesta realizada en 46 países y publicada en la revista *Ecological Entomology* revela que las palabras más asociadas a las avispas son "peligrosas", "picadura" y "molestas". Para las abejas, en cambio, fueron "miel", "flores" y "polinización". "La abeja y la avispa liban las mismas flores, aunque no logran la misma miel", describió Joseph Joubert.

Aunque parecidas, son diferentes; y aunque diferentes, son parecidas. No es una u otra; es una y la otra, cada una haciendo su aporte. Necesitamos "avispas" y "abejas" que nos ayuden a terminar con las pestes del pecado y a endulzar el mundo con la miel del evangelio.

30 de abril

MUCHAS PARTES, UN SOLO CUERPO

"Así como el cuerpo es uno, y tiene muchos miembros, pero todos los miembros del cuerpo, siendo muchos, son un solo cuerpo, así también Cristo" (1 Corintios 12:12).

La imagen de la iglesia más utilizada en el Nuevo Testamento, y la preferida de Pablo, es la del cuerpo humano. Nuestro cuerpo es una auténtica maravilla. Posee más de 50 billones de células, 21 órganos diferentes y 8 aparatos, o sistemas: el locomotor, el respiratorio, el digestivo, el excretor, el circulatorio, el endócrino, el nervioso y el reproductor.

El cuerpo humano es un organismo compuesto por muchos miembros, cada uno con su función indispensable. Todas estas partes, esenciales pero diferentes en forma, tamaño y funciones, se unen armoniosamente en un cuerpo bajo el mismo poder que las dirige: la cabeza.

Esta figura del cuerpo humano se aplica a la iglesia. Ella representa autoridad, unidad, diversidad y propósito. La autoridad del cuerpo y de la iglesia es la cabeza. Según Pablo, la cabeza es Cristo, de quien proceden las órdenes y los impulsos que coordinan y armonizan todo el cuerpo de fe.

La unidad de las partes es indispensable. Los miembros son las partes individuales, pero nadie tiene vida propia. La diversidad de la iglesia se pone de manifiesto en la variedad de dones y ministerios que el Señor ha repartido. Todos los miembros cumplen un rol. El propósito de cada feligrés no difiere del propósito del todo.

Más allá de la función diferente, desarrollan un propósito único. Ese propósito se evidencia en la capacidad para cumplir sus obligaciones, compartir todo y cuidarse los unos a los otros. Por ejemplo, el sistema circulatorio hace posible el transporte de la sangre, pero los glóbulos rojos son los que transportan el oxígeno. Esta interactuación nos muestra la indispensabilidad de la unidad y la diversidad para alcanzar el propósito final.

Pablo destaca el carácter de la iglesia como un organismo integrado por miembros llenos de vitalidad, cuya cabeza es Cristo, y el Espíritu Santo es quien articula esa unidad viviente. La meta es el crecimiento a la estatura de Cristo, al utilizar cada miembro su don recibido para mantener la vida y reproducirla en otro creyente.

"La iglesia del Dios viviente debería actuar como colaboradora de Jesús. Somos parte de su cuerpo místico, y él es la cabeza que controla todos sus miembros" (Elena de White, *Recibiréis poder*, p. 21).

Jesús todavía sigue soñando que seamos uno, según su oración de Juan 17. Quiere que estemos unidos y que el mundo nos conozca, para que el mundo crea.

Cumplamos hoy el sueño de Jesús.

EL MEJOR DE TODOS LOS DONES

"Si yo hablara lenguas humanas y angélicas, y no tengo amor, vengo a ser como metal que resuena o címbalo que retiñe" (1 Corintios 13:1).

El capítulo 13 de 1 Corintios es uno de los más extraordinarios de la Biblia y debe ser leído en continuidad con el argumento de Pablo presentado en el capítulo anterior. Los dones como el hablar en lenguas, profetizar, conocer los grandes misterios, tener una fe que sea capaz de mover montañas, ofrendar todo en favor de los pobres y morir como mártir son inferiores al don que es superior por excelencia: el don del amor.

Una persona puede profetizar de modo impresionante, enseñar de forma cautivadora, curar las más complejas enfermedades, hacer los milagros más espectaculares, pero si hace todo eso sin amor, esas acciones pierden su valor.

La versión de la Biblia *El Mensaje* rinde los primeros versos de este capítulo de esta manera: "Si hablo con elocuencia humana y con éxtasis propio de los ángeles y no tengo amor, no pasaré del crujido de una puerta oxidada. Si yo predico la Palabra de Dios con poder, revelando todos los misterios y dejando todo claro como el día, o si tengo fe para decirle a una montaña: '¡Salta!' Y ella salta, pero no tengo amor, no seré nada. Puedo dar todo lo que tengo a los pobres y seguir para la hoguera como mártir, pero si no tengo amor, no llegué a ningún lugar. Así, no importa lo que diga, en lo que yo crea o lo que haga: sin amor, estoy destruido".

Lo que el apóstol Pablo dice claramente es que el amor que nace en el corazón de Dios debe ser la única motivación que fundamente cualquier operación de los dones. ¿Por qué? Porque el amor que nace en el corazón de Dios es el que da sentido, validación y la orientación correcta a todo lo que los dones pueden llevarnos a realizar.

Todo lo que hagamos, por mejor intencionado que sea, permanece incompleto, porque un día todo será plenamente esclarecido a la luz del amor que se consolidó en el Calvario, y que aún permanece como misterio, porque nuestra mente no es capaz de comprender el amor de aquel que es el amor en persona: Jesucristo.

Elena de White asegura que cuando ese amor llena el corazón fluye hacia los demás, no como una devolución de favores sino como un principio de acción: **"El amor cambia el carácter, domina los impulsos, vence la enemistad y ennoblece los afectos. Tal amor es tan ancho como el Universo y está en armonía con el amor de los ángeles que obran. Cuando se lo alberga en el corazón, este amor endulza la vida entera y vierte sus bendiciones en derredor"** (*El discurso maestro de Jesucristo*, p. 35).

LO QUE IMPLICA EL AMOR

"Y si tuviera toda la fe, de tal manera que trasladara los montes, y no tengo amor, nada soy" (1 Corintios 13:2).

Los hermanos de Corinto tenían un gran debate sobre quién era poseedor del don más importante. Esto derivó en peleas y divisiones. Este no es el objetivo de Dios para su iglesia. Al parecer, el don que tenían en esa ciudad era la búsqueda de supremacía, orgullo y egoísmo.

Pablo dice que si el amor no es el motor que nos impulsa, de nada sirve. Entonces escribe el mayor poema sobre el amor, que haríamos bien en leer y practicar todos los días.

Comienza por los "sí" del amor. El amor es paciente porque tiene la capacidad de aguantar la presión de toda carga, sea real o imaginaria. El amor es benigno; es decir, bueno, bondadoso, amable y misericordioso.

Pablo sigue con los "no" del amor. No es celoso, porque quien ama no tiene envidia ni vive desconfiando. No es jactancioso, porque quien ama no se considera el centro de la escena; el centro siempre es el ser amado. No se envanece, porque no es arrogante ni se siente superior. No es indecoroso, ya que no actúa de manera descortés o ruda. No busca lo suyo, porque no vive buscando beneficios personales. No se irrita, porque no se deja provocar fácilmente, y si llega a enojarse buscará resolver la situación. No guarda rencor: si es lastimado, se cura; si es ofendido, disculpa; si perdona, también olvida. No se goza en la injusticia, sino que se deleita en la verdad.

Además, el apóstol enfatiza también los "todo" del amor: todo lo sufre, desilusiones, burlas, ataques. Todo lo cree, siempre confía en el otro. Todo lo espera, es optimista en cuanto al futuro. Todo lo resiste, es decir, lo soporta.

Pablo deja para el final la gran diferencia con todos los otros dones. El amor, así como la fe y la esperanza, permanecen para siempre, jamás se caen y nunca terminan. Si bien los otros dones son importantes, son temporales, ya cumplieron su misión.

Los griegos tenían al menos cuatro palabras para definir el amor:

1-*Eros:* amor pasional, excluyente, efímero, un impulso carnal.

2-*Storge:* amor paternal, exclusivo, obsesivo, protector, amor de padres a hijos, comprometido y duradero.

3-*Filos:* amor fraternal, exclusivo solo para la familia; es la expresión de solidaridad y hermandad.

4-*Ágape:* amor bíblico, incluyente, puro, generoso, abnegado. Es el amor incondicional que Dios tiene por sus criaturas cualquiera que sea la respuesta de ellas.

Es en respuesta a este amor que tenemos que cumplir el gran mandamiento presentado por Jesús: amar a Dios con todo el corazón y a nuestro prójimo como a nosotros mismos.

FE, ESPERANZA Y AMOR

"Y ahora permanecen la fe, la esperanza y el amor, estos tres; pero el mayor de ellos es el amor" (1 Corintios 13:13).

Ya hemos visto que los demás dones van a pasar, porque el propósito por el cual se otorgaron habrá concluido; pero hay tres que permanecerán para siempre

La fe como experiencia de confianza. La esperanza como deseo y expectativa de aprendizaje y crecimiento; siempre habrá más para conocer, investigar y disfrutar. Pero el amor es el mayor, ya que es el que mejor describe a Dios. Amarlo ahora y amarlo por la eternidad será la ciencia de los redimidos

El 2 de julio de 1816, la fragata francesa "Medusa" encalló a causa de una fuerte tormenta cerca de Marruecos, con 149 personas a bordo. No había suficientes botes salvavidas. Con restos del navío, algunos tripulantes construyeron una balsa. La tempestad los arrastró a mar abierto durante casi un mes. Sin rumbo, a la deriva en la balsa improvisada, los pocos náufragos que lograron sobrevivir enfrentaron una experiencia dramática que conmovió a toda Francia cuando fueron rescatados. Théodore Géricault (1791-1824), un célebre pintor y uno de los principales y primeros artistas del Romanticismo Francés del siglo XIX, impresionado por la experiencia de los sobrevivientes, dejó registrado ese evento extraordinario en un lienzo, que se encuentra en el Museo del Louvre, París. Se titula *La balsa de la Medusa.*

Para realizar esta obra, Géricault entrevistó a los náufragos, dialogó con los enfermos e incluso vio a los muertos. Impactado, reprodujo el momento previo al episodio culminante, cuando los náufragos avistaron el barco de salvamento. El cuadro presenta una combinación de figuras cuyos rostros y cuerpos plasman la angustia de aquel momento; toda una metáfora de la angustia de la vida. Es una expresión de realismo y contiene una notable minuciosidad de detalles.

Se puede apreciar en los personajes del cuadro diferentes gestos que revelan las actitudes humanas ante la tragedia. Hay cuerpos sin vida; otros, sentados, con sus cabezas entre sus piernas, muestran todo su abatimiento. Pero, entre tanta tragedia, también están los que miran hacia el horizonte, desde donde viene el rescate. Se los ve con rostros esperanzados, ilusionados y fuertes. La razón puede errar y la voluntad puede claudicar. En cambio, la fe, la esperanza y el amor jamás se rinden, porque siempre esperan lo mejor, porque son capaces de esperar la salvación aun en medio de la peor tormenta. La esperanza es coraje y fortaleza, y provee fuerzas. Esta clase de esperanza nace en la confianza y el amor de Dios.

Como bien resumía Charles Spurgeon: **"La fe sube las escaleras que el amor ha construido y mira por la ventana que la esperanza ha abierto".**

Que esta fe, esperanza y amor permanezcan para siempre en tu vida.

PARA EDIFICAR LA IGLESIA

"Seguid el amor y procurad los dones espirituales" (1 Corintios 14:1).

Pablo introduce 1 Corintios 14 con una recomendación: "Sigan el amor y busquen con celo los dones espirituales, principalmente el de profetizar".

El apóstol no dijo que el don de profetizar era el mejor y el único. Ocurre que algunos hermanos de Corinto estaban hablando en lenguas, pero sin interpretación, y por eso Pablo advierte que, si hablan en lenguas y no se entiende, no sirve para nada.

El apóstol reconoce y afirma: "Doy gracias a Dios que hablo en lenguas más que todos vosotros; pero en la iglesia prefiero hablar cinco palabras con mi entendimiento, para enseñar también a otros, que diez mil palabras en lengua desconocida" (1 Cor. 14:18, 19).

No sirve hablar lenguas extrañas, porque el don ha sido dado para edificación de la iglesia Así, todo lo que se haga necesita ser inteligible.

Ahora, Pablo dice que imaginemos lo siguiente: si toda la iglesia se reúne en el mismo lugar y todos se ponen a hablar en lenguas, en el caso de entrar personas no instruidas o no creyentes, y que no van a entender nada de lo que se está diciendo, ¿no van a decir que los miembros de esa iglesia están locos?

Además, hablar en lenguas sin entendimiento y sin comprensión puede convertirse en una charla sin sentido y con total desorden. Y eso no es nada bueno, pues, como Pablo dice, en el templo todo debe ser hecho con decencia y con orden. (Ver 1 Cor. 14:40.)

Ekkehard Mueller dice que claramente el don de lenguas puede ser entendido mejor como el don de hablar idiomas extranjeros existentes sin haberlos estudiado antes. En 1 Corintios 14 se refiere a la situación en la cual alguien habla un idioma extranjero en un contexto en el cual el idioma no es comprendido, y solamente habla a Dios porque únicamente Dios puede entender todos los idiomas. El don de lenguas en Corinto era un don genuino del Espíritu Santo, pero era usado incorrectamente. Consecuentemente, la iglesia fue instruida por Pablo para que regresara al uso correcto de los dones espirituales con la intención de que pudieran convertirse en una bendición, y no en un obstáculo para los creyentes y los no creyentes.

"Los talentos que Cristo confía a su iglesia representan especialmente las bendiciones y los dones impartidos por el Espíritu Santo [...]. 'Mas todas estas cosas obra uno y el mismo Espíritu, repartiendo particularmente a cada uno como quiere'. Todos los hombres no reciben los mismos dones, pero se promete algún don del Espíritu a cada siervo del Maestro" (Elena de White, *Palabras de vida del gran Maestro*, p. 262).

Utiliza el don que Dios te dio para edificar a su iglesia.

"NO DEMORES EN VOLVER"

"Además os declaro, hermanos, el evangelio que os he predicado, el cual también recibisteis, en el cual también perseveráis" (1 Corintios 15:1).

En 1 Corintios 15 se presentan cinco grandes temas: Pablo reconoce su indignidad y afirma que es apóstol solo por la gracia de Dios; la resurrección de Cristo fue un acontecimiento histórico; la resurrección de Cristo es el fundamento de nuestra fe y la garantía de que el plan de salvación es un éxito; en la segunda venida del Señor los muertos en Cristo resucitarán primero y el regreso de Cristo implicará la destrucción de la muerte.

La resurrección de Cristo es esencial para la fe cristiana, porque si él no resucitó, no tenemos nada para creer y nada para anunciar ni esperar. Gracias a Dios, este evento es plenamente confiable.

Después de su crucifixión, Jesús fue sepultado en la tumba de José de Arimatea por sus seguidores consternados. El domingo, después de la crucifixión, un grupo de seguidoras de Jesús halló la tumba vacía. La tumba vacía está ratificada por fuentes antiguas independientes. En diferentes ocasiones, diferentes individuos y grupos de personas testimoniaron apariciones del Jesús resucitado. Los discípulos creyeron y proclamaron que Jesús había resucitado de los muertos.

La muerte no tiene la última palabra; Cristo tiene la última palabra. Él ha resucitado para mostrarnos que quien muere confiando en él resucitará para vida eterna. La resurrección es "levantarse de la tumba" y la restauración plena de la vida.

Mi madre vivía en Buenos Aires y nosotros en Brasilia, trabajando en la sede de la División Sudamericana. Cierta vez, viajé para visitarla y acompañarla, pues los médicos habían detectado un cáncer de pulmón y definieron hacer quimioterapia. Ella, muy confiada en las promesas de Dios, tenía un único ruego, que era no sufrir y que el Señor hiciera su voluntad. Un domingo de mañana nos despedimos, oramos juntos, y al salir me dijo: "Hijo, no demores en volver".

Viajé a Brasilia. El lunes al mediodía mi hija me llama y, entre lágrimas, me dice: "La abuela acaba de descansar". Sin que mi madre supiera, no me demoré en volver. Viajamos con mi esposa de Brasilia a Buenos Aires, y llegamos a la medianoche del lunes. Y allí estaba mi mamá, descansando en la segura promesa de la que siempre se aferró. Nuestro dolor de despedida fue con esperanza. Las últimas palabras de ella para mi fueron: "Hijo, no te demores en volver".

Querido lector que sufres por la ausencia del ser amado que perdiste, recuerda que el Hijo de Dios no se demora en volver. Fortalece tu fe, afirma la esperanza y cumple tu misión. En breve, él cumplirá su promesa, y los que descansan en Jesús resucitarán primero.

6 de mayo

¿VANA O VÁLIDA?

"Porque si no hay resurrección de muertos, tampoco Cristo resucitó. Y si Cristo no resucitó, vana es entonces nuestra predicación y vana es también vuestra fe" (1 Corintios 15:13, 14).

Los hermanos de Corinto necesitaban fortalecer el tema de la resurrección. No se trataba de un problema moral, ético, cultural o eclesiológico; era un asunto doctrinal.

Pablo escribe que recibió y transmitió las enseñanzas de la muerte, la sepultura y la resurrección de Cristo, basadas en la Escritura, la revelación y el testimonio de los quinientos testigos del Cristo resucitado. Si Cristo no resucitó, entonces no hay resurrección de los muertos. Negar una es negar ambas; y es, en definitiva, negarlo todo. Así, nos quedamos con nada. Una fe vana es vacía, hueca, sin fundamento; una fe valida es auténtica, verdadera, porque está basada en la palabra de Jesús.

Para Pablo, Cristo es el Autor y el Restaurador de la vida. Elena de White dice que cuando Cristo estaba todavía preso en su estrecha tumba, la piedra en su lugar, el sello romano intacto, los guardias romanos y los ángeles del mal y del bien custodiaban el lugar. Si hubiese sido posible, el enemigo lo habría retenido para siempre allí. De pronto, se quita la piedra y se escucha: "Hijo de Dios, sal fuera; tu Padre te llama". Así, Jesús sale de la tumba con divina majestad y proclama: "Yo soy la Resurrección y la Vida".

De este modo, lo que parecía victoria de Satanás se transformó en la gloriosa victoria del Señor. El que había vencido la muerte y el sepulcro salió de la tumba con el paso de un vencedor, entre el bamboleo de la tierra, el fulgor del relámpago y el rugido del trueno. El fin del pecado y todas sus consecuencias estaba asegurado.

La voz que clamó desde la Cruz: "Consumado es" fue oída entre los muertos. Atravesó las tumbas y ordenó a los que dormían que se levantasen. Muy pronto, en el regreso de Jesús, esta escena se repetirá. La misma voz atravesará los sepulcros y los muertos en Cristo resucitarán. "En ocasión de la resurrección de Cristo, unas pocas tumbas fueron abiertas; pero en su segunda venida, todos los preciosos muertos oirán su voz y surgirán a una vida gloriosa e inmortal. **El mismo poder que resucitó a Cristo de los muertos resucitará a su iglesia y la glorificará con él,** por encima de todos los principados y potestades, por encima de todo nombre que se nombra, no solamente ***en este mundo, sino también en el mundo venidero***" (Elena de White, *El Deseado de todas las gentes*, p. 731. Énfasis del autor.)

¿Puedes imaginar este momento maravilloso? Nuestra fe no es vana, es válida.

CUANDO SUENE LA TROMPETA

"Os digo un misterio: No todos moriremos; pero todos seremos transformados, en un momento, en un abrir y cerrar de ojos, a la final trompeta, porque se tocará la trompeta, y los muertos serán resucitados incorruptibles y nosotros seremos transformados" (1 Corintios 15:51, 52).

La trompeta es un instrumento musical de viento, de metal. Es tan antigua como la flauta, y ambas derivaron del cuerno de buey. La trompeta se utilizaba para transmitir señales, para la caza, para servicios religiosos y para los entierros, o sepulturas. La Biblia refiere el uso de la trompeta en las batallas, para dar alarma en tiempo de guerra o peligro, y también como una señal de los tiempos finales.

Pablo dice que, en un instante, al sonido de la trompeta, los muertos en Cristo resucitarán con un cuerpo inmortal. El sonido de la trompeta no será para anunciar el peligro de la guerra, el dolor de la despedida y de la muerte; el poderoso sonido será para anunciar la alegría del reencuentro y de la vida restaurada. Algunos, como Elías, serán transformados y trasladados sin ver la muerte. Otros, como Moisés, serán resucitados. Y ambos, los Elías y los Moisés, vivirán eternamente.

James Black pasaba lista a los niños de su escuela bíblica en 1893. Cuando llamó a Bessie, ella no estaba presente. El maestro, decepcionado por la inasistencia, quiso hacer una broma. Dijo: "Yo confío en que, cuando el rollo se abra allá arriba y se pase lista, ella esté". Luego se vio movido a cantar un himno sobre ese tema, pero no logró encontrarlo.

Al volver a su casa, Black se sentó en su piano y comenzó a componer. Las lágrimas llenaron sus ojos mientras entonaba la canción. Este himno se llama "Cuando suene la trompeta" y se convirtió rápidamente en un clásico en todas las iglesias. Ya ha sido traducido a más de catorce idiomas. Se ha usado en películas ganadoras de premios. Incluso, ha sido entonado por presidentes o primeros ministros, como Winston Churchill, y numerosos artistas alrededor del mundo. Esto decía en su primera estrofa original:

"Cuando la trompeta suene en aquel día final y que el alba eterna rompa en claridad; cuando las naciones salvas a su patria lleguen ya, y que sea pasada lista, allí he de estar. Cuando allá se pase lista, cuando allá se pase lista, cuando allá se pase lista [...] a mi nombre yo feliz responderé".

Que así sea. Amén.

INVENCIBLE

"Cuando esto corruptible se haya vestido de incorrupción y esto mortal se haya vestido de inmortalidad, entonces se cumplirá la palabra que está escrita: 'Sorbida es la muerte en victoria' " (1 Corintios 15:54).

Laura Hillenbrand resumió la vida de Louis Zamperini (1917-2014), un atleta estadounidense de origen italiano, en el libro *Invencible: una historia de supervivencia, valor y resistencia durante la Segunda Guerra Mundial.* Hoy, el libro se convirtió en un *best seller.*

Louis tuvo una infancia difícil. Apoyado por la familia, se dedicó a entrenar arduamente, y dejó el alcohol y el tabaco. Así, comenzó a ganar carreras. En 1934 superó el récord escolar en una milla y logró una beca en la Universidad del Sur de California.

Compitió en los Juegos Olímpicos de Berlín 1936 en la modalidad de 5.000 metros. Clasificó en octavo lugar, y batió el récord de vuelta con 56 segundos. Era, con 19 años, el deportista olímpico estadounidense más joven.

Zamperini se alistó en el Cuerpo Aéreo del Ejército de los Estados Unidos en 1941. Fue enviado a la isla del Pacifico como bombardero. En 1943 se estrellaron en el océano. Murieron ocho de los once tripulantes.

Los tres sobrevivientes (él, McNamara y Phillips), con poca comida y sin agua, subsistieron sobre la base de agua de lluvia, peces y aves que comían crudos, mientras se defendían de los ataques constantes de tiburones y de tormentas. Fueron ametrallados varias veces por un bombardero japonés. McNamara murió después de 33 días en el mar.

El día 47 a la deriva, Zamperini y Phillips llegaron a las Islas Marshall, donde fueron capturados por la Marina Imperial Japonesa. Allí fueron prisioneros, severamente golpeados y maltratados, hasta el final de la guerra, en agosto de 1945.

Años más tarde, Zamperini aceptó a Cristo, se transformó en predicador y salió a buscar a sus torturadores para ofrecerles perdón, y muchos de ellos fueron convertidos. Falleció a los 97 años, en julio de 2014, en su casa de Los Ángeles, por una neumonía.

Una historia para imitar por su valor inquebrantable y su espíritu invencible. Un luchador que pudo contra todo: prejuicios, injusticia, bombardeos, naufragio, hambre, tiburones, maltratos, ametralladoras, torturas, cárcel y odio. Casi venció todo; finalmente, la neumonía pudo con él.

Pablo dice que, cuando Jesús regrese, lo corruptible se vestirá de incorruptible; y lo mortal, de inmortal. El aguijón que nos ha inyectado el veneno mortal será destruido. El último sorbo del dolor será para terminar con el dolor. Será la muerte de la muerte. Desde allí seremos inquebrantables, invencibles e inmortales para siempre.

¡SIEMPRE SEMBRANDO!

"En cuanto a la ofrenda para los santos, haced vosotros también de la manera que ordené en las iglesias de Galacia" (1 Corintios 16:1).

En 1 Corintios 16, observamos lo siguiente: Pablo y los hermanos de Corinto tenían sensibilidad para ayudar a las personas necesitadas; Pablo fortalecía la fe de la iglesia orientando sobre cómo vivir la vida cristiana; se ocupó de acompañar y capacitar a los dirigentes, y animó a la iglesia a estar atentos y conscientes de los desafíos de la vida cristiana.

La iglesia es como un hospital: Cristo es el gran médico, y nosotros somos los enfermos que vamos a él para ser sanados. La iglesia enfrenta desafíos, pues está formada por personas imperfectas. Por eso, nuestro mayor ejemplo en la iglesia no es el liderazgo o los miembros fieles; el mayor y mejor ejemplo es Jesucristo.

Marcos Rafael Blanco Belmonte, en su prosa "El sembrador", nos resume el desafío de desarrollar una conducción perseverante que integre personas y recursos para cumplir la misión:

"Una tarde de otoño subí a la sierra, y al sembrador, sembrando, miré risueño. ¡Desde que existen hombres sobre la Tierra nunca se ha trabajado con tanto empeño!

"Siembro robles y pinos y sicómoros; quiero llenar de frondas esta ladera, quiero que otros disfruten de los tesoros que darán estas plantas cuando yo muera.

"¿Por qué tantos afanes en la jornada sin buscar recompensa?, dije. Y el loco murmuró, con las manos sobre la azada: Acaso tú imagines que me equivoco; acaso, por ser niño, te asombre mucho el soberano impulso que mi alma enciende; por los que no trabajan, trabajo y lucho; si el mundo no lo sabe, ¡Dios me comprende!

"Por eso, cuando al mundo, triste, contemplo, yo me afano y me impongo ruda tarea, y sé que vale mucho mi pobre ejemplo, aunque pobre y humilde parezca y sea.

"Hay que luchar por todos los que no luchan. Hay que pedir por todos los que no imploran. Hay que hacer que nos oigan los que no escuchan. Hay que llorar por todos los que no lloran. Hay que ser cual abejas, que en la colmena fabrican para todos dulces panales. Hay que ser como el agua que va, serena, brindando al mundo entero frescos raudales. Hay que imitar al viento, que siembra flores lo mismo en la montaña que en la llanura. Hay que vivir la vida sembrando amor, con la vista y el alma siempre en la altura.

"Dijo el loco, y con noble melancolía por las breñas del monte siguió trepando, y al perderse en las sombras, aún repetía: ***¡Hay que vivir sembrando! ¡Siempre sembrando!"***

FIRMES EN EL AMOR

"Velad, estad firmes en la fe, portaos varonilmente y esforzaos. Todas vuestras cosas sean hechas con amor" (1 Corintios 16:13, 14).

Corrientes filosóficas, influencia del ambiente, doctrinas distorsionadas y tentaciones seductoras atentaban contra el crecimiento saludable de la iglesia de Corinto. Pablo había aprendido a mantener el equilibrio y quería ayudar a la iglesia a hacer lo mismo.

Por eso, tiene cuatro consejos, y en todos ha colocado el verbo en modo imperativo, para darles más fuerza.

1. *Velad*: Significa mantenerse despierto, como el centinela en su puesto de deber. Siempre alerta frente a la insinuación de peligro. Siempre en guardia frente a un enemigo peligroso. " 'Velad y orad' es una orden a menudo repetida en las Escrituras. En la vida de los que obedezcan a esta orden habrá una subcorriente de felicidad, que beneficiará a todos aquellos con quienes traten" (Elena de White, *Consejos para los maestros*, p. 279).

2. *Estad firmes en la fe*: Significa crecer, madurar en la fe, distinguir entre el bien y el mal, enfrentar falsas doctrinas y falsos maestros, convicción para defender la verdad, aferrados siempre de la Palabra. "Entonces debemos mantener diariamente nuestros ojos fijos en Cristo, la perfección del carácter humano, y aferrados a su divinidad tendremos la fuerza celestial que nos ayudará para ser vencedores sobre toda tendencia y deseo perverso" (Elena de White, *Hijos e hijas de Dios*, p. 367).

3. *Portaos varonilmente*: El énfasis está en un comportamiento adulto, maduro, estable y fuerte; no de niño o principiante en la fe. "Portaos varonilmente, y esforzaos. Preguntad a Aquel que sufrió oprobio, burlas e insultos por causa nuestra: 'Señor, ¿qué quieres que haga?' " (Elena de White, *Testimonios para la iglesia*, t. 5, p. 550).

4. *Esforzaos*: No se refiere al desarrollo del físico o los músculos. No es un superhombre o un Sansón lo que se requiere, sino personas de valor, de convicciones férreas para mantenerse firmes aun remando contra la corriente.

Más allá de esto, es el amor lo que hará posible aceptar estos imperativos. El amor supremo hacia Dios y el amor desinteresado hacia el prójimo, que aniquilan toda contienda, lucha, orgullo y males afines.

Martin Lutero expresaba, confiado, que aun cuando "no sé por qué caminos Dios va a conducirme, conozco muy bien a mi Guía". Es siguiendo a nuestro Guía, velando, orando, refugiados en su Palabra, que fortalecemos la fe y caminamos firmes en el amor del Señor.

CONSOLADOS

"Pablo, apóstol de Jesucristo por la voluntad de Dios, y el hermano Timoteo, a la iglesia de Dios que está en Corinto, con todos los santos que están en toda Acaya: Gracia y paz a vosotros de Dios nuestro Padre, y del Señor Jesucristo" (2 Corintios 1:1, 2).

En la primera carta a los Corintios, Pablo es objetivo y práctico. En esta segunda Epístola, Pablo es subjetivo y personal. En el capítulo 1 de esta segunda carta, el apóstol nos enseña lecciones muy importantes.

1. Dios nos conforta, nos asiste en nuestros desafíos y tribulaciones con el propósito de que tengamos la sensibilidad de auxiliar a personas que pasan por alguna tribulación.

2. Pablo fue un fiel siervo de Dios, pero enfrentó muchas dificultades. Ninguno de nosotros está libre de enfrentar desafíos y problemas.

3. Un aspecto esencial en la vida cristiana es vivir con sinceridad y sencillez ante Dios.

4. Lo que nos sostiene en los momentos de prueba y desafío es la fe en Dios. Por eso, nuestra fe debe fortalecerse en los momentos de calma.

Además, el autor declara que Dios es padre de misericordias; es decir, es la fuente y el origen de la misericordia. Es quien nos consuela en toda tribulación, angustia, apremio y dificultad. "Consolar" es más que aliviar, fortalecer, acompañar: significa "Dios al lado de nosotros". Limitado por su humanidad, Jesús no podía estar en todo lugar al mismo tiempo; por eso, envió a otro Consolador, al Espíritu Santo, a fin de que esté con nosotros para siempre.

El apóstol señala que el objetivo de nuestra consolación es consolar a los que están en cualquier tribulación. Es decir, **somos consolados para consolar. El propósito es siempre misionero.**

Dios puede salvarnos del horno de fuego o acompañarnos en él. Este fue el caso de Frances Ridley Havergal, que nació en Inglaterra en 1836. Su padre fue un predicador y compositor de himnos. Frances no gozó de buena salud a lo largo de su vida, marcada por constante debilidad física. Pero Dios le dio una mente muy brillante e inteligente. A los cuatro años aprendió a leer, a los siete años compuso sus primeros poemas y memorizó largos pasajes de la Biblia. Luego, aprendió siete idiomas (incluso griego y hebreo). A los once años perdió a su madre.

Ella es la compositora del himno que dice: **"Que mi vida entera esté consagrada a ti Señor. Toma ¡oh, Dios! mi voluntad y hazla tuya, nada más"**. Murió tan solo con 42 años. Tuvo una vida corta, pero fructífera, confiada y dependiente del Señor.

Las aflicciones del justo pueden ser muchas, pero de todas nos librará el Señor. Él promete su consuelo. Confiemos y dependamos de él.

TRES COSAS QUE NECESITAMOS

"El testimonio de nuestra conciencia, de que con sencillez y sinceridad de Dios (no con sabiduría humana, sino con la gracia de Dios), nos hemos conducido en el mundo, y mucho más con vosotros" (2 Corintios 1:12).

Pablo defiende su ministerio, la iglesia y la misión en tres pasos: una conciencia limpia, un corazón compasivo y un espíritu perdonador. ¿Qué significa esto? Veamos:

1- Una conciencia limpia. Pablo no cambió su itinerario pensando en sí mismo, sino pensando en Dios y en la iglesia. La palabra "conciencia" significa saber lo que se está haciendo. Una conciencia bajo el dominio del Espíritu Santo condena el error. Es como una ventana: cuanto más limpia, más luz ingresa; cuanto más sucia, menos luz. El "vidrio" se va ensuciando como resultado de la desobediencia. La conciencia se va cauterizando y deja de cumplir su función.

Nuestra conciencia debe estar limpia delante de Dios y delante de los hombres. No alcanza con ser bueno, hay que demostrarlo. Es necesaria la coherencia entre lo hablado y lo vivido.

2- Un corazón compasivo. Sentir compasión es colocarse en lugar del otro. Es comprender el dolor, la situación, la necesidad y la urgencia del otro. Solo un corazón compasivo consigue situarse en los zapatos de un pecador. Tenemos que sentir un sincero dolor por los que sufren. Nuestra misión es desaprobar el pecado, pero siempre amando al pecador.

3- Un espíritu perdonador. "Errar es humano y perdonar es divino", dice el refrán. Solo es natural perdonar si estamos ligados al Señor; si no, es imposible. Perdonar es natural en Dios y en todo aquel que vive con Dios. Pablo fue victorioso porque tenía una fe victoriosa.

Cuando los romanos volvían de una batalla, traían el despojo del país derrotado, como trofeo. Los soldados vencidos eran encadenados y humillados. El jefe del ejército iba adelante, desnudo y avergonzado. Cuando llegaban a la ciudad, los hijos del general vencedor entraban junto con su padre, y los sacerdotes encendían el incienso. Para los vencedores era un perfume de vida para vida; para los derrotados, era el olor de la muerte.

Nuestro Comandante va adelante. Como sus hijos, se nos invita a entrar con él. La victoria es nuestra. El enemigo está conquistado y derrotado. Dios quiere usarnos para llevar las buenas noticias a todos.

Es un asunto de vida o muerte, no hay tiempo para la dilación. Hoy más que nunca necesitamos una conciencia limpia, un corazón compasivo y un espíritu perdonador.

AMOR COHERENTE

"Por la mucha tribulación y angustia del corazón os escribí con muchas lágrimas, no para que fuerais entristecidos, sino para que supierais cuán grande es el amor que os tengo" (2 Corintios 2:4).

En 2 Corintios 2 encontramos preciosas enseñanzas en la vida y el ministerio del apóstol Pablo.

1. Al trabajar con personas, debemos hacerlo con amor genuino, el amor que mueve el corazón de Dios.

2. En muchos momentos de la vida fuimos perdonados, animados y auxiliados por Dios. Por eso, es necesario que manifestemos el mismo espíritu ante las personas.

3. Gracias a Dios, que Cristo siempre nos conduce en triunfo, y por medio de nosotros manifiesta la fragancia de su conocimiento en todas partes.

4. Nunca perdamos el sentido del respeto a la Persona de Cristo y su Palabra. Jamás hagamos negocios con las cosas espirituales.

5. Es el amor a Dios y a las personas lo que nos lleva a vivir con coherencia. Si amamos a Dios, tenemos que amar al prójimo; si no, no hay coherencia. La sinceridad y la convicción armonizan de manera adecuada el discurso y la práctica, la palabra expuesta por palabra y ejemplo.

Se define la coherencia como una relación lógica entre dos cosas o partes, de manera que no hay contradicción ni oposición entre ellas. **Un discurso es coherente si sus partes armonizan, una vida es coherente si la práctica coincide con el discurso.**

Suele resultar bastante común, incluso en vidas religiosas, evidentes contradicciones que manifiestan incoherencia. La persona coherente actúa en consecuencia con las ideas que expresa. **"La identidad de un hombre consiste en la coherencia entre lo que es y lo que piensa"** (Charles Sanders).

Una persona coherente no da puntapiés a una colmena, si lo que quiere es miel. Una persona coherente no va a apagar un incendio con fuego, ni resolver una inundación con agua. **Cuando uno no vive como cree, termina creyendo lo que vive. Lo que marca la pauta de la coherencia es la Palabra de Dios, y no la conducta incoherente de la sociedad.** Pablo parecía coherente cuando quería perseguir y matar cristianos; por lo menos, sus convicciones armonizaban con sus acciones. Estaba *sinceramente equivocado*... hasta que sometió su vida a la voluntad de Dios.

La alineación es el proceso por el que se ajustan las llantas de un vehículo para que miren hacia el frente; es decir, los neumáticos deben quedar paralelos entre sí y perpendiculares al camino.

Si queremos viajar seguros por el camino de la vida, tenemos que alinear los pensamientos, los sentimientos, las palabras y las acciones tomando como referencia suprema el amor y la Palabra del Señor.

PERFUMADOS

"Pero gracias a Dios, que nos lleva siempre en triunfo en Cristo Jesús, y que por medio de nosotros manifiesta en todo lugar el olor de su conocimiento" (2 Corintios 2:14).

Pablo pasa de una narración preocupante a un himno de victorias. Y lo primero que hace es agradecer a Dios. Describe esta victoria con una figura de sus días. Un victorioso general romano entra en la capital del Imperio desfilando con orgullo con sus trofeos de guerra, mientras los exhibe a los espectadores, para vergüenza de los perdedores. A su paso, la gente echaba flores por el camino, mientras los sacerdotes paganos quemaban especias y movían sus incensarios en gratitud a Júpiter y Marte por la victoria otorgada.

Estas dulces fragancias llenaban el aire, así como también inflaban el pecho de los vencedores. Adelante desfilaba el grupo de los perdonados, seguido por los condenados. Los perdonados se transformaban después en servidores del Imperio. Los cautivos encadenados al final del desfile eran ejecutados como un tributo al conquistador. Para los perdonados, la dulce fragancia era un olor de vida, pero para los ajusticiados era olor de muerte.

Para Pablo, Dios es el Comandante que lo lleva de la cautividad y la muerte a la liberación y la vida. El apóstol describe el olor de esta ofrenda con las mismas palabras utilizadas en el Antiguo Testamento: fragancia y aroma, que caracterizaban los sacrificios ofrecidos a Dios. Ese cautivo perdonado y liberado por la gracia de Dios se compromete a vivir y a servir a su Comandante a fin de esparcir por doquier la fragancia de las buenas nuevas de Cristo, el grato, o buen, olor de su conocimiento.

Así, este conocimiento no es solo saber; incluye amar, servir y obedecer exhalando una fragancia que penetra todo lugar, llega a todas las personas, todo el tiempo de vida hasta la misma muerte. Cuando Policarpo fue quemado en la hoguera, se dice que al quemarse desprendía un olor fragante y agradable. Porque el fiel vive y muere perfumando y testificando.

El aroma del evangelio penetra de tal modo que cada uno escoge ser parte de los que se salvan o de los que se pierden, eligiendo la vida o la muerte.

¿Qué fragancia exhala nuestro carácter? ¿Contaminamos o perfumamos? ¿Dispersamos o atraemos? Elena de White nos recuerda y desafía: **"En el don incomparable de su Hijo, ha rodeado Dios al mundo entero en una atmósfera de gracia tan real como el aire que circula en derredor del Globo. Todos los que quisieren respirar esta atmósfera vivificante vivirán y crecerán hasta la estatura de hombres y mujeres en Cristo Jesús"** (*El camino a Cristo,* p. 67).

MENSAJERO DE ESPERANZA

"Y es manifiesto que sois carta de Cristo expedida por nosotros, escrita no con tinta, sino con el Espíritu del Dios vivo; no en tablas de piedra, sino en tablas de carne del corazón" (2 Corintios 3:3).

En 2 Corintios 3, Pablo está deseoso de que sus palabras causen impacto en la vida de los lectores. No obstante, reconoce que eso solo es posible por la actuación directa de Dios, ya que él tiene poder para alcanzar el corazón y escribir allí su Ley. **Es más fácil para Dios escribir su Ley en tablas de piedra que escribirlas en el corazón humano, porque las piedras no se resisten.** Una vez que la Ley queda escrita en el corazón, deja de ser una letra muerta. El papel y la piedra son transitorios. No ocurre así con la Ley escrita en el corazón y en la vida.

Pablo sabe que Dios está actuando por medio de las cartas que él escribe. Pero también sabe que el crédito por ser un instrumento eficaz pertenece a Dios, pues toda capacidad y todo don provienen de Dios.

La alianza de la salvación también es obra de Dios. En este contexto, Pablo hace una afirmación que resume la gracia divina: "Porque la letra mata, pero el Espíritu da vida" (2 Cor. 3:6) ¿Qué significa esto?

La "letra" era buena; sin embargo, no tenía poder para rescatar al pecador de la sentencia de muerte. En verdad, la letra lo condenaba a la muerte. Como fue dada originalmente por Dios, instituyó la Ley para promover la vida, y así se dice que es santa, justa y buena (Rom. 7:12).

Sin embargo, la Ley condena al pecador a la muerte, porque el "alma que pecare, esa morirá" (Eze. 18:20). No obstante, el evangelio fue designado para perdonarlo y concederle vida. La Ley sentencia al transgresor a la muerte, pero el evangelio lo redime y lo hace vivir de nuevo.

El mensaje de la salvación produce esperanza, y la esperanza produce osadía para vivir y para testificar. El que ha recibido semejante don entiende y vive el evangelio de la gracia, vive con responsabilidad y se compromete a ser un mensajero de esperanza.

Todos tenemos el privilegio de comunicar al mundo los tesoros de la gracia de Dios y las inescrutables riquezas de Cristo. **"No hay nada que el Salvador desee tanto como tener agentes que quieran representar ante el mundo su Espíritu y su carácter. No hay nada que el mundo necesite tanto como la manifestación del amor del Salvador por medio de los seres humanos. Todo el cielo está esperando a los hombres y a las mujeres por medio de las cuales pueda revelar el poder del cristianismo"** (Elena de White, *El hogar adventista,* p. 431).

VIVAMOS PARA ÉL

"Por lo cual, teniendo nosotros este ministerio según la misericordia que hemos recibido, no desmayamos" (2 Corintios 4:1).

En 2 Corintios 4, el apóstol Pablo declara que ha predicado el evangelio de Cristo con responsabilidad, sinceridad y esfuerzo. Y eso provocó persecuciones. Desde luego, estas persecuciones contribuyeron a la gloria de Dios, y fueron benéficas para la iglesia porque mantienen la unidad entre hermanos y también la dependencia de Dios; y fueron de provecho para el propio Pablo.

Hay muchas enseñanzas preciosas del apóstol. Aquí les dejo algunas:

1. Así como Pablo, debemos rechazar las cosas que traen vergüenza. ¿Por qué? Porque ser cristiano y ser dirigente exige transparencia y buen ejemplo. La gente debe ver en nosotros un modelo correcto a seguir. No debemos practicar cosas que vengan a avergonzar a nuestro Dios.

2. Quien predica no debe predicar temas de su interés, no debe hablar de sí, no debe perder tiempo contando historias. El predicador debe hablar de Cristo y llevar a la gente a Cristo.

3. El tesoro, que es el conocimiento de la gloria de Dios en Cristo, fue entregado a nosotros, simples mortales. Como verdaderos jarros consagrados, debemos contener el tesoro de Cristo, para compartirlo con las personas que lo buscan.

4. En todo somos atribulados porque estamos en medio de una lucha espiritual. Pero la angustia no nos interesa porque la gracia de Cristo nos sostiene. En algunas situaciones nos quedamos perplejos, tenemos dudas, pero no por eso nos desanimamos, porque tenemos confianza en nuestro Dios.

5. Lo que sufrimos o lleguemos a sufrir es leve y momentáneo, en comparación con la gloria futura que tendremos junto a Cristo.

No confiemos en las cosas que se ven, pues un día serán destruidas. Coloquemos nuestra confianza en las promesas de Cristo, pues nos garantizan la realidad eterna.

En los escritos de Pablo encontramos dos misterios: el de la iniquidad y el de la piedad. El primero es un misterio porque en un mundo perfecto se introdujo el pecado y la corrupción, más allá de que sepamos que aquella criatura que fue hecha perfecta usó mal su capacidad de elección, y en su independencia originó el mal, y perdió la vida.

Para resolver este misterio de iniquidad, Dios lo contrapone con el misterio de la piedad. El Dios del Universo se encarnó por nosotros. Solo a la luz de su misericordia podemos, en parte, entender su amor, asunto que será tema de estudio por la eternidad.

Sí, Jesús decidió morir por nosotros porque no quería vivir sin nosotros. Vivamos hoy para él.

FALTANTES POR ABUNDANTES

"Pero tenemos este tesoro en vasos de barro, para que la excelencia del poder sea de Dios y no de nosotros" (2 Corintios 4:7).

Pablo presenta el evangelio por medio de contrastes: un precioso tesoro colocado en vasos de barro, tan frágiles como lo son nuestras vidas. Veamos algunos de ellos.

Tinieblas y luz. En el principio, en medio de la oscuridad, Dios creó la luz con el poder de su Palabra. Luego, cuando las tinieblas espirituales cubrían la Tierra, recibimos a Jesús, la Luz del mundo.

Barro y tesoro. Las vasijas hechas de barro eran frágiles, de corta duración y de poco valor. Pero el tesoro del evangelio es permanente, relevante y eterno. El plan de Dios fue que el tan insignificante vaso llevara ese evangelio tan inconmensurable.

Muerte y vida. Nuestro cuerpo tiene las marcas del pecado. Desde que nacemos comenzamos a morir, pero el Señor vino para disponer, por su gracia recibida por la fe, vida presente y eterna.

Hombre exterior y hombre interior. El cuerpo se va desgastando con el paso y el peso del tiempo. Ahora bien, el interior se renueva día a día en las promesas de Dios. La aflicción es leve y momentánea, la gloria es excelente y eterna.

Visible e invisible. Las cosas que se ven son limitadas, perecederas, con fecha de vencimiento y temporales. En tanto, las que no se ven son ilimitadas, imperecederas, sin caducidad y para siempre.

La buena noticia del evangelio es que el tesoro le ganó al barro, la luz venció a las tinieblas, la vida se impone sobre la muerte y el hombre interior se proyecta por encima del hombre exterior. Lo invisible tiene trascendencia y relevancia por encima de lo visible, ya que lo temporal acaba, pero lo eterno permanece.

Un niño de unos once años llamó a nuestra casa aquella tarde. Salí para atenderlo y me pidió agua. Pensé que era para tomar, pero en realidad quería agua para limpiar los vidrios de los autos en la esquina y transformar su trabajo en monedas para comprar comida y remedios para su madre y sus hermanitas. Fui dándole todo lo que necesitaba, que en realidad era más que el agua. Tampoco tenía balde, ni jabón, ni cepillo... Le faltaba todo. Nunca olvidé aquella carita sucia y esos ojitos tristes.

Cuántos como él caminan por la vida sufriendo sus faltantes: de trabajo, de salud, de familia, de perdón, de fe y esperanza... En breve Dios transformará los faltantes del pecado en los dones abundantes de la eternidad, los cuales puedes apropiarte desde ahora. Para ti y para compartir. Camina no con los ojos puestos en el suelo, sino con la vista puesta en el cielo.

DE CARPA A EDIFICIO

"Sabemos que si nuestra morada terrestre, este tabernáculo, se deshace, tenemos de Dios un edificio, una casa no hecha por manos, eterna, en los cielos" (2 Corintios 5:1).

En 2 Corintios 5, el apóstol Pablo afirma y reafirma la certeza de la gloria inmortal. Pero también deja en claro que todos compareceremos en juicio ante Dios, cuando seremos juzgados por él.

Por su parte, también afirma que trabaja para Dios con celo y compromiso, y que no tiene la mínima intención de jactarse del trabajo que hace. De esta manera, Pablo se esfuerza por cumplir la misión que Dios le dio y para vivir en paz con su propia conciencia.

El apóstol destaca una enseñanza preciosa: **la muerte de Cristo en nuestro favor debe producir en nosotros una respuesta de compromiso y lealtad hacia él, y debe llevarnos de una vida egoísta y centralizada en nosotros mismos hacia una vida vivida para seguir y hacer la voluntad de Dios.** Sí, quien aceptó a Cristo en su vida es una nueva criatura. Por ello debe abandonar la vieja vida de pecado y pasar a vivir a la luz del evangelio de Cristo. Esto es posible porque Cristo nos ha reconciliado con el Padre, proveyendo una nueva relación con Dios.

No merecemos el amor de Dios, pero él es tan misericordioso que nos ama, nos libera de los pecados, nos transforma cada día y nos hace sus representantes ante las personas. ¡Así es nuestro maravilloso Dios! Todo esto con un objetivo para nosotros y para todos: cambiar nuestra morada terrestre en edificio eterno.

Pablo inicia el capítulo contrastando e ilustrando la vida en los tiempos presente y eterno. Pablo era fabricante de carpas y dice que para hoy tenemos un tabernáculo, una carpa, una tienda, una morada terrestre, llena de gemidos, que se va desgastando. Tanto la carpa como el cuerpo están constituidos por materiales que provienen de la Tierra, transitorios y fáciles de destruir.

En cambio, la morada celestial es un edificio originado con materiales que vienen del cielo. El tiempo de la carpa se está acabando.

Es hora de estrenar el nuevo edificio. No es reinauguración, no es una limpieza del polvo y una mano de pintura. No es una carpa reformada. Es una vida restaurada. No será una carpa disfrazada, es la vida recuperada. El Maestro constructor hace nuevas todas las cosas: nuevo vigor, nuevas fuerzas, nueva vida.

¿Carpa o edificio? Tú debes decidir hoy.

CUANDO SU AMOR NOS CONSTRIÑE

"El amor de Cristo nos constriñe, pensando esto: que si uno murió por todos, luego todos murieron; y él por todos murió, para que los que viven ya no vivan para sí, sino para aquel que murió y resucitó por ellos" (2 Corintios 5:14, 15).

El amor de Cristo hacia nosotros nos aprieta, nos apremia, nos impele, nos domina, nos obliga, nos mantiene unidos y no nos deja otra opción. Parece muy arbitrario, ¿verdad? ¿Dónde queda el respeto del Señor por mi decisión personal? Afirma Pablo que ese amor es tan fuerte que arranca de mi corazón una respuesta de amor. Lo amamos porque él nos amó primero. Impactado por ese amor, no puedo hacer otra cosa que amarlo, dejar de vivir para mí y empezar a vivir para él... y para todos aquellos que necesitan de mí como retransmisor de ese amor.

Derek Redmond se había preparado toda su vida para competir en Atletismo en los Juegos Olímpicos de Barcelona de 1992. Había pasado por el quirófano 5 veces, y aun así era el favorito para ganar el oro en los 400 metros.

Comienza la carrera. Carril 5. Todo está saliendo de maravillas. Pero, faltando solo 150 metros para llegar a la meta, siente un dolor intenso en el muslo. Lucha, pero no puede. Se encuentra en el piso con un intenso dolor. Entonces, cuando el equipo médico se acerca, decide ponerse en pie y seguir caminando hacia la meta. Se detiene; lágrimas de impotencia y sufrimiento inundan su rostro. La carrera ya había terminado y sus sueños ya estaban rotos. Pero decide continuar.

Entonces, un hombre entre el público se abre paso. ¿Quién era? Su padre, Jimmy Redmond. Se acerca a su hijo y le dice: "Tranquilo, no tienes que demostrar nada a nadie". Derek responde: "Papá, tengo que terminar la carrera". Entonces, su padre lo abraza y le susurra: "Entonces la terminaremos juntos".

Cuando el amor de Cristo nos constriñe, vamos a tener un interés genuino en ayudar a otros a terminar la carrera. Este principio inspiró siempre la vida de Pablo. ¿Qué hacía el apóstol si en algún momento su ardor menguaba en la senda del deber? Elena de White responde: "Una mirada a la Cruz le hacía ceñirse nuevamente los lomos del entendimiento y avanzar en el camino del desprendimiento. En sus trabajos por sus hermanos, fiaba mucho en la manifestación de amor infinito en el sacrificio de Cristo, con su poder que domina y constriñe" (*El colportor evangélico*, p. 217).

Hay muchos averiados en la carrera al cielo. Por ellos y por nosotros, necesitamos abrazarnos y llegar juntos, porque el amor de Cristo nos constriñe.

EMBAJADORES PERPETUOS

"Así que, somos embajadores en nombre de Cristo, como si Dios rogara por medio de nosotros; os rogamos en nombre de Cristo: Reconciliaos con Dios" (2 Corintios 5:20).

Un embajador es el representante de un determinado país ante otro, o ante una organización internacional, con residencia en la capital del país extranjero. Allí, tanto la embajada, los vehículos como el personal gozan de inmunidad diplomática. Los agentes diplomáticos se dividen en cuatro clases, y el embajador corresponde a la clase superior.

En el top 10 de los países con más embajadas en el mundo, aparecen: **Estados Unidos**, con 273 lugares; **China** (268), **Francia** (266), **Rusia** (242), **Japón** (229), **Turquía** (229), **Reino Unido** (225), **Alemania** (224), **Brasil** (221) y España (215).

Hay tres palabras hebreas que tienen el sentido de embajador: **mensajero, enviado e intérprete**. Pablo se presenta a sí mismo como el embajador del Señor -y embajador en cadenas-, e incluye a todos los creyentes. La embajada del mensajero, enviado e intérprete es en representación. El Estado que representamos es el cielo, el Rey es nuestro Señor, nuestra misión es reconciliar y recuperar relaciones amistosas que se volvieron enemigas por causa del pecado.

El embajador no tiene un mensaje o una misión propios. Tanto su mensaje como su misión les son concedidos por Dios. Él toma la iniciativa de salvación, envía a su Hijo, envía al Espíritu Santo, envía al embajador, y produce el crecimiento y los frutos.

Esta reconciliación tiene tres tiempos: pasado, hemos sido reconciliados por la muerte sustitutoria de Cristo; presente, somos reconciliados por la mediación de Cristo; y futuro, seremos reconciliados definitivamente en la venida del Señor.

¿Quiénes tienen la responsabilidad de proclamar este glorioso mensaje? Pablo enseña que todos los creyentes somos embajadores, voceros del Rey. En este momento tenemos "embajadas" del cielo (es decir, lugares de reunión o templos) en 212 de los 235 países del mundo, para alcanzar a 7.320.000.000 de habitantes, y no tenemos embajadas en 23 países, que involucran a 215.000.000 de habitantes. Así y todo, en ambos grupos la labor de cada embajador no está concluida.

En breve, el definitivo Reino será establecido. Todos los fieles embajadores en la Tierra serán nombrados en el cielo como embajadores perpetuos. Es hora de dejar de dormitar en el granero. Hay que levantarse para la cosecha, porque, como bien decía Spurgeon: "Agradecidos de que el Señor nos eligió para la salvación, porque nosotros nunca lo habríamos elegido a él".

UN LLAMADO A LA FIDELIDAD

"Así, pues, nosotros, como colaboradores suyos, os exhortamos también a que no recibáis en vano la gracia de Dios" (2 Corintios 6:1).

En 2 Corintios 6, el apóstol Pablo, como padre amoroso, hace un llamado a la fidelidad y apela a los corintios para que no reciban en vano la gracia de Dios. Por eso, les pide que sean íntegros, pacientes, soportando las aflicciones que vendrían a causa del evangelio.

Además, el apóstol hace un llamamiento especial: no casarse con los incrédulos, pues hay un riesgo enorme en unirse en matrimonio, hacer negocios o establecer alguna relación con quien no vive los principios establecidos por Dios.

Pablo no tiene prejuicios, pero sabe que en una relación nosotros influenciamos y también somos influenciados. Por eso, es muy sabio elegir a nuestras compañías, pues ellas pueden determinar el rumbo de nuestra vida.

La fidelidad es firmeza y constancia en los afectos, las ideas y el cumplimiento de los compromisos. Es la respuesta de fidelidad a la fidelidad de Dios, evidenciada en un compromiso inquebrantable.

La historia cuenta de los cuarenta mártires de Sebaste, en Armenia. Se trata de un grupo de soldados romanos de la XII legión cuyo martirio ocurrió en el año 320 d.C. Ellos fueron víctimas de la persecución de Licinio, un gran enemigo de los cristianos. Estos cuarenta soldados, que habían confesado abiertamente su condición cristiana, fueron condenados a permanecer desnudos durante la noche sobre una laguna helada. De pronto, uno cedió. Así, dejó el lago y a sus compañeros, y buscó los baños calientes preparados para posibles renunciantes.

Uno de los guardias vigilantes, impactado por la fidelidad y la paz de los soldados, aceptó a Cristo, dejó su puesto y se unió al grupo. Al amanecer, los cuerpos de los soldados que aún mostraban señales de vida fueron quemados; y sus cenizas, arrojadas a un río.

A lo largo de la historia siempre hubo fieles hijos de Dios, dispuestos a todo por la causa del evangelio.

"Cuando a causa de la malicia de Satanás, los siervos de Cristo fueron perseguidos e impedidas sus labores activas; cuando fueron echados en la cárcel, arrastrados al cadalso o la hoguera, fue para que la verdad pudiera ganar un mayor triunfo. **Cuando estos fieles testigos sellaron su testimonio con su sangre, muchas almas, hasta entonces en duda e incertidumbre, se convencieron de la fe de Cristo, y valerosamente se decidieron por él. De las cenizas de los mártires brotó una abundante cosecha para Dios"** (Elena de White, *Los hechos de los apóstoles*, p. 371).

¿Cuán dispuestos estamos a morir por Cristo? ¿Y a vivir por él?

22 de mayo

GRANDES PROMESAS DEL SEÑOR

"En tiempo aceptable te he oído, y en día de salvación te he socorrido. Ahora es el tiempo aceptable; ahora es el día de salvación" (2 Corintios 6:2).

El sistema **GPS** (Global Positioning System, o Sistema de Posicionamiento Global) funciona gracias a 24 satélites artificiales. Este sistema ayuda a vehículos terrestres, aéreos y marítimos a orientarse. De la misma manera, tenemos un **GPS** espiritual que, desde el Comando del Universo, recibe y transmite mensajes y orientación que custodian nuestra marcha y aseguran la llegada al destino final.

La cantidad estimada de promesas directas en la Biblia es de 3.300. No existe situación o condición de la vida que no puedan ser amparadas en una promesa de Dios. Como Pablo, podemos decir que hoy es el tiempo aceptable y el día de la salvación. Encolumnadas, vienen por añadidura todas las demás bendiciones; y el **GPS**, es decir, todas estas **G**randes **P**romesas del **S**eñor, que constituyen nuestro apoyo indispensable para conducirnos rumbo a la Eternidad.

A fin de desarrollar un recorrido seguro, necesitamos prioritariamente de la **G**racia de Jesús. (1 Cor. 6:2). Es un presente y es el punto de partida de nuestro gran viaje. Enfrentar la vida y sus desafíos es una lucha permanente, por eso necesitamos el **P**oder de su Espíritu Santo (1 Cor. 6:6, 7). Y, por su gracia y su poder, crecer en una experiencia de **S**antidad, porque somos el templo del Dios viviente (1 Cor. 6:18).

Respondemos con marcado espíritu de **G**ratitud, con fuerte **P**asión por las cosas espirituales, cumpliendo como Jesús el propósito de buscar y **S**alvar a quien está perdido. Por doquier hay **G**ente **P**ecadora necesitada de que el **S**ol de justicia ilumine su vida, la dirija con rumbo y esperanza, para ser liberada del pecado y sus consecuencias.

El **GPS** diseñado por el Autor y Consumador de nuestra fe está a nuestra disposición para producir este verdadero reavivamiento y reforma. Tenemos en su Palabra grandes promesas del Señor de nuestro lado. Su **G**racia, su **P**oder y su **S**antidad están a nuestra disposición. Pronto lo veremos. Él volverá por nosotros y la **G**loria será **P**ara **S**iempre.

Mientras tanto, usa el **GPS**.

RELIGIOSOS EN ROPA DE TRABAJO

"Así que, amados, puesto que tenemos tales promesas, limpiémonos de toda contaminación de carne y de espíritu, perfeccionando la santidad en el temor de Dios" (2 Corintios 7:1).

En 2 Corintios 7, el apóstol Pablo alienta a la iglesia a la pureza y al afecto. Reconoce que él mismo sufre tribulaciones, pero se siente confortado en las aflicciones. Pablo menciona dos factores que lo ayudaron a enfrentar las propias aflicciones: la llegada del amigo Tito y el afecto de la iglesia.

Pablo también demuestra satisfacción porque los corintios fueron gentiles y simpáticos con su amigo y colaborador Tito. El capítulo termina con hermosas palabras: "Me alegro porque, en todo, puedo confiar en ustedes". La disposición del apóstol se destaca: a pesar de las pruebas, él ve todo con alegría, fortalece sus vínculos con los hermanos en le fe, confía en ellos y enfatiza una religión llevada a la práctica.

Cuando Jesús quiso resaltar este tema, contó la parábola del buen samaritano. Tanto el sacerdote como el levita, representantes de la clase "religiosa" conforme a las costumbres, llevaban en su muñeca o en su cuello colgando un pergamino de cuero con la esencia o lema de su religión: **"Amar a Dios por sobre todas las cosas y al prójimo como a ti mismo".** El problema es que no tenían este mensaje grabado en el corazón ni en la vida práctica. Extrañamente, un samaritano, que no tenía el cartel de religioso, fue el verdaderamente religioso.

Hagamos una simple aplicación de esta parábola adaptada a nuestros días. Una persona descendía de la capital a un barrio marginal, y en la salida de la ciudad cayó en manos de unos ladrones, los cuales lo despojaron de todo lo que tenía, e hiriéndolo, se fueron, y lo dejaron por muerto.

Poco tiempo después, pasó el dirigente de una respetada iglesia, pero no se detuvo; tenía urgentes asuntos teológicos que atender. En minutos, otro prestigioso religioso llega, mira de reojo y sigue su camino; asuntos administrativos y ceremoniales importantes lo aguardaban. Finalmente, se aproxima un hombre común, que no está vestido de religioso, no parece ser instruido ni disponer de recursos.

Pero él se detiene, se interesa, le brinda los primeros auxilios, pone a disposición lo que tiene a mano, lo lleva a un centro médico y paga los gastos de recuperación.

Necesitamos más religiosos en ropa de trabajo. La verdadera religión no se mide por cuánto conocemos de la Biblia o cuántas ceremonias practicamos. La verdadera religión se percibe en cuánto amamos y servimos a nuestro prójimo.

24 de mayo

TRISTEZA QUE NO ENTRISTECE

"Ahora me gozo, no porque hayáis sido entristecidos, sino porque fuisteis entristecidos para arrepentimiento, porque habéis sido entristecidos según Dios" (2 Corintios 7:9).

Pablo les había escrito una carta muy dura, hecho que lo entristeció, no por haber hecho algo malo, sino por la ansiedad de saber si sería bien comprendida y alcanzaría su propósito. Esa carta también dejó tristes a los hermanos, pues les provocó pena y dolor.

Ahora bien, la tristeza de los hermanos produce alegría en el apóstol. ¿Cómo es esto? Es una tristeza que no entristece. Ese mensaje que los dejó tristes llegó al corazón. Así, fueron inducidos por Dios al reconocimiento y al arrepentimiento, y eso no solo alegró el corazón del apóstol sino también a los cielos. "La tristeza que proviene de Dios produce el arrepentimiento que lleva a la salvación, de la cual no hay que arrepentirse, mientras que la tristeza del mundo produce la muerte" (2 Cor. 7:10, NVI).

Esaú tuvo un corazón afligido, que no resultó en una vida cambiada. David reconoció su pecado y fue restaurado. Judas se llenó de remordimiento; no sintió dolor por sus pecados, sino por las consecuencias, y se suicidó. Sin embargo, Pedro lloró, se arrepintió de su caída y experimentó la verdadera conversión.

Entonces, la necesidad de arrepentimiento no es solo para los incrédulos. El creyente también necesita arrepentirse. Esto implica "cambiar de opinión", sentir dolor por el pecado y separase de él. Los creyentes desobedientes necesitan arrepentirse, no para ser salvos, sino para restaurar su comunión con Dios.

Afligir a los hermanos disgustaba a Pablo, pero se consolaba al saber que ese malestar era pasajero. Aun un llamado al arrepentimiento debe hacerse con humildad, a fin de restaurar y no condenar; con corazón de pastor y no con zarpazos de lobo.

La tristeza según el mundo es superficial; produce descontento, resentimiento, amargura, pérdida, dolor y muerte. La tristeza según Dios es profunda; causa perdón, paz, salud, ganancia, gozo y vida. Nos lleva al reconocimiento de que uno ha ofendido a Dios y al prójimo, a reparar la falta, reorientar la vida con el propósito de evitar la repetición, dando frutos dignos del arrepentimiento. Todo esto solo es posible por la gracia de Cristo y la obra del Espíritu Santo.

"Jesús no murió por nuestra justicia sino por nuestros pecados. No vino a salvarnos porque merecíamos, sino porque éramos indignos. No vino por algo bueno en nosotros, sino por su amor. Cuanto más procures producir emociones de arrepentimiento, tanto más fracasarás; pero, si con fe piensas en Jesús que muere por ti, nacerá el arrepentimiento" (Spurgeon).

SOLIDARIOS Y SENSIBLES

"Porque, en las grandes tribulaciones con que han sido probadas, la abundancia de su gozo y su profunda pobreza abundaron en riquezas de su generosidad" (2 Corintios 8:2).

En 2 Corintios 8, el apóstol Pablo anima a los corintios a contribuir en favor de los pobres de Jerusalén; de esta manera, demuestra lo importante que es ayudar a los necesitados. Para motivarlos, reconoce una ayuda anterior y cita el ejemplo de Cristo, quien, siendo rico, se hizo pobre para enriquecernos.

Además, el apóstol recomienda a la iglesia a su amigo Tito, joven ministro y compañero en las luchas de la predicación del evangelio.

Dos lecciones se destacan en este capítulo. La primera se refiere a la solidaridad. Cuando alguien está en necesidad, la iglesia local debería unirse para ayudar. No debemos esperar a que el Gobierno, otros organismos o la iglesia organizada ofrezcan ayuda; las personas más próximas a quien está necesitado deben demostrar apoyo solidario.

La segunda lección se refiere a la sensibilidad de Pablo hacia su amigo Tito, a quien reconoce y recomienda como fiel colaborador.

La solidaridad es adhesión o apoyo incondicional a causas o intereses ajenos, especialmente en situaciones comprometidas o difíciles. La solidaridad nace en el corazón de Dios, quien se despojó a sí mismo y demostró su amor descendiendo, poniéndose a nuestra altura y ofreciendo su vida para saldar nuestra deuda. Él colocó su riqueza para que nosotros, pobres, podamos ser ricos en él.

En nuestro trato diario, perdemos mucho por la falta de solidaridad mutua. Algunos quedan encerrados en su propio egoísmo sin mirar las necesidades de su prójimo, y de esa manera no cumplimos ni la misión ni el ejemplo que el Señor nos ha dejado. Si Dios es nuestro Padre, somos hermanos y dependemos unos de otros para ser felices.

Elena de White nos desafía: "El que trata de transformar a la humanidad debe comprender a la humanidad. Solo por la solidaridad, la fe y el amor pueden ser alcanzados y elevados los seres humanos. En esto, Cristo se revela como el Maestro de los maestros: de todos los que alguna vez vivieron en la tierra, él solo posee una perfecta comprensión del alma humana" (*Mente, carácter y personalidad*, t. 2, p. 84).

Ayudar a las personas necesitadas no es una opción, sino un estilo de vida de quien ha aprendido que todos los bienes y las oportunidades que tenemos deben servir para ayudar a quien necesita. Porque "el propósito de la vida humana es servir y mostrar compasión y voluntad de ayudar a los demás" (Albert Schweitzer).

LA PIEDAD

"Sino que a sí mismos se dieron primeramente al Señor y luego a nosotros, por la voluntad de Dios" (2 Corintios 8:5).

Una vida piadosa es religiosa, santa, fiel, y coloca todo lo que somos y tenemos a los pies del Señor. Es la respuesta a la piedad de Dios. El amor y la fidelidad hacia Dios se proyectan en amor y fidelidad hacia el prójimo. De este amor practicado hacia Dios fluye un amor fraterno entre los hombres.

En este capítulo, la gracia de Dios y la piedad de los creyentes se evidencian en la acción generosa en ayuda de los necesitados. Una vida piadosa se dispone a suplir las necesidades del prójimo. Necesitamos lo siguiente:

1-Una contribución sincera: La dadivosidad del creyente es resultado de las bendiciones de Dios y una oportunidad para demostrar la autenticidad del amor. La sinceridad de reconocerse administrador y no propietario de los recursos de Dios.

2-Una contribución voluntaria: El buen ejemplo de los macedonios no era para crear rivalidad ni competencia. La contribución tenía que ser libre. Ninguna causa, por buena que sea, puede ser impulsada por el orgullo, la vanidad o el egoísmo.

3-Una contribución realista: De acuerdo con las posibilidades de cada uno, de manera proporcional. Siempre con buena voluntad. Aun lo poco es aceptable.

4-Una contribución confiada: La referencia siempre es Cristo, que, siendo rico por sus atributos de la Deidad, se hizo pobre, se encarnó en nuestras miserias, para enriquecernos y proveernos de una vida nueva.

La Piedad es una obra escultórica del Renacimiento italiano creada por Miguel Ángel Buonarroti en el año 1499, cuando tenía apenas 24 años. La obra se encuentra en la basílica de San Pedro, del Vaticano, en Roma. La escultura representa una escena que no aparece en los evangelios, donde María sostiene el cuerpo muerto de Cristo después de ser retirado de la cruz.

La escultura está hecha de mármol de Carrara y es una roca compacta, que sometida a elevadas temperaturas alcanza un alto grado de cristalización. Tras un proceso de pulido, el mármol alcanza un alto nivel de brillo.

Nuestra sociedad está llena de personas brillantes cuyos corazones son duros y fríos como la roca. El creyente no está hecho de mármol, sino de carne y hueso. Está llamado por Dios a relucir y brillar, por medio de una vida piadosa, dedicada y dadivosa. Esto solo es posible si estas sometido a la Roca, que es Jesús.

No seamos una roca como el mármol, con brillo propio; mejor vive dependiendo y sostenido por la Roca, y tu brillo será el reflejo del brillo de Jesús.

SEAMOS COMO MARADONA

"En cuanto a la ayuda para los santos, es por demás que yo os escriba, pues conozco vuestra buena voluntad" (2 Corintios 9:1, 2).

En 2 Corintios 9, Pablo sigue estimulando a la caridad. Destaca el valor de confiar en Dios y servir a las personas, lo que nos llevará a cumplir mejor la misión.

El apóstol dice que la cosecha estará en consonancia con la siembra. Hay que sembrar mucho, si queremos frutos abundantes. El capítulo concluye con gratitud por el Don inefable, que es Cristo, nuestro Señor,

Por eso, deberíamos ser como Maradona. No, no me refiero a Diego Maradona, el exfutbolista, sino al médico Esteban Laureano Maradona, un hombre íntegro, servicial, caritativo y generoso como pocos.

El Dr. Maradona nació en 1895, en la ciudad de Esperanza, Santa Fe, Argentina, y se diplomó como médico en la Universidad de Buenos Aires. Fue también científico, profesor, botánico, escritor y periodista.

A los cuarenta años, el curso de su vida cambió para siempre. Viajaba en tren hacia el norte argentino, para visitar a su hermano. La vieja locomotora se detuvo en una pequeña localidad de Formosa. En el monte, una parturienta se debatía entre la vida y la muerte. Y hacia allí se dirigió el doctor. Maradona logró salvar a la madre y al bebé.

Cuando regresó, el tren ya había partido. Una multitud de enfermos pidió ser atendida. Y él se quedó allí. Durante los siguientes cincuenta años curó leprosos, atendió a baleados y engangrenados, fue partero a la luz de la Luna y pediatra sin agua corriente. Jamás aceptó que le pagaran. "Con el oxígeno del aire y el agua que viene del cielo me basta. No tengo motivos de queja", repetía.

Falleció en 1995, a los 99 años. Fue tres veces propuesto para el Premio Nobel y obtuvo el Diploma de Honor Internacional de Medicina por la Paz, otorgado por las Naciones Unidas. Pero su mejor logro fue trabajar por los indígenas y los pobres, que lo rodearon de afecto y reconocimiento por su humildad y por la dedicación con que asumió la profesión.

Él mismo resumió su vida: "Si algún asomo de mérito me asiste en el desempeño de mi profesión, este es bien limitado. No he hecho más que cumplir con el clásico juramento de hacer el bien. Muchas veces se ha dicho que vivir en austeridad y solidariamente es renunciar a uno mismo. En realidad, eso es realizarse plenamente en la dimensión magnífica para la cual fue creado".

Como Maradona, o mejor, como Pablo y como Jesús, vivamos dándonos por entero, porque "la generosidad verdadera es así: uno da todo y siempre siente como si no le hubiera costado nada" (Simone de Beauvoir).

UN DADOR ALEGRE

"Cada uno dé como propuso en su corazón: no con tristeza ni por obligación, porque Dios ama al dador alegre" (2 Corintios 9:7).

¿Es el monto o la disposición a dar lo que vale? ¿Qué quiere decir ser "un dador alegre"? Es dar con espontaneidad, con placer, de manera proporcional y voluntaria. Este principio se aplica tanto a la entrega de los diezmos como de las ofrendas. En el caso del diezmo, devolvemos la parte que es del Señor, que le pertenece; por lo tanto, se requiere fidelidad. En las ofrendas se requiere generosidad. En ambos casos, el dador debe ser "alegre". El ser humano se alegra por recibir, no por dar. Alegrase por dar es tener el espíritu de Jesús.

¿Por qué Dios ama al dador alegre? ¿Acaso hace Dios distinciones? Él ama a todos, pero tiene una complacencia especial cuando es honrado por la motivación del dador con alegría. La Luna refleja la luz y el brillo que provienen del Sol. No guarda de manera egoísta para sí. Pero el mayor argumento de la razón por la que ama al dador alegre es que Dios es un dador alegre, al punto de que no escatimó ni a su propio Hijo. Nosotros ¿entregaríamos a nuestros hijos para salvar enemigos? Él nos da sin que le pidamos y sin que lo merezcamos. Todo lo que tenemos y somos se lo debemos a él. Solo porque él es un dador alegre para nosotros es que nosotros podemos ser dadores alegres para él.

El Pr. Spurgeon preguntó: "¿Han puesto su confianza en Jesús? Si su corazón pertenece al Señor, y han sido lavados en su sangre, recuerden siempre que Dios ama al dador alegre".

Al respecto, Elena de White declara: "El espíritu de egoísmo es el espíritu de Satanás. El principio ilustrado en la vida de los mundanos es el de conseguir, conseguir. Así esperan asegurarse felicidad y comodidad; pero el fruto de su siembra es tan solo miseria y muerte. El espíritu de liberalidad es el espíritu del cielo. Este espíritu halla su más elevada manifestación en el sacrificio de Cristo en la Cruz. En nuestro favor, el Padre dio a su Hijo unigénito; y Cristo, habiendo dado todo lo que tenía, se dio entonces a sí mismo, para que el hombre pudiera ser salvo. La Cruz del Calvario debe despertar la benevolencia de todo seguidor del Salvador. El principio allí ilustrado es el de dar, dar. 'El que dice que está en él, debe andar como él anduvo' " (*Los hechos de los apóstoles*, p. 273).

Quien tiene el espíritu del Cielo es un dador alegre que bendice a otros, se bendice a sí mismo y glorifica a Dios.

TU PRIMER TRABAJO

"Yo, Pablo, os ruego por la mansedumbre y bondad de Cristo" (2 Corintios 10:1).

En 2 Corintios 10, el apóstol Pablo nos recuerda que siempre se comportó como un siervo de Dios y de las personas. Pero, de vez en cuando los dirigentes religiosos necesitan demostrar firmeza, poder y autoridad.

Se destacan tres enseñanzas básicas:

1-Someter nuestra vida en obediencia a Dios. Todos los hijos y las hijas del Padre celestial deben vivir en obediencia y compromiso con las orientaciones de Dios.

2-Gloriarse en el Señor. Si tenemos algún éxito, si hacemos algo bien hecho, si nos destacamos en algo, el crédito no es nuestro; el crédito es siempre de Dios porque nos capacita para tener éxito en la vida.

No se aprueba quien a sí mismo se alaba, sino aquel a quien el Señor alaba. El éxito puede hacer que pensemos que somos buenos, que somos mejores que los demás. Necesitamos tener la conciencia de que hablar bien de uno mismo es el camino mortal para el orgullo y la arrogancia. ¿Cuál es la solución, entonces?

3-Vivir a la luz de la aprobación de Dios. Todo el honor, todo el crédito, toda nuestra gratitud y compromiso son de Dios, pues todo lo que tenemos y somos es gracias a Dios. Todo este camino de bendición empieza por una profunda vida de oración.

El Pr. Luther Gibbs sugiere practicar el alfabeto de la oración:

A- Adoración. Reconocer que estamos en la presencia de Dios, quien es santo, majestuoso y poderoso; capaz de suplir toda necesidad.

B- Bendición. Reconocer lo que Dios ha hecho por nosotros y agradecer y alabar su nombre.

C- Confesión. Reconocer nuestros pecados y pedir perdón a Dios por ellos. La confesión tiene que ser general, por nuestra naturaleza pecaminosa, y además especificar puntualmente las faltas cometidas.

D- Deseo. Reconocer nuestras necesidades y deseos, y elevar las peticiones a Dios. Oramos por los demás, pero también debemos hacerlo por nosotros mismos.

Nada mejor para orientar nuestra vida que aquella cita de oro de Elena de White: **"Conságrate a Dios todas las mañanas; haz de esto tu primer trabajo. Sea tu oración: 'Tómame ¡oh, Señor! como enteramente tuyo. Pongo todos mis planes a tus pies. Úsame hoy en tu servicio. Mora conmigo, y sea toda mi obra hecha en ti'. Este es un asunto diario. Cada mañana, conságrate a Dios por ese día. Somete todos tus planes a él, para ponerlos en práctica o abandonarlos, según te lo indicare su providencia. Podrás así poner cada día tu vida en las manos de Dios, y ella será cada vez más semejante a la de Cristo"** (*El camino a Cristo,* p. 70).

NO ESCONDAS LA CABEZA

"Os ruego, pues, que cuando esté presente, no tenga que usar de aquel atrevimiento con que estoy dispuesto a proceder resueltamente contra algunos que nos tienen como si anduviéramos según la carne" (2 Corintios 10:2).

En todos los ambientes (familia, trabajo, iglesia y amigos) podemos enfrentar conflictos. Resolverlos no es fácil. Existen situaciones muy complejas, nuestras emociones están fuertemente involucradas, nos bloqueamos y nos faltan estrategias. El conflicto se inicia cuando alguien o algo nos afecta, creemos que nos afecta o nos parece que puede llegar a afectarnos. Einsten nos muestra un camino: "No podemos resolver problemas usando el mismo tipo de pensamiento que usamos cuando los creamos".

¿Cómo enfrentó Pablo los muchos problemas que tuvo en Corinto?

- Encaraba con firmeza y coraje. Era directo. No negociaba con principios.
- Destacaba y valoraba todo lo positivo.
- Era honesto y preciso tanto en su conducta como en sus discursos.
- Acompañaba el proceso, daba la cara, iba de frente.
- Trataba con consideración y amabilidad.
- Buscaba siempre resaltar el mensaje y la actitud de Cristo.
- Usaba la disciplina como último recurso.

Muchas personas prefieren convivir con el conflicto antes que buscar resolverlo. Esto nos encierra en una cárcel de tensión, que magnifica aún más la problemática.

El avestruz, originaria de África, tiene una cabeza pequeña, ojos grandes y patas largas y musculosas que le permiten correr a 70 kilómetros por hora. Sus alas pequeñas no le permiten volar, solo lo ayudan a impulsarse, a equilibrarse al correr y como mecanismo de defensa, ya que las agita para atacar a posibles depredadores. Es la más grande y la más pesada de todas las aves que aún existen, ya que puede alcanzar los 3 metros de altura y pesar unos 180 kilos.

Más allá de todo esto, cuando el avestruz está en presencia de un peligro, baja la cabeza a ras del suelo para pasar desapercibido y parecer un arbusto. Esto dio origen al dicho popular "no escondas la cabeza como el avestruz", para ilustrar a los que prefieren esconderse sin hacerse cargo.

Tenemos que ser amos y no esclavos de las circunstancias. La promesa es segura y fuerte: "Todo ser humano, creado a la imagen de Dios, está dotado de una facultad semejante a la del Creador: la individualidad, la facultad de pensar y hacer" (Elena de White, *La educación*, p. 16).

Siempre es mejor no esconder la cabeza como el avestruz.

EL LEÓN Y EL ELEFANTE

"Pero el que se gloría, gloríese en el Señor" (2 Corintios 10:17).

Se cuenta de un diálogo imaginario entre un león y otros animales en la selva. El león estaba haciendo una investigación con una pregunta básica. "¿Quién es el rey de la selva?"

En cada caso, precedía su pregunta con un rugido. Entre los entrevistados había un mono, una cebra, una tortuga y un elefante. Uno a uno, con temor, pero sin dudarlo, respondieron: "El león es el rey de la selva". Hasta que llegó el turno del elefante. Este, usando su trompa, asió al león por la cola, lo hizo girar varias veces hasta arrojarlo en un charco de barro. Lastimado, humillado y sucio, el león respondió: "El hecho de que no supieras la respuesta correcta no justifica tanto enojo".

Este relato no es tan ficticio cuando de seres humanos se trata. Pareciera que nos sobran los motivos (reales o imaginarios) para jactarnos. Muchas personas suelen simpatizar con un determinado equipo de fútbol u otro deporte. He visto a varios decir "ganamos" y "somos campeones", cuando en realidad no hicieron nada.

Si bien no hay lugar para la jactancia, Pablo abre una puerta hacia algo en lo que podemos gloriarnos: Dios. Así, Pablo declara que fue el primero en llegar a ellos para predicarles, actuando como apóstol de los gentiles. Es lícito gloriarse haciendo la labor encomendada por Dios y cumpliendo su misión. No se trata de gloriarnos de nosotros mismos sino de Dios y de su amor, que transforma vidas.

J. C. Ryle lo dijo así: "Sirvamos a nuestro Señor con fidelidad. Obedezcámosle lealmente como nuestro Rey. Estudiemos su enseñanza como nuestro Profeta. Sigámoslo como nuestro Ejemplo. Esperémoslo como nuestro Redentor". Pero, por encima de todo, démosle el valor que tiene como nuestro Sacrificio y descansemos por completo en su muerte como expiación por el pecado. Más que de cualquier otra cosa que podamos gloriarnos con respecto a Cristo, gloriémonos sobre todo en su Cruz.

El mismo Señor dio la pauta por medio del profeta Jeremías:

"Así ha dicho Jehová: No se alabe el sabio en su sabiduría, ni en su valentía el valiente, ni el rico en sus riquezas. Mas alábese en esto el que haya de alabarse: en entenderme y conocerme, que yo soy Jehová, que hago misericordia, juicio y justicia en la tierra, porque estas cosas me agradan, dice Jehová" (Jer. 9:23, 24).

Cada vez que te creas un león, acuérdate del elefante.

STIGMATA DE CRISTO

"¡Ojalá me toleraseis un poco de locura! Sí, toleradme, porque os celo con celo de Dios, pues os he desposado con un solo esposo, para presentaros como una virgen pura a Cristo" (2 Corintios 11:1, 2).

En 2 Corintios 11, el apóstol Pablo defiende con vehemencia el evangelio de Cristo y se preocupa por la iglesia. ¿Acaso les habrá dado un mal ejemplo? Él piensa que no. A diferencia de los pastores mercenarios, Pablo se comportó con dignidad y con humildad. Mientras tanto, los falsos pastores se vistieron de luz para engañar, tal como lo hace el diablo.

El apóstol describe el altísimo costo pagado para permanecer activo en el cumplimiento de la misión: azotes, viajes incansables, noches mal dormidas, asaltos y fatigas. Pero, de nada de eso Pablo se gloría, pues a pesar de hacer tanto él entiende que es un frágil instrumento de Dios.

Desde su encuentro con Jesús, una pasión reavivó a Pablo. ¿Qué hizo de este hombre un apasionado por la misión?

1-El temor a Cristo. Temer a los hombres es diferente de temer al Señor. Temor es lo que sintió José cuando la mujer del Faraón lo tentó, y es lo que sintió Moisés ante la presencia de Dios. Estar frente al mensaje es estar frente a Dios mismo. Pablo se entregaba, se consumía y se extenuaba por la causa. El no temía delante de los hombres, porque temía delante de Dios.

2-El amor a Cristo. Este amor no le dejó a Pablo otra elección. Pero no es una imposición.

3-La misión de Cristo. Pablo no tenía una misión, la misión lo tenía a él. Hay un hilo conductor común que recorre toda la Biblia: el plan de salvación por los méritos de Jesús.

Muchos judíos se consideraban superiores y se llenaban de orgullo por una marca en su cuerpo: la circuncisión. La marca de Pablo no era meramente en una parte del cuerpo, sino en todo el cuerpo, y esa marca llenaba su vida de honra. Él mismo era una marca para Dios y para la misión.

En griego, la "stigmata" era la marca que el dueño de un ganado grababa en sus animales para reconocerlos como propios. Esto otorgaba identidad y pertenencia. Un hierro calentado en el fuego los marcaba para siempre.

Pablo tenía en su cuerpo la "stigmata de Cristo" para siempre. Todos nosotros tenemos marcas en nuestra vida, pero una, la de Cristo, tiene que estar por encima de todas. Podemos tomar a Pablo como un gran ejemplo de humildad y compromiso total con las personas y con la misión.

Esta "stigmata de Cristo" era la marca de Pablo; ¿cuál es la tuya?

PABLO, EL CASAMENTERO

"Porque os celo con celo de Dios, pues os he desposado con un solo esposo, para presentaros como una virgen pura a Cristo" (2 Corintios 11:2).

Popularmente se le da el nombre de "casamentero" a aquella persona que hace de puente entre otras dos, originando y fortaleciendo contactos que conduzcan a una pareja a unir su vida en matrimonio. En ciertas culturas, es una profesión y una función que se ejerce a pedido. Otros, más osados, ofrecen sus servicios; que, por supuesto, requieren del consentimiento de los involucrados. El casamentero, también llamado "celestino", no se resiste: vive presentando amigos.

En mi caso, el "casamentero" fue mi concuñado Ariel, quien llevó a cabo sus buenos oficios creando condiciones de contacto, encuentros y desarrollo de la amistad. Gracias a Dios, Dorita y yo tenemos muy bendecidos 43 años de casados y una linda familia. Siempre guardamos profunda gratitud a Ariel, quien fue usado por Dios para unir nuestra vida.

La sociedad en los días de Pablo no consideraba la preferencia personal como base de un pacto matrimonial; por lo tanto, el casamentero tenía que estudiar el árbol genealógico y la posición social y financiera de los novios en perspectiva.

Pablo dice a la iglesia de Corinto que estaba preocupado por ella. Él veía a la iglesia de Corinto como novia, en perspectiva, de Cristo. Quería llevarla y presentarla a Cristo como pura y casta; una virgen comprometida para un solo esposo en amor y en fidelidad.

Así, Pablo utiliza varias figuras para referirse a la iglesia. En ese caso, como también cuando escribió a los efesios, el matrimonio representa la unión entre Cristo y la iglesia por medio de una boda y una fiesta.

Es el sacrificio de Cristo el que crea una comunidad de santos. Como decía Agustín, "el orgullo transformó a los ángeles en demonios, en tanto que la humildad, al aceptar los méritos de Cristo, transforma a los pecadores en santos".

Los servicios del apóstol son limitados, pero los del Novio son ilimitados. Cristo vela por la novia, la perdona, la protege, la prepara, la ayuda a ser fiel y misionera. Aunque existen males en la novia, "la iglesia ha de ser en estos postreros días luz para un mundo que está contaminado y corrompido por el pecado. La iglesia, debilitada y deficiente, que necesita ser reprendida, amonestada y aconsejada, es el único objeto de esta Tierra al cual Cristo concede su consideración suprema" (Elena de White, *La iglesia remanente*, p. 711).

¡Con un casamentero como Pablo, cómo no casarse con un Novio como Jesús! Ahora, cada día y por la eternidad.

EL DISCURSO DE UN LOCO

"¿Son ministros de Cristo? (Como si estuviera loco hablo.) Yo más; en trabajos, más abundante; en azotes, sin número; en cárceles, más; en peligros de muerte, muchas veces" (2 Corintios 11:23).

En 2 Corintios 11, Pablo presenta su historial de experiencias. Repasar esta foja de servicios era mostrar la mano de Dios en su apostolado. Su deseo de animar y advertir a la iglesia lo llevó a elaborar este listado. Por eso, habla "como si estuviera loco", ilustrando los sufrimientos de un verdadero apostolado.

1-Prisionero. Clemente de Roma menciona que el apóstol estuvo encarcelado siete veces.

2-Azotado. Postrada en presencia de un juez, la víctima era castigada con un látigo de cuero con trozos de hierro. Padeció cinco veces cuarenta azotes menos uno.

3-Peligros de muerte. En Listra, casi muere cuando los judíos lo apedrearon. Los latigazos y las palizas le causaron riesgos de vida muchas veces.

4-Peligros de los judíos y de los romanos. En total fueron ocho las palizas que Pablo recibió: cinco de los judíos y tres de los romanos.

5-Apedreado. La ley judaica determinaba el apedreamiento para todo blasfemo o adúltero, después de juzgarlo. Sin embargo, él fue apedreado sin ser juzgado; y sobrevivió.

6-Naufragó tres veces. Sobrevivir era un milagro, dado que, si lograban alcanzar tierra, por lo general los habitantes de la zona les daban muerte o los tomaban prisioneros. Se estima que hizo unos treinta viajes en barco.

7-Una noche y un día en mar abierto. Estuvo aferrado a los restos flotantes de la nave, adormecido por las olas, sin agua ni comida.

8-Muchos viajes. La distancia normal recorrida en un día era de unos 30 kilómetros. Pablo caminó de Jerusalén a Éfeso ¡casi 1.600 kilómetros! Pasó por lo menos tres meses viajando, haciendo paradas para guardar el sábado y visitar las iglesias del camino. Los peligros que enfrentó fueron reales.

9-Conoció el hambre y la sed constantes.

10-Tuvo frío. Casi al final de la vida de Pablo, le pide a Timoteo que le traiga la capa que dejó en casa de Carpo.

11-Participó de fugas increíbles. Como aquella vez que fue descolgado en un canasto por un muro.

12-Llevó la carga de las iglesias. Todo, para la salvación de las personas.

Como bien decía Arthur Gordon: **"Nada es más fácil que decir palabras. Nada es más difícil que vivir acorde a ellas día tras día".**

Pablo fue un "loco" que siempre tuvo un camino difícil. Su vida no tenía una misión, la misión lo tenía a él. Pablo fue permanentemente reavivado por esa pasión.

CUANDO UN "NO" ES UN "SÍ"

"Ciertamente no me conviene gloriarme, pero me referiré a las visiones y a las revelaciones del Señor" (2 Corintios 12:1).

En 2 Corintios 12, el apóstol Pablo relata su privilegio de haber sido llamado por Cristo mismo. No obstante, Pablo no se gloría de ello. Para evitar el orgullo y la autoglorificación, Dios permitió en el apóstol un aguijón en la carne (vers. 7). Probablemente Pablo se refería a alguna enfermedad física, algo evidente y que le causaba considerable dificultad, así como incomodidad e inconveniencia. Sin embargo, esa dificultad ayudó al gran Pablo a ser totalmente dependiente de la gracia de Dios. Por eso, **por depender, en su fragilidad, del poder de Dios, el apóstol afirmó que era fuerte justamente porque era débil.**

En su ministerio, el apóstol supo lidiar con las fragilidades de las personas porque él sabía que tenía sus propias debilidades. Esto lo ayudó a demostrar interés no por los bienes de las personas o por las ventajas de estar con ellas; Pablo aprendió a tener interés en el bienestar de las personas. Y en su interés, él se preocupa por ayudar a resolver o evitar las peleas, las intrigas y el egoísmo que pueda haber entre sus hijos e hijas en la fe.

Tres veces pidió Pablo a Dios por la solución a su problema, pero no tuvo respuesta. Y Pablo no era el tipo de adorador que oraba y, precisamente, no obtenía respuestas. El oró, y la cárcel de Filipos tembló y el carcelero se salvó. El oró, y 276 personas se salvaron de un naufragio increíble. Pero, para su problema físico oró tres veces, y las tres veces Dios dijo "no". Usted ¿ha pedido algo a Dios y parece que él guarda silencio? Como ningún otro, el silencio de Dios duele porque parece desinterés o indiferencia de su parte. Más allá de eso, tal vez haya algo peor: cuando Dios nos responde y dice "no".

Por eso, **aquí entra en juego la fe. Pablo comprendió que el "no" de Dios era un "sí". Entonces, fortaleció su dependencia del Señor, se hizo fuerte en la debilidad, comenzó a tener placer en las flaquezas, y eso fue una bendición para él. Y, por esa bendición, él pudo bendecir a tantos desde su propia experiencia.**

Algunos dicen que "el que espera desespera". No tiene que ser así, si confiamos en quien está al comando, Dios mismo. Sus silencios, sus "no" y sus tiempos son siempre los mejores.

Amigo lector, mira la vida con otros lentes; los mismos que el apóstol tuvo que usar para entender y fortalecerse en la voluntad de Dios. Elena de White lo dice así: **"Cristo une con la Fuente del poder infinito al hombre caído, débil y desamparado"** (*El camino a Cristo*, p. 20).

Es así como un "no" de Dios puede ser el "sí" más grande para tu vida.

¿ESPINA O CIELO?

"Y para que la grandeza de las revelaciones no me exaltara, me fue dado un aguijón en mi carne, un mensajero de Satanás que me abofetee, para que no me enaltezca" (2 Corintios 12:7).

Corinto era una ciudad con dos puertos. Tenía ochenta mil habitantes y era cosmopolita, comercial y rica. Todo pasaba por allí. Era la Nueva York de la época. En Corinto había pluralidad y sincretismo religioso. Abundaban los templos para decenas de dioses: Dionisio, Diana, Júpiter, Zeus y Afrodita o Venus, la diosa del amor.

En esta ciudad promiscua e inmoral, Dios implantó una iglesia. Esta tenía que invadir al mundo, pero estaba siendo invadida por el mundo. Sus graves pecados estaban entrando en la iglesia. Pablo quiere traer la iglesia plenamente a Cristo y su Palabra.

Así, él les cuenta una experiencia fenomenal. Declara que fue arrebatado hasta el tercer cielo, un lugar donde ningún hombre había estado. Luego, descendió desde allí hasta la Tierra sin soberbia y con humildad. Él seguía teniendo un aguijón en la carne, una estaca puntiaguda, una espina o astilla. El atribuyó su espina a un mensajero de Satanás. El propósito del enemigo era molestarlo y estorbar su obra. El propósito de Cristo al permitir la aflicción era protegerlo del orgullo. El apóstol habla de cosas sublimes y del cielo, y a veces, nosotros queremos saber de qué se trataba la espina en su carne.

¿Cuál era la espina del apóstol? ¿Miopía, astigmatismo, algo más grave, como glaucoma? No sabemos exactamente. Sí sabemos que él clamó por sanidad, y el Señor le dijo: "Bástate mi gracia".

La espina no le iba a impedir predicar. Él seguía preparando personas para el cielo. Muchos pasan por alto sus espinas y se deleitan en ver las ajenas, y exponerlas ante todos, incluso, en las redes sociales. En lugar de evangelizar con el Cielo, *mundanizan* con las espinas.

Pablo clama por remedio, pero Dios sabe que el mejor remedio es dejarle la espina, porque eso lo hará más fuerte y más dependiente. No hay lugar en Pablo para criticar; él tiene que predicar. No hay lugar para murmurar; él tiene que adorar. El Señor no le sacó la espina, pero lo llenó de su gracia.

En 1986, una tempestad hundió la embarcación de Edward Shiflett en el Golfo de México. Así y todo, él logró aferrarse a un material de flotación. Dos días después fue salvado por la guardia costera. Estaba tranquilo, recostado sobre su propia pierna ortopédica de madera. Él había perdido su pierna en un accidente automovilístico algunos años atrás. Siempre se refería a su pierna artificial como una desgracia, pero ahora se había transformado en su balsa salvavidas.

Permite hoy que el Señor se ocupe de tu espina. Mientras tanto, vive ocupado pregonando y preparándote para el cielo.

HERALDO, APÓSTOL Y MAESTRO

"Ésta es la tercera vez que voy a vosotros. Por boca de dos o de tres testigos se decidirá todo asunto" (2 Corintios 13:1).

En 2 Corintios 13, encontramos palabras finales del apóstol Pablo a la iglesia de Corinto que contienen grandes consejos.

1. Pablo promete ser firme con todos, y anima a los padres y a las madres a cumplir su papel.
2. Cristo fue crucificado, pero está resucitado y vive por el poder de Dios.
3. La fe requiere constante evaluación personal.
4. La verdad permanecerá, a pesar de sus opositores.
5. Debemos orar y trabajar por el crecimiento espiritual de los demás.
6. Es deber de todo hijo de Dios querer el bien y buscar el bien de todos.
7. La presencia de Dios con nosotros es la única manera de vivir en paz entre nosotros.

Hagamos como Pablo: siempre trabajemos en favor del crecimiento de la iglesia. Y que constantemente busquemos ayudar al prójimo a desarrollarse, para el honor y la gloria de Dios.

Para alcanzar este objetivo, el apóstol tiene la visión y la pasión de un profeta, la mente de un erudito, el corazón de un evangelista, la disciplina de un soldado, la devoción de un amigo y el fervor de un reformador.

Pablo fue constituido predicador, apóstol y maestro de los gentiles. Se presenta con los títulos de **heraldo, apóstol y maestro**. **Heraldo**, por cuanto su obligación es proclamar los mandatos del que representa; **apóstol**, porque ha sido llamado, establecido y enviado por Dios; y **maestro**, porque tiene que enseñar a aquellos para quienes ha sido designado.

El apóstol entiende y vive la comisión de hacer discípulos, busca siempre cumplir con el propósito divino de hacer discípulos. Pablo no es un solitario evangelista, sino el comandante de un grande y creciente círculo de misioneros; por eso, trabaja en la iglesia y por la iglesia.

Pablo entendió también que no solo él como apóstol, sino todos los apóstoles, profetas, evangelistas, pastores y maestros son depositarios de dones que Dios dio a la iglesia, enviados con el propósito de equipar, entrenar y disciplinar a los creyentes para el crecimiento de la iglesia y el cumplimiento de la misión.

Elena de White nos anima: **"¿Apreciáis tan profundamente el sacrificio hecho en el Calvario que estáis dispuestos a subordinar todo otro interés a la obra de salvar almas? El mismo intenso anhelo de salvar a los pecadores que señaló la vida del Salvador se nota en la de su verdadero discípulo. El cristiano no desea vivir para sí. Se deleita en consagrar al servicio del Maestro todo lo que posee y es. Lo impulsa el deseo inefable de ganar almas para Cristo"** (*Maranata, el Señor viene*, p. 99).

4X4

"Por lo demás, hermanos, tened gozo, perfeccionaos, consolaos, sed de un mismo sentir y vivid en paz; y el Dios de paz y de amor estará con vosotros" (2 Corintios 13:11).

A ciertos vehículos especiales se los conoce como 4x4. ¿Qué significa esto? La característica principal es que poseen tracción en las cuatro ruedas; es decir, que todas pueden impulsar al vehículo. Así, tienen una suspensión especial que está preparada para soportar las peores irregularidades del camino, como también en los espacios más resbaladizos. Tener la característica 4x4 no aumenta más fuerza al motor, pero la distribuye, lo que permite mejor circulación y con más seguridad en todos los terrenos.

El apóstol Pablo, antes de su saludo final, tiene una amonestación 4x4 para la iglesia, a fin de que esta pueda distribuir mejor sus fuerzas y encarar con más seguridad su recorrido, aun en las situaciones más difíciles.

Es reiterativo en Pablo el estímulo a vivir una vida gozosa, como una característica distintiva del creyente, independiente de los tiempos que se enfrenten o las vicisitudes de la vida. Un verbo en presente para destacar que el gozo debe continuar siendo parte de la experiencia cristiana de manera permanente.

1. Perfeccionaos: Se pide a los corintios que reciban las amonestaciones que han de conducirlos al perfeccionamiento de su vida como cuerpo de Cristo. La experiencia del creyente es un movimiento constante de comunión, relación, crecimiento y misión.

2. Consolaos: Exhortaos, recobraos, acompañaos los unos a los otros, convocad, animaos, rogad, consolaos, sed consolados, animaos unos a otros, tened buena consolación, estad de acuerdo unos con otros, haced caso de mi exhortación, prestad atención a lo que dije, recibid mi aliento. El Espíritu Santo es el Consolador, y el consuelo es el resultado de tener a Dios.

3. Sed de un mismo sentir: Ocupaos de las mismas cosas, entregados al amor y la verdad del evangelio, tened una sola mente. A los romanos les dice que se esfuercen por lograr la unidad; en Filipos, suplica a Evodia y Síntique que vivan en armonía. Pablo quiere que haya correlación entre la enseñanza y la unidad, pero no uniformidad. Los hermanos tienen que tener corazones y mentes unidas para enfrentarse al enemigo.

4. Vivid en paz: El creyente tiene que vivir en paz con todos; al menos, hacer todo lo que esté al alcance de cada uno.

De la misma manera que un vehículo 4x4, aceptar y vivir esta orden cuádruple nos permite, aun en los caminos resbaladizos, empinados o peligrosos, circular mejor, más seguros y con la certeza de llegar al destino. Como muy bien expresa el Pr. Erton Köhler: "Juntos somos más fuertes, vamos más lejos y llegamos más rápido".

CREDENCIALES EN CORINTO

"La gracia del Señor Jesucristo, el amor de Dios y la comunión del Espíritu Santo sean con todos vosotros. Amén" (2 Corintios 13:14).

Pablo concluye su carta con la bendición que abarca la gracia de Jesús, el amor de Dios y la comunión del Espíritu. Más que un saludo de despedida es la más amplia bendición de la plenitud de la Deidad.

Quiero, al cerrar nuestras reflexiones sobre las dos Cartas a los Corintios, recordar la lucha de Pablo. Algunos de aquellos hermanos cuestionaban al apóstol. Por eso Pablo, de manera especial, a lo largo de las cartas presenta sus credenciales sabiendo que así defendía el mensaje, la misión y la iglesia:

Fue comisionado por Dios: 2 Cor. 1:1, 21; 4:1.
Hablaba con sinceridad del poder de Cristo: 2 Cor. 1:18, 4:2; 2:17.
Actuaba con santidad, sinceridad y dependencia de Dios: 2 Cor. 1:12.
Era objetivo y sincero en sus cartas: 2 Cor. 1:13, 14.
Tenía al Espíritu Santo, estaba lleno del poder de Dios: 2 Cor. 1:22; 13:4.
Amaba a los creyentes: 2 Cor. 2:4, 6, 11; 11:11.
Trabajó entre ellos y transformó su vida: 2 Cor. 3:2, 3.
Vivió como un ejemplo para los creyentes: 2 Cor. 3:4, 6:3, 4; 12:6.
Nunca desistió, y soportó peligros en la misión: 2 Cor. 4:1, 16; 11:23-33.
Enseñaba la Biblia con integridad y autoridad: 2 Cor. 4:2; 10:14, 15.
Cristo era siempre el centro del mensaje: 2 Cor. 4:5.
Era embajador de Cristo: 2 Cor. 5:18-20.
Vivió y evangelizó con pureza y paciencia: 2 Cor. 6:6.
Era confiable y lleno del poder de Dios: 2 Cor. 6:7.
Permaneció fiel a Dios bajo toda circunstancia: 2 Cor. 6:8.
Nunca agravió ni corrompió a nadie: 2 Cor. 7:2; 11:7-9.
Promovió las ofrendas de manera responsable: 2 Cor. 8:20, 21.
Realizó la obra de Dios con sus armas, y no con las propias: 2 Cor. 10:1-6.
Estaba seguro de que pertenecía a Cristo: 2 Cor. 10:7, 8.
Se regocijaba siempre en el Señor, y no en sí mismo: 2 Cor. 10:12, 13.
Fue bendecido con una visión sorprendente: 2 Cor. 12:2-4.
Fue constantemente humillado por una espina en la carne: 2 Cor. 12:7-10.
Realizó milagros ente ellos: 2 Cor. 12:12.
Trabajó para fortalecer la fe de los creyentes: 2 Cor. 12:19; 13:9.
Pasó la prueba: 2 Cor. 13:5, 6.

Estas son las credenciales expuestas por Pablo a los hermanos de Corinto, y son las mismas que deberíamos presentar nosotros hoy. Puede no ser fácil, pero ¿acaso hay otro camino? Muy bien lo expresaba Billy Graham: "La salvación es de gracia, pero el discipulado cuesta todo lo que tenemos". ¿Estás dispuesto a pagar el precio?

DOXOLOGÍA VIVA

"Pablo, apóstol, no por disposición de hombres ni por hombre, sino por Jesucristo y por Dios Padre que lo resucitó de los muertos y todos los hermanos que están conmigo, a las iglesias de Galacia" (Gálatas 1:1, 2).

La Carta de Pablo a los Gálatas es un libro extraordinario. Sus seis capítulos presentan una síntesis de la salvación en Cristo.

En el capítulo 1, Pablo se presenta como apóstol llamado directamente por Cristo, y portador de gracia y paz de parte del Dios todopoderoso. Se muestra sorprendido por la rapidez con que los gálatas se alejaron del evangelio de Cristo y abrazaron un falso evangelio. Él condena a aquellos que estuvieron pervirtiendo el evangelio.

Pablo era portador del mensaje divino, recibido de Cristo. Era extraordinario saber que un violento perseguidor de cristianos pasa a las filas de Cristo para ser predicador a los gentiles. Él, celoso e instruido judío, no se resistió al llamado divino, entregó el corazón a Cristo, se dedicó a profundizar en el conocimiento de la Escritura, aprendió a convivir con los dirigentes; y, definitivamente, cambió de vida: antes perseguía y destruía; ahora era perseguido y constructor.

Quien se encuentra con Cristo se transforma en nueva persona; cambian sus valores, su comportamiento, sus prioridades, su estilo de vida; y esta cobra sentido comprometida con la misión. La vida de Pablo, tal como una doxología, fue un canto que glorificaba la grandeza y la majestad divinas.

Fabricio y Gabriela son jóvenes misioneros en el *Proyecto Caleb* desde que eran solteros. Hoy ya están casados, y tienen un hija pequeña. Ellos caminan entre dos y tres kilómetros por día para dar estudios bíblicos bajo un sol ardiente y cuarenta grados de temperatura.

"Yo llevo a mi hija porque quiero que ella crezca sabiendo que es una Caleb", dice Fabricio, quien gana el sustento para él y su familia, pero siempre combina su trabajo como constructor con el de instructor y predicador. El matrimonio dedica sus vacaciones como Calebs para el cumplimiento de la misión. Por eso, inicia cada día a las 4 de la mañana, y tiene en la iglesia una meditación para los jóvenes en misión. Luego, hace su trabajo como constructor entre las 6 y las 14. Por la tarde da estudios bíblicos, y a la noche, después de predicar, regresa a su hogar. ¿Cuál es su motivación?

"Con todo lo que Dios hizo por mí, no hay nada que yo pueda hacer que lo supere; por eso hago todo por él". Gracias a Dios por estos jóvenes, y tantos otros que nos inspiran y comprometen.

Como Pablo, ellos y todos nosotros podemos ser reavivados por una pasión, y dedicar nuestros talentos y recursos en favor del regreso de Jesús. Como bien lo expresó Lutero: "El cristiano debe ser una doxología viva".

FAMILIA REAL CELESTIAL

"Estoy maravillado de que tan pronto os hayáis alejado del que os llamó por la gracia de Cristo, para seguir un evangelio diferente. No que haya otro, sino que hay algunos que os perturban y quieren alterar el evangelio de Cristo" (Gálatas 1:6, 7).

Pablo siempre se expresa con gozo y gratitud. Pero esta vez está sorprendido porque en poco tiempo algunos gálatas abandonaron la gracia y desertaron del evangelio, para aceptar a los falsos maestros. No se trataba aquí de una variante del evangelio, sino de algo diferente. Los dólares falsos no son dólares, aunque sean llamados dólares.

El evangelio los había liberado de la esclavitud del pecado, llevándoles paz, y ellos renuncian a tal bendición ¿para seguir a quiénes? ¿Para aceptar qué cosa? ¿Para seguir a los judaizantes e incorporar el legalismo? Los judaizantes admitían la gracia de Cristo, pero querían "mejorarla".

En un comienzo, era solo un adicional de reglas, ritos y ceremonias. Pero, con el tiempo, lo añadido se transformó en lo único, minimizando el evangelio a una serie de reglamentos legalistas, que reducen la fe cristiana a los aspectos puramente formales de observancias y obligaciones eclesiásticas.

Nada precisa y nada puede ser agregado al evangelio; ya es perfecto, y no necesita mejoras. O Cristo y su gracia son suficientes o no lo son. No hay una vía intermedia. Ellos pretendían mejorar la gracia, elevando la Ley, y lo que consiguieron fue invalidar la gracia del Señor.

En enero de 2020, el mundo se vio sorprendido porque Meghan y Harry, los duques de Sussex, decidieron renunciar a la Familia Real británica. No pretendo hacer un análisis político, solo referirme al asombroso hecho. Tendrán sus razones, pero no deja de llamar la atención que alguien encuentre motivos para renunciar a su realeza y perder "millones" de beneficios, honras, reconocimientos, propiedades, recursos y tantas otras prerrogativas.

Sin embargo, a veces nosotros intentamos dar un paso al costado como miembros de la Familia Real celestial, para ser independientes y vivir por y para nosotros mismos. No hace falta ir a Inglaterra o a Galacia para encontrar a tantos que inexplicablemente renuncian a la realeza del evangelio y dejan de lado su membresía real, con todos sus honores y bendiciones.

Más difícil aún es que dejan la realeza para seguir la bajeza de pretender salvarse por la suma de sus méritos y obras. Bien lo decía Spurgeon: **"El mayor enemigo de las almas es la egolatría, que hace que el hombre busque en sí mismo la salvación".**

Somos miembros de la Familia Real celestial. No perdamos nuestra filiación, porque ¿cómo podríamos responder a la pregunta de Pablo a los hebreos de adónde iremos si descuidamos una salvación tan grande (Heb. 2:3)?

¿VERDADERO O FALSO?

"Pero os hago saber, hermanos, que el evangelio anunciado por mí no es invención humana, pues yo ni lo recibí ni lo aprendí de hombre alguno, sino por revelación de Jesucristo" (Gálatas 1:11, 12).

Pablo va a defender el evangelio, el único y el verdadero, comparando con el que los gálatas pretendían incorporar como otro evangelio. Veamos las características de uno y de otro.

1.Características del falso evangelio:

•Considera la muerte de Cristo como algo sin valor (2:21).

•Las personas deben obedecer la Ley para ser salvas (3:12).

•La gracia de Dios se gana practicando ciertos rituales (4:10).

•Confía en la obediencia a las leyes para apagar los pecados (5:4).

2.Características del verdadero evangelio:

•Enseña que Dios es la Fuente del evangelio (1:10, 11).

•Alcanzamos la vida por medio de la muerte de Cristo, a fin de que muramos al pecado y vivamos para el Señor (2:20).

•Los creyentes reciben al Espíritu Santo por medio de la fe (3:14).

•La única vía de salvación es la gracia de Cristo recibida por la fe. No podemos ser salvos por la obediencia a las leyes (3:21, 22).

•Los creyentes son uno en Cristo, sin discriminación (3:26-28).

•Somos liberados del pecado por la obra del Espíritu Santo (5:24, 25).

La reforma protestante exaltó el evangelio verdadero. El historiador Dr. J. H. Merle d' Aubigné escribió: "El cristianismo primitivo y la Reforma constituyen una y la misma revolución, producida en diferentes épocas y bajo diferentes circunstancias". Los cinco grandes pilares de la Reforma realzaron el verdadero y único evangelio:

1-*Sola Scriptura:* Las Santas Escrituras, inspiradas por Dios, son la sola, única y suficiente autoridad en todos los asuntos de fe y práctica.

2-*Sola Gratia:* La salvación es solo y enteramente por gracia.

3-*Solo Christus:* Solo los méritos y la sangre de Cristo nos salvan, y hay un solo mediador entre Dios y los hombres, Jesucristo hombre.

4-*Sola Fide:* La justificación mediante la sola fe es la verdad central del cristianismo y la verdadera prueba del evangelio.

5-*Soli Deo Gloria:* Solo a Dios sea la gloria en la iglesia y en Cristo Jesús por todas las edades, por los siglos de los siglos (Efe. 1:6; 3:21).

Querido lector, recuerda que "el camino al cielo no pasa por un puente con peaje sino por un puente gratis, a saber, la gracia inmerecida de Dios en Cristo Jesús. La gracia nos halla como mendigos, pero nos deja como deudores" (Augustus Toplady).

LO QUE YO NO PUEDO HACER

"Después, pasados catorce años, subí otra vez a Jerusalén con Bernabé, llevando también conmigo a Tito" (Gálatas 2:1).

En el capítulo 2 del libro de Gálatas, Pablo se refiere a un viaje a Jerusalén. El apóstol nos cuenta que Tito no era circuncidado y que había ciertas divergencias con Pedro. Finalmente, afirma que los justificados no viven en pecado.

Pablo explica que no existen dos evangelios diferentes, uno para los circuncidados y otro para los no circuncidados. Como Pablo presenta en los capítulos 3 y 4, tanto judíos como gentiles son salvos por la fe, y no por las obras de la Ley. El mensaje para ambos grupos era el mismo, solo difería la condición anterior de aquellos a quienes se les dio el mensaje.

Nos encontramos con un Pablo que resistió a Pedro, porque este se había vuelto reprensible. ¿Qué había ocurrido? Ya se había tomado una decisión acerca de las ceremonias. Pablo, como apóstol, justifica su argumento de no exigir que los gentiles fueran sometidos a las prácticas legalistas judías. Pablo, Bernabé y otros dos hermanos fueron elegidos para llevar la decisión del concilio a Antioquía. Por el hecho de que Pedro haya sido favorable a la decisión y, sin duda, haber concordado con ella, difícilmente se podría decir que había una controversia entre él y Pablo. Ellos estaban de acuerdo, por lo menos, sobre los principios generales. Esta decisión clara e inequívoca fue la base de la reprensión de Pablo a Pedro.

El modo de actuar de Pedro, Bernabé y de otros judíos conversos causaba confusión y división en la iglesia. La reprensión fue pública porque la ofensa fue pública. Todos, o casi todos, estaban involucrados. Posteriormente, Pablo escribió a Timoteo, afirmando que una reprensión pública para el pecado manifiesto públicamente es eficaz para disuadir a otros de seguir el mismo camino. Pero debemos tener en cuenta algo muy importante: quien está reprendiendo no es cualquier persona sino el apóstol Pablo, que no es un crítico profesional, sino un misionero comprometido con la causa del evangelio.

Y ¿cuál fue la actitud de Pedro? Él comprendió su propio error y no hizo ningún intento de justificarse ni de excusarse. Esta reacción concuerda con lo que se esperaría de Pedro después de su gran confesión. Ella lo distingue como un hombre de noble estatura espiritual.

El verdadero evangelio impacta tanto a los oyentes como a los hablantes, a las ovejas como a los pastores. La predicación de Pablo fue también el gran tema de la Reforma. Elena de White lo resume así: "¿Qué es la justificación por la fe? Es la obra de Dios que abate en el polvo la gloria del hombre, y hace por el hombre lo que este no puede hacer por sí mismo" (Elena de White, *Testimonios para los ministros*, p. 456).

DOS ELEFANTES SE PELEAN

"Pero cuando vi que no andaban rectamente conforme a la verdad del evangelio, dije a Pedro delante de todos: Si tú, siendo judío, vives como los gentiles y no como judío, ¿por qué obligas a los gentiles a judaizar?" (Gálatas 2:14).

Un antiguo refrán africano dice que "cuando dos elefantes luchan, es la hierba que pisan la que más sufre". La confrontación entre dos gigantes, siervos y misioneros del Señor, nos deja varias lecciones para aprender e incorporar en nuestra vida.

Pedro fue un judío que por la fe aceptó a Cristo. Dios mismo le enseñó en su encuentro con Cornelio, así como en el concilio de Jerusalén, que "nadie es inmundo" para que quede fuera del llamado de Dios, pues tanto judíos como gentiles podían ser alcanzados por el evangelio. Pedro había dicho, en el concilio de Jerusalén, que Dios no hace ninguna diferencia entre "nosotros y ellos".

Sin embargo, ahora él estaba haciendo tal distinción; incluso arrastró a Bernabé y a otros. Pablo resistió y reprendió a Pedro pues de ninguna manera aceptaba que a los gentiles se les impusiera prácticas legalistas judías. Las palabras de Pablo entristecieron a Pedro.

Pedro aceptó ser corregido, apoyó a Pablo y, al escribir su carta, dijo al respecto lo siguiente: "Y tened entendido que la paciencia de nuestro Señor es para salvación; como también nuestro amado hermano Pablo, según la sabiduría que le ha sido dada, os ha escrito en casi todas sus epístolas, hablando en ellas de estas cosas; entre las cuales hay algunas difíciles de entender, las cuales los indoctos e inconstantes tuercen (como también las otras Escrituras) para su propia perdición" (2 Ped. 3:15, 16).

¿Qué lecciones poderosas podemos aprender de esto?

1-Solo en Cristo y su sacrifico se solucionan los conflictos entre los hermanos. La Cruz anula el orgullo, el miedo y el egoísmo.

2-Solo cuando reconocemos que estamos muertos al pecado y vivos para Dios vamos a admitir que nuestro enemigo no es mi hermano sino nuestro propio yo.

3-La unidad de la iglesia y la exaltación de Cristo están por encima de cualquier idea personal.

4-La manera firme y amable de Pablo al defender la verdad hizo posible exaltar la gracia, restaurar a Pedro y fortalecer a la iglesia.

5-Diariamente tenemos que morir a nosotros y vivir para Dios.

6-Podemos discutir ideas, conceptos, enfoques, y seguir adelante juntos, sin la euforia de los ganadores o el resentimiento de los perdedores.

Recuerden, amigos, que cuando dos elefantes se pelean entre sí, quien más sufre es la iglesia y la misión que tenemos que cumplir. Mejor cuiden la hierba, y que produzca los mejores frutos.

"SU CORAZÓN NUEVO LLEGÓ"

"Con Cristo he sido juntamente crucificado; y ya no vivo yo, sino que Cristo vive en mí. Lo que ahora vivo en la carne, lo vivo por la fe en el Hijo de Dios, quien me amó y se entregó a sí mismo por mí" (Gálatas 2:20).

La noticia ocupó la tapa de uno de los diarios de mayor tirada del Brasil: *El Estado de San Pablo*. Solo se destacaba una foto en la edición del 25 de marzo de 2017, con el título: "Su corazón llegó". Era la historia de la enfermera Fabiana Ebani, de 34 años, que hacía 51 días estaba conectada a un corazón artificial, esperando un trasplante.

La noticia puso fin a una espera que ya duraba un año. El 24 de enero del mismo año sufrió seis paros cardíacos, y el órgano perdió definitivamente su función. Fue necesario conectarla a un corazón artificial, proyectado para funcionar solo un mes, pero Fabiana sobrepasó en mucho ese tiempo.

El 17 de marzo se realizó la cirugía. La donación se hizo esperar porque los órganos no eran compatibles y las familias no aceptaban hacer la donación. En Brasil, solo en 2016, se consultaron 5.939 familias, pero 2.571 (43 %) no dieron la autorización necesaria para la donación. Dos mil personas que estaban a la espera de un órgano murieron; de esos, 82 eran niños.

Fabiana sabe poco sobre la dueña de su corazón. Solo que era una mujer, de edad aproximada a la suya. "Es muy difícil pensar que alguien tuvo que perder la vida para que yo sobreviviera".

Nosotros también necesitamos un "trasplante de corazón". Además de no estar en lista de espera, el cambio siempre es inmediato. Se realiza a la velocidad de una entrega y con la intensidad de una oración. El corazón de piedra, insensible, necesita ser sustituido por un corazón de carne, sensible a la voz del Espíritu Santo.

Cuando no hay sensibilidad ante las grandes obras de Dios y las pruebas de su amor, cuando no se siente la gravedad del pecado ni se busca las orientaciones de la Palabra, cuando la urgencia de la salvación parece solo teoría o una necesidad de los demás, entonces necesitamos un trasplante.

Cuando te emocionas por los milagros de Dios, reconoces las obras que él ha hecho en tu propia vida, te sientes incómodo con el pecado, tienes hambre de la Palabra y no logras vivir lejos del Señor, entonces ya tienes un corazón nuevo. **"Experimentar un cambio de corazón es apartar los afectos del mundo y fijarlos en Cristo. Tener un nuevo corazón es tener una mente nueva, nuevos propósitos, nuevos motivos"** (Elena de White, *Mensajes para los jóvenes*, p. 50).

¿Cómo está tu corazón? Jesús vino a la Tierra para dar la gran noticia: "Su corazón nuevo llegó". El riesgo ya está en el límite. ¿Por qué esperar más tiempo por el "trasplante"?

¡CUIDADO, QUE TE FASCINA!

"¡Gálatas insensatos!, ¿quién os fascinó para no obedecer a la verdad, a vosotros ante cuyos ojos Jesucristo fue ya presentado claramente crucificado?" (Gálatas 3:1).

El capítulo 3 de Gálatas es teología bíblica, pura y profunda. Se destacan cuatro temas:

1. Pablo queda impresionado por la insensatez de los gálatas en renunciar al evangelio de la gracia y ampararse en el evangelio de la salvación por las obras. Debemos huir a toda costa de una religión basada en nuestros méritos.

2. Pablo había sido portador de un mensaje y una enseñanza claros y sólidos del Cristo crucificado. Pero, aun así, los gálatas se estaban apartando de esas enseñanzas. Esto muestra que no basta con conocer e incluso tener contenido profundo, es necesario someter nuestra vida a Cristo.

3. La salvación es una gracia a nosotros imputada. La fe demostrada por Abraham fue acreditada en su cuenta en el cielo, quitando su deuda, y Dios lo consideró justo. Las obras no tuvieron ninguna relación con el hecho de haber alcanzado ese crédito favorable en los libros del cielo. Dios simplemente le ofreció la salvación, y él aceptó por la fe. Sus propios esfuerzos nunca podrían haber comprado esa bendita condición.

4. Ante Cristo, no hay favoritos. En el Reino de Cristo, todos están cubiertos por la misma ropa de la justicia de Cristo, recibida por la fe en Jesucristo: hombres y mujeres, judíos y no judíos. Basta con aceptar y vivir por la fe.

5. Quien está en Cristo es heredero de las promesas alcanzadas por él a través de su muerte.

Vivir en Cristo significa vivir a la luz de sus enseñanzas y, por la fe, entender y reproducir en nuestra vida lo que él nos dejó en su Palabra. Sin embargo, lo que vivimos, o el modo en que vivimos, no tiene mérito salvífico, pues lo que nos salva es exclusivamente la gracia de Dios.

Los gálatas se dejaron fascinar. Pablo se pregunta quién los fascinó, para dejar la verdad y creer que podemos ser salvos por méritos u obras. La gente se fascina por cualidades extraordinarias, por cosas cinematográficas y virtuales. Otros se fascinan por miradas cautivadoras. Las serpientes fascinan a sus presas, y ejercen un dominio atemorizante. Otros se fascinan por el brillo o el valor de las piedras preciosas o un diamante. Están los que se fascinan por personas y se dejan atraer de manera irresistible. Puede ser para el mal o para el bien.

No te dejes fascinar por la antigua serpiente, lista para engañar y destruir. No te dejes fascinar por brillos provisorios de evangelios inexistentes. Mejor, déjate fascinar de manera irresistible por Jesús y su gracia, que nos salva de todo pecado, y ofrece tu vida en gratitud y compromiso.

UN TESTIMONIO PERSONAL

"Esto sólo quiero saber de vosotros: ¿Recibisteis el Espíritu por las obras de la Ley o por el escuchar con fe?" (Gálatas 3:2).

En los sesenta versículos de los capítulos 3 y 4 de Gálatas, tenemos el mensaje más fuerte de Pablo defendiendo la salvación por la gracia y la justificación por la fe, advirtiendo y amonestando contra el legalismo. Sus argumentos no son a medias. Los oponentes habían usado todo tipo de argumentos para engañar; él iba a usar todo el peso de la verdad para salvar. Pablo presenta como argumento en favor de la verdad el propio testimonio de los Gálatas. Ellos se volvieron creyentes al mirar al evangelio, y se volvieron insensatos al dejar de mirar el evangelio.

La palabra clave está en la pregunta de Pablo en Gálatas 3:4: "¿Tantas cosas habéis padecido en vano?" El apóstol había acompañado a estos creyentes en sus primeros pasos. Sabía de su experiencia transformadora y cómo habían salido de las tinieblas a la luz admirable del evangelio. ¿Y ahora?

La llegada de los legalistas fascinó a los gálatas. Pablo los trata de insensatos, no en el sentido de inicuos, sino en el sentido de espiritualmente atrasados. Pablo fortalece su argumento al decir que habían visto al Cristo crucificado, y que oyeron, creyeron, obedecieron y nacieron en la familia de Dios.

Así como lo indica el versículo de hoy, la mención a recibir al Espíritu Santo aparece 18 veces en toda la epístola. Esa recepción ¿fue por fe o por obras? Desde luego que fue porque creyeron. Y el Espíritu Santo los llevó a Cristo.

En el Jardín del Edén estaba el Árbol de la Vida. Todos los caminos del jardín conducían allí. Por culpa de nuestro pecado perdimos nuestro acceso. Cuando la cruz de madera levantó a Cristo en el Calvario, como la vieja serpiente en el desierto, el Árbol de la vida escondido quedó a la vista de todos. Hoy, hay un solo camino al Árbol de la Vida, y ese camino es Cristo. Insensatamente, los gálatas miraban hacia otro lado.

Estimado lector, ¿hacia dónde estás mirando? Por favor, mira a la Cruz. "En el don incomparable de su Hijo, Dios rodeó al mundo entero con una atmósfera de gracia tan real como el aire que circula en derredor del globo. Todos los que decidan respirar esta atmósfera vivificante vivirán y crecerán hasta alcanzar la estatura de hombres y mujeres en Cristo Jesús" (Elena de White, *El camino a Cristo,* p. 68).

UN ARGUMENTO BÍBLICO

"Así Abraham creyó a Dios y le fue contado por justicia" (Gálatas 3:6).

Pablo equilibra la experiencia subjetiva con la evidencia objetiva. No evaluamos la Palabra por nuestra experiencia, antes juzgamos nuestra experiencia a la luz de la Palabra. El apóstol presenta declaraciones del Antiguo Testamento para probar que la salvación es por medio de la fe en Cristo, y no por las obras de la Ley.

Por eso, comienza citando a Moisés a fin de mostrar que la justicia de Dios le fue atribuida a Abraham solamente porque creyó en su promesa. A él le fue contado, es decir, pusieron a su cuenta un crédito de justicia que saldaba el débito del pecado. Los judíos se sentían orgullosos de descender de Abraham, pero la salvación no se hereda automáticamente. Dios tiene hijos, pero no tiene nietos. Todos necesitamos nacer como hijos de Dios.

Por medio de Abraham la salvación fue prometida a todas las naciones, por eso Pablo llevó ese evangelio a los gálatas: los pecadores son justificados por medio de la fe, y no por guardar la Ley.

Pablo cita Habacuc 2:20 y dice que el justo por su fe vivirá. Este pasaje fue el corazón de la Reforma Protestante. El Espíritu Santo inspiró tres libros para explicar esa declaración. Romanos se refiere al "justo" como aquel pecador que es justificado; Gálatas enseña que el "justo" vivirá; y Hebreos, cómo se realiza eso: por fe. Es decir, no es por la Ley.

Los legalistas querían seducir con los atractivos de una religión basada en las obras de la Ley, mientras que Pablo mostraba el gozo de una relación de amor y de vida por la fe en Cristo. Si el creyente puede cambiar la fe y la gracia por la Ley y las obras, no necesita tener comunión con el Señor. Para un verdadero judío, la bendición de Abraham viene por medio de Cristo. Para un gentil, el don del Espíritu Santo es concedido a través de Cristo.

Los judíos no crucificaban a los criminales, sino que los apedreaban; Jesús sufrió la máxima humillación al morir crucificado para redimirnos. Redimir significaba comprar un esclavo, no para usufructuarlo, sino para ponerlo en libertad. Los legalistas querían llevar a la esclavitud la redención a la libertad del hijo de Dios.

Tal vez hay en tu corazón o a tu alrededor sobrevuele algún pensamiento "fascinante" que no está basado en la Biblia. Pablo trabajó por los gálatas y también por nosotros. ¿Por qué elegir la esclavitud, cuando podemos escoger la libertad? "No podemos impedir que los pájaros vuelen sobre nuestra cabeza, pero con la ayuda de Dios podemos impedir que hagan nido" (Martín Lutero).

¿PARA QUÉ SIRVE LA LEY?

"Entonces, ¿para qué sirve la Ley? Fue añadida a causa de las transgresiones, hasta que viniera la descendencia a quien fue hecha la promesa; y fue dada por medio de ángeles en manos de un mediador" (Gálatas 3:19).

Al quedar claro que la salvación es por gracia y no por guardar la Ley, surgió otro problema: ¿para qué fue dada la Ley? Si la Ley no sirve, los argumentos tampoco, porque fueron tomados de la Ley. ¿Acaso es posible entender los misterios de la fe de manera lógica?

Los hombres crean leyes para modificar leyes, pero Dios no va a crear una ley que modifique su promesa. Abraham no hizo un pacto con Dios, sino que Dios hizo un pacto con Abraham. Pablo revela otra verdad maravillosa: Dios pronunció esta promesa no solo a Abraham sino también a Cristo, su Simiente (Gál. 3:16). Ya en Génesis, después de la entrada del pecado, se dijo que habría un conflicto entre la simiente del enemigo y la simiente de la mujer. La meta de Satanás era impedir que la Simiente (Cristo) naciera en el mundo, pues sabía que el Hijo de Dios lo heriría en la cabeza.

La Ley no contradice la promesa, coopera con la promesa cumpliendo los planes de Dios. ¿Cómo lo hace? Si la vida y la justicia pudieran venir a través de la Ley, Cristo Jesús nunca hubiera muerto en la cruz.

La Ley le muestra al pecador su culpa; y la gracia, el perdón que puede tener en Cristo. La Ley es santa, justa y buena (Rom. 7:12), pero nosotros somos impíos, injustos y malos. El uso ilegal es tratar de alcanzar la salvación por medio de guardar la Ley.

El ayo era el esclavo preparado para cuidar, llevar y traer de la escuela a los hijos de sus amos. Era un pedagogo y un instructor del niño, un guiador. La Ley es el ayo que nos lleva a Cristo (Gál. 3:24).

Elena de White lo resume así: "No ganamos la salvación con nuestra obediencia; porque la salvación es el don gratuito de Dios, que se recibe por la fe. Pero la obediencia es el fruto de la fe [...]. He aquí la verdadera prueba. Si moramos en Cristo, si el amor de Dios está en nosotros, nuestros sentimientos, nuestros pensamientos, nuestros designios, nuestras acciones, estarán en armonía con la voluntad de Dios, según se expresa en los preceptos de su santa Ley" (*El camino a Cristo*, p. 61).

La mujer encontrada en pecado por Jesús no fue condenada sino perdonada. No fue por sus méritos, ni por sus obras, sino por la gracia del Salvador. Ahora, perdonada y rescatada, Jesús le dijo: "Vete y no peques más" (Juan 8:11) sujetándola así a la Ley.

Cuanta más gracia recibimos, mayor es nuestro compromiso de fidelidad.

MILAGROS

"Pero también digo: Entre tanto que el heredero es niño, en nada difiere del esclavo, aunque es señor de todo" (Gálatas 4:1).

En el capítulo 4 de Gálatas, Pablo presenta dos analogías: la del heredero y la de los dos hijos. El apóstol dice que cuando vino el cumplimiento del tiempo (Gál. 4:4) Dios envió a Jesucristo para rescatarnos y darnos la salvación.

Cuando eso sucedió, el mundo estaba en paz, bajo un solo Gobierno. Los viajes por tierra y por mar eran relativamente seguros y rápidos. Había una lengua universal: el griego. Y las Sagradas Escrituras estaban disponibles en griego. Muchos estaban insatisfechos con sus creencias religiosas y ansiosos por la verdad sobre la vida y el destino humanos. Los judíos estaban dispersos por todas partes, y a pesar de sus imperfecciones daban testimonio del verdadero Dios. De todas partes del mundo iban a Jerusalén, y podrían llevar consigo, al regresar, la noticia de la venida del Mesías. La verdad es que Dios no podría haber escogido lugar ni tiempo más propicios para lanzar el mensaje del evangelio al mundo que aquel período de la historia.

El Señor nos rescata y adopta como sus hijos. Rescatar significa literalmente "comprar y redimir de la servidumbre o la esclavitud". Junto con la obra más importante de rescatar a los seres humanos del pecado, el cumplimiento por parte de Cristo de los tipos del sistema ceremonial también liberó a los judíos de la obligación adicional de ese sistema y de la maldición que recaía sobre todos los que buscaban la salvación por el cumplimiento de sus propios requisitos.

En la capital de una ciudad Sudamericana, cierta noche, mientras se efectuaban los servicios de recolección de residuos, ocurrió una historia impactante. El camión recolector tenía un compresor de la basura. Los servidores públicos iban caminando y corriendo junto al camión, y tomando las bolsas de residuos. De pronto, cuando uno de ellos estaba a punto de arrojar una bolsa más, percibió tenues movimientos. Abrió la bolsa y, alarmado, descubrió a una criatura de pocas semanas de vida.

La locura de este mundo enceguecíó a alguien como para dejar a esa niña al borde de la muerte. Felizmente, fue socorrida y llevada al hospital. Así, salvaron su vida, y fue adoptada por la misma persona que la rescató, quien le puso como nombre Milagros.

El diablo nos colocó a todos en este mundo oscuro de pecado, con el propósito de compactarnos y destruirnos. Pero, en el cumplimiento de los tiempos, el recolector de nuestros pecados se transformó en el Rescatador de nuestra vida y en el Adoptador de nuestra existencia.

No hay milagro mayor ni compromiso de amor tan grande que no sea vivir para aquel que vino a darnos vida en abundancia.

ADOPTADOS

"Así también nosotros, cuando éramos niños estábamos en esclavitud bajo los rudimentos del mundo" (Gálatas 4:3).

Somos hijos de Dios por medio de la fe en Cristo, nacidos en la familia de Dios y con todos los derechos. Cuando un pecador es salvo, tiene la condición de niño recién nacido que necesita crecer; pero, en cuanto a su posición, es un hijo con todos sus derechos. La puerta de entrada a la adopción es la conversión.

En el Imperio Romano, los hijos de los ricos eran cuidados por esclavos y estaban bajo la supervisión de un siervo. El niño no era tan diferente del siervo que lo cuidaba. El siervo recibía órdenes del dueño y el niño recibía órdenes del siervo.

Los romanos aguardaban a un Libertador. Las religiones antiguas estaban muriendo, y las filosofías antiguas estaban vacías y eran impotentes. Nuevas religiones extrañas estaban invadiendo el Imperio. El hambre espiritual reinaba por doquier.

El nacimiento de Cristo no fue accidental, sino que fue proyectado por Dios. Cristo vino en el "cumplimiento del tiempo", y también vendrá por segunda vez en el tiempo propicio. El Señor, por su sacrificio, no nos compró para hacernos esclavos, sino hijos con todos los derechos. El Padre envió al Hijo, el Hijo murió por nosotros y nos envió al Espíritu Santo a vivir en nosotros.

El contraste aquí no está entre niños e hijos adultos, sino entre esclavos e hijos. Como el hijo pródigo, los gálatas querían que su Padre los aceptara como siervos, cuando realmente eran hijos. El hijo tiene la misma naturaleza que el padre, no así el esclavo. El hijo tiene padre, mientras que el esclavo tiene amo. Ningún esclavo puede llamar a su amo "Padre". Cuando el pecador confía en Cristo recibe al Espíritu Santo, quien le da testimonio de que es hijo de Dios.

El hijo obedece por amor, mientras que el esclavo obedece por temor. Los esclavos obedecían a sus amos por temor al castigo; los soldados vencidos obedecían a sus vencedores por temor a la muerte; las civilizaciones antiguas obedecían a sus dioses por temor a recibir su ira. Hoy el temor sigue movilizando a muchos. Empleados que obedecen a sus jefes por temor a ser despedidos, pacientes que obedecen a sus médicos por temor a la muerte, y hasta cristianos que obedecen a Dios por temor a maldiciones presentes y castigos eternos.

"Dios tiene dos tronos. Uno en lo más alto de los cielos y otro en el más humilde de los corazones" (D. L. Moody). **Por amor nos adopta, nos hace hijos y herederos, a fin de que por amor vivamos dependiendo del Señor y haciendo su voluntad.**

UNA ALEGORÍA SOBRE LOS PACTOS

"Pues está escrito que Abraham tuvo dos hijos: uno de la esclava y el otro de la libre. Pero el de la esclava nació según la carne; pero el de la libre, en virtud de la promesa. Lo cual es una alegoría, pues estas mujeres son los dos pactos" (Gálatas 4:22-24).

Por medio de una alegoría, Pablo quiere explicar, o ilustrar, la condición de esclavitud espiritual de los gálatas. Se denomina "alegoría" a una narración en la que las personas, las cosas y los hechos tienen un significado metafórico o simbólico.

Veamos brevemente los hechos históricos relatados en Génesis 12 al 21 usando la edad de Abraham como referencia.

A los 75 años: Abraham es llamado por Dios para ir a Canaán, y Dios le promete muchos descendientes. Abraham y Sara querían hijos, pero Sara era estéril.

A los 85 años: La promesa se demoraba, y Sara se impacienta y sugiere a Abraham que se relacione con Agar, su esclava, para tener un hijo de ella. Esto era legal en aquella sociedad, pero no era la voluntad de Dios; sin embargo, Abraham aceptó y tomó a Agar por mujer.

A los 86 años: Agar queda embarazada y Sara enfurece. Agar se ve obligada a huir. Nace su hijo y lo llamaron Ismael.

A los 99 años: Dios reitera su promesa a Abraham y Sara.

A los 100 años: nace el hijo de la promesa, y lo llaman Isaac ("risa"). Esto va a crear un problema de rivalidad con el otro hijo, Ismael (que ya tenía 14 años); problema que a través de sus descendientes llega incluso hasta el día de hoy.

A los 103 años: Isaac (de tres años) fue destetado y le hicieron una fiesta para celebrarlo. Como Ismael se burlaba de su medio hermano, tanto él como Agar salen del hogar.

Pablo extrae de los hechos históricos lecciones espirituales de fe y libertad, en oposición a las obras y la esclavitud. Sara representa un pacto de fe a partir de una promesa; Agar representa el pacto de las obras. Abraham y Sara quisieron "ayudar" a Dios, a raíz de la demora en el cumplimiento de la promesa y su propia imposibilidad, su edad y la esterilidad.

Abraham intentó llevar a cabo el plan de Dios por medio de Agar y su hijo Ismael. Esa fue su manera de hacerlo, pero no la de Dios. No es el plan de Dios que la salvación del hombre se alcance por las obras de la Ley, por la sencilla razón de que es imposible hacerlo. Pablo muestra que mientras el hombre dependa de las obras de la Ley para salvarse no podrá librarse de la esclavitud.

La gran lección que aprendemos es que las cosas tienen que ser hechas siempre a la manera de Dios, y no la nuestra.

DOS HIJOS, DOS MUJERES

"Pues Agar es el monte Sinaí, en Arabia, y corresponde a la Jerusalén actual, ya que ésta, junto con sus hijos, está en esclavitud. Pero la Jerusalén de arriba, la cual es madre de todos nosotros, es libre" (Gálatas 4:25, 26).

Pablo siempre hace contrastes para ilustrar y grabar mejor la verdad, por lo cual presenta a dos hijos. Ismael representa el nacimiento físico, por el cual somos pecadores; Isaac, el nacimiento espiritual por el cual llegamos a ser hijos de Dios.

Isaac nació por el poder de Dios; el creyente nace por el Espíritu. Isaac vino al mundo a través de la gracia y la fe, que representa a Abraham y a Sara. Todo creyente llega a ser hijo de Dios por la gracia recibida por la fe. Isaac trajo gozo, así como la salvación es una experiencia gozosa para el creyente.

Ismael representa la naturaleza carnal, y causó problemas a Isaac, quien representa nuestra naturaleza espiritual. El hogar de Abraham nos ilustra los mismos problemas que había en Galacia o que podemos enfrentar hoy.

Agar, enfrentada con Sara, ilustra el conflicto entre la Ley y la gracia; o somos salvos por obedecer la Ley o por aceptar la gracia del Señor. El enfrentamiento entre Ismael e Isaac ilustra la lucha entre la naturaleza carnal y la naturaleza espiritual, el vivir según la carne de nuestra humanidad o según el espíritu de la voluntad de Dios.

Pablo explica también el significado de las dos mujeres, Sara y Agar, para mostrar el contraste entre la Ley y la gracia. Dios no empezó con Agar, sino con Sara. En relación con el trato con el hombre, Dios también empieza por la gracia. Cuando Adán y Eva pecaron, no les dio leyes para obedecer. En su gracia, les dio túnicas para cubrirse, y la promesa de un Redentor. Cuando liberó al pueblo de Egipto, primero fue la gracia de la liberación; después vino la Ley.

Agar era esclava, pero Sara era libre. Ya hemos dicho que la función de la Ley es revelar nuestros pecados y ser el ayo que nos lleva a Cristo. La unión de Abraham y Agar fue contra la voluntad de Dios. Fue consecuencia de la incredulidad y de la impaciencia de Sara y de Abraham.

"Abraham había aceptado sin hacer pregunta alguna la promesa de un hijo, pero no esperó a que Dios cumpliese su palabra en su oportunidad y a su manera. Se permitió una tardanza, para probar su fe en el poder de Dios, pero fracasó en la prueba" (Elena de White, *Patriarcas y profetas*, p. 141).

Cuando tu fe se ve probada, ¿resiste la prueba?

ENTRE ESCILA Y CARIBDIS

"Así que, hermanos, nosotros, como Isaac, somos hijos de la promesa" (Gálatas 4:28).

El origen del dicho "entre la espada y la pared", cuyo significado está relacionado con una situación límite y sin salida aparente, tiene que ver con la esgrima y con la lucha de espadachines. Sin embargo, habría ido evolucionando a partir de una historia muy antigua relacionada con la mitología griega.

Así, debemos situarnos en el estrecho de Mesina, que separa Italia de Grecia. Cuenta la leyenda que en ese punto considerado históricamente como muy peligroso para la navegación, habitaban dos monstruos (Escila y Caribdis), uno a cada lado del estrecho. Escila era un monstruo de siete cabezas. Por su parte, Caribdis tragaba enormes cantidades de agua, con lo que generaba inmensos remolinos en el mar que causaban estragos entre los navegantes.

Los barcos trataban de evitarlos alejándose lo máximo posible de uno y de otro. Pero los extremos del estrecho estaban tan cercanos entre sí que no podían evitar pasar muy cerca de ambos. Esta situación dio lugar a que se empezase a utilizar la frase "Entre Escila y Caribdis", que luego fue mutando hasta llegar a la que conocemos actualmente: "Entre la espada y la pared".

Algunos cristianos, deleitados por lo que Jesús hizo en el Calvario por nuestra salvación, se cruzan de brazos diciendo que no hay nada que podamos hacer. Solamente debemos creer. Razonan bien, ya que no podemos salvarnos por nosotros mismos. Y así llegan a convertirse nada más que en espectadores, reclamando la salvación, pero nunca llegando a ser participantes. Así que, al tratar de evitar el monstruo de la salvación por las obras, son conducidos al remolino de la desobediencia.

Por otro lado, hay cristianos que no han captado lo que Jesús ha hecho por ellos y lo adecuado de su sacrificio en la Cruz. Piensan que, de alguna manera, deben ganar la salvación. Hacen obras esperando que Dios de alguna manera se convenza de su sinceridad y finalmente los salve.

Isaac fue el hijo de la promesa de Dios y de la fe de Abraham, pues creyó en las promesas de Dios cuando su cumplimiento parecía humanamente imposible. Esa fe lleva a una conducta dependiente y una experiencia obediente. La actitud de Abraham de estar dispuesto a dar a su hijo para ser sacrificado "nos enseña la gran lección de confiar en los requerimientos de Dios, por severos y crueles que parezcan" (Elena de White, *Conducción del niño*, p. 209).

Cuidado con los peligrosos extremos de pretender salvarnos por nosotros mismos o pensar que nada tenemos que hacer. No obedecemos para salvarnos, sino porque somos salvos. El hijo de la promesa es un hijo de fe que obedece por amor.

EN LIBERTAD

"Estad, pues, firmes en la libertad con que Cristo nos hizo libres y no estéis otra vez sujetos al yugo de esclavitud" (Gálatas 5:1).

En el capítulo 5 de Gálatas, Pablo enfatiza el permanecer en la libertad de la salvación por la fe en Cristo. También argumenta que el amor es la esencia de la Ley.

Un llamamiento importante del apóstol es a que permanezcan firmes sobre una base sólida. Esa base es la verdad establecida en las Sagradas Escrituras. El cristiano diligente persevera en el estudio y el análisis de las Escrituras, y en ella se examina para descubrir si permanece firme en la fe.

No importa cuánto conozcamos sobre las Escrituras y su interpretación, siempre debemos seguir en la búsqueda de la verdad. Por eso, quiero decirte: conoce las verdades de la Biblia, vive esas verdades y continúa creciendo, descubriendo y aplicándolas a la vida.

Pablo recuerda a los gálatas que no están bajo la Ley, y les advierte que el Espíritu Santo nunca lleva a la gente a buscar la salvación mediante la conformidad con los requisitos del sistema ritual judío, o por cualquier sistema de justicia legal, o incluso la salvación por la obediencia a la Ley moral de los Diez Mandamientos. Los que se someten a una religión legalista están en guerra con el Espíritu Santo.

Finalmente, destaca el fruto del Espíritu, que se refiere a lo que se desarrolla naturalmente en la vida cuando el Espíritu tiene el control. Los resultados de este control están en contraste con las obras de la carne. El fruto del Espíritu no es producto espontáneo de la naturaleza humana, sino de un poder completamente diferente que proviene del exterior de la persona.

La palabra "fruto" está en singular, mientras que la palabra "obras" está en plural. Hay un solo "fruto del Espíritu", y ese único fruto incluye todas las gracias cristianas allí enumeradas. En otras palabras, todas estas gracias deben estar presentes en la vida del cristiano. Entender esto significa experimentar la verdadera libertad y la plenitud del gozo cristiano.

"El que está tratando de alcanzar el cielo por sus propias obras observando la Ley está intentando lo imposible. No hay seguridad para el que tenga solo una religión legal, solo una forma de la piedad. La vida del cristiano no es una modificación o mejora de la antigua, sino una transformación de la naturaleza. Se produce una muerte al yo y al pecado, y una vida enteramente nueva. Este cambio puede ser efectuado únicamente por la obra eficaz del Espíritu Santo" (Elena de White, *El Deseado de todas las gentes,* p. 143).

La gracia de Cristo nos da la libertad del pecado y nos lleva a obedecer. Es la obediencia que procede del amor de Dios, y no la obediencia que pretende inducir a Dios a amarnos.

FE QUE OBRA POR EL AMOR

"Porque en Cristo Jesús ni la circuncisión vale algo ni la incircuncisión, sino la fe que obra por el amor" (Gálatas 5:6).

Ya hemos visto que ni el legalismo ni el libertinaje nos llevan por buen camino. No son nuestras obras lo que nos gana el derecho al cielo, pero son nuestras obras lo que evidencia la calidad de nuestra fe. Pablo dice que es la fe que obra por el amor. La circuncisión o la incircuncisión pueden hacerte esclavo, pero para quien confía en Jesús y permite que dirija sus acciones, su amor nos lleva al "trío" que conduce nuestra existencia: la fe, la esperanza y el amor.

Así, el amor verdadero no crea reglas propias, sino que se expresa en obediencia a la voluntad de Dios. La fe tiene sus obras, motivadas por el puro amor de la presencia de Cristo en nosotros. El amor a Dios y su voluntad no crean en nosotros una fe salvadora, sino que son producto de ella, que nos lleva a la acción.

Elena de White nos dice que cuando hablamos de la fe debemos tener siempre presente una distinción. Una cosa es una creencia, y eso difiere de la fe. Por ejemplo: la existencia y el poder de Dios, la verdad de su Palabra, son hechos que aun Satanás y sus huestes no pueden negar. La Escritura dice que "los demonios lo creen, y tiemblan" (Sant. 2:19), pero esto no es fe.

Fe es creer que Dios existe; fe es someternos a su voluntad; fe es entregar a Dios el corazón y los afectos. "Una fe que obra por el amor y purifica el alma. Mediante esa fe el corazón se renueva conforme a la imagen de Dios. Y el corazón que en su estado inconverso no se sujetaba a la Ley de Dios ni tampoco podía se deleita después en sus santos preceptos y exclama con el salmista: '¡Oh cuánto amo tu ley! todo el día es ella mi meditación'. Entonces la justicia de la Ley se cumple en nosotros, los que no andamos 'conforme a la carne, mas conforme al espíritu' " (Elena de White, *El camino a Cristo*, p. 63).

La fe que salva es una fe viva, activa y operante. La salvación es un regalo de Dios, fruto de su amor y compasión por nosotros; y en gratitud devolvemos el más cálido afecto de nuestro corazón. Spurgeon explicaba que, cuando Jesús es todo para nosotros, es el Señor de nuestro corazón. La fe, en vez de ser una cosa pobre y miserable, como algunos imaginan, es la causa más grandiosa de amor y, por tanto, de obediencia y santidad.

Querido lector, que nuestra fe sea tan real que por el amor de Cristo y a Cristo produzca los mejores y abundantes frutos.

OVEJA Y PALOMA VERSUS CERDO Y CUERVO

"Andad en el Espíritu, y no satisfagáis los deseos de la carne, porque el deseo de la carne es contra el Espíritu y el del Espíritu es contra la carne; y estos se oponen entre sí, para que no hagáis lo que quisierais" (Gálatas 5:16, 17).

El deseo de la carne es uno, y el deseo del Espíritu es otro. Son opuestos. Pablo dice que es una lucha; que él quiere hacer una cosa, pero hace otra diferente de lo que en principio quería.

Las siguientes ilustraciones pueden ayudar a entender mejor.

La oveja es un animal limpio, y si se cae en el barro se siente incómoda, molesta, y busca salir de él. Por su parte, si el cerdo cae en el barro, nada le incomoda, siente placer y se revuelca en la suciedad. Al cerdo le dicen "marrano" y "puerco", que son todas connotaciones negativas frecuentemente trasladadas a la conducta humana. Informes científicos afirman que los cerdos no tienen glándulas sudoríparas que regulen la temperatura corporal, y por eso controlan su temperatura bañándose en el barro o en el agua.

Pensemos ahora en la paloma y el cuervo. Cuando cesó la lluvia del Diluvio y el arca reposó, Noé envió un cuervo, que nunca regresó. El cuervo encontró mucha comida, ya que se alimenta de lombrices, gusanos, arañas, sapos, ranas, ratones, ratas y carroña; es decir, todo tipo de animales muertos.

En cambio, cuando envió la paloma, un animal limpio, esta regresó. Sin embargo, cuando fue enviada por última vez, no regresó, y así Noé supo que la paloma había encontrado un lugar limpio para asentarse y que las aguas habían bajado.

Nuestra naturaleza carnal es como el cerdo y el cuervo, que siempre buscan lo sucio. Nuestra nueva naturaleza, espiritual, es como la oveja y la paloma, que desean lo limpio y lo santo. Es una lucha continua dentro del creyente, y será vencedora, en definitiva, la naturaleza que mejor alimentemos.

Cuidado con alimentar la naturaleza pecaminosa, que nos arrastra en la suciedad de esta Tierra. Alimentemos la naturaleza espiritual, que nos eleva a la limpieza y la santidad del cielo. Elena de White nos dice que estamos tan aturdidos escuchando los ruidos del mundo que no tenemos tiempo de escuchar el lenguaje del Espíritu, orando, estudiando la Biblia y sirviendo al prójimo. "Las cosas de la eternidad se convierten en secundarias y las cosas del mundo en supremas. Es imposible que la simiente de la Palabra produzca fruto; pues la vida del alma se emplea en alimentar las espinas de la mundanalidad" (*Palabras de vida del gran Maestro*, p. 32).

No nos alimentemos de la suciedad de este mundo. Andemos en el Espíritu, reavivados por su Palabra, viviendo como ovejas y palomas.

AZÚCAR PARA LAS ESCARAS

"Pero el fruto del Espíritu es amor, gozo, paz, paciencia, benignidad, bondad, fe, mansedumbre, templanza; contra tales cosas no hay ley. Pero los que son de Cristo han crucificado la carne con sus pasiones y deseos" (Gálatas 5:22-24).

Para Pablo, el fruto del Espíritu es una vida dirigida por el Espíritu Santo. Es lo opuesto a las obras de la carne. El fruto sale de la vida; las obras salen del esfuerzo propio. La carne produce obras muertas; el Espíritu produce obra viviente, que da más fruto. Cuando el Espíritu produce fruto, la gloria es para Dios y el creyente no se envanece; pero, cuando la carne obra, la persona se enorgullece.

Hay frutos que se aplican a la relación con Dios, hay frutos que se refieren a la relación con los demás, y otros que se pueden referir a nosotros mismos.

Con relación a Dios: Primero se menciona el fruto del amor, y todos los demás son resultado de este. El amor es un don de Dios. Al vivir en amor, experimentamos gozo, una satisfacción interior que no depende de las circunstancias. El amor y el gozo producen la paz que sobrepasa todo entendimiento.

En relación con otros: Paciencia, benignidad y bondad son amor en acción.

En relación con uno mismo: La fe, es decir, fidelidad; la mansedumbre, el uso correcto del poder; y la templanza, que es el autocontrol, o dominio propio.

Así como un fruto no puede crecer en todos los climas, el fruto del Espíritu no puede crecer en la vida de todos. El fruto crece donde el Espíritu y la Palabra obran en abundancia. Este fruto no es para nuestro consumo propio, sino para bendecir a otros y glorificar a Dios. Cuando así ocurre, somos también los primeros beneficiados.

Elena de White se pregunta cuál es el fruto que debemos llevar; y nos cuenta que, mientras meditaba en estas cosas, sintió cada vez más profundamente el pecado que significa descuidar mantener el alma en el amor de Dios. "Viviendo en Dios, mediante una unión viva con Cristo, confiamos en las promesas y constantemente obtenemos mayor fuerza contemplando a Jesús" (*Mensajes selectos,* t. 2, p. 270).

La medicina natural suele usar azúcar para tratar las úlceras, típicas en pacientes que pasan mucho tiempo acostados. La elevada concentración de glucosa limpia arrastra los tejidos muertos e impide que los microbios se instalen.

Si el azúcar del amor se utilizara para combatir las úlceras, las llagas y las escaras del alma, veríamos los mejores resultados. Para toda dolencia del corazón, qué mejor remedio que el amor; porque, hacia donde el corazón se inclina, el pie camina.

NO SOMOS ISLAS

"Hermanos, si alguno es sorprendido en alguna falta, vosotros que sois espirituales, restauradlo con espíritu de mansedumbre" (Gálatas 6:1).

En este último capítulo de Gálatas, tenemos siete valiosos consejos.

1. Cuando encontremos a alguien haciendo algo malo, nuestro papel no es acusarlo, sino restaurarlo con espíritu de bondad.
2. Cuando aliviamos los fardos de alguien, estamos cumpliendo la expectativa que Dios tiene de cada uno de nosotros.
3. Es necesario que examinemos nuestra vida, nuestros procedimientos; así podemos crecer en gracia y fe.
4. No podemos engañar a Dios, es imposible. Y recuerda que la vida nos ofrecerá lo que hayamos depositado en ella.
5. Debemos hacer el bien siempre, bajo todas las circunstancias.
6. Debemos hacer el bien a todos, especialmente a los que son de nuestra comunidad de fe.
7. Al elegir a Cristo, damos la espalda al mundo.

Ningún cristiano puede pensar que es independiente y que no necesita ayuda ajena, o que está exento de ayudar a los demás. Nadie es tan sabio que no pueda aprender algo de sus semejantes, ni tan ignorante que no tenga nada que enseñar a otros.

Una isla es, en apariencia, una porción de tierra rodeada de agua. Pero la realidad es otra: las islas no flotan en el mar, son tierras emergidas desde la corteza terrestre conectadas con la parte sólida. Del mismo modo, todos los seres humanos estamos interconectados. Con frecuencia nos vemos como islas, separados y desconectados del resto. Rodeados por un espacio vacío que, de manera ilusoria, nos protege de una sociedad que creemos hostil.

No somos islas, tal como lo expresaba Thomas Merton: "Nada tiene sentido si no admitimos que las personas no son islas; toda persona es un pedazo del continente, una parte del todo".

En la Guerra de Vietnam, la ciudad de Saigón comenzaba a ser evacuada cuando un orfanato fue alcanzado por una explosión. Un miembro del personal del orfanato hizo contacto por radio con un médico y les dijo que una pequeña huerfanita estaba muriendo por pérdida de sangre a causa de la explosión. El doctor sabía que la niña necesitaría una transfusión de sangre, así que, encontró a un niño y le preguntó si estaría dispuesto a dar su sangre para salvar la vida de la niña. Él se ofreció como voluntario. Mientras le extraían sangre, comenzó a llorar y dijo: "Ella va a vivir y yo voy a morir". Le preguntaron "¿Por qué, entonces, lo haces?" Él respondió: "Ella es mi amiga".

No somos islas. Todos somos parte del mismo continente. ¿Cuán dispuesto estás a dar tu sangre, aun si eso significara tu muerte y la vida de tu prójimo?

LOS UNOS Y LOS OTROS

"Sobrellevad los unos las cargas de los otros" (Gálatas 6:2).

Carl F. George dice que la frase "los unos a los otros" se repite 59 veces en el Nuevo Testamento. Además, existen muchas expresiones que se refieren a la concordia, al servicio y a la buena relación con los demás: "estén en paz", "lavarse los pies", "que se amen", "conocerán todos que son mis discípulos", "sean afectuosos", "tengan el mismo sentir", "no nos juzguemos", "salúdense", "espérense", "tengan el mismo cuidado", "sírvanse por amor", "no sean vanagloriosos", "no tengan envidia", "sopórtense", "sean amables y misericordiosos", "perdónense", "sométanse", "aliéntense", "edifíquense", "exhórtense", "abunden en amor", "confórtense", "estimúlense a las buenas obras", "no hablen mal", "no se quejen", "confiesen sus pecados", "oren", "sean todos de un mismo sentir", "sean compasivos", "sean fraternales", "sean de espíritu humilde", "sean fervientes", "sean hospitalarios", "sírvanse" y "revístanse de humildad".

Pablo añade que debemos sobrellevar los unos las cargas de los otros. El creyente guiado por el Espíritu Santo piensa en los demás y procura servirlos.

El legalista no se interesa en llevar las cargas; al contrario, aumenta las cargas de otros. Los fariseos hacían eso; el legalista siempre es más duro con los demás que consigo mismo. Quien es guiado por el Espíritu Santo demanda más de sí mismo que de los demás.

Pablo lo ilustra con un caso hipotético, de un creyente sorprendido por el pecado. El legalista busca condenar y esconder sus pecados detrás del caído. El espiritual reconoce sus pecados y busca restaurar, como quien remienda una red de pesca para que continúe siendo útil o restaura un hueso roto.

El legalista se alegra cuando el hermano cae, y lo exhibe. El espiritual se duele, no compite con el que erró y no busca quedar bien haciendo quedar mal al hermano.

Quien es dirigido por Dios tiene espíritu de mansedumbre, amor y humildad, porque reconoce su propia debilidad; mientras que el legalista tiene una actitud de orgullo y condenación, pues él está "exento" de pecar.

El legalista no tiene la disposición de ganar al hermano caído. El espiritual busca salvar porque el amor de Cristo está en su corazón.

Wiersbe cuenta que el Sr. William Booth, fundador del Ejército de Salvación, no pudo asistir a una convención y envió a los hermanos un mensaje en una sola palabra: "¡Otros!" En una popular tira cómica, Lucy pregunta a Carlitos: "¿Para qué estamos?" Él le contesta: "Para hacer felices a otros". Luego, ella piensa y pregunta: "Entonces, ¿para qué están los otros?"

Pablo nos desafía, en nombre del Señor, a sobrellevar las cargas los unos de los otros. Unos hacen la obra del acusador; otros, la obra del Consolador. ¿Cuál hacemos nosotros?

LA ÚNICA MARAVILLA

"Pero lejos esté de mí gloriarme, sino en la cruz de nuestro Señor Jesucristo, por quien el mundo ha sido crucificado para mí y yo para el mundo" (Gálatas 6:14).

Elegidas en 2007 en una encuesta por Internet, estas son las siete nuevas maravillas del mundo de hoy:

1-El Taj Mahal (India): Joya del arte musulmán y una de las obras maestras de patrimonio mundial. Más de 20.000 obreros trabajaron para construir este mausoleo de mármol blanco, que alberga la tumba de la esposa del entonces emperador. Atrae a 8 millones de visitantes al año.

2-La Gran Muralla China: Es una antigua fortificación construida y reconstruida con la intención de proteger la frontera norte de ese inmenso país. Es el muro más largo del mundo, ya que cuenta con 21.200 kilómetros de largo; aunque hoy solo se conserva un tercio. En promedio, mide entre 6 y 7 metros de alto, y 4 a 5 metros de ancho.

3-Chichen Itza (México): Es una de las ruinas mejor conservadas de la historia maya.

4-Machu Picchu (Perú): Sus peculiares características arquitectónicas y paisajísticas, y el velo de misterio, lo han convertido en uno de los destinos turísticos más populares del planeta. El monumento se encuentra sobre el Valle Sagrado del Perú.

5-Cristo Redentor (Brasil): Uno de los íconos más representativos de América del Sur. La estatua de Jesús localizada en la cima del Cerro del Corcovado tiene una altura de 38 metros y, con los brazos abiertos, puede ser vista desde casi todos los rincones de la ciudad.

6-La ciudad de Petra (Jordania). Es la atracción turística más visitada del país, y reúne una colección de cuevas excavadas en la roca, templos y tumbas.

7-El Coliseo (Roma): El anfiteatro más grande que se haya construido, ícono de la Roma Imperial, fue sede de concursos de gladiadores, y podía albergar hasta 80.000 espectadores.

Sin embargo, una verdadera maravilla empalidece a todas estas juntas. El sacrificio de Cristo constituye, para el apóstol, el centro de su vida y del evangelio. Los opositores de Pablo se gloriaban de la circuncisión. El mundo puso a Jesús en la tortura y la muerte más humillante; pero la Cruz se transformó en el símbolo más maravilloso de la historia.

Una maravilla única, y la mayor de todas, es que Cristo ocupe mi lugar, y el tuyo, para que nosotros podamos tener acceso a su Trono y a una vida definitiva, eterna. Elena de White habla de la maravilla de la Cruz y nos dice lo siguiente: **"Miremos por fe la Cruz, y vivamos. Este será nuestro estudio y nuestra canción por toda la eternidad"** (*Cada día con Dios*, p. 174).

ELEGIDOS

"Pablo, apóstol de Jesucristo por la voluntad de Dios, a los santos y fieles en Cristo Jesús que están en Éfeso" (Efesios 1:1).

Probablemente Pablo haya escrito la carta a los Efesios cuando estaba prisionero en Roma. El tema de la epístola es la unidad en Cristo. Pablo escribe a una iglesia o iglesias compuestas por judíos y gentiles, asiáticos y europeos, esclavos y libres: todos representantes de un mundo perturbado que necesitaba ser restaurado a la unidad en Cristo. Esto implicaba la unidad de personas, familias, iglesias y etnias. **La restauración de la unión individual en la vida de cada creyente asegura la unidad del Universo de Dios.**

En el capítulo 1 se destaca lo siguiente:

1. Dios nos escogió y nos predestinó para la salvación. Nadie necesita perderse, a menos que quiera perderse.

2. Podemos ser salvos porque hemos sido redimidos por la sangre de Jesucristo.

3. La certeza de esa salvación es la actuación del Espíritu Santo en nuestra vida.

4. Las personas que recibieron la salvación viven con fe en Jesús, y se relacionan con bondad con las personas.

5. Dios quiere que crezcamos en el conocimiento de él, y por eso nos da espíritu de sabiduría.

6. Cristo resucitó e intercede por nosotros. Él es la cabeza de la iglesia.

El 24 de enero de 1990, un joven de 19 años llamado Adolfo se embarcaba en un ómnibus desde Guayaramerín (Bolivia) hacia la Universidad Adventista San Pablo (Brasil) con el sueño de estudiar Teología. Tuvo que dejar a sus hermanos y su madre, quien insistía en que no fuera tan lejos de su casa. Adolfo salió con una pequeña bolsa con alguna ropa, una vieja guitarra y solo cien dólares. Fueron setenta horas de viaje con muchas expectativas resumidas en su lema: **"Si yo tengo un sueño en la cabeza y a Dios en el corazón, él me va a bendecir".**

Pasaron los años, y Adolfo no solo completó su sueño de ser pastor. Por la gracia de Dios, es también profesor, escritor y Doctor en Teología. Además, formó una linda familia con su esposa y sus dos hijas. Hoy, Adolfo Suárez es el rector del Seminario Adventista de Teología de la División Sudamericana. Dios no responde las oraciones que no se hacen ni cumple los sueños que no se sueñan.

Gracias a Dios que en Cristo fuimos elegidos por él para la salvación desde antes de la fundación del mundo. Es maravilloso ser hijo e hija de un Dios que desea salvarnos, al costo de la sangre de su único Hijo.

BENDECIDOS POR EL PADRE

"Bendito sea el Dios y Padre de nuestro Señor Jesucristo, que nos bendijo con toda bendición espiritual en los lugares celestiales en Cristo" (Efesios 1:3).

¡Cuántas bendiciones nos concede el Padre! Veamos:

1-Somos escogidos. Algunos confunden e interpretan mal este tema. Sostienen que, si la elección es de Dios, nosotros no tenemos nada que hacer. Lo que está claro es que **la salvación comienza en Dios. La iniciativa es de él. No somos nosotros los que buscamos a Dios, es Dios quien nos busca a nosotros.** La salvación es por gracia y el pecador responde a esa elección de Dios de manera voluntaria.

Por un lado, la soberanía divina buscando salvar; por el otro, está la respuesta y la responsabilidad humanas. La elección es un acto soberano del Dios eterno. Dios inició una cascada de bendiciones espirituales en lugares celestiales. La elección constituye la base de todas las demás bendiciones espirituales. Nuestra elección ha sido con el propósito de poner a los elegidos aparte del resto del mundo y dotarlos de cualidades espirituales santas y que los distinguen del mundo, los identifica como pertenecientes a Dios y son enviados como instrumentos de salvación a todos los pueblos.

2-Somos adoptados. Todos somos predestinados para la salvación; es decir, **la salvación nos es ofrecida a todos.** Dios no predetermina quiénes serán salvos. La adopción tiene un tiempo presente y uno futuro. Entramos en la familia por la conversión y el Señor nos recibe como hijos adultos con todos los derechos de la herencia. En el futuro, la adopción se realizará en el regreso de Cristo, cuando seremos glorificados.

3-Somos aceptados. No somos nosotros los que nos hacemos aceptos. Es Dios quien nos acepta. **La base, tanto de la elección, como de la adopción y la aceptación es el amor de Dios.** Nuestra respuesta a ese amor tiene que ser también con amor.

Estas tres bendiciones del Padre tienen como propósito sacarnos de la muerte y llevarnos a la vida. Ricardo Palma lo expresó así en su poema "¿Quiénes son los muertos?"

No son muertos los que en dulce calma la paz disfrutan en la tumba fría.// Muertos son los que tienen muerta el alma y viven todavía.

No son muertos los que reciben rayos de luz en sus despojos yertes.

Los que mueren con honra son los vivos,// los que viven sin honra son los muertos.

La vida no es la vida que vivimos.//La vida es el honor, es el recuerdo.

Por eso hay muertos que en el mundo viven// y hombres que viven en el mundo, muertos.

¡Gracias, Padre, por tus bendiciones que me llevan de mi muerte a tu vida!

PALACIO POR TUMBA

"En él tenemos redención por su sangre, el perdón de pecados según las riquezas de su gracia" (Efesios 1:7).

¡Cuántas bendiciones obtenemos gracias a Jesucristo!

1-Somos redimidos. "Redimir" significa comprar y liberar mediante el pago de un precio. Millones de esclavos eran comprados y vendidos como cosas en el Imperio Romano. Algunos pocos hacían algo poco lógico: compraban un esclavo para redimirlo o liberarlo. Eso mismo hizo Jesús por nosotros. Y nos compró con su sangre, no con oro ni plata. Así, pagó el precio del rescate y nos libró de la esclavitud del pecado, de la condenación de la Ley y del poder del enemigo.

2-Somos perdonados. En el Día de la Expiación, el sacerdote confesaba los pecados del pueblo sobre el macho cabrío vivo y lo llevaba al desierto para que se perdiera. "Perdonar" significa "llevar afuera". **El enemigo trae nuestros pecados adentro, para destruirnos con la culpa. Dios los lleva hacia afuera, para reconstruirnos con el perdón.** Ante la pregunta de Isaac "¿Dónde está el Cordero", la respuesta de Abraham fue: "Dios proveerá" (Gén. 22:7, 8). Esto se cumplió en Juan 1:29: "¡Éste es el Cordero de Dios, que quita el pecado del mundo!"

3-Somos instruidos. Se nos ha revelado el plan de Dios previsto desde antes de la fundación del mundo. Ni todos antes, ni todos ahora entienden lo maravilloso del plan divino. Es un misterio sagrado revelado para conocer la voluntad de Dios. El pecado nos separó de Dios y del hombre, pues todo lo dispersa; pero Cristo nos reconcilia y nos reunirá a todos en el final de los tiempos. Somos parte del gran programa eterno de Dios.

4-Somos herederos. Somos herencia en Cristo y tendremos herencia en su regreso.

El Taj Mahal, ubicado en India, es considerado una de las siete maravillas modernas del mundo. Pero lo más fascinante no está en el diseño, en su belleza o riqueza, sino en una historia. Es un monumento al amor, construido entre 1631 y 1654 por el Sha Jehan para su esposa la princesa Arjamand. El monarca le había prometido un palacio de magnificencia incomparable, pero ella falleció inesperadamente. No obstante, el dolorido esposo siguió adelante. Hoy aquel palacio es la tumba de la mujer amada con una inscripción que dice: "A la memoria de un amor imperecedero".

Las bendiciones del Hijo nos redimen, nos perdonan, nos instruyen y nos hacen herederos. Este sí es un verdadero, incomparable e imperecedero amor. El pecado hizo de nuestro palacio una tumba, pero Dios transforma nuestra tumba en un palacio eterno. Vivamos agradecidos y comprometidos.

HERENCIA GARANTIZADA

"En él también vosotros, habiendo oído la palabra de verdad, el evangelio de vuestra salvación, y habiendo creído en él, fuisteis sellados con el Espíritu Santo de la promesa, que es las arras de nuestra herencia hasta la redención de la posesión adquirida, para alabanza de su gloria" (Efesios 1:13, 14).

Pablo invita a los efesios a una nueva experiencia: al creer en Cristo, son sellados por el Espíritu Santo

Pero **¿qué significa ser sellados? El sello y la firma** garantizan el documento, **establecen pertenencia y propiedad. El sello significa que somos de Dios.** Nos compra para liberarnos y decimos que somos su propiedad. Parece contradictorio, pero no lo es, ya que solo en él hay plena libertad.

El sello significa también seguridad y protección. El Espíritu Santo permanece con el creyente para siempre. Podemos entristecerlo, pero él no nos abandona; siempre seguirá estando y actuando en favor de nuestra salvación.

El sello también implica que el documento es genuino y auténtico. Y en la vida cristiana solo la presencia del Espíritu puede hacernos espiritualmente auténticos.

La redención tiene tres etapas: fuimos **redimidos de la culpa y la condenación del pecado por la muerte de Cristo;** somos **redimidos -liberados- del poder del pecado en la medida que permitamos que el Espíritu actúe en nosotros,** y seremos **redimidos de la presencia del pecado, en el regreso de Cristo, cuando lo veremos y seremos semejantes a él.**

Pablo afirma que ser sellados por el Espíritu Santo de la promesa equivale a las arras de nuestra herencia (es decir, hasta la posesión de la herencia adquirida). Ahora bien, ¿qué son las "arras"? Solo Pablo usa esta palabra tanto para los corintios como para los efesios. Legalmente, las arras significa un primer abono, un depósito o pago inicial de lo que se recibirá más adelante. Es la garantía de lo que vamos a recibir y el depósito que garantiza nuestra herencia. "El Espíritu que Dios les ha dado es para los cristianos la garantía de su futura posesión completa de la salvación", afirmó Johannes Behm. Entonces, las arras son símbolo del sí pleno dado a la voluntad de Dios, de amor, pertenencia y fidelidad para siempre. Así, el sello del Espíritu Santo es el pago inicial de nuestra herencia celestial; es la garantía de que, a su debido tiempo, recibiremos la herencia en su totalidad.

En breve, Jesús dirá: "¡Contemplad el rescate de mi sangre! Por estos sufrí, por estos morí, para que pudiesen permanecer en mi presencia a través de las edades eternas" (Elena de White, *Consejos para la iglesia*, p. 120).

En el cielo alabaremos y glorificaremos a Dios para siempre.

LOS DOS REMOS

"Por esta causa también yo, habiendo oído de vuestra fe en el Señor Jesús y de vuestro amor para con todos los santos, no ceso de dar gracias por vosotros, haciendo memoria de vosotros en mis oraciones" (Efesios 1:15, 16).

Detrás de las incansables energías de Pablo como apóstol, misionero, pastor y teólogo, hubo una extraordinaria vida de oración. Pablo inició su ministerio orando y lo terminó orando. Su experiencia cristiana era, esencialmente, un acto de oración. Para él, la oración y la misión siempre van juntas. Así lo detalla el Pr. Gabriel Cesano en la *Revista Adventista* de noviembre de 2019.

1. La oración como reconocimiento al soberano Dios.

Para Pablo, era imposible concebir cualquier actividad humana separados de Dios, "porque todas las cosas son de él, por él y para él".

2. La oración como una respuesta de la criatura. Para Pablo, establecía una permanente vía de comunicación con Dios.

3. La oración como acción de gracias por la salvación. Pablo se siente tan indigno de la salvación –se considera el primero de los pecadores– que su vida es una continua oración. "Orad sin cesar", escribió en 1 Tesalonicenses 5:17.

4. La oración como aliado indispensable para el servicio. Para Pablo, la oración era esencial para la evangelización. No es el predicador, sino Dios quien sobrenaturalmente interviene a través del llamado del Espíritu y justifica a aquellos que creen. Pablo pedía que oraran para que Dios abriera las puertas al evangelio. En las oraciones intercesoras que el apóstol les pide a sus congregaciones y a sus dirigentes, el tema dominante es su inquietud por la misión.

5. El rol de la mente en la oración. El apóstol une la oración con el conocimiento de Dios y la fe. La oración surge de una fe inteligente o racional que está basada en la certeza de que Dios no es un desconocido, sino que se ha revelado a sí mismo en la Creación, en la historia, en Cristo y en las Escrituras. Por eso, aconseja orar con el Espíritu pero también con el entendimiento (1 Cor. 14:15).

En cierto lugar, el dueño de un bote tenía escritas dos palabras en sus remos. En un remo decía "Ora"; y en el otro, "Trabaja". Un día, un ocasional pasajero se burló de sus remos. "Con trabajar es suficiente", expresó. Entonces, el botero empezó a usar solo un remo. Luego de dar vueltas en círculos sin llegar a ningún lado, el pasajero comprendió la lección.

Pablo vivió y enseñó a vivir remando con los dos remos. Si queremos llegar pronto al puerto seguro, necesitamos orar y trabajar. No te quedes dando vueltas sin llegar a ningún lado.

LA ORACIÓN DE UN PRISIONERO

"Para que el Dios de nuestro Señor Jesucristo, el Padre de gloria, os dé espíritu de sabiduría y de revelación en el conocimiento de él; que él alumbre los ojos de vuestro entendimiento, para que sepáis cuál es la esperanza a que él os ha llamado, cuáles las riquezas de la gloria de su herencia en los santos"
(Efesios 1:17, 18).

Pablo ora desde la cárcel y, desde allí, no pide por nada material, ni personal. Ora por los hermanos y la misión. Veamos los ruegos del apóstol.

1-Que conozcan a Dios. Este es el mayor y más elevado de los conocimientos. El rechazo del conocimiento de Dios ha llevado al mundo a la corrupción que tenemos. Al hombre no le interesa conocer a Dios como Creador, Sustentador y Redentor, y mucho menos quiere conocerlo como Padre y Amigo. El conocimiento que necesitamos no es el teórico, sino el que mantiene un vínculo de contacto y confianza. Necesitamos una experiencia con Dios.

2-Que conozcan el llamamiento de Dios. La palabra "iglesia" significa un "llamado a salir", y también es un llamado a los que están afuera para que ingresen en la iglesia. Pablo siempre dijo que fue llamado por la gracia de Dios para anunciar esa gracia a los demás. El llamado no es por calificaciones, atributos, CV o experiencia. Es por su gracia. Perdidos, no teníamos esperanza. Ahora tenemos una esperanza viva que nos fortalece día a día. La esperanza de nuestro llamamiento es una fuerza activa en nosotros, que nos lleva a la pureza, la obediencia y la fidelidad.

3-Que conozcan las riquezas de Dios. No se trata aquí de la riqueza de Cristo, sino nosotros siendo parte de las riquezas de Dios. Es asombroso que Dios nos vea así. Porque él no mira nuestro pasado sino nuestro futuro; no mira lo que los hombres son sino lo que pueden llegar a ser transformados por su gracia.

4-Que conozcan el poder de Dios. Al declararnos su herencia, nos ha mostrado su amor; y al prometer un futuro, ha fortalecido nuestra esperanza. Así, nos concede la plenitud de su poder para ser victoriosos. Tener riqueza sin fuerzas es insuficiente.

Que Dios fortalezca hoy tu mano débil y temblorosa que se extiende llena de esperanza en dirección a su riqueza. ¿Te sientes indigno? Apodérate de su dignidad. ¿Te sientes culpable? Apodérate de su perdón. ¿Te sientes impuro? Apodérate de su pureza. ¿Eres frágil? Apodérate de su poder.

"El alma tiene un valor infinito, que no puede estimarse sino por el precio pagado por su rescate. ¡El Calvario! ¡El Calvario! ¡El Calvario explicará el verdadero valor del alma!" (Elena de White, *Joyas de los testimonios*, t. 1, p. 323).

SÉ UN CAMELLO HOY

"Y cuál la extraordinaria grandeza de su poder para con nosotros los que creemos, según la acción de su fuerza poderosa" (Efesios 1:19).

¿Sabías que los camellos pueden arrodillarse? Se cuenta que los viajeros que los utilizan en el desierto hacen que estos animales se postren para colocarles o quitarles las cargas. Como viajeros de la vida por este desierto de pecado, haríamos muy bien en imitar a los camellos y arrodillarnos delante de nuestro Amo divino para que él acomode y nos ayude a llevar nuestra carga, descansar en sus promesas y vivir siempre en su presencia.

Para eso, contamos con la oración. Continuando con la enumeración que realizamos hace dos días, podríamos afirmar lo siguiente:

1. La oración es esencial en el conflicto contra el enemigo. Pablo sabía que nuestra lucha contra el mal es contra principados, contra potestades, contra dominadores y contra malos espíritus. Él estaba convencido de que los creyentes necesitan las armaduras sobrenaturales de Dios para resistir, tal como las describe en Efesios 6. La oración es una de esas armaduras indispensables para no rendirse, y seguir adelante. Por eso, aconseja esto en Efesios 6:18: "Orad en todo tiempo con toda oración y súplica en el Espíritu, y velad en ello con toda perseverancia y súplica por todos los santos". La oración tiene poder y nos ayuda a vencer.

2. La oración nos permite conocer la voluntad de Dios. Ya en la primera oración que se registra de Pablo, él busca hacer lo que Dios solicita: "Señor, ¿qué quieres que yo haga?"(Hech. 9:6). Esta es una experiencia que todos debemos imitar. La oración no es luchar con Dios para que su voluntad se adapte a la nuestra sino para que la nuestra se adapte a la de él. Orar es discernir, afirmar y participar en hacer su voluntad en contra de la perversa influencia del poder del diablo.

3. La oración y lo eterno. Estar en contacto con Dios nos eleva a pensar en las cosas del cielo y no en las de este mundo. El apóstol coloca su foco en lo eterno, no en lo temporal, fijando nuestros ojos no en lo que se ve, sino en lo que no se ve.

Nuestra vida espiritual personal y nuestra misión pueden ser tan exitosas como lo fueron las de San Pablo. Por eso, es necesario que renueves tu vida de oración.

No tienes por qué llevar las cargas. Arrodíllate ahora. Sé un camello hoy.

FIESTA EN EL CEMENTERIO

"Él os dio vida a vosotros, cuando estabais muertos en vuestros delitos y pecados" (Efesios 2:1).

Efesios 2 es un capitulo espectacular; más aun recordando que fue escrito desde la prisión. Sin quejas ni reclamos, escribió palabras de esperanza y de ánimo. En este capítulo, seis verdades profundas destacan el amor de Dios por nosotros:

1. En el pasado, sin Dios, vivíamos lejos de él y éramos hijos de la ira, sin esperanza y sin rumbo en la vida. Estábamos muertos espiritualmente.
2. Dios nos ha encontrado y nos ha dado vida en Cristo. Perdonó nuestros pecados a causa de su inmenso amor y no por nuestros méritos.
3. Somos salvos por la gracia, como don de Dios. De tal forma que nadie debe creer que tiene algún mérito en la salvación.
4. Porque somos salvos, debemos practicar las buenas obras que Dios quiere que practiquemos.
5. No somos más extranjeros, sino ciudadanos del Reino de Dios, miembros de la familia de nuestro Padre celestial.
6. Todo eso solamente es posible porque Cristo es nuestra única y suficiente Roca de la salvación.

Se cuenta que un joven Martín Lutero caminaba por los densos bosques alemanes buscando paz, cuando comenzó una fuerte tormenta, con rayos, vientos y copiosa lluvia. Pensando que iba a morir, hizo un voto a Dios: "Si me salvas, seré sacerdote".

Al terminar la oración, el cielo se despejó. Conforme a su promesa, ingresó en un monasterio y se convirtió en sacerdote. Ayunó, oró y se azotó con látigos. Pero no encontró paz.

Una noche, aprendió que el único camino es Jesús. Leyó que Dios nos ama y que dio a su Hijo, y que si confesamos los pecados él nos perdona.

Aquella noche tuvo un sueño espantoso. Satanás le mostró una lista con todos sus pecados: mentiras, codicias, engaños, falta de honradez y enojos. Entonces, el Diablo le dijo: "La Biblia dice que la paga del pecado es la muerte. Por eso, estás condenado a muerte".

Lleno de culpabilidad y angustia, Lutero vio que Satanás apretaba con sus manos un pergamino. "En el nombre de Cristo, mueve tu mano", gritó Lutero. Al mover su mano, se leyó: "La sangre de Jesucristo limpia a Martín Lutero de todo pecado".

Como Pablo, los gentiles, Lutero o nosotros, el enemigo nos acusa. Sin embargo, nadie necesita permanecer muerto. Dios es el único que puede organizar una fiesta en un cementerio y resucitarnos de la muerte a una vida para siempre.

MATA O AMA

"Entre ellos vivíamos también todos nosotros en otro tiempo, andando en los deseos de nuestra carne, haciendo la voluntad de la carne y de los pensamientos; y éramos por naturaleza hijos de ira, lo mismo que los demás" (Efesios 2:3).

¿Qué hace el pecado por nosotros? Nos mata.

La vida fue, es y será estar unidos al Autor de la vida. Solo en él tenemos vida. El pecado nos separó de él; por lo tanto, nos lleva a la muerte. Una persona muerta no puede hacer nada para sí ni para otros. No escucha, no tiene apetito, ni cansancio ni dolor. Así como una persona físicamente muerta no responde a los estímulos físicos, una persona espiritualmente muerta no responde a los estímulos espirituales.

Un no creyente no está enfermo, está muerto. Necesita de la resurrección. No hay punto intermedio: o estamos vivos o estamos muertos La degradación del mundo, la astucia del diablo y los deseos de la carne conducen al ser humano a la desobediencia.

El pecado nos condena. El pecado no nos permite hacer nada que nos haga salvos. Por naturaleza, somos hijos de ira; y por las acciones, somos hijos de desobediencia. La sentencia ha sido dictada; la ejecución se demora por la misericordia de Dios, que procura y busca nuestro arrepentimiento para nuestra salvación

¿Qué hace Dios por nosotros? Nos ama.

Así como por naturaleza el hombre es pecador, por naturaleza Dios es amor. El conferenciante y escritor Warren Wiersbe dice que por naturaleza Dios es verdad; pero, cuando se relaciona con el hombre, la verdad se torna en fidelidad. Dios es santo por naturaleza; y cuando relaciona tal santidad con el hombre, se convierte en justicia. Por naturaleza, Dios es amor; pero, cuando este amor se relaciona con los pecadores, se convierte en gracia y misericordia. Y todo esto es posible por la muerte de Jesucristo en la Cruz. En el Calvario, Dios exhibió su odio por el pecado y su amor por los pecadores.

Dios nos da vida; es decir, nos vivificó y nos resucitó. Somos renacidos por el Espíritu y por la Palabra. Así como Jesús resucitó al hijo de la viuda, a la hija de Jairo y a Lázaro, dándoles vida física, esta resurrección espiritual es mucho mayor porque nos pone en unión con Cristo. Nuestra posición física puede estar en la Tierra, pero nuestra posición espiritual está en "los lugares celestiales en Cristo" (Efe. 1:3)

El pecado obró en contra de nosotros y Dios obró en nuestro favor; y si él está con nosotros, ¿quién contra nosotros? "Jesús, ¡precioso Salvador! Su gracia es suficiente para el más débil; y el más fuerte también debe tener su gracia o perecerá" (Elena de White, *La maravillosa gracia de Dios*, p. 87).

LOS "SIN" Y LOS "CON"

"En aquel tiempo estabais sin Cristo, alejados de la ciudadanía de Israel y ajenos a los pactos de la promesa, sin esperanza y sin Dios en el mundo. Pero ahora en Cristo Jesús, vosotros que en otro tiempo estabais lejos, habéis sido hechos cercanos por la sangre de Cristo" (Efesios 2:12, 13).

Existen hoy grupos en algunos países que se identifican con los "sin": "Los sin tierra", "Los sin techo", "Los sin poder", "Los sin pareja", "Los sin nombre", etc. Algunos de ellos, levantando la bandera de una causa que defienden. Pablo habla de los gentiles con un pasado ("antes") y un presente ("ahora"). El pasado de los gentiles se aglutina en la palabra "sin". Ellos eran los "sin".

Había una serie de dioses paganos y un sincretismo religioso. Diana era la más famosa diosa de los efesios. Los efesios nunca habían escuchado de Cristo; por eso, Pablo les dice "los sin Cristo".

"Sin Cristo". No es neutralidad, es una tragedia.

"Sin ciudadanía". Dios había convertido a los judíos en una nación, en su momento poderosa, de referencia, para iluminar y bendecir a las otras naciones. Esa era su razón de ser. Un prosélito podía entrar, pero no tenía derechos.

"Sin pacto". Dios había hecho un acuerdo con los judíos y, aun cuando por extensión alcanzaba a los gentiles, como nación eran ajenos al Pacto. Por eso, algunos judíos les refregaban siempre que ellos eran los "sin". Incluso, oraban así: "Señor, te doy gracias que soy judío y no soy ni gentil ni mujer".

Wiersbe dice que los historiadores se refieren a una gran desesperanza en el mundo antiguo, con filosofías huecas, tradiciones que desaparecían y religiones que no generaban ni fe ni esperanza. Creencias que no dan fuerzas para sobrellevar la vida ni para enfrentar la muerte. Eran "los sin esperanza".

Los paganos tenían infinidad de dioses. Era más fácil, en Atenas, encontrar dioses que seres humanos. Pero estos muchos dioses eran nada; por eso, ellos estaban sin Dios. En realidad, no era que Dios los dejó a ellos, sino que ellos lo dejaron a Dios. La historia dice que todo empezó con un solo Dios, pero a medida que se alejaron del único y verdadero Dios, fueron creando uno y muchos falsos dioses.

"Pero ahora", dice Pablo, la historia puede cambiar. Es que, tanto para aquellos efesios como para nosotros, no necesitamos ser los "sin", porque Dios nos ha llamado para ser los "con". "Los conectados con Dios", "Los con esperanza", "Los con un pacto", "Los con una ciudadanía", "Los con Cristo". Los "sin" son vencidos, los "con" son invencibles.

"No hay nada que parezca más impotente que la persona que siente su insignificancia y confía plenamente en Dios, y en realidad no hay nada que sea más invencible" (Elena de White, *Profetas y reyes*, p. 129).

11 de julio

CIUDADANOS, MIEMBROS Y PIEDRAS

"Por eso, ya no sois extranjeros ni forasteros, sino conciudadanos de los santos y miembros de la familia de Dios, edificados sobre el fundamento de los apóstoles y profetas, siendo la principal piedra del ángulo Jesucristo mismo"
(Efesios 2:19, 20).

Pablo dice que el evangelio está disponible para todos. A los que, como los judíos, se sienten cerca; como también para los gentiles, que se encuentran lejos. Cristo quiere a unos y a otros adentro.

Dios y los enviados por Dios trabajan para reconciliar; es decir, juntar de nuevo, juntar las piezas y rearmar el rompecabezas. El pecado es el gran separador en este mundo. Ha estado dividiendo desde el jardín del Edén.

El apóstol va a usar tres figuras para decir que somos ciudadanos, miembros y piedras vivas: una nación, una familia y un edificio.

La nación y la ciudadanía son tomadas de la diplomacia. No somos extranjeros en tierra extraña, ni forasteros apenas de paso. Somos conciudadanos de los santos. Israel era la nación elegida por Dios, pero muchos de ellos rechazaron al Señor, y el Reino les fue quitado. El pecado divide, pero Cristo reconcilia. La nueva nación es la iglesia.

Somos reconciliados para ser parte de la familia de Dios: la familia de la Tierra y la de los cielos, que serán una sola y definitiva en su regreso. Tenemos un Padre, y todos somos hermanos,

La última figura es un templo, un edificio. Dios habitó en su Santuario, en la vida de Cristo, en la iglesia y en nosotros. Dios habita en el corazón del creyente y en la iglesia. Cristo es la principal piedra del ángulo donde el edificio se asienta. Los judíos pensaban en el templo de Jerusalén; y los gentiles, en el templo de Diana. Ambos serán destruidos, pero la iglesia de Cristo permanecerá para siempre.

El Mar de Galilea y el mar Muerto son dos pequeños mares de Palestina, separados apenas por 120 kilómetros. Están unidos por el río Jordán, pero son diferentes uno del otro. El primero recibe agua del norte y las da multiplicadas hacia el sur. Es un canal. A su alrededor prospera la vida, y en sus aguas cristalinas hay abundancia de peces.

El segundo recibe aguas del norte, pero no comparte una sola gota. Contiene agua tan saladas y amargas que no hay nada de vida en ellas. Y, a su alrededor, todo es desierto y desolación. Mientras que el Mar de Galilea es un símbolo apropiado de la vida, el Mar Muerto es símbolo impresionante de la muerte.

No somos extranjeros ni forasteros. Somos conciudadanos de los santos. No somos huérfanos. Somos parte de la familia de Dios. Somos piedras vivas que viven para completar el edificio de Dios. Reconciliados para ser reconciliadores.

¡QUÉ BURRO!

"Por esta causa yo, Pablo, prisionero de Cristo Jesús por vosotros los gentiles [...]. Seguramente habéis oído de la administración de la gracia de Dios que me fue dada para con vosotros" (Efesios 3:1, 2).

En Efesios 3, se destacan siete ideas:

1-Credencial. Pablo se presenta como prisionero de Cristo, por amor de sus hijos en la fe.

2-Misterio. Es un misterio cómo los gentiles, que vivían lejos de Dios, pueden participar y disfrutar de las bendiciones del evangelio de Cristo.

3-Privilegio. A Pablo, que se considera el más pequeño de todos los santos, se dio la gracia de predicar a los gentiles el evangelio de las insondables riquezas de Cristo.

4-Libertad. En Cristo, tenemos acceso a Dios con confianza.

5-Fortalecidos. En Cristo, somos enraizados en el más puro amor del Padre.

6-Propósito. Dios habita en nosotros para que podamos comprender cuál es la anchura, la longitud, la altura y la profundidad del amor del Padre, y conocer el amor de Cristo, que excede todo entendimiento, y para que quedemos llenos de toda la plenitud de Dios.

7-Poder. Dios es suficientemente poderoso para hacer infinitamente más que todo lo que pedimos o pensamos, conforme a su poder que opera en nosotros.

Una parábola cuenta que el burrito que cargó a Jesús reunió a toda la familia y les dijo: "Desde ahora no pueden tratarme como a cualquier burro". Su madre pidió que aclarará un poco más. Y él dijo: "Yo estaba descendiendo a la ciudad, y las personas tomaron palmeras y cantaban cuando yo pasaba. Fue una gran fiesta; el pueblo todo reconoció quién soy yo, y ustedes no me dan el valor que tengo".

La familia, dándose cuenta de lo ocurrido, le propuso al burro entrar de nuevo en la ciudad. Contento, el burro así lo hizo. Esta vez, sin Jesús, fue recibido sin ningún honor y hasta lo golpearon para que se fuera.

Pablo estaba escondido en Cristo. Él no era el centro del evangelio. El centro era Cristo. Es maravilloso servir y adorar a un Dios que nos ofrece la salvación; que transforma nuestro interior y, antes de esperar un cambio de vida, nos capacita con su poder y su gracia.

"Tu esperanza no se cifra en ti mismo, sino en Cristo. Tu debilidad está unida a su fuerza; tu ignorancia, a su sabiduría; tu fragilidad, a su eterno poder. Así que, no has de mirar a ti mismo ni depender de ti, sino mirar a Cristo [...]. Amándolo, imitándolo, dependiendo enteramente de él, es como serás transformado a su semejanza" (Elena de White, *El camino a Cristo*, p. 70).

PRISIONERO DE CRISTO

"Por esta causa yo, Pablo, prisionero de Cristo Jesús por vosotros los gentiles [...]" (Efesios 3:1).

De las 14 epístolas escritas por Pablo, Efesios, Filipenses, Colosenses, 2 Timoteo y Filemón fueron probablemente escritas desde la prisión. Pablo veía su encarcelamiento como parte de su actividad apostólica y se llamaba a sí mismo un "prisionero de Cristo Jesús". Su padecimiento fue una inspiración para los demás creyentes, y no una causa de deshonra o vergüenza.

En Filipos fue encerrado en el calabozo del fondo, encadenados sus pies a un cepo y puesto bajo custodia militar.

En Cesarea, fue prisionero en el palacio de Herodes mientras esperaba el juicio. Pablo fue llevado a Roma, donde se lo confinó a arresto domiciliario, vigilado por un soldado romano y atado con una cadena.

El apóstol siente la prisión como parte del plan de Dios. Preso, sigue predicando. Apeló a su derecho de ser juzgado en Roma a fin de poder testificar en la capital mundial. Se cumple, en él, ser el apóstol a los gentiles.

Pablo se retrata a sí mismo como un apóstol sufriente. No reniega y no se resiente. Su encarcelamiento no es una deshonra. Es una manera de inspirar a otros y fortalecer su fe.

En Efesios, Pablo también coloca la causa por encima de todo. Se presenta como prisionero de Cristo por los gentiles. Él podría haber sido prisionero de sus circunstancias, de su pasado, de sus limitaciones o de su naturaleza carnal. Sin embargo, se define como prisionero de Cristo por los gentiles. Un prisionero no es libre de hacer lo que quiera y está restringido en sus privilegios y deseos.

Tres veces en esta carta, él dice que es prisionero. Físicamente, en una cárcel; espiritualmente, lo es de Cristo y de su causa. Su delito fue decir que los gentiles eran tan herederos de las promesas del Señor como los judíos. El odio de sus compatriotas no tenía límites, así como tampoco lo tenía su celo por salvar a todos.

David Fisher escribió: "Somos cautivos de Cristo, el Señor de la vida y de su iglesia. Marchamos en su desfile, y sabemos hacia dónde se dirige. Y, de vez en cuando, tenemos un pantallazo por sobre nuestros hombros y vemos a otros compañeros prisioneros siguiéndonos en el desfile. Esto vale la pena".

Cuando nos reconocemos prisioneros de Cristo, somos libres del pecado y vivimos para transformar a esclavos del pecado en prisioneros del Señor.

LA ORACIÓN DE UN PRESO

"Por esta causa doblo mis rodillas ante el Padre de nuestro Señor Jesucristo" (Efesios 3:14).

No está mal pedir por las necesidades del cuerpo, pero Pablo suplica por el hombre interior. No está mal pedir por necesidades personales, pero Pablo prioriza orar por la iglesia y la misión.

Lo primero que hace es doblar sus rodillas; postra el cuerpo y el alma. Esto debió haber sido un espectáculo difícil de asimilar para el duro soldado que lo custodiaba. Él dirige la oración al Padre; nada más personal e íntimo para referirse a Dios. Hay filiación y pertenencia, y un sentido de confianza y dependencia.

El apóstol presenta cuatro pedidos, encadenados uno a otro.

1-Ora por poder (Efe. 3:16). Este proviene de la presencia del Espíritu Santo, que el Señor nos envió como nuestro Consolador, después de su partida.

2-Ora por profundidad (Efe. 3:17, 18). El apóstol utiliza en estos textos tres verbos: habitar, arraigar y cimentar

"Habitar" es "establecerse y sentirse como en casa", según Kenneth Wues. **Dios no se sentía como en casa en el hogar de Lot, pero si se sintió en casa en la tienda de Abraham o al caminar con Enoc.**

"Arraigar" nos relaciona con la agricultura. El buen árbol tiene raíces profundas a fin de obtener alimento, estabilidad y producir muchos frutos.

"Cimentar" es un término de arquitectura. Se refiere a las bases sobre las que construimos, que son tan importantes como el edificio. No es lo mismo construir sobre la arena que sobre la roca firme de Cristo y su Palabra. Solo la profundidad con Cristo puede sostenernos durante las severas pruebas de la vida.

3-Ora por comprensión (Efe. 3:18). Al aferrarse a la vasta e ilimitada extensión del amor de Dios, Pablo quiere que conozcamos personalmente el amor de Cristo, que excede a todo conocimiento. Hay dimensiones, pero no pueden ser medidas.

4-Ora por plenitud (Efe. 3:19). Muchos creyentes se comparan con "otros" para argumentar que no son "tan malos". Muchos se conforman con perder por poco o empatar. ¿Por qué? ¡Podemos ser ampliamente ganadores!

Lo que hacemos ahora nos prepara para la Eternidad, cuando glorifiquemos a Cristo para siempre.

¡Él es poderoso para hacer todas las cosas, todas las cosas abundantemente, todas las cosas más abundantemente, todas las cosas mucho más abundantemente!

TODO LO QUE HAY EN MÍ

"Y a Aquel que es poderoso para hacer todas las cosas mucho más abundantemente de lo que pedimos o entendemos, según el poder que actúa en nosotros, a él sea gloria en la iglesia en Cristo Jesús por todas las edades, por los siglos de los siglos. Amén" (Efesios 3:20, 21).

Pablo dice todos tenemos un antes y un después. El encuentro con Cristo marcó la vida del apóstol para siempre y puede marcar también la nuestra.

Antes, estábamos muertos en nuestros delitos y pecados. Nos encontrábamos bajo la ira de Dios, ira que no es enojo sino justicia. Además, escuchábamos y seguíamos los dictámenes del mundo, con sus locuras e incoherencias. Éramos esclavos de Satanás; por lo tanto, seguíamos nuestros deseos y pensamientos pecaminosos.

Después de tener nuestro Damasco, experiencia que debe ser renovada cada día, somos reavivados por Cristo y su Palabra. Aceptamos la misericordia de Dios, manifestada para nuestra salvación. Somos hechos hijos de Dios y nos transformamos en testigos fieles y misioneros de Cristo y su verdad.

Dejamos de ser esclavos del pecado para ser prisioneros de Cristo, lo que nos hace libres. Cada día resucitamos para amar, servir y hacer su voluntad.

Por esto, Pablo dice que lo abundante de Dios es mucho más abundante de lo que pedimos. Por eso tributaremos a Cristo gloria para siempre.

En cierta oportunidad Elena de White expresó su alegría porque podemos ir a Dios con fe y humildad, estrechando vínculos de intimidad con Jesús, de tal manera que podemos decir: "Yo sé a quién he creído" (2 Tim. 1:12). El Señor es poderoso para hacer todas las cosas mucho más abundantemente de lo que pedimos o entendemos, pero "nuestro corazón frío y carente de fe puede ser reavivado en sensibilidad y vida [...]. Sigamos las huellas del Hijo de Dios" (*El ministerio médico*, p. 267).

El renombrado evangelista Dwight L Moody (1837-1899) nunca fue un pulido y destacado orador. Tenía poca instrucción académica y jamás había asistido a un colegio superior. Sin embargo, fue un poderoso predicador y el ganador de almas más famoso de sus días. En cierta ocasión le preguntaron cuál era la base de su poder, y él respondió: **"El Señor tiene todo lo que hay en mí".**

Es inexplicable que, mientras que el Poderoso e Infinito quiere darnos cada vez más abundantemente, el frágil y finito pretenda vencer con cada vez menos del poder divino.

¿Cuánto de tu "todo" le darás a Dios?

CRISTIANOS TIEMPO COMPLETO

"Yo, pues, preso en el Señor, os ruego que andéis como es digno de la vocación con que fuisteis llamados" (Efesios 4:1).

En el capítulo 4 de Efesios, hay muchos excelentes consejos prácticos del apóstol Pablo. Veamos los principales:

1-Dios nos llamó para ser sus hijos e hijas; por eso, vivamos de manera digna, como quien vive como hijo e hija del Rey del Universo, con humildad y en bondad con el prójimo.

2-La iglesia es el cuerpo de Cristo, y nuestro comportamiento debe contribuir a la unidad del cuerpo de Cristo.

3-Dios concedió dones a sus hijos e hijas; y estos dones sirven para el perfeccionamiento de los miembros de la iglesia.

4-Cuando aplicamos nuestros dones y nos desarrollamos, nos hacemos cada vez más maduros y firmes en la fe.

5-Si somos hijos e hijas de Dios, no debemos vivir como gentiles; es decir, como quien no conoce a Dios.

6-Debemos practicar la veracidad, diciendo la verdad siempre; siempre huyendo de la mentira.

7-Tenemos el derecho de estar airados, indignados por las cosas equivocadas; pero no tenemos derecho a pecar, a maltratar a las personas por causa de nuestra ira.

8-Nuestras palabras deben ser usadas para bendecir a las personas, para edificarlas, y no para maltratar o humillar.

9-Debemos vivir en armonía con todos, practicando el perdón.

Escribió Francisco de Asís:

Señor, haz de mí un instrumento de tu paz.
Donde haya odio, ponga yo amor.
Donde haya ofensa, ponga yo perdón.
Donde haya discordia, ponga yo unión.// Donde haya duda, ponga yo fe.
Donde haya desesperación, ponga yo esperanza.
Donde haya tinieblas, ponga yo luz.
Donde hay tristeza, ponga yo alegría.
Oh, Maestro, que yo no busque tanto ser consolado como consolar.
Ser comprendido como comprender.//Ser amado como amar.
Porque es dando como se recibe.// Es olvidándose como se encuentra.
Es perdonando como se es perdonado.
Es muriendo como se resucita a la vida eterna.

Ser cristiano es cosa seria. Ser cristiano es más que solo decir "Yo creo en esto" o "Yo creo en lo otro". Los hijos y las hijas de Dios deben dar testimonio diario, de tiempo completo, de que son hijos del Rey del Universo.

ECUMÉNICOS O UNIDOS

"Con toda humildad y mansedumbre, soportándoos con paciencia los unos a los otros en amor, procurando mantener la unidad del Espíritu en el vínculo de la paz" (Efesios 4:2, 3).

¿Estar juntos por estar juntos? ¿O estar juntos conforme a un propósito cumpliendo la oración de Jesús? **¿Ecuménicos o unidos?**

"Ecuménico" es todo aquel que trabaja por la unidad mundial y la cooperación de todas las iglesias cristianas. C. Stanley Lowell señala que hay dos facetas: "Una tiene que ver con el sentimiento de cooperación entre las iglesias. La otra faceta es un esfuerzo por la unidad cristiana que ambiciona agrupar a todas las iglesias bajo una sola carpa eclesiástica".

Quien busca la unidad es todo aquel que busca unir a los creyentes en Cristo y su Palabra. Pablo dice que Cristo vino para derribar la pared intermedia y de hacer de los dos pueblos, judíos y gentiles, un solo pueblo. Esta unidad no es un asunto social, político o solidario. **Es una unidad plena en la doctrina del Señor.**

La unidad no es uniformidad. La unidad viene de Arriba y de adentro, y es una virtud espiritual, mientras que la uniformidad es el resultado de la presión externa. Pablo, tanto en 1 Corintios 12 como en Efesios 4, usó el cuerpo humano como una ilustración de la unidad cristiana. Cada parte del cuerpo es diferente de las otras; sin embargo, todas conforman un solo cuerpo y trabajan en equipo buscando el bien del cuerpo.

Para preservar la "unidad del Espíritu", necesitamos según Pablo humildad para poner a Cristo primero, a los otros después y, por último, a uno mismo.

Por su parte, "mansedumbre" que no es debilidad, es poder bajo control. Moisés era un hombre manso, Jesucristo fue manso y humilde de corazón. No obstante, echó fuera a los que comerciaban en el Templo. La mansedumbre está relacionada con la paciencia, para soportar la aflicción sin devolver el mal. No se puede soportar y sostener la humildad sin experimentar amor. Es la unidad en el Espíritu lo que hace posible el andar con Cristo.

La siguiente virtud que contribuye a la unidad del Espíritu es la solicitud. Por eso, estamos deseosos de mantener, o guardar, la unidad del Espíritu.

La última virtud que Pablo menciona es la paz.

El ecumenismo busca unir las organizaciones, con concesiones y flexibilidad; la unidad pone a Cristo y su Palabra en el centro y por encima de todo.

Seamos protagonistas de la verdadera unidad, recordando que la unidad se protege con la fe, se hidrata con la oración, se nutre con la Palabra, se limpia con el perdón, se multiplica con el testimonio y se hace eterna con el amor de Dios.

RICO PERO DEUDOR

"Procurando mantener la unidad del Espíritu en el vínculo de la paz: un solo cuerpo y un solo Espíritu, como fuisteis también llamados en una misma esperanza de vuestra vocación" (Efesios 4:3, 4).

Todos los escritos de Pablo presentan equilibradamente la relación entre la doctrina y el deber. Los primeros tres capítulos de Efesios tratan sobre la doctrina, ilustrada como las riquezas de Cristo, en tanto que los tres últimos explican nuestro deber con Cristo, bajo la consigna de "andar en".

La gente suele tratar de ricos a los millonarios o multimillonarios, considerando por lo general sus recursos y sus bienes. Existen también los ricos en afecto, en salud, en amistad y en integridad.

El Dr. Emilio Mira y López define a los "cuatro gigantes del alma" como las emociones básicas que gobiernan la vida y que, a modo de cuatro puntos cardinales, nos orientan y propulsan. Ellos son el gigante negro del miedo, el rojo de la ira, el blanco del amor y el incoloro del deber. Este último es así porque se viste del color del que ejerce primacía, ya sea del miedo, la ira o el amor.

En la visión de Pablo, es el amor lo que produce el cumplimiento del deber. Sin amor, todo es una pesada y vil tarea; con amor, el fiel cumplimiento del deber enaltece y bendice tanto al que lo ofrece como al que lo recibe. Si determinada riqueza te permite tener tal cosa, sería un deber beneficiarse de ello. De qué sirve tener algo y no usarlo o usarlo mal.

Cuanto más conocemos la doctrina, más ricos somos y mejores condiciones tendremos de vivirlas y cumplir el deber. Pero esto no es algo automático; por eso, el mundo está lleno de conocedores y vacío de practicantes.

Pablo dice: Si aceptaron el llamado de Cristo de ser parte de su cuerpo (Efe. 1), entonces cumplan el deber de "andar" como es digno del llamamiento, viviendo la unidad del cuerpo de Cristo (Efe. 4). Si Cristo te resucitó de la muerte en tus pecados (Efe. 2), no sigas envuelto en lienzos mortuorios: despójate y vive con túnicas de pureza (Efe. 4). Si eres rico por estar reconciliado (Efe. 2), no vivas como distanciado. Cumple tu deber de andar en armonía y comunión (Efe. 5). Si Cristo venció a Satanás (Efe. 3), tienes el deber en Cristo de vencerlo también (Efe. 6). "Satanás tiembla y huye delante del alma más débil que busca refugio en el poderoso nombre de Jesús" (Elena de White, *El Deseado de todas las gentes*, p. 104).

Los "ricos en Cristo" cumplen el "deber de andar como Cristo".

LOS 7 DE LA UNIDAD

"Un solo cuerpo y un solo Espíritu, como fuisteis también llamados en una misma esperanza de vuestra vocación; un solo Señor, una sola fe, un solo bautismo,un solo Dios y Padre de todos, el cual es sobre todos y por todos y en todos" (Efesios 4:4-6).

La unidad tiene que estar centrada en Cristo y en su Palabra. Si la doctrina es la que nos divide y el amor es lo que no une, ¿por qué no dejamos de lado la doctrina, y nos gozamos en el vínculo del amor? ¿Por qué no somos más abiertos? Uno escucha sobre "parejas abiertas", donde cada uno vive su amor a su manera, cuando quiere y con quien quiere. ¿Eso es amor?

El amor es un principio y es fiel. Si no, no es amor. **La unidad basada sobre algo que no sea la verdad bíblica no se sostiene.** Pablo presenta las siete realidades espirituales básicas de la unidad por la que Cristo oró.

1-Un cuerpo. El cuerpo de Cristo, del cual cada creyente es miembro desde el momento de la conversión.

2-Un espíritu. El Espíritu Santo habita en cada creyente, de modo que nos pertenecemos mutuamente en el Señor.

3-Una misma esperanza de vuestra vocación. El regreso del Señor para llevar a su iglesia al cielo. Cuando los novios –el Cordero y la iglesia– se casarán por la eternidad.

4-Un Señor. El Dios hecho carne, crucificado, resucitado, que hoy intercede por nosotros y que pronto vendrá, quien murió, vive y vendrá por nosotros. Reconocer el Señorío de Cristo es base de la unidad.

5-Una fe. Cristo concedió su verdad a la iglesia. Somos columna y baluarte de la verdad, pero no legislamos qué es verdad; así como no producimos pan. El pan está hecho; lo comemos y lo compartimos. La iglesia primitiva reconocía un cuerpo de doctrina que enseñaban, vivían y compartían.

6-Un bautismo. La Biblia dice que el hombre pecador necesita nacer de nuevo, por la Palabra, por el Espíritu y por el agua. El bautismo es la puerta de entrada al cuerpo de Cristo, que es la iglesia

7-Un Dios y un Padre. Pablo enfatiza reconocer a Dios como Padre. Eso nos provee una familia. Es un padre, no muchos padres. Jesús nos enseñó a orar Padre nuestro, no Padre mío. Somos hijos de la misma familia, que amamos y servimos al mismo Padre; así que, debemos ser capaces de andar en unidad.

Estos siete pilares salvaguardan nuestra unidad. Nosotros, como los rayos de una bicicleta, cuanto más cerca del centro, más cerca estamos entre nosotros. Y así, unidos a Cristo y su Palabra, alcanzamos la verdadera unidad.

LENGUA CONECTADA AL CORAZÓN

"Ninguna palabra corrompida salga de vuestra boca, sino la que sea buena para la necesaria edificación, a fin de dar gracia a los oyentes" (Efesios 4:29).

En algunos países se usa una expresión popular: "Tiene conectada la lengua con el pie, porque cada vez que habla mete la pata". Esto implica un mal hablar sincronizado con un mal proceder.

En el texto de hoy, Pablo dice: Ninguna palabra corrompida (es decir algo echado a perder, sin valor o que huele mal) salga de tu boca. La palabra no se origina en la boca. Jesús mismo dijo que de la abundancia del corazón habla la boca (Mat. 12:34). La gracia de Cristo cambia todo el ser, incluso nuestra manera de hablar.

El pecador tiene una boca cerrada respecto de Dios. El creyente tiene una boca abierta, que alaba y glorifica a Dios, y testifica de él. Pablo sabía esto por experiencia propia: de respirar amenazas y muerte contra los cristianos a abrir su boca para publicar claramente la salvación en Cristo. Pasamos de palabras podridas, que enferman y matan, a palabras maduras, que sanan y vivifican.

A Pedro lo identificaron como discípulo, y tuvo que maldecir y proferir palabras para mostrar que no tenía nada que ver con el Crucificado.

Son muchos los que son influenciados para bien o para mal, como resultado de todo lo que expresamos. Considerando ese valor, Robert Wong recomienda estos pasos: Piense, observe, escuche y, solo después, hable. Una mente para pensar, ojos para observar, oídos para escuchar y una boca para hablar. Entonces, recién entonces, estamos en condiciones de transmitir algo trascendente.

Pensar es meditar, orar y comunicarse con Dios. Observar es estar atentos a los acontecimientos que suceden tanto en el mundo como en la región y su relación con las profecías de la Biblia. Escuchar es prestar atención a lo que Dios dice a través de su Palabra. Esto nos permite entender, comprender, y nos habilita para hablar con sentido y significado. Recién entonces estamos en condiciones de hablar, con contenido, ciencia, mente y corazón.

El remedio es que el corazón esté lleno del amor de Cristo. Las palabras tienen poder, ya sea para bien o para mal. Pablo afirma que hablemos de tal forma que lo que digamos edifique a otros.

Con Cristo, nuestro hablar puede curar antes que herir, bendecir en vez de maldecir, construir en lugar de destruir, consolar antes que acusar. Habla siempre palabras de vida, conecta tu corazón con el corazón de Dios; y tu lengua, con tu corazón.

CUANDO DIOS SE PONE TRISTE

"Y no entristezcáis al Espíritu Santo de Dios, con el cual fuisteis sellados para el día de la redención" (Efesios 4:30).

Pablo dice que no hagamos nada para "entristecer" al Espíritu Santo. Resumiendo una presentación del Pr. Wilson Endruveit, mostraremos algunos hábitos que ponen en peligro nuestra redención, con citas de Elena de White.

1-Diversiones impropias. "Las diversiones están haciendo más para contrarrestar la obra del Espíritu Santo que cualquier otra cosa, y el Señor es agraviado" (*Consejos para los maestros*, p. 268).

2-Falso cristianismo. "El Espíritu de Dios es entristecido porque muchos no son sinceros consigo mismos; la fe que profesan no armoniza con sus obras" (*Testimonios para la iglesia*, t. 4, p. 247).

3-Codicia. "Ananías y Safira agraviaron al Espíritu Santo cediendo a sentimientos de codicia [...] el mismo pecado se repitió a menudo en la historia ulterior de la iglesia, y muchos lo cometen en nuestro tiempo" (*Los hechos de los apóstoles*, p. 64).

4-Desconfiar del amor de Dios y de sus promesas. "Cuando parece que dudamos del amor de Dios y que desconfiamos de sus promesas, lo deshonramos y contristamos a su Santo Espíritu" (*El camino a Cristo*, p. 119).

5-No controlar la imaginación. "Vosotros tenéis el poder de la fuerza de voluntad y debéis usarlo para vuestro propio auxilio. No habéis hecho esto, y dejáis que vuestra mala imaginación controle vuestra mente" (*Testimonios para la iglesia*, t. 5, p. 310).

6-El temor y las quejas. "Jesús es su amigo. Todo el cielo está interesado en su bienestar, y su temor y sus murmuraciones agravian al Espíritu Santo" (*Obreros evangélicos*, p. 275).

7-Desunión, contiendas y egoísmo. "El Espíritu de Dios no habitará entre los cristianos si existe desunión y contiendas" (*Testimonios para la iglesia*, t. 4, p. 221).

8-Relajados en la observancia del sábado. "Cuando vuestras ocupaciones terrenas captan vuestra atención, estáis violando el cuarto Mandamiento sin escrúpulos" (*Testimonios para la igl*esia, t. 4, p. 248).

9-Dureza de corazón. "Con agonía de espíritu, imploré al Señor para que aquellos que estaban presentes no continuasen entristeciendo al Espíritu de Dios por la dureza de su corazón" (*Testimonios para la iglesia*, t. 5, p. 67).

A veces nos entristecemos por lo que creemos que Dios hizo o no hizo por nosotros. Hoy quiero invitarte a que cuides de no entristecer el corazón de Dios.

IMITADORES

"Sed, pues, imitadores de Dios como hijos amados" (Efesios 5:1).

En Efesios 5, el apóstol Pablo ofrece siete sabios consejos:

1. Seamos imitadores de Dios, viviendo en amor y sacrificio en favor del prójimo.
2. Huyamos de toda inmoralidad sexual; porque quien no abandone la impureza no participará en el Reino de Dios.
3. Cuidemos nuestras palabras; que sean siempre para curar y no para lastimar.
4. Vivamos como hijos de la luz, practicando la bondad, la justicia y la verdad.
5. Usemos el tiempo de manera sabia, sin perder el tiempo.
6. Huyamos de las bebidas alcohólicas.
7. Que el marido ame a su esposa; y que la esposa ame a su marido.

Pablo nos dice que tenemos que imitar a Dios en amor y sacrificio en favor de los demás. El mensaje adventista en Sudamérica se introdujo porque Jorge Riffel renunció a sus comodidades y amistades en Estados Unidos, y priorizo la difusión del evangelio y la salvación de sus antiguos conocidos y de tantos desconocidos. Su misión y su convicción se vieron fortalecidas por el apoyo de tres familias que también dejaron todo, y viajaron con él: las familias Frick, Yanke y Zimmermann.

El Pr. Rolando Bernhardt Hetze, descendiente de pioneros, cuenta en el libro *Crespo, iglesia madre*, que años más tarde, cuando Juan Riffel en una sesión de la Asociación General se refería a su abuelo Jorge, lo hizo mencionando tres características de él: **su espíritu de oración y amor por las reuniones, su espíritu misionero y su espíritu de generosidad.**

Jorge tenía un lugar especial donde pasaba mucho tiempo en oración. El gran tema era la misión: oraba por misioneros, por las personas para estudiar la Biblia, por conversiones y bautismos.

El espíritu misionero y de generosidad no tenía límites. Ponía todo a disposición, realizaba largos viajes en sus carros a caballos para tener reuniones, visitar personas y compartir el evangelio. Regresaba muy tarde a la noche a su casa, para seguir cuidando de los animales y de las plantaciones de trigo. Sin embargo, la gran siembra era con la semilla del evangelio en el corazón de todos los vecinos. Tenía un fuego en su corazón que ardía y encendía nuevos fuegos.

Elena de White destacaba así la labor de los pioneros: **"Los hombres experimentados y piadosos que iniciaron esta obra, que se negaron a sí mismos y no vacilaron en sacrificarlo todo por su éxito, ahora duermen en la tumba [...]. Su pureza, su devoción, su abnegación y su unión vital con Dios constituyeron una bendición para la edificación de la obra"** (*Mensajes selectos*, t. 2, p. 245).

REDIMIENDO EL TIEMPO

"Aprovechando bien el tiempo, porque los días son malos" (Efesios 5:16).

Se dice popularmente que hay que saber aprovechar las oportunidades porque estas tienen fecha de vencimiento. La palabra "oportunidad" viene del latín y significa "hacia el puerto". Da la idea de una nave que aprovecha el viento y la corriente para llegar al puerto con seguridad. Lo breve de la vida es un fuerte argumento para hacer buen uso de las oportunidades que Dios nos da. El otro argumento es que los días son malos. En los tiempos de Efesios 5, "los días malos" eran por la persecución del Imperio Romano, que amenazaba con debilitar el cumplimiento de la misión.

A continuación, trazaré un paralelismo en contraste con "algunas ideas modernas" comparadas con las "viejas ideas del apóstol".

Hoy, en muchos ambientes religiosos, impera el concepto de la Teología de la Prosperidad. Esta sostiene que cuanto más fieles somos, más tenemos. En algunos casos podría ser, pero la relación con Dios no es un negocio.

Hoy muchos religiosos anteponen sus títulos o experiencia; Pablo prefería llamarse esclavo o deudor antes que apóstol.

Hoy muchos predican un evangelio motivacional, centrado en la autoestima y la autoayuda. Es un evangelio antropocéntrico, con énfasis en lo que cada uno puede hacer. Pablo, sin embargo, predicaba el evangelio de Jesucristo, porque es imposible que el hombre pueda salvarse por sí mismo. Es algo que no estaba basado en sabiduría propia sino en la sabiduría que viene de Dios.

Hoy muchos se autoexaltan, aun por sus propias buenas obras. Pablo buscaba hacer todo para la gloria de Dios, ya que sabía que no tenía de qué gloriarse. Pablo cumplía lo que bien resumiría siglos más tarde Charles Spurgeon: **"Cuenta todo lo que Dios ha hecho contigo, pero no digas nada de lo que tú haces para Dios. No promuevas aplausos, promueve su gloria".**

Hoy muchos licuan la doctrina, la diluyen, le hacen un descuento. Pablo la mantuvo siempre en alto y no negoció con el mensaje. Podía negociar las formas, pero nunca con el fondo.

Escribió Elena de White: **"La vida es demasiado corta para que se la disipe. No tenemos sino unos pocos días de gracia en los cuales prepararnos para la Eternidad. No tenemos tiempo para perder, ni tiempo para dedicar a los placeres egoístas ni tiempo para entregarnos al pecado"** (*Palabras de vida del gran Maestro*, p. 76).

Levantémonos del sueño (Rom. 13:11) y pongamos a trabajar todas nuestras habilidades dadas por Dios.

Vamos a redimir el tiempo; es decir, vamos a recuperar el tiempo perdido. No solo porque los días son los peores. También son los últimos.

CANTOS QUE CURAN

"Hablando entre vosotros con salmos, con himnos y cánticos espirituales, cantando y alabando al Señor en vuestros corazones" (Efesios 5:19).

Como cualquier madre, cuando Karen supo que estaba embarazada, hizo todo lo posible para ayudar a su otro hijo, Michael (de tres años) a prepararse para la llegada de la hermanita. Su hijito todos los días le cantaba cerca de "la barriga de su mamá". Por eso, Michael ya amaba a su hermanita antes de nacer.

El embarazo se desarrolló normalmente. Finalmente llegaron las contracciones, pero el trabajo de parto de Karen demoró horas. Su hijita nació, pero con serias dificultades.

Con la sirena en el volumen máximo, la ambulancia llevó a la recién nacida a una Unidad de Terapia Intensiva (UTI). Los días pasaron y la bebé empeoraba. El médico dijo a los padres: "Prepárense para lo peor. Hay pocas esperanzas". La alegría y la luz del nacimiento parecían esfumarse frente a la expectativa de tristeza y oscuridad del funeral.

Mientras tanto, Michael pedía a sus padres todos los días que lo llevaran a conocer a su hermanita. "Quiero cantarle", decía. La segunda semana comenzó, y se esperaba que la bebé no sobreviviera hasta el final.

Michael continuaba insistiendo en que quería cantar a su hermana, pero no se permitía que los niños entraran en la UTI. Sin embargo, Karen decidió llevar a Michael al hospital de cualquier manera. Todavía no conocía a su hermana y, si no iba ese día, tal vez no la vería viva.

En la puerta, la enfermera no permitió que entrara y exigió que Michael se fuera de allí. Pero Karen insistió: "Él no se irá de aquí hasta que no vea a su hermanita".

Finalmente, ingresó. Mientras Micheal cantaba, la respiración difícil de la bebé se fue haciendo suave. "Continúa, querido", pidió Karen emocionada. La bebé comenzó a relajarse. "Canta un poco más, Michael", dijo la mamá. La enfermera comenzó a llorar. "Tú me haces sentir feliz, aunque el cielo esté oscuro. Por favor, no te lleves mi sol".

Al día siguiente, la hermana de Michael ya se había recuperado y en pocos días se fue a su casa. La *Woman's Day Magazine* llamó a esa historia "El milagro de la canción de un hermano".

Sabemos que la música ejerce siempre influencia y tiene poder. Elige muy bien lo que escuchas y cantas, y úsalo siempre para edificar y salvar.

NOS HUNDIMOS JUNTOS

"Maridos, amad a vuestras mujeres, así como Cristo amó a la iglesia y se entregó a sí mismo por ella" (Efesios 5:25).

Pablo utiliza la figura de un matrimonio para ilustrar el vínculo entre Cristo y la iglesia; y utiliza esta relación para ilustrar y fortalecer el vínculo matrimonial. Veamos algunas características de este amor.

Amor sacrificial: Desafía a los maridos a amar a sus mujeres así como Cristo amó a la iglesia. Su amor no fue solo declarativo, poético o enunciativo. Fue un amor que incluyó el sacrificio de la muerte.

Amor santificador: Somos santificados por la Palabra, por la verdad y por el Señor. Puestos aparte para un uso sagrado.

Amor protector: Es aquel que sustenta y que cuida.

Amor fiel: Hay un contrato de amor y fidelidad. Solo Cristo garantiza su fiel cumplimiento.

Ella nació como Ida Blun (en Worms, Alemania). Era la quinta de siete hermanos. En 1871 contrajo matrimonio con Isidor Straus. Tuvieron siete hijos.

Ambos se encontraban en Europa por aquel entonces. En un principio debían embarcar en otro navío, pero a causa de una huelga en el sector del carbón en Inglaterra, tuvieron que subir a bordo del Titanic.

En la noche del hundimiento del famoso trasatlántico, la pareja se encontraba cerca del bote 8 en compañía de su criada, Ellen Bird. Aunque el oficial a cargo de la embarcación trató de convencerlo de que subiera junto a ellas, Isidor rechazó embarcar mientras hubiera mujeres y niños en la cubierta. No obstante, instó a su esposa a que subiera, pero ella decidió quedarse con él.

Claramente, no había lugar para que los dos se salvaran. Con un solo lugar, y ante el inminente hundimiento, con impaciencia cada uno trató de convencer al otro. **El amor hizo que cada uno priorizara al otro; y el amor hizo que ninguno quisiera salvarse a expensas del otro.**

Nadie pudo convencerlos. De acuerdo con los testigos, sus últimas palabras fueron: "Hemos vivido juntos cuarenta años; si no podemos seguir viviendo juntos, vamos a morir juntos". Y así, abrazados, se hundieron para siempre.

El cuerpo de Isidor fue recuperado. El de Ida, no. En el cementerio de Woodlawn, en el Bronx de Nueva York, se halla una lápida ubicada en el mausoleo de los Straus, en cuya inscripción puede leerse: **"Ni todas las aguas pueden aplacar el amor, ni las inundaciones anegarlo".**

ARMONÍA COMPLETA

"Hijos, obedeced en el Señor a vuestros padres porque esto es justo" (Efesios 6:1).

Pablo comienza el último capítulo de Efesios dando un recado a los hijos: Que obedezcan y que honren a los padres (Efe. 6:2). Honrar es más que obedecer. Honrar es dignificar y respetar, mientras que obedecer es cumplir normas. **Podemos obedecer sin honrar, pero no podemos honrar sin obedecer.**

No obstante, el apóstol también les da un mandato a los padres: No provoquen ira en sus hijos, sino que traten de educarlos en la disciplina y en la amonestación del Señor (Efe. 6:4). En otras palabras: respeten los sentimientos de sus hijos; y que ese respeto sea pautado por la voluntad de Dios.

En un contexto de esclavitud, Pablo dice a los siervos que obedezcan a sus señores. Él no está promoviendo la subordinación, sino el respeto. La idea es: todos deben convivir bien con todos; el patrón y el trabajador.

Además, en Efesios 6 él habla acerca de vestir la armadura de Dios. Esto significa hacer de Dios nuestra única seguridad. La armadura es en sí una clara ilustración de lo que el creyente necesita para ser victorioso.

Pablo enfatiza un mensaje para los cuatro grupos presentes en este capítulo: hijos creyentes, padres creyentes, siervos creyentes y amos creyentes. El mensaje de Pablo es el de armonía. ¿Cómo lograr armonía si en nuestros días, aun más que en los días de Pablo, tenemos división entre padres e hijos, entre trabajadores y patrones?

La armonía es el equilibrio, la proporción y la correspondencia adecuada entre las diferentes cosas de un conjunto. Es decir, es una relación de paz, concordia y entendimiento entre dos o más personas.

En 1899 murieron dos personajes: Robert Ingersoll y Dwight L. Moody. El primero fue abogado, orador, político y agnóstico. Él sostenía que la Biblia es una obscenidad. Murió sin esperanza. La familia no quiso sepultarlo por varios días. Lo tenían allí en su casa, hasta que la policía los obligó a hacerlo. Sin fe, todo era angustia y desesperación. El segundo fue un gran predicador. En uno de sus últimos sermones, había dicho: "Un día de estos leerán que Moody murió. No lo crean. Nací de la carne en 1837, y del Espíritu en 1855. El que solo nace de la carne muere, pero el que nace del Espíritu, aunque este muertom vivirá".

Esta es la verdadera armonía que solo la presencia de Dios puede dar: armonía con Dios, con nosotros mismos, con nuestra familia y con los semejantes.

NO ES UN PARQUE DE DIVERSIONES

"Porque no tenemos lucha contra sangre y carne, sino contra principados, contra potestades, contra los gobernadores de las tinieblas de este mundo, contra huestes espirituales de maldad en las regiones celestes" (Efesios 6:12).

Pablo nos dice que la vida cristiana es una lucha en un campo de batalla, no un juego en un parque de diversiones. El enemigo es real y estratégico. Sus misiles son bien dirigidos y, a menos que estemos protegidos en Cristo, no tenemos chance de supervivencia.

La Biblia identifica a Satanás como el ángel del abismo, el príncipe de este mundo y de las tinieblas, el león rugiente, el adversario, el acusador de los hermanos, el dragón, la serpiente, el padre de mentiras, el asesino, el engañador, el diablo. Todas estas expresiones definen características de su esencia: tentar, seducir, engañar, destruir y matar.

Este enemigo fue expulsado del cielo por su rebelión, tomó el planeta como rehén e incita a la rebelión contra Dios. Apela a la debilidad natural, a los temores y al amor propio.

Como creyentes, nos enfrentamos al mundo como sistema que se opone a Dios; a la carne, como nuestra propia naturaleza pecaminosa; y al enemigo y sus estrategias. Es el mismo Lucifer que en el cielo cuestionaba tres cosas de Dios: su gobierno no era justo, su ley no podía cumplirse y su carácter no es amor.

Satanás no es omnisciente, ni omnipotente ni omnipresente. Pero se hace peligroso por sus colaboradores, la tercera parte de los ángeles expulsados del cielo, las huestes espirituales, un ejército de criaturas demoníacas que lo ayudan en sus ataques contra los creyentes.

Nos enfrentamos a Satanás y sus asechanzas; es decir, su astucia y sus mañas. Incluso puede disfrazarse como ángel de luz.

Lo que el enemigo no pudo hacer con Jesús intenta hacerlo con nosotros. Cuanto más imitemos a Jesús, más seremos blanco de sus ataques. Pero Elena de White nos asegura que tenemos un aliado mucho más poderoso:

"Al contender con fuerzas sobrenaturales, se les asegura una ayuda sobrenatural. Todos los seres celestiales están en este ejército. Y hay más que ángeles en las filas. El Espíritu Santo, el representante del Capitán de la hueste del Señor, baja a dirigir la batalla. Nuestras flaquezas pueden ser muchas, y graves nuestros pecados y errores; pero la gracia de Dios es para todos los que, contritos, la pidan. **El poder de la Omnipotencia está listo para obrar en favor de los que confían en Dios"** (*El Deseado de todas las gentes,* p. 318).

Recuerda: No estamos en un parque de diversiones sino en un campo de batalla. No juegues. Lucha y gana.

LA MEJOR DEFENSA

"Por tanto, tomad toda la armadura de Dios, para que podáis resistir en el día malo y, habiendo acabado todo, estar firmes" (Efesios 6:13).

Pablo utiliza la figura de un soldado para ilustrar la armadura del creyente. Hoy nos detendremos en las armas defensivas de base.

El cinto de la verdad (Efe. 6:14). Sujetaba la túnica que distinguía al soldado y que le cubría casi todo el cuerpo. El cinto mantenía unidas las otras partes de la armadura. Cristo, como la verdad, es la fuerza integradora en la vida de un creyente victorioso. Pablo dice que los que son de Cristo están recubiertos de Cristo.

La coraza de justicia (Efe.6:14). Hecha de placas de metal, colocadas sobre la túnica, servía para proteger los órganos vitales como el corazón y los pulmones. Además, cubría el cuerpo, frente y espalda, desde el cuello hasta los muslos. Simboliza la justicia del creyente en Cristo.

El calzado del evangelio (Efe. 6:15). El soldado romano usaba sandalias con tachuelas en las suelas, lo cual le daba más firmeza para la batalla. Estas sandalias eran livianas y cubrían hasta casi la mitad de la pierna. El evangelio es el sustento sobre el cual está en pie el cristiano. Ese evangelio produce paz, por la seguridad de la victoria mediante la gracia de Dios, siempre listo para testificar.

El escudo de la fe (Efe. 6:16). No era un escudo pequeño, sino de algo más de un metro por medio metro, hecho de madera y cuero. Protegía de las lanzas, las flechas y los dardos de fuego. Una fila entera de soldados podía entrelazar sus escudos y marchar como si fuera una pared sólida. En la lucha, el creyente no está solo. Somos un ejército con una fe viviente en el poder de Dios.

El yelmo de la salvación (Efe. 6:17). Si los dardos del enemigo daban en el escudo, se apagaban y caían. Por eso, apuntaban a la cabeza. El yelmo en la cabeza ilustra una mente controlada por Dios. El casco, o yelmo, tenía como función resguardar la cabeza y la nuca. El creyente que estudia y aplica la Biblia está protegido por el yelmo de la salvación.

Aun cuando las fuerzas físicas de Pablo declinaban, él se defendía del poder del enemigo, pues "declaraba fiel y resueltamente el evangelio de Cristo. **Vestido con toda la armadura de Dios, este héroe de la Cruz proseguía la lucha. Su voz animosa lo proclamaba triunfante en el combate"** (Elena de White, *Los hechos de los apóstoles*, p. 267).

Luchemos juntos, vestidos de toda la armadura de Dios.

EL MEJOR ATAQUE

"Y la espada del Espíritu, que es la palabra de Dios" (Efesios 6:17).

La espada utilizada por el soldado romano era de hierro, tenía dos filos, iba protegida por una vaina y estaba ceñida al cinto. En la Biblia, la espada es símbolo de la guerra, de divisiones, de palabras violentas, de justicia divina, y de la poderosa y penetrante Palabra de Dios.

La espada romana era un arma ofensiva. La Palabra de Dios es también nuestra arma para atacar. La espada del soldado penetraba en lo físico, la espada del Espíritu penetra en lo espiritual. Una llega al cuerpo, la otra llega al corazón.

Pedro atacó con una espada romana, hasta que aprendió a usar la espada celestial. Moisés quiso usar la espada contra Egipto hasta que aprendió que era mejor con la espada del Espíritu. Cuanto más se usa una espada física, más se desafila, pero el continuo uso de la Palabra de Dios la hace más cortante en nuestra vida.

Una espada física requiere la mano experta de un soldado, pero la espada del Espíritu requiere un corazón receptivo, que reconozca que es viva y eficaz.

La espada esgrime nuestra fuerza, la Palabra esgrime la fuerza de Dios. La espada lastima, daña y mata, mientras que la espada del Espíritu lastima para curar y dar vida. **La espada del Espíritu es arma de defensa, de ataque y de conquista. Nos defendemos del mal, atacamos el mal y conquistamos vidas para el Señor.**

¿Puedes imaginar lo que sucedería si nosotros tratáramos a la Biblia igual que tratamos a nuestro celular? Es decir, si lleváramos la Biblia siempre a mano, si le diéramos una mirada varias veces durante el día, si la buscáramos con desesperación cada vez que nos falta, si la usáramos para mandar mensajes a nuestros amigos, si la tratásemos como si no pudiéramos vivir sin ella, si la regaláramos a nuestros hijos para estar siempre en contacto con ellos, si fuera nuestro google como permanente buscador de soluciones, si le dedicáramos horas y horas por día como algunos le dedican a su celular...

A diferencia del celular, la Biblia nunca queda sin señal, sea en la montaña o el mar; nunca sin servicio ni buscando red. No debemos preocuparnos por el crédito, es ilimitado; Jesús ya lo ha pagado para siempre.

La vida es un ataque permanente al mal en la búsqueda del bien y la victoria eterna. Por eso, antes que usar un celular para buscar la ayuda de los hombres, es mejor recurrir a la Biblia para buscar la ayuda de Dios.

K'NAAN Y CANAÁN

"Orad en todo tiempo con toda oración y súplica en el Espíritu, y velad en ello con toda perseverancia y súplica por todos los santos" (Efesios 6:18).

Warren Wiersbe afirma que **la oración es la energía que capacita al soldado cristiano para usar la armadura y blandir la espada.**

Debemos orar siempre. La actitud de comunión y oración debe ser permanente, no solo para pedir, sino también para agradecer, para confesar, para alabar y para interceder.

Debemos orar en el Espíritu. Oramos al Padre a través del Hijo en el Espíritu. Es el Espíritu el que acomoda y transforma nuestro ruego pecaminoso en sabia súplica. **"La oración no es lograr que se haga la voluntad del hombre en el cielo; es lograr que se haga la voluntad de Dios en la Tierra" (Robert Law).**

Debemos orar, velar y trabajar. Elena de White nos dice que hay tres consignas en la vida cristiana que deben ser observadas si deseamos evitar que Satanás nos gane la delantera: **"Velar, orar y trabajar. Su única seguridad consiste en vivir una vida vigilante. Vele y ore siempre"** (*Joyas de los testimonios*, t. 1, p. 248).

En lejanas tierras africanas, nació y creció K`naan, que en su idioma original somalí significa "viajero". Creció entre las guerras y las hambrunas. Hoy ya no sufre en su Somalia natal debido a su mayor éxito: producir el himno oficial del mundial de fútbol de Sudáfrica 2010, titulado "Waving Flag" [Bandera flameante]. De la letra de esta canción se destacan estas frases: "Cuando sea grande, seré más fuerte. Por ahora sufro la violencia, vivo en lugares duros, oscuros y pobres. No se aceptan derrotas, imposible rendirse; como soldados, seguimos luchando y buscando libertad. Esperamos por otros días. Como una bandera que flamea".

Como K`naan, somos viajeros sufrientes. Jesús levantó con su vida la bandera manchada con su sangre, pagando el precio de nuestra redención. Hoy tenemos que levantar la bandera de la esperanza, No se aceptan derrotas, imposible rendirse. Luchando pronto llegaremos al final del viaje, a la Canaan prometida, cuando cantemos el himno oficial inaugural del Universo restaurado. No se aceptan derrotas, imposible rendirse, porque estos días no están tan lejos.

"Si alguna vez alcanzamos el cielo, será por ligar nuestra alma a Cristo, apoyarnos en él y romper las ataduras del mundo, sus locuras y sus encantos. **Debemos creer, trabajar, orar, velar y esperar. El fin de todas las cosas está cerca. Se necesitan ahora hombres y mujeres armados y equipados para luchar en favor de Dios"** (Elena de White, *La educación cristiana*, p. 109).

PABLO@EMBAJADOR.ENCADENAS

"Por el cual soy embajador en cadenas..." (Efesios 6:20).

Apreciado embajador:

Te escribo para actualizarte sobre la marcha del evangelio que ayudaste a establecer en Éfeso. Recuerdo cuando no dejabas de predicar ni siquiera preso y hoy algunos ni siquiera libres proclaman a Jesús. Recuerdo cuando nos desafiaste a dejar la sabiduría del mundo para seguir la locura de la predicación, y hoy algunos prefieren la cordura del mundo antes que la locura del evangelio.

Fuiste muy claro al enseñarnos que tenemos que ser edificados sobre la roca inamovible de su Palabra, pero algunos optan por construir sobre las arenas movedizas de sus opiniones. Fue alentador saber que no somos forasteros ni extranjeros sino ciudadanos del Reino eterno; pero es desalentador percibir que algunos desechan la herencia eterna por una residencia provisoria en esta Tierra.

Timoteo entendió que el amor al dinero es la raíz de todos los males, pero hoy algunos creen que el dinero es la solución a todos los problemas. Nos emocionaste al ver que, por tu amor a Cristo, bien valía la pena perder todas las cosas. Hoy nos entristecemos al ver que algunos prefieren perder a Cristo por amor a todas las cosas.

¡Qué inspirador fue escuchar tu testimonio de los hermanos de Berea, quienes eran muy nobles porque recibían la palabra con toda solicitud y profundizaban en el mensaje bíblico cada día! Sin embargo, parece que hoy no hay tiempo para eso porque hay muchas cosas importantes que hacer.

Querido embajador, te considerabas el más pequeño de todos los santos y el primero de los pecadores. Hoy muchos se sienten el más grande de los santos y el menor de los pecadores. En lugar de contar las pequeñas cosas que Dios ha hecho por ellos, prefieren contar las grandes cosas que han hecho para Dios. No promueven la gloria del Cielo, buscan ser aplaudidos en esta Tierra. En lugar de ser prisioneros de Cristo, prefieren que Cristo sea su rehén. En lugar de reconocer y apropiarse de la armadura de Cristo para enfrentar la dura batalla de la vida, toman la vida como un entretenido juego en un parque de diversiones. Parece que algunos no se dan cuenta de que la iglesia es un bote salvavidas, no un lugar para pasear como si fuera un barco de placeres. ¿Qué nos pasó?

Embajador, queremos tener tu compromiso con el Señor, tu fidelidad, tu coraje, tu caminar infatigable en la Tierra con tu mirar inamovible en los cielos.

****

Padre: Ayúdame a ser como Pablo. Ayúdame a ser reavivado por una pasión.

COSECHARÁS TU SIEMBRA

"Pablo y Timoteo, siervos de Jesucristo, a todos los santos en Cristo Jesús que están en Filipos, con los obispos y diáconos" (Filipenses 1:1).

La carta a los Filipenses fue escrita en Roma durante el primer encarcelamiento de Pablo, para los cristianos en Filipos, una ciudad de Macedonia. Es una carta de consejos espirituales, de un amigo a sus amigos. Pablo les cuenta a los filipenses sobre su encarcelamiento, de los progresos del evangelio en Roma y de los intentos de adversarios para angustiarlo por medio de la oposición. También escribe sobre la paz interior y la alegría experimentadas en las aflicciones.

En el capítulo 1, Pablo manifiesta gratitud a Dios y amor por los filipenses, ora por el crecimiento de ellos en la gracia y en el conocimiento de Dios y describe los resultados positivos de su estadía en Roma. ¡Qué maravilla saber que Dios es capaz de usar situaciones adversas para promover el crecimiento de las personas! Así, el apóstol hace una afirmación poderosa: "Para mí, el vivir es Cristo, y el morir es ganancia" (Fil. 1:21). De este modo, evidencia que está dispuesto a glorificar a Cristo con la vida o con la muerte.

Por otro lado, él anima a mantener la unidad en Cristo y en la iglesia sin intimidarse ante ninguna persecución. **Todos pasamos por dificultades: algunos desisten ante los desafíos, mientras que otros persisten, se acercan más a Dios y son fortalecidos. Y tú ¿cómo te comportas ante los problemas?**

Nuestros pioneros en tierras sudamericanas tuvieron ciertos días difíciles y adversos. Un día, Francisco Westphal, el primer pastor adventista en este extremo del continente, llegó al punto de no tener alimentos para él y su familia. Aquel invierno en Crespo (Argentina) fue frío, lluvioso y largo. El hermano Conrad Keipp "intuyó" que podría faltarle alimento a la familia del pastor. Por eso, cargó su carro ruso con papas, repollos, huevos y otros alimentos, y fue hasta la casa de los Westphal.

Allí fue recibido por Carlos, el hijo de doce años, quien, llorando, le reconoció que su llegada era la respuesta de Dios a sus oraciones, pues no tenían nada para comer. Pasaron muchos años, y Carlos llegó a ser el director del Sanatorio Adventista del Plata. Como profesional, en otra noche fría tuvo que recibir y atender a un ancianito enfermo y frágil. Se trataba de don Keipp, el mismo que lo había alimentado décadas atrás. Carlos le ofreció hospedaje y asistencia médica gratuitos hasta el final de sus días.

Pon atención a lo que haces porque, tarde o temprano, cosecharás tu siembra.

AFUERA TRES, ADENTRO UNO

"Siempre en todas mis oraciones ruego con gozo por todos vosotros" (Filipenses 1:4).

Pablo escribió Filipenses en el año 62 d.C., cuando estaba como prisionero en Roma. Y, desde esa horrible situación, menciona en esta carta (de 104 versículos) por lo menos 19 veces las palabras "gozo" o "regocijo".

¿Cómo puede regocijarse una persona que está injustamente presa? Con un juicio que se avecinaba, sin indicios de que alguien lo defendiera, el riesgo de ser degollado era factible. Si bien tenía cierta comodidad, por estar preso en una casa alquilada, era una comodidad relativa, pues al mismo tiempo estaba sujetado por cadenas a un soldado.

Sin embargo, a pesar del peligro y la incomodidad, Pablo sobreabundaba en gozo. **¿Qué motivos tenía para tener gozo?** La respuesta es la palabra "sentir", que Pablo usa unas 8 veces, y también otras 6 palabras distintas que indican el uso de la mente (ciencia, conocimiento, ánimo, estimar, pensamiento y pensar). El gozo, entonces, es lo que se siente, lo que se piensa y cómo se reacciona frente a la vida. No es autoayuda, que se convence de que todo va a "salir bien". No. **Pablo muestra que quien tiene plenamente a Cristo tiene un sentir, un pensar, una actitud y una respuesta diferentes. Que no depende de las circunstancias para sentirse bien.**

Por eso, en la Biblia, el regocijo es contentamiento, satisfacción, alegría, paz, serenidad, fe y esperanza. El gozo puro es el gozo en Dios como su fuente y objeto. Dios es el Dios del gozo y el gozo del Señor es fortaleza porque en su presencia hay plenitud de gozo (Sal. 16:11).

El gozo es un don divino: es la respuesta del alma al evangelio y es un fruto del Espíritu (Gál. 5:22). Como don de Dios, el mundo no conoce el gozo; por eso, el creyente puede regocijarse aun en aflicciones y sufrimientos. Como dijo D. M. Edwards, "el gozo no es alegría sin oscuridad, sino la victoria de la fe".

A un creyente que se lo veía siempre gozoso, le preguntaron qué razón tendría para estar así, y él respondió: **"Afuera tres, adentro uno". ¿Cómo lo explicaba? Afuera el pecado, porque la sangre de Jesucristo nos limpia. Afuera la ansiedad, porque Dios tiene cuidado de nosotros. Afuera la muerte, porque Dios promete la resurrección. ¿Y adentro? Dios, por supuesto.**

"Jesús vivió, sufrió y murió para redimirnos. Se hizo 'Varón de dolores' para que nosotros fuésemos hechos participantes del gozo eterno" (Elena de White, *El camino a Cristo*, p. 13).

CUIDADO CON LOS LADRONES

"Estando persuadido de esto, que el que comenzó en vosotros la buena obra la perfeccionará hasta el día de Jesucristo" (Filipenses 1:6).

Muchos "ladrones" pueden robarnos el gozo:

Las circunstancias. Un ladrón que busca robar ve a alguien entrar en su casa y se aprovecha de la circunstancia. Muchas circunstancias están fuera de nuestro control, como el clima, la economía mundial y el tránsito. No tenemos el control de todo, somos impactados por las circunstancias. Pero Pablo, en la peor de las circunstancias, escribe la mejor de las cartas.

La gente. Todos hemos perdido alguna vez el gozo por causa de la gente. Algunos camiones que circulan por la ruta llevan un fuerte mensaje: "Cuanto más trato a la gente, más quiero a mi perro". Es muy duro, no se aplica a todos y no debería ser así, pues somos llamados a ser luz y sal entre la gente, pero muchas veces el egoísmo de unos y otros nos hace perder el gozo.

Las cosas. Jesús dijo que la vida del hombre no consiste en la abundancia de los bienes que posee (Luc. 12:15). Muchos gastan su vida para poseer cosas, y finalmente son poseídos por ellas. Abraham Lincoln caminaba con sus dos hijos, quienes estaban llorando. "¿Qué les pasa?", preguntó un amigo. "Lo mismo que pasa con todos", replicó Lincoln. "Tengo tres nueces, y cada uno quiere dos". **El gozo no viene por las cosas que poseemos, pero las desgracias vienen por las cosas que nos poseen.** Quien solo vive por juntar tesoros en la Tierra nunca tendrá suficiente. El único banco seguro donde guardar nuestras cosas es el cielo. Jesús dijo que es allí donde debemos hacer tesoros (Mat. 6:19, 20).

Las preocupaciones. Las úlceras no vienen por lo que uno come, sino por lo que se come a uno. **Anticipar el mañana para hoy es ansiedad, traer el pasado para hoy es estancamiento, vivir el hoy como si solo existiese "el ahora" es irresponsabilidad. El relegado equilibrio siempre será la mejor solución.**

Pablo tenía motivos para preocuparse: era un prisionero político y enfrentaba una posible ejecución. Pero escribe lleno de gozo y nos dice que no nos preocupemos.

Que estos "ladrones" no se queden con lo que Cristo adquirió para nosotros. El verdadero gozo es independiente de las circunstancias, la gente, las cosas y las preocupaciones. "Contemple a Jesús, su piadoso y amante Salvador. Si le entrega a Cristo su alma desamparada, él le proporcionará gozo y paz. Será su corona de regocijo, su recompensa inestimable" (Elena de White, *Cada día con Dios*, p. 43).

CADENAS POR CORONAS

"Quiero que sepáis, hermanos, que las cosas que me han sucedido, han contribuido más bien al progreso del evangelio, de tal manera que en todo el pretorio y entre todos los demás se ha hecho evidente que estoy preso por causa de Cristo" (Filipenses 1:12, 13).

Las dificultades y las adversidades no deberían ser un obstáculo para la realización de una vida con propósitos. El rey David fue un simple pastor de ovejas, Colón fue hijo de un operario, Cervantes fue un soldado raso y Lincoln fue hijo de un pobre leñador. Demóstenes fue tartamudo, y llegó a ser el mayor orador de Grecia; Beethoven fue sordo, y creó algunas de las melodías más bellas; Miguel Ángel fue frágil, y pintó y esculpió algunas de las figuras más sublimes.

Susan Wesley fue madre de 19 hijos, sin lavadoras automáticas ni pañales desechables. Fue la maestra de cada hijo; entre ellos, John y Charles, quienes lideraron movimientos religiosos de reforma. Fanny Crosby, ciega casi desde su nacimiento, nunca se resignó por las cadenas de la oscuridad, y compuso muchos himnos. Más que impedimentos, las piedras pueden transformarse en escalones para alcanzar la cima.

Pablo quería llevar el evangelio al oriente (a Asia), pero Dios cerró las puertas y lo dirigió hacia el oeste (a Europa). Él no pudo seguir su plan, pero siguió el plan de Dios. A veces, Dios usa instrumentos tan extraños como las cadenas del apóstol para que el evangelio llegara a la Guardia Pretoriana.

Dios puede usar la vara de Moisés, los cantaros de Gedeón, la honda y las piedras de David, los panes y los peces de un niño, como también las cadenas de un prisionero, para mostrar su amor y su poder e impactar con el evangelio.

El diablo encerró al mensajero, pero no pudo encerrar el mensaje. Las cadenas podían fijar las muñecas de Pablo, pero nunca su testimonio. Pablo podría estar preso como un delincuente; pero su mensaje, libre y trascendente. El apóstol, lejos de quejarse de las cadenas, las consagró al Señor.

Su arresto disponía que estuviese encadenado a un soldado romano las 24 horas del día. Cada soldado hacía un turno de 6 horas. Es decir, 4 hombres y sus familias que recibían su testimonio de fe, oración, valor y esperanza. Esas cadenas ofrecieron oportunidades únicas de testimonio. Pablo no se preguntó por qué estaba en cadenas sino para qué estaba en cadenas. Pablo se regocijaba en lo que Dios haría, en lugar de quejarse por lo que Dios no hizo.

Cada uno de nosotros tiene sus cadenas. Tú tienes las tuyas y yo tengo las mías. No importa cuáles sean, consagra a Dios tus cadenas provisorias y temporales. En breve, el Señor te las cambiará por una corona permanente y eterna.

PABLO, EL *INFLUENCER*

"Qué, pues? Que no obstante, de todas maneras, o por pretexto o por verdad, Cristo es anunciado; y en esto me gozo y me gozaré siempre" (Filipenses 1:18).

Un *influencer* es un especialista, seguido y reconocido como referente, por una comunidad *online*. Cada *influencer* crea contenido con su propio estilo. Si lo comparte en un blog, es un *blogger*. Si crea videos en Youtube, es un *youtuber*. Si se enfoca en Instagram, es un *instagrammer*.

Entre los más destacados, podemos citar a Lilly Singh, la canadiense de 28 años que, gracias a sus *posteos* de YouTube, ya tiene un *best seller* número 1 en el *ranking* del *New York Times*. Otro para considerar es Brian Kelly, el viajero frecuente que convirtió su blog "The Points Guy" en un imperio mediático. Entre los 30 mas influyentes, suman más de 250 millones de seguidores y ganan millones de dólares.

Ahora pensemos en Pablo como *influencer*. De nombre judío Saulo ("prestado a Dios") y de nombre romano Paulus ("pequeño"), hablaba hebreo, arameo, griego y latín. Impresionaba en lo intelectual y en lo profesional; no así en lo físico, de apariencia frágil, de baja estatura, jorobado, chueco y con problemas en la visión, ya que escribía en letras grandes o dictaba sus cartas. Recorrió más de 16.000 kilómetros en sus viajes misioneros, durante más de 280 días.

El *Diccionario bíblico adventista* lo presenta como uno de los mayores teólogos de todos los tiempos, y entre los que desarrollaron los fundamentos sobre los que se construyeron las doctrinas del cristianismo. Fue un orador hábil, escritor de prosa vigorosa y poética. Fue pastor, administrador, evangelista, escritor. Le debemos nada más y nada menos que 14 libros de los 27 del Nuevo Testamento (NT). Esto implica que, de los 260 capítulos del NT, 120 lo tienen como protagonista.

La influencia de su vida y sus escritos llega hasta nuestros días. Fue versátil, optimista, valeroso; poseyó un propósito específico, una mente serena, un celo y una fe inquebrantables. Plantó catorce iglesias y muchos hogares-iglesia que con el tiempo se transformaron en otras iglesias. Formó discípulos, pastores y líderes. La Reforma Protestante se inspiró es sus escritos. **Elena de White señala que su influencia se mantiene e incrementa en el tiempo, ya que pasaron 21 siglos desde que vertió su sangre como fiel testigo del Señor y su Palabra.**

"Como resonante trompeta, **su voz ha vibrado desde entonces a través de los siglos,** enardeciendo con su propio valor a millares de testigos de Cristo y despertando en millares de corazones afligidos el eco de su triunfante gozo" (Elena de White, *Los hechos de los apóstoles*, p. 409).

Como Pablo, cada uno de nosotros puede ser un gozoso *influencer* del Señor.

CÓMO GANARLE A LA CRÍTICA

"Conforme a mi anhelo y esperanza de que en nada seré avergonzado; antes bien con toda confianza, como siempre, ahora también será magnificado Cristo en mi cuerpo, tanto si vivo como si muero, porque para mí el vivir es Cristo y el morir, ganancia" (Filipenses 1:20, 21).

¿Con que santos motivos podría criticarse la vida y la obra de Pablo? Sabemos que aun los religiosos tenían y tienen sus motivos espurios. Unos predicaban sinceramente para salvación; otros, egoístamente, para destrucción. Unos buscaban completar la gracia; y otros, invalidar la Ley y la obediencia. Mientras que el evangelio del Señor lleva al amor y la unidad, el evangelio del diablo lleva a la envidia y las contiendas.

La meta de Pablo era salvar personas y glorificar a Cristo; el blanco de sus críticos era ganar adeptos y autoexaltarse. Para estos, la función se desinteresa de la misión. La crítica desestabiliza más al crítico que al criticado.

¿Cómo uno puede regocijarse delante de este tipo de crítica, que no sigue los pasos bíblicos, y que no busca construir sino destruir?

El apóstol es claro y sencillo: dice que su caso termina en liberación gracias a las oraciones de los hermanos y la obra del Espíritu Santo.

Pablo no dependía de sus propios escasos recursos, sino de los generosos recursos de Dios. Por sus cadenas, Cristo fue conocido; y a causa de sus críticos, Cristo fue proclamado; y por las crisis enfrentadas, Cristo fue magnificado. Al apóstol le interesaba más el cuerpo de Cristo que su propio cuerpo. Parece ostentoso y soberbio decir que vamos a magnificar a Cristo.

Cuando otros ven a un creyente enfrentar críticas y crisis con serenidad y fe, entonces Cristo es exaltado, y en ese sentido es magnificado. Un telescopio acerca las cosas distantes, y un microscopio nos permite ver en grande aun las cosas más pequeñas. Un creyente así y en estas circunstancias es el que muestra a un Cristo más grande y más cercano.

Es tal el grado de identificación del propósito con la vida, y la vida con el propósito, que por eso puede exclamar que su vivir era Cristo; y si por Cristo tenía que morir, eso también era ganancia.

Maltbie Babcock, quien escribió el himno cuyo título original decía "El mundo entero es de mi Dios", se expresó en estos términos: "La vida es aquello para lo cual vivimos". Para algunos, la vida es trabajo, dinero, realización, poder o fama. Y para ti, ¿qué es la vida?

Ya sabemos lo que era para Pablo, aun frente a la crítica y las crisis. Puedes ahora completar tu versículo: "Porque para mí el vivir es____________________".

"NO TENGO NADA PARA DAR"

"Por tanto, si hay algún consuelo en Cristo, si algún estímulo de amor, si alguna comunión del Espíritu, si algún afecto entrañable, si alguna misericordia, completad mi gozo, sintiendo lo mismo, teniendo el mismo amor, unánimes, sintiendo una misma cosa" (Filipenses 2:1, 2).

En el capítulo 2 de Filipenses, el apóstol Pablo alienta a vivir un cristianismo auténtico. No hacer nada por interés personal, ni por vanidad, no considerarse superiores a los demás; por el contrario: preocuparse y ocuparse por los intereses ajenos.

Y ¿cómo es eso posible? Pablo indica a Jesucristo como inspiración y modelo: aquel que dejó la gloria que tenía en el cielo, que asumió la humanidad, que vivió en humildad y en obediencia y fue capaz de morir en nuestro favor.

Pablo dice también que debemos cuidar nuestra salvación y, aunque es Dios quien produce en nosotros el deseo de amarlo, tenemos el compromiso de vivir de modo puro, irreprensible, huyendo de la perversión y de la corrupción, siendo luz en el mundo. En una sociedad en la que la mayoría de la gente busca satisfacer sus propios intereses, **Dios nos desafía a imitar a Cristo: a fin de ser luces para las personas, encaminándolas a Dios con nuestro ejemplo.**

El Pr. Enrique Chaij publicó la historia de aquel predicador en Escocia que levantaba fondos para la construcción de un templo. Para su sorpresa, encontró en el alfolí de las ofrendas un papel doblado con la siguiente inscripción: "No tengo nada para dar, a no ser mi propia vida". Lo firmaba un tal David Livingstone, quien llegó a ser médico y misionero en el corazón de África superando con creces las más grande de las donaciones.

Su admirable labor como explorador, médico y misionero proveyó un futuro mejor para los africanos, tanto que cuando murió (en 1873) los nativos exigieron que su corazón quedara con ellos, como recuerdo perenne de una vida dedicada y comprometida en favor del bienestar ajeno.

Y así sucedió. Mientras que el cuerpo inerte del gran benefactor fue llevado a la abadía de Westminster, en Londres, su corazón fue sepultado en tierras africanas. **El que no había tenido nada para dar se dio a sí mismo.**

Elena de White, refiriéndose a la actitud y la conducta del gran reformador Martín Lutero, relata lo que él escribió en una carta: "Heme aquí, dispuesto a sufrir la reprobación de su alteza y el enojo del mundo entero [...] ¿no deberé, si es necesario, dar mi vida por amor de ellos" (*El conflicto de los siglos*, p. 172).

Como Pablo, como Livingstone y como Lutero, nosotros demos también nuestra vida por los demás. Nunca olvides que Jesús la dio por ti.

8 de agosto

PERROS Y LOBOS

"Haya, pues, en vosotros este sentir que hubo también en Cristo Jesús" (Filipenses 2:5).

Spurgeon cuenta que Melancthon lloraba por las divisiones entre los protestantes y buscaba la unidad. Así, enseño la parábola de los lobos y los perros.

Los lobos tenían miedo porque los perros eran muchos y fuertes. Por lo tanto, enviaron un espía para observarlos. Al volver, el espía dijo: "Es cierto que los perros son muchos, pero pocos son grandes y fuertes. La mayoría de ellos son perros pequeños, que ladran fuerte pero no muerden. Sin embargo, hay algo extraño: todos intentan morderse entre sí. Y, aunque nos odian, también se odian entre ellos mismos".

Me entristece pensar que esta "historia" se repite en nuestros días. Pareciera que muchos seguidores de Jesús están más interesados en morderse el uno al otro, en lugar de guardar sus dientes afilados para los lobos.

Pablo dice que haya entre los filipenses y entre nosotros la mejor actitud conforme al modelo del mismo sentir que hubo en Cristo Jesús. El apóstol sabía que, **para producir armonía y unión, primero habría que engendrar humildad. Cuando cada uno esté dispuesto a ser menos y colocar a sus semejantes más arriba que ellos mismos,** entonces podrá haber un final para el espíritu de contienda, divisiones y conflictos.

Jesús es el mayor ejemplo divino de amor y abnegación, y deberíamos imitarlo diligentemente. **Solo aquel que esté dispuesto a no ser nada será poseedor de todo.** Necesitamos la misma actitud, los mismos sentimientos y la misma abnegación que Cristo. El amor y el sacrificio de Cristo son nuestro modelo y referencia de amor entre nosotros.

Él era Dios por naturaleza y por esencia, diferente de Adán, que fue creado a la imagen de Dios. Pero no se aferró a eso; se despojó, se vació, dejó a un lado su trono, se encarnó en nuestra miseria, se rebajó voluntariamente, depuso su igualdad con el Padre, se limitó en el uso de sus poderes divinos y nunca los usó en favor de sí mismo. No solo se hizo hombre sino también siervo, esclavo, asumió nuestra humanidad con todos sus dolores, se hizo obediente a su misión, hasta soportar la peor humillación, con la peor muerte: la cruz.

Nuestra lucha no es contra nuestro hermano. **"El enemigo a quien más hemos de temer es el yo [...]. Ninguna victoria que podamos ganar es tan preciosa como la victoria sobre nosotros mismos"** (Elena de White, *El colportor evangélico*, p. 202).

Sometidos al Cordero, el lobo huirá de nosotros. Por eso, usa "tus garras" para vencer a los lobos.

¿CUÁL ES LA ORDEN DE MARCHA?

"Porque Dios es el que en vosotros produce así el querer como el hacer, por su buena voluntad" (Filipenses 2:13).

Pablo ha enfatizado que la salvación es por la gracia y que la aceptamos por medio de la fe. De ninguna manera este "ocuparse en la salvación" contradice su prédica. **Es la misma gracia de Dios la que nos lleva al fruto.** Es decir, solo aquel que acepta ampararse en la gracia se puede ocupar, dedicar y trabajar por su salvación y la del prójimo.

La Biblia enseña que debemos cooperar con el llamado de Dios, despojarnos del viejo hombre, correr con paciencia, resistir al diablo y perseverar hasta el fin.

La salvación no se alcanza por medio de las obras, pero debemos ocuparnos de ella mediante la cooperación personal con Cristo. En tanto reconocemos nuestra completa dependencia de los méritos, la obra y el poder de Cristo, admitimos nuestro compromiso y responsabilidad de vivir diariamente, por la gracia de Dios, una vida en armonía con los principios del evangelio.

Ocuparnos con temor y temblor no significa un terror servil, sino una honesta y prudente desconfianza propia. Tenemos que "temer" que nuestra voluntad no esté rendida permanentemente a Cristo. **Cuanto más reconocemos nuestra impotencia, más nos aferramos a su fortaleza. A mayor desconfianza de nosotros, mayor confianza en él.**

En verdad es Dios quien está obrando. El apóstol destaca que el poder para la salvación viene de Dios, y que obra en nosotros para cumplir su propósito. Y eso ocurre de manera igualitaria tanto en el querer, es decir en el estímulo, deseo o determinación inicial, como también en el hacer; es decir, en el poder para llevar adelante nuestra decisión. En el querer, nuestros pies que estaban afuera del camino son colocados en el camino, nuestros tobillos entumecidos por el pecado son despertados y afirmados. En el hacer, nuestros pies se movilizan rumbo a la meta, en el camino cierto, en la dirección adecuada y en la velocidad correcta.

Se cuenta que una vez le preguntaron al duque de Wellington sobre el porcentaje de probabilidad de éxito en el esfuerzo misionero entre los paganos. Él contestó: "¿Cuál es vuestra orden de marcha? El éxito no es una cuestión que os toque discutir. Si mal no entiendo, las órdenes que se os dan son estas: 'Id por todo el mundo; predicad el evangelio a toda criatura'. Caballeros, obedeced vuestras órdenes de marcha" (ver Elena de White, *Obreros evangélicos*, p. 120).

La orden de marcha es fuerte y clara, tanto en relación con nuestra propia salvación como en cuanto a la salvación de nuestros semejantes.

ZONAS AZULES

"Para que seáis irreprochables y sencillos, hijos de Dios sin mancha en medio de una generación maligna y perversa, en medio de la cual resplandecéis como lumbreras en el mundo, asidos de la palabra de vida, para que en el día de Cristo yo pueda gloriarme de que no he corrido en vano, ni en vano he trabajado" (Filipenses 2:15, 16).

Matías Bauso publicó en *Infobae*, el 9 de febrero de 2020, los resultados de una investigación científica que identifica a ciertas regiones del mundo como "zonas azules", lugares donde muchos superaban en décadas la expectativa de vida, y los índices de enfermedades coronarias, cáncer y demencia senil eran inferiores. Estos sitios fueron llamados así porque un astrofísico especializado en demografía (Michel Poulain) y un prestigioso gerontólogo italiano (Gianni Pes) se dedicaron a indagar en qué lugares del mundo vivían las personas de mayor edad. Cuando lo encontraban, lo marcaban con un círculo azul.

Una de esas zonas se encuentra en Cerdeña (Italia). Allí, varios de los casi mil habitantes tienen más de cien años. Un milagro de la longevidad.

Años más tarde, el periodista Dan Buettner, un apasionado por la vida sana, salió a buscar otras "zonas azules". Respaldado por la *National Geographic* y la Sociedad de Gerontología de los Estados Unidos, encontró otras cuatro: la isla de Okinawa (Japón), la Península de Nicoya (Costa Rica), la Isla de Icaria (Grecia), y Loma Linda, en California, Estados Unidos.

¿Cuál era el denominador común de estas regiones? Clima amable, naturaleza prolífica, alimentos sanos, jóvenes educados con dedicación y ancianos cuidados con amor.

Lo que sí llama la atención es que todas las "zonas azules" son islas o penínsulas, menos una. Los Ángeles, se sabe, es un infierno de polución, de autopistas y de atascos de tránsito. Sin embargo, a menos de cien kilómetros, ¡hay una "zona azul": Loma Linda. Se trata de una comunidad adventista, donde la religión tiene una gran influencia. Los sábados se dedican por completo a la iglesia y al servicio. Los científicos le atribuyen una importancia vital a la fe y las creencias religiosas. Enfatizan también la vida sana, actividad física moderada, niveles bajos de estrés, dietas moderadas, alimentación centrada en frutas y verduras, y una comunidad rica en contención familiar.

Según estudios realizados desde la década del '70, los habitantes de Loma Linda mejoran todas las tasas de salud y sobrevida. No se trata de una genética favorecida sino de un estilo de vida.

Pablo desafió a vivir de manera irreprochable y sencilla en medio de una generación maligna. No importa cuál sea el infierno donde vivas, resplandece como luminaria asida a la vida y crea nuevas "zonas azules", hasta que todo sea azul para siempre.

EPAFRODITO, EL ATRACTIVO

"Pero me pareció necesario enviaros a Epafrodito, mi hermano, colaborador y compañero de milicia, a quien vosotros enviasteis a ministrar para mis necesidades" (Filipenses 2:25).

Pablo estaba preso en Roma cuando escribió la carta a los Filipenses y a los Colosenses. La iglesia de Filipos había enviado regalos y ofrendas para Pablo por mano de Epafrodito. Este fue el mensajero de la iglesia de Filipos y el ministrador de las necesidades de Pablo. Era un nombre común en griego y en latín que significa "atractivo", "fascinante", "encantador", derivado del nombre de la diosa griega Afrodita.

Sin embargo, en Roma él se enfermó con riesgo de muerte. Esto entristeció a Pablo y preocupó a los filipenses. Pablo se los envió de nuevo elogiando el gran deseo que tenía de reencontrase con ellos (Fil. 2:26-28).

El apóstol se refirió a él usando el posesivo "mi hermano". Y no solo eso. Además, era un colaborador y un compañero de milicia. **Como hermanos, compartían la fe y la comunión; como colaboradores, compartían la misión y su progreso; y como compañeros de milicia, compartían las luchas de la vida y del ministerio.**

Epafrodito era equilibrado en su fe y no se ocupaba solo en la comunión, sino también en el progreso del evangelio, aun en medio de las luchas; como Nehemías, que reedificó los muros de Jerusalén con su espada en una mano y la herramienta en la otra. No se puede edificar con una espada ni pelear con la herramienta. Se necesitan ambas para llevar a cabo la obra del Señor.

Epafrodito estaba interesado en los demás. Él se preocupó por Pablo cuando oyó que estaba prisionero en Roma, y se ofreció para hacer ese viaje largo y peligroso, para ayudarlo y animarlo. Él llevó la ofrenda de amor de la iglesia, protegiéndola con su vida. Es decir, no se conformó con dar una ofrenda: él mismo viajo para ofrendarse a la misión.

Luego de estar con Pablo, pensó en su iglesia y allí regresó para seguir cumpliendo la misión.

Se cuenta que un día iban a ordenar al ministerio a un joven pastor. Antes de ese emotivo acto, su padre, que era pastor, le dio tres consejos: Vive todos los días cerca de Dios, vive todos los días cerca de la gente; y vive de tal manera que Dios sea atractivo para la gente y la gente sea atraída a Dios.

Epafrodito fue una bendición para Pablo, para su iglesia y para nosotros. Quien es atraído por Cristo se vuelve atractivo para los demás.

DEL CREMATORIO AL PARAÍSO

"Por lo demás, hermanos, gozaos en el Señor. Para mí no es molestia el escribiros las mismas cosas, y para vosotros es útil" (Filipenses 3:1).

El capítulo 3 de Filipenses nos presenta al menos siete ideas:

1-Debemos vivir teniendo como base la alegría de Cristo, que consiste en vivir a la luz de la voluntad de Dios.

2-Estemos atentos a los malos líderes religiosos, que quieren desviarnos del camino de Dios, enseñando doctrinas que no son correctas.

3-Nada de lo que hagamos o conquistemos personalmente puede contribuir a nuestra salvación.

4-Todo lo que conquistamos con Cristo es mejor y más grande que todo lo que podamos conquistar por nosotros mismos.

5-Necesitamos vivir enfocados en la salvación, caminando firmemente hacia el blanco, dejando todo lo que nos distrae.

6-Nuestra patria no es esta; nuestra patria es celestial.

7-Por su gracia y su poder, Dios transformará nuestro cuerpo imperfecto en un cuerpo de gloria.

En los primeros días de agosto de 1945, las bombas nucleares casi acabaron con las ciudades de Hiroshima y Nagasaki. O'Donnell fue el hombre que capturó –dentro de tantas imágenes– a un niño de aproximadamente diez años, que llevaba en su espalda a su pequeño hermano, en Nagasaki. Cuando le preguntaron al niño si no le pesaba aquella carga, este respondió que no se trataba de una carga sino de su hermano. Desgraciadamente (como vemos en la foto), el hermanito llevado en la espalda estaba muerto y siendo llevado a la cremación. Cerca de ciento cincuenta mil vidas habían sido arrebatadas por el terror de la guerra. Pero esta historia de los hermanitos de Nagasaki calaría hondo en el corazón de la humanidad. Cuánto dolor y tristeza hay en este mundo por causa del pecado.

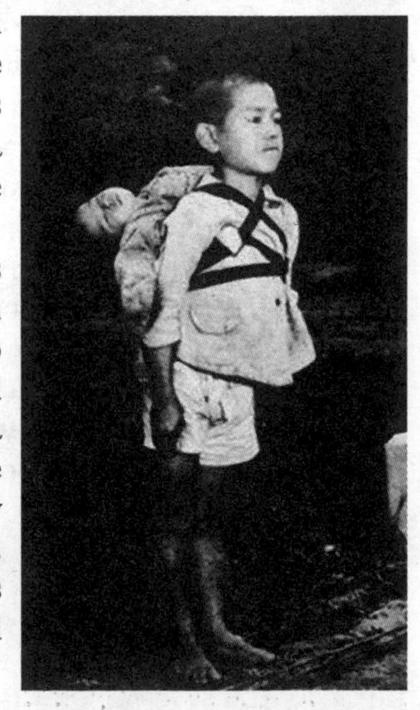

Jesús es nuestro hermano mayor, que nos lleva en su espalda. No para depositarnos en el crematorio de la muerte y del pecado, sino en el paraíso de la perfección y de la vida. **Él vino a deshacer las obras del enemigo, para que no permanezcamos en este cuerpo de pecado, sino que seamos transformados y trasladados a una vida y una Tierra nuevas.**

Vivamos agradecidos y comprometidos con aquel que nos lleva del crematorio del pecado al paraíso de la vida.

PROPONE Y DISPONE

"Hermanos, yo mismo no pretendo haberlo ya alcanzado; pero una cosa hago: olvidando ciertamente lo que queda atrás y extendiéndome a lo que está delante, prosigo a la meta, al premio del supremo llamamiento de Dios en Cristo Jesús" (Filipenses 3:13, 14).

Una cosa hago. A veces pretendemos estar en muchas cosas y, al final, no estamos en nada. "Una cosa te falta", le dijo Jesús al joven rico (Mar. 10:21). "Una cosa es necesaria", le dijo el Señor a Marta (Luc. 10:41). Cuando, como María, elegimos hacer la cosa indispensable, es la parte que nadie podrá quitarnos. Necesitamos vivir para lo que realmente importa.

Olvidando lo que queda atrás. Olvidar, en la Biblia, quiere decir no estar ya más influenciado o afectado por. Cuando Dios promete que nunca más se acordará de nuestros pecados y transgresiones, no significa que tiene mala memoria. Lo que dice es que no tomará en cuenta nuestros pecados y que no van a afectar nuestra relación con él. No podemos borrar el hecho histórico, pero sí su significado. Para Pablo, su pasado no fue un obstáculo para impedir, sino una inspiración para realizar. Algunos corren mirando hacia atrás, y por eso se caen. Tenemos que reemplazar lo de atrás por lo que está adelante.

Prosigo. Un hombre no se convierte en atleta triunfador escuchando discursos, ni viendo películas o leyendo libros, ni animando con gritos al equipo. Lo hace luego de un esfuerzo intenso. Vamos por la meta y alcanzaremos la recompensa. **Proseguir es un trabajo en equipo con Dios. Él no corre en nuestro lugar y nosotros no podemos correr solos. Corremos juntos.**

La historia nos dice que cuando Napoleón planeaba invadir Rusia llamó al embajador para decirle que si ofrecían resistencia serían totalmente destruidos. Con serenidad, el embajador respondió: "El hombre propone, pero Dios dispone". Entonces, Napoleón agregó: "Dígale a su emperador que yo soy el que propone y el que dispone".

Poco después, los hechos desvirtuaron la pretensión napoleónica. La soberbia del que cree que puede solo es necedad, mientras que sabio es aquel que prosigue por la gracia y las promesas del Señor. **Dios propone y dispone.**

"Permitamos que los grandes propósitos que indujeron a Pablo a proseguir rumbo a la meta frente a los problemas y las dificultades los induzcan a ustedes también a consagrarse plenamente al servicio de Dios. Todo lo que les llegue a la mano para hacer, háganlo según sus fuerzas. Sea esta la oración cotidiana de cada uno de ustedes: 'Señor: Ayúdame a hacer todo lo mejor posible. Enséñame a hacer mejor mi tarea. Dame energía y alegría' " (Elena de White, *Cada día con Dios*, p. 372).

CIUDAD SOÑADA

"Pero nuestra ciudadanía está en los cielos, de donde también esperamos al Salvador, al Señor Jesucristo" (Filipenses 3:20).

La información identificaba a Orlando como una ciudad soñada. Entre las causas de su permanente atracción, se destacan los estudios Universal, el Walt Disney World, el Centro Espacial Kennedy, las playas, los museos, los parques, la pesca deportiva y los deportes de aventura. Miles de visitantes buscan descanso y placer en algunos de sus entretenimientos. Se necesitan 67 días de 8 horas para participar de los más destacados. Desde luego, visitar esta ciudad no es algo accesible para todos.

En contraste, hay otra ciudad realmente soñada, y disponible para todos. Cuando Pablo se refirió a esta ciudad, dijo que es allí donde esta nuestra ciudadanía, prometida por aquel que dijo irse a preparar un lugar para nosotros (Juan 14:1-3).

Se trata de una ciudad única, con fundamentos, cuyo arquitecto y constructor es Dios. Es una ciudad limpia, segura, sana, perfecta, eterna y accesible para todo aquel que cree en él. La distracción, el sano entretenimiento, el descanso, la búsqueda del conocimiento, los viajes espaciales y especiales no serán esporádicos y solo para unos pocos. Todo será permanente y para todos.

Esa ciudad y esta vida soñadas son la razón de nuestra esperanza. Sabemos que, al decir de Aristóteles, **"la esperanza es el sueño del hombre despierto"**. Una esperanza que no está basada en poemas, filosofías o suposiciones, sino en la segura y poderosa palabra de Jesús.

Esta ciudadanía nos hace nuevos habitantes de un nuevo hábitat. Dios restaurará lo que Adán y Eva perdieron. Es la misma ciudad que los patriarcas antiguos anhelaron y nosotros esperamos conforme a sus promesas. Se barrerán y borrarán todos los recuerdos y las cicatrices de un mundo de pecado. Disfrutaremos de cuerpos perfectos y energía ilimitada para explorar las maravillas del Universo de Dios.

"Y, a medida que los años de la eternidad transcurran, traerán consigo revelaciones más ricas y aún más gloriosas respecto de Dios y de Cristo. Así como el conocimiento es progresivo, así también el amor, la reverencia y la dicha irán en aumento" (Elena de White, *El conflicto de los siglos*, p. 738). Una nueva vida, una nueva ciudad, una nueva ciudadanía en la ciudad soñada por Dios: La Nueva Jerusalén

¿Te estás preparando? ¿Estas dedicando tiempo, recursos y compromiso? ¿Estas invitando y comprometiendo a otros para el viaje? La ciudad soñada está lista, la visa está aprobada, la reserva está hecha, el precio está pagado y el Arquitecto nos está esperando.

DE MANO EN MANO

"Así que, hermanos míos amados y deseados, gozo y corona mía, estad así firmes en el Señor, amados" (Filipenses 4:1).

En el capítulo 4 de Filipenses, Pablo responde ciertas preguntas escondidas:

1-¿Cuál es el secreto de la victoria? Permanecer firmes en el Señor.

2-¿Qué actitud debemos cultivar incluso en situaciones desafiantes? Alegrarnos en el Señor siempre.

3-¿Cuál es la mejor manera de vivir nuestro estilo de vida? De modo moderado, íntegro y gentil.

4-Hay tantas cosas que me preocupan, ¿qué hago? No dejemos que la preocupación se haga cargo de nuestra vida.

5-Estoy angustiado, ¿qué hago? Ora a Dios, pidiéndole su paz.

6-Estoy en la duda de cómo tomar las mejores decisiones, ¿qué hago? Debemos escoger todo lo que es verdadero, todo lo que es respetable, todo lo que es justo, todo lo que es puro, todo lo que es bueno, todo lo que es de buen nombre, todo lo que es loable.

7-A veces pienso en la prosperidad y también en la falta de recursos. ¿Cómo debería proceder en relación con esto? Debemos aprender a vivir en la pobreza o en la riqueza.

8-¿Qué hago con las tantas cosas buenas que he aprendido? Vive y compártelas con las demás personas.

En atletismo existen las carreras de relevos. Son carreras a pie para equipos de cuatro o más competidores, en las que un corredor recorre una distancia determinada y luego pasa al siguiente corredor un tubo llamado "Testigo", o "Testimonio". Así, hasta que se completa la distancia de la carrera.

En la carrera de 4 x100, el récord mundial masculino es del equipo nacional de Jamaica, con una marca de 36,84 segundos, realizada en los Juegos Olímpicos de Londres 2012; y el de las mujeres es del equipo nacional de EE. UU., con un tiempo de 40,82 segundos en los mismos Juegos Olímpicos.

Cada corredor debe ceder el testimonio, o testigo, al siguiente corredor. El testigo es una barra cilíndrica. Tiene una longitud de 30 centímetros, un diámetro de 12 milímetros y un peso mínimo de 50 gramos. Es liso y hueco. El testigo ha de entregarse de mano a mano. Llevar el testigo es necesario para poder ganar la carrera.

Cuando Dios nos salva, opera una transformación total en nosotros. Coloca en nuestras manos el testigo, o testimonio, de nuestra salvación para que lo coloquemos en manos de otro. Nadie llegará solo al cielo. Alguien fue nuestro testigo para que nosotros seamos testigo de otros.

UN DÍA A LA VEZ

"Por nada estéis angustiados, sino sean conocidas vuestras peticiones delante de Dios en toda oración y ruego, con acción de gracias" (Filipenses 4:6).

Si alguien tenía motivos para preocuparse, ese era Pablo: Desavenencias en la iglesia de Filipos y posible y cercana ejecución. Por eso, él explica cómo vencer las preocupaciones. La palabra "preocupación" viene de la raíz "estrangular". Sí, las preocupaciones pueden ahorcarnos porque nos estiran en la dirección opuesta de la esperanza.

El pastor Daniel Belvedere, un hombre de Dios, igual que Pablo fue un apasionado por la predicación del evangelio y fue nuestro profesor inspirador del evangelismo. El "colocó en mis venas" pasión por la salvación de las personas. Él decía que para vencer las preocupaciones necesitamos cuatro cosas:

1-Tener un plan de acción.
2-Vivir el presente con sabiduría, de un día a la vez.
3-Colaborar con lo inevitable.
4-Confiar y depender del Señor.

Muchas canciones que son significativas nacieron de la adversidad humana. Lindsay Terry cuenta la historia de "Un día a la vez". Marijohn Wilkin, a los cinco años, podía tocar el piano de oído. Cuando tenía catorce años, su padre contrajo cáncer, y tres años después falleció. Con dolor y con esfuerzos, ella cuidó a su madre y avanzó con éxito en sus estudios universitarios y musicales.

Con poco tiempo de casados, su esposo piloto perdió la vida durante la Segunda Guerra Mundial. A los 37 años era una de las principales compositoras de la industria de la música *country*. Se volvió a casar, tuvo un hijo y escribió más de cuatrocientas canciones.

En medio de la aclamación y el dinero, Marijohn dejó de asistir a la iglesia y se volvió alcohólica. Varias veces intentó suicidarse. Pero Dios, en su gracia, le salvó la vida. A los 53 años, Marijohn escribió su canción más famosa: "Un día a la vez". Este tema musical es mucho más que eso; es una oración:

"Ayer ya paso, mi Cristo.
Mañana quizá no vendrá.
Ayúdame hoy, yo quiero vivir
un día a la vez".

Rápidamente, este canto se esparció por todo el mundo. Ella había regresado al Señor. Ahora era una cristiana fiel y feliz.

Aunque cada día puede traer desafíos aparentemente insuperables, siempre ten en cuenta que Dios nunca nos dejará ni nos abandonará. Prepárate para el cielo viviendo un día a la vez.

ORAR, PENSAR Y ACTUAR

"Por lo demás, hermanos, todo lo que es verdadero, todo lo honesto, todo lo justo, todo lo puro, todo lo amable, todo lo que es de buen nombre; si hay virtud alguna, si algo digno de alabanza, en esto pensad" (Filipenses 4:8).

Orar. El apóstol se refiere a la oración, la súplica y la acción de gracias. La oración incluye la adoración a Dios. La súplica es la presentación sincera de nuestros problemas y necesidades. La acción de gracias es una muestra de gratitud. **Para adorar se requiere sincero reconocimiento, para suplicar se necesita sumisión y para agradecer se necesita humildad.**

Daniel es un ejemplo de oración, al adorar, suplicar y dar gracias a Dios. Por eso, **aun en el foso con los leones, estaba en paz; mientras que el rey, aun en el palacio, no podía dormir.**

Pensar. Los pensamientos incorrectos producen sentimientos incorrectos. Solo Cristo puede llevarnos a pensar de manera correcta. Si sembramos un pensamiento, cosechamos una acción. Si sembramos una acción, cosechamos un hábito. Si sembramos un hábito, cosechamos un carácter.

Pablo nos dice en qué pensar. En todo lo que es verdadero; es decir, lo que se origina en Cristo. En todo lo honesto y justo; es decir, lo que es digno de respeto y correcto. No podemos permitir que mentiras o falta de respeto controlen nuestra mente. En todo lo puro, porque un corazón limpio es el que tiene motivaciones limpias. La acción puede hasta parecer decorosa a la vista, pero el motivo tiene que ser limpio. Ser amable es ser atractivo.

Como cristianos, debemos pensar en lo más elevado y noble del cielo y no en lo más bajo y corrupto de esta Tierra. Si hay virtud alguna, si hay algo digno de alabanza, nos motivará a ser mejores; y si es digno de elogio, es recomendable para el otro.

Actuar. No hay cómo separar lo exterior de lo interior. **La mayoría de los frutos que cosechamos son el resultado de las semillas que sembramos y de las plantas que cultivamos.** No alcanza con llenar la cabeza con conocimiento; es indispensable practicar, hacer, actuar.

En el pensamiento griego, conocer una silla es poder definir los materiales que la componen. Yo conozco si puedo describir.

En el pensamiento hebreo, conocer una silla solo es posible si nos sentamos en ella y nuestra espalda y nuestro cuerpo encuentran descanso.

Un viejo folleto de una institución secular como la ONU decía: "La oración es la manifestación del amor. Usted puede llegar a cambiar el mundo con sus oraciones y su accionar consecuente".

TERMÓMETRO O TERMOSTATO

"No lo digo porque tenga escasez, pues he aprendido a contentarme, cualquiera que sea mi situación" (Filipenses 4:11).

Había aprendido a contentarse, no en el sentido de dejarse estar, sino en el sentido de bastarse a sí mismo, pues Cristo estaba con él. El apóstol no se limita a las situaciones. Aprender a contentarse no significa falta de interés o compromiso con el progreso y el crecimiento. **No son las situaciones las que iban a definir su temperatura; era Pablo el que impondría la temperatura del ambiente.**

El termómetro es un instrumento que sirve para medir la temperatura del ambiente que lo rodea, de manera que se adapta a su entorno. El mercurio o el alcohol se contraen o dilatan, marcando el frío o el calor, pero el termómetro no hace absolutamente nada para cambiar las cosas a su alrededor. Solo tiene la capacidad de medir, pero no incide ni modifica nada. **Se conforma con contemplar los eventos y las circunstancias, como simple espectador. Su principal virtud y propósito es informar.**

Por su parte, **el termostato** es un dispositivo que, conectado a una fuente de calor como radiadores, aires acondicionados y otros, tiene la capacidad de regular la temperatura de manera automática, impidiendo que suba o baje del grado adecuado. En otras palabras, tiene la virtud de transformar la temperatura de su ambiente hasta alcanzar el nivel necesario y suficiente para que todo a su alrededor funcione perfectamente. **No es un simple espectador sino activo protagonista. Su principal virtud y propósito es mantener la temperatura o transformar el ambiente.**

Muchos son como el termómetro. Solo opinan, hablan, informan, y no hacen nada para cambiar la historia.

Muchos son como el termostato. No están sometidos a las circunstancias del ambiente, siempre están contentos, se bastan por sí mismos en Cristo y son instrumentos para transformar el ambiente.

Son como la sal, que da sabor; o como la luz, que ilumina la oscuridad. El creyente termostato según Pablo nunca se deja trastornar ni transformar por el mundo; más bien él transforma y, si es necesario, trastorna, siempre para bien.

Elena de White se refiere a estos creyentes termostatos de esta manera: "Los que aman a Dios tienen el sello de Dios en la frente y obran las obras de Dios [...] son una influencia poderosa sobre la vida y el carácter de los que los rodean [...]. **Relacionados con la Fuente del poder, nunca perderían su influencia vital, sino que crecerían siempre en eficiencia, abundando continuamente en la obra del Señor"** (*Hijos e hijas de Dios*, p. 53).

Como Pablo, sé un termostato protagonista, activo y transformador.

TODO LO PUEDO EN GOOGLE

"Todo lo puedo en Cristo que me fortalece" (Filipenses 4:13).

Google es uno de los buscadores de Internet más importantes. Líder indiscutible en todo Occidente, solo ha encontrado cierta competencia en China (con Baidu) y Rusia (con Yandex).

En Google se realizan más de 3 billones de búsquedas diarias. Gana un 5% de usuarios nuevos cada año. Hay más 450 millones de cuentas activas de Gmail. Tiene unos beneficios de 30.000 dólares cada minuto; el 90 % proviene de la publicidad.

El nombre Google proviene de "googol", que es un término de origen matemático creado por el matemático estadounidense Edward Kasner. Significa un 1 seguido de cien ceros. Es un número gigante, que representa una cantidad de información aparentemente infinita. De hecho, no existe ningún elemento del Universo en una cantidad tan grande: ni estrellas, ni partículas, ni siquiera átomos.

Google organiza una gran cantidad de información, y la hace accesible y útil para todos. Hay quienes no hacen nada sin consultar a Google, el gran gigante poderoso. En él, los usuarios encuentran un amigo, un confidente, un pastor, un médico y un guía.

Si de fuente de sabiduría, amor, amistad y poder se trata, nada mejor que Cristo y su Palabra. **Él es un Gigante poderoso de verdad. En él, todo lo podemos ya que nos da fortaleza para cumplir el deber, poder para resistir la tentación, fuerza para soportar la aflicción, paciencia para sufrir, gracia para crecer, valor para luchar y energía para servir.**

A todo puedo hacerle frente, gracias a Cristo, que me fortalece.

Todo lo puedo hacer por medio de Cristo, quien me da las fuerzas.

Puedo enfrentar cualquier situación porque Cristo me da el poder para hacerlo.

Puedo salir airoso de toda suerte de pruebas, porque Cristo me da las fuerzas.

Cristo me da fuerzas para enfrentarme a toda clase de situaciones.

Separados de Jesús, nada podremos hacer. Pero con él todo lo podremos. **"Nunca se olviden de que su fuerza y su victoria consisten en trabajar juntamente con Cristo como su Salvador personal. Esta es la parte que le toca realizar a cada uno"** (Elena de White, *Testimonios para la iglesia*, t. 7, p. 41).

Te propongo un verdadero negocio con implicaciones eternas. Mucho menos de Google, y mucho más de Cristo y su Palabra.

COLOSAS O COLOSAL

"Pablo, apóstol de Jesucristo por la voluntad de Dios, y el hermano Timoteo, a los santos y fieles hermanos en Cristo que están en Colosas: Gracia y paz sean a vosotros, de Dios nuestro Padre y del Señor Jesucristo" (Colosenses 1:1, 2).

Pablo se consideraba el padre espiritual de los cristianos de Colosas. En general, en esta carta, Pablo refuta el legalismo judaizante, pero enfrenta también ciertos elementos paganos que buscaban degradar o eclipsar el ministerio de Cristo.

En el capítulo 1 hay cuatro secciones. En la primera, Pablo felicita a los hermanos de Colosas por la fe que tienen en Cristo, y cómo esto se demuestra en el amor que ellos manifiestan. Un detalle importante: El misionero Epafras tenía un papel importante en eso; fue él quien enseñó a los hermanos de Colosas los rudimentos de la fe cristiana.

En la segunda sección del capítulo, Pablo ora por los hermanos, para que sean fortalecidos en Cristo.

En la tercera sección, Pablo exalta la divinidad de Cristo: él es plenamente Dios, nos redimió, nos reconcilió con Dios y es la Cabeza de la iglesia.

En la cuarta sección, Pablo recuerda que es ministro instituido por Dios y su papel es colaborar a fin de que los hermanos sean presentados maduros ante el Padre.

Pablo había establecido a Éfeso como el centro de sus actividades misioneras durante unos tres años. Por la pasión que siempre caracterizó sus movimientos evangelizadores hizo que Lucas declarara que todos los que habitaban en Asia, judíos y griegos, oyeron la palabra del Señor Jesús (Hech. 19:10) y hasta Demetrio afirmaba que Pablo había predicado en casi toda Asia con mucha persuasión apartando a muchos del paganismo (Hech. 19:26).

Se cree que dos colosenses alcanzados por el evangelio en Éfeso, Epafras y Filemón, llevaron el mensaje a Colosas. Por lo tanto, aunque Pablo pudo no ser el fundador de la iglesia de Colosas, fue, en sentido muy real, su padre.

Colosas había sido una ciudad colosal, extremadamente grande y extraordinaria en el pasado. El mensaje llegó a los colosenses para que estos no permanecieran como cristianos inferiores, sino que llegaran a ser colosales, extraordinariamente grandes por la plenitud de la divinidad, la redención y la reconciliación obrada por el único Grande de verdad: nuestro Señor Jesucristo.

Él nos hizo colosales y el pecado nos dejó en Colosas, pero la obra de Cristo en nosotros nos restaura a nuestro estado original; hoy, a través de la fe, y en breve de manera plena y definitiva por la eternidad.

¿CÓMO ORAR UNOS POR OTROS?

"Siempre que oramos por vosotros, damos gracias a Dios, Padre de nuestro Señor Jesucristo" (Colosenses 1:3).

Pablo siempre enfatizó la necesidad de orar unos por otros.

Orar por tener discernimiento de la voluntad de Dios; es decir, oramos para saber, para ser llenos del conocimiento de la voluntad del Señor, para ser sabios e inteligentes.

Orar por poder para cumplir la voluntad de Dios; es decir, oramos para hacer, para andar como es digno del Señor y agradarle en todo.

Orar por mejores y más frutos; es decir, oramos para fructificar, por mejores frutos en la vida del que ora, y por frutos de nuevas vidas llevadas a Jesús.

En todo el territorio de la División Sudamericana se realizan todos los años los *10 días de oración*, un programa especial de oración intercesora. En 2020, el énfasis estaba en el rescate de quienes necesitan volver al sendero del Señor. Centenas de milagros ocurrieron en respuesta a la oración intercesora. Esto escribió Felipe Lemos en el portal de Noticias Adventistas:

"Todo parecía felicidad, pero, poco a poco, se distanciaban de Jesús, la iglesia, la fe y los principios. Milagros pensaba en aprovechar sus años de juventud junto a su enamorado. Parecía que ese Dios del que tanto había escuchado desde niña se había ido lejos. 'Ya no tenía paz en mi corazón y olvidé mi comunión con Cristo', afirma Milagros.

"Así pasaron cinco años. En su mente retumbaban aquellos gratos recuerdos de su niñez, cuando asistía a la Iglesia Adventista junto a sus padres y su abuela materna.

"Milagros asistió a la Escuela de Misiones, que entrena a jóvenes para ir a servir en algún lugar del mundo, y se graduó como misionera. Al final de 2019, acudió a su chequeo médico de rutina, y descubrieron la presencia de una enfermedad delicada. Ese fue el detonante para volver a la iglesia y recuperar su relación personal con Dios. En febrero de 2020, Milagros Villanueva asistió a la semana de *Rescatados*, en la Iglesia Adventista, y se entregó por completo a Cristo a través de una emotiva ceremonia bautismal. 'He prometido a Dios servirlo y no volver alejarme de él' ", indicó.

Elena de White escribió lo siguiente: **"Hoy está más cerca el día del Señor que cuando primero creímos, y deberíamos ser más dedicados, más celosos y fervientes que en aquellos primeros días. Los peligros que encontramos son mayores que entonces. Las almas están más endurecidas. Ahora necesitamos ser imbuidos por el espíritu de Cristo, y no deberíamos descansar hasta no recibirlo"** (*La oración*, p. 31).

HERENCIA INCORRUPTIBLE

"A causa de la esperanza que os está guardada en los cielos, de la cual ya habéis oído por la palabra verdadera del evangelio" (Colosenses 1:5).

Paraguay es un país de gente cordial, situado en el corazón de América del Sur. Además, es el único país bilingüe de la región, ya que allí se habla el español y el guaraní en prácticamente todo su territorio.

Don Carlos Antonio López fue el primer presidente constitucional de la nación, y también una figura de gran capacidad académica y cultural. Fue elegido en 1844 y reelecto tres veces, y se mantuvo en el poder hasta 1862. Gobernó su país por 18 años y murió el 10 de setiembre de 1862.

Fue un gran emprendedor, con conquistas en las áreas judicial, administrativa y educativa. Creó más de trescientas escuelas, y declaró la educación gratuita y obligatoria. Soñaba con el desarrollo de su pueblo. Una de sus frases más famosas es: "Las escuelas son los mejores monumentos que podemos ofrecer a la libertad". Hoy, las becas de estudio posgraduación concedidas por el Gobierno paraguayo, para estudios en el exterior, tienen el nombre de Carlos Antonio López, como homenaje a su liderazgo visionario.

Además, él trabajó para dar oportunidades iguales a todos los ciudadanos y las etnias. Invirtió en los valores éticos y morales, animando la formación de familias sobre la base del casamiento, y dándoles propiedad y fuente de trabajo tanto con el ganado como con la agricultura.

Cuando se conmemoran las fiestas patrias del Paraguay, en el corazón de América del Sur, vamos a celebrar juntos, pero también aprovechar para reafirmar nuestro compromiso con la patria superior, que está en el cielo, donde las conquistas de grandes líderes quedarán pequeñas ante el Rey de reyes y Señor de señores; una Tierra renovada y purificada de todo pecado y que será el corazón de todo el Universo. Celebren las conquistas de la Tierra, pero coloquen sus ojos en el cielo, lugar de esperanza viva y de herencia incorruptible.

Por eso, Elena de White nos exhorta:

"El cielo debe llenar nuestro corazón y nuestra vida diaria" (*Cada día con Dios*, p. 318).

"El Señor está por venir. Oímos los pasos de un Dios que se aproxima" (*El evangelismo*, p. 163).

"¡Oh, cuán glorioso será verlo y recibir la bienvenida como sus redimidos! Largo tiempo hemos aguardado; pero nuestra esperanza no debe debilitarse. Si tan solo podemos ver al Rey en su hermosura, seremos bienaventurados para siempre" (*Joyas de los testimonios*, t. 3, p. 257).

"Siento deseos de exclamar: ¡Vamos rumbo a nuestro hogar!" (*Review and Herald*, 13 de noviembre de 1913).

EL PRIMOGÉNITO

"Cristo es la imagen del Dios invisible, el primogénito de toda creación" (Colosenses 1:15).

Ser un primogénito implica no solo ser el primer hijo, sino también la superioridad en rango o fortaleza. Entre los antiguos hebreos, el primogénito tenia derechos, deberes y bendiciones especiales.

Cristo aparece, en sentido literal, como el primogénito de María y, en sentido figurado, como el primogénito entre muchos hermanos, o el primogénito de los muertos. No fue el primero en morir, pero si el primero en su clase. Tiene un sentido de preeminencia. Al ser llamado "el primogénito de toda creación", se destaca su superioridad sobre todos los seres creados.

Algunos interpretan que fue el primer ser creado. Otros dicen que él creó todas las cosas y por él todas las otras cosas fueron creadas.

El mismo Pablo lo explica, como para no dar lugar a malentendidos. El Creador de todo no puede ser al mismo tiempo una criatura. Una criatura no puede ser el Creador. Cristo no es una emanación, ni la más exaltada de las criaturas. **Pablo dice que es la imagen del Dios invisible. Es Dios revelado y manifestado ante los hombres.**

"Cuando Cristo es llamado el 'primogénito' (Heb. 1:6; Rom. 8:29; Col. 1:15, 18; Apoc. 1:5), el término no se refiere a un momento cronológico. Más bien enfatiza un sentido de importancia o prioridad (ver Heb. 12:23). En la cultura hebrea, el primogénito recibía los privilegios familiares. De este modo, Jesús, como el primogénito entre los hombres, rescató todos los privilegios que el hombre había perdido. Se convirtió en el nuevo Adán, el nuevo 'primogénito' o cabeza de la raza humana" (Asociación Ministerial de la Asociación General de los Adventistas del Séptimo Día, *Creencias de los Adventistas del Séptimo Día* [Florida, Bs. As.: ACES, 2018], p. 78).

Ser primogénito de toda la Creación es ejercer el gobierno supremo sobre ella. Es un título mesiánico; es exaltarlo, concederle honores supremos, reconocerlo como Rey legítimo del Universo, colocarlo por encima de todo el mundo creado, y establecer su soberanía y preeminencia. El primogénito es siempre el principal heredero.

Tenemos el riesgo de hacer un análisis tan solo teológico de este tema. Necesitamos ir más allá. ¿Es Cristo nuestro primogénito, nuestro superior, exaltado, honrado, soberano y preeminente en nuestra vida? Si nosotros lo permitimos, el pecado nos deforma, la investigación nos informa y el Primogénito nos transforma.

LO QUE VEO Y NO QUE LO VEO

"Porque en él fueron creadas todas las cosas, las que hay en los cielos y las que hay en la tierra, visibles e invisibles [...]. Todo fue creado por medio de él y para él. Y él es antes que todas las cosas, y todas las cosas en él subsisten" (Colosenses 1:16, 17).

Los conceptos acerca del origen de la vida son como una guerra entre dos jardines. El Jardín del Edén representa a los que creen que el ser humano fue creado por Dios a su imagen y semejanza. Y el jardín zoológico representa a los que creen que el ser humano es resultado de un largo proceso evolutivo. Los primeros sostienen que la criatura ha involucionado por causa del pecado, los segundos afirman que ha evolucionado de un ser inferior a uno superior. Lo paradójico es que algunos piensan que la última posición es refrendada totalmente por la ciencia, mientras que la primera requiere de fe para darle sustento.

Sin embargo, es digno de notar que **la verdadera ciencia apunta hacia la existencia de Dios y valida la fe en él.**

Arthur Compton, Premio Nobel de Física en 1927, declaró: "La fe comienza con la comprensión de que una inteligencia suprema dio el ser al Universo y creó al hombre. No me cuesta tener esa fe, porque **el orden y la inteligencia del cosmos dan testimonio de la más sublime declaración jamás hecha: 'En el principio creó Dios' ".**

Ernst Boris Chain, Premio Nobel de Medicina en 1945, expresó: "La probabilidad de que el origen de las moléculas de ADN haya tenido lugar por pura casualidad es sencillamente demasiado minúscula para considerarla con seriedad".

Arthur l. Schawlow, quien compartió el Premio Nobel de Física en 1981, aseveró: "Al encontrarse uno frente a frente con las maravillas de la vida y del Universo, inevitablemente se pregunta por qué las únicas respuestas posibles son de orden religioso [...]. **Tanto en el Universo como en mi propia vida, tengo necesidad de Dios".**

Derek Barton, quien compartió el Premio Nobel de Química en 1969, aseguró: "No hay incompatibilidad alguna entre la ciencia y la religión [...]. La ciencia demuestra la existencia de Dios"

Albert Einstein, Premio Nobel de Física en 1921, sostuvo: **"Apenas sí calco las líneas que fluyen de Dios".**

Pablo declara que en Cristo fueron creadas todas las cosas. Y él es antes de todas las cosas y todas las cosas en él subsisten.

"La mano que sostiene los mundos en el espacio, la mano que mantiene en su disposición ordenada y actividad incansable todo lo que existe en el Universo de Dios, es la mano que fue clavada en la Cruz por nosotros" (Elena de White, *La educación*, p. 118).

EL PODER DEL AMOR

"Quiero pues, que sepáis cuán grande lucha sostengo por vosotros, por los que están en Laodicea y por todos los que nunca han visto mi rostro" (Colosenses 2:1).

En el capítulo 2 de Colosenses, el apóstol Pablo hace una seria advertencia: Cuidado que alguien los engañe con argumentos falsos y persuasivos de falsos maestros. Y ¿qué engaños serían estos? Los engaños que llevan a la gente a vivir un cristianismo lejos de lo que Cristo enseñó.

Jesucristo debe ser el patrón según el cual los colosenses deben andar. Él es la raíz de donde deben extraer la savia y la nutrición. Él es la Roca viva, el Fundamento firme sobre el cual también los judíos y los gentiles edifican. Y ¿por qué Cristo es todo eso? Porque él es plenamente Dios, según Colosenses 2:9.

Por ser quien es, Cristo nos da vida. Él perdona nuestros pecados porque él pagó nuestras deudas del pecado.

En los versículos 16 a 18, Pablo vuelve a los falsos maestros, y advierte a los hermanos de Colosas: No dejen que los falsos maestros los lleven de vuelta a las ceremonias judías. Estas ceremonias, que incluían comida, bebida, y fiestas, ahora eran sombra de la plenitud de lo que Cristo había logrado con su muerte en nuestro favor.

Pablo decía que no tenía sentido volver a los rudimentos del judaísmo, porque la muerte de Cristo había eliminado todos los ceremoniales. Lo que quedaba eran los mandamientos morales. Además, los ceremoniales en nada ayudan en nuestra lucha contra las inclinaciones de la carne, nuestra naturaleza pecaminosa.

Cuando vivimos en Cristo, nuestro foco no es vivir de ceremonias. La vida en Cristo nos lleva a vivir lo que es esencial: amor a Dios y amor a las personas.

Se cuenta que Napoleón se encontraba mirando hacia el mar, mientras estaba cautivo en Santa Elena, donde murió en 1821. Allí le dijo a su fiel colaborador, el general Bertrand, lo siguiente: "Jesucristo no es hombre. Su nacimiento, la historia de su vida, la profundidad de su doctrina, su evangelio, su imperio, su marcha a través de los siglos, todo esto es una maravilla, un misterio inexplicable. Alejandro, César, Carlomagno y yo fundamos imperios basados en la fuerza y el poder. Solo Jesucristo fundó un imperio basado en el amor, y millones de personas estarían dispuestas a dar la vida por él".

Napoleón tenía razón. Mientras los demás se movían por el amor al poder, Jesucristo se movió por el poder del amor. Solo Cristo puede realizar una conquista de tal manera

¿Qué mueve tu vida? ¿El amor al poder o el poder del amor?

ABSORBER Y DIFUNDIR

"Porque en él habita corporalmente toda la plenitud de la divinidad" (Colosenses 2:9).

Según un estudio del Instituto de Estudios Religiosos de la Universidad de Baylor, en Texas, EE. UU., para los encuestados, Dios tiene cuatro facetas: autoritario, benevolente, crítico y distante.

El Dios autoritario es el que está enojado por los pecados de la humanidad. Es un Dios vigilante de nuestros actos y castigador de nuestras faltas. Un 34 % de los encuestados cree en este Dios y están convencidos de que los huracanes, los tsunamis, y otras tragedias naturales, son la manifestación de la furia divina en retribución a nuestras debilidades.

El Dios distante es un artífice sin rostro, una fuerza cósmica que nos ha creado pero que no se involucra en nuestra vida. Un 26 % reconoce esta cara de Dios.

El Dios benevolente es a la vez exigente y misericordioso. Establece códigos, reglamentos, leyes, pero es a la vez comprensivo de nuestras falencias. Un 24 % cree esto.

El Dios crítico conoce todo, pero no interviene en nada. Ni castiga, ni consuela. Un 16 % reconoce así a Dios.

La imagen de Dios que nosotros tengamos clarifica qué clase de persona somos. Dios hizo al hombre a su imagen y semejanza, y el pecado ha llevado a que el hombre pretenda hacer a Dios a su imagen y semejanza.

En Cristo habita la suma total de la naturaleza y de los atributos de Dios. Los alcances de este término son ilimitados en tiempo, espacio y poder. En Cristo se encuentra todo lo que Dios es, cada cualidad de la Deidad: dignidad, autoridad, excelencia, poder para crear y ordenar el mundo, energía para sostener y guiar el Universo, amor para redimir a la humanidad y previsión para suministrar todo lo necesario a cada una de sus criaturas.

"Recordad que en él habitaba toda la plenitud de la Deidad corporalmente. Si Cristo habita en nuestro corazón por fe, al contemplar su conducta procuraremos ser como Jesús: puros, pacíficos e incontaminados. Revelaremos a Cristo en nuestro carácter. **No solo recibiremos luz y la absorberemos, sino también la difundiremos [...].** La simetría, la belleza y la benevolencia que había en la vida de Jesucristo relucirán en nuestra vida" (Elena de White, *A fin de conocerle*, p. 179).

"La verdadera educación no desconoce el valor del conocimiento científico o literario, pero considera que el poder es superior a la información, la bondad al poder y el carácter al conocimiento intelectual. **El mundo no necesita tanto hombres de gran intelecto como carácter noble, necesita hombres cuya capacidad sea dirigida por principios firmes"** (Elena de White, *La educación*, p. 225).

¡250.000 DÓLARES POR UN VIAJE!

"Y a vosotros, estando muertos en pecados y en la incircuncisión de vuestra carne, os dio vida juntamente con él, perdonándoos todos los pecados" (Colosenses 2:13).

Stephen Hawking murió el 14 de marzo de 2018. A los 21 años comenzó a enfrentar una larga y penosa enfermedad degenerativa: esclerosis amiotrófica. En principio solo le daban tres años de vida, pero fueron 55 años más con un cuerpo cada vez más deteriorado pero una mente cada vez más brillante. Se doctoró en Física. Fue astrofísico, cosmólogo y divulgador científico. Se casó, tuvo tres hijos y escribió decenas de libros. Al principio usaba dos bastones; después necesitó muletas. Posteriormente, se resignó a una silla de ruedas.

El mayor sueño de Stephen Hawking era estar en el espacio. "Es hora de explorar otros sistemas solares. Extendernos puede ser lo único que nos salve de nosotros mismos. Estoy convencido de que los humanos necesitan abandonar la Tierra", decía.

Hawking anhelaba volar al espacio. En parte pudo y cumplió su sueño. Si bien nunca pudo viajar al espacio, el 26 de abril de 2007 fue un día glorioso para él. En esa ocasión, logró liberarse de la silla de ruedas en la que llevaba décadas confinado debido a su enfermedad, y durante dos horas voló a bordo de un Boeing 727-200 (adaptado para la ocasión) de Zero Gravity Corp. Durante 120 minutos, Hawking saboreó la ingravidez. El costo del paseo fue de 250.000 dólares.

Hawking soñó, deseó y planeó ir a vivir al espacio y llevar a la humanidad. Quiso, pero no pudo. Felizmente, hay otro que quiso, quiere y puede. Nos dio vida estando muertos en nuestros pecados. Las profecías bíblicas se están cumpliendo inexorablemente, las naciones se han llenado de ira, el Juicio Final es inminente. Es tiempo de recompensar a los santos y destruir a los que destruyen la Tierra.

Cuando el Señor regrese, todos los tesoros del Universo se abrirán ante los redimidos de Dios. "Libres de las cadenas de la mortalidad, se lanzan en incansable vuelo hacia los lejanos mundos; mundos a los cuales el espectáculo de las miserias humanas causaba estremecimientos de dolor, y que entonaban cantos de alegría al tener noticia de un alma redimida [...]. Soles y estrellas y sistemas planetarios que en el orden asignado circuyen el Trono de la Deidad" (Elena de White, *El conflicto de los siglos*, p. 736).

El dueño de la física, de los astros, del cosmos y del Universo ha firmado su promesa con su propia sangre. La hora de la partida está muy cercana. El viaje está pago, y no es por poco tiempo; ¡es para toda la eternidad! ¡Vamos!

¡SALVÓ A MÁS DE MIL PERSONAS!

"Si, pues, habéis resucitado con Cristo, buscad las cosas de arriba, donde está Cristo sentado a la diestra de Dios" (Colosenses 3:1).

Colosenses 3 es un documento precioso y motivador para la verdadera vida cristiana. El apóstol Pablo comienza desafiando a los hermanos: Si ustedes resucitaron espiritualmente en Cristo, entonces vivan como él quiere. Es decir, piensen en las cosas celestiales y no en las cosas de esta Tierra.

Y ¿cómo es vivir pensando en las cosas celestiales? Es huir de toda inmoralidad sexual y los malos deseos. Es huir de la ira, de la maldad, de las blasfemias, de lenguaje obsceno. Es no mentir.

Pero, vivir pensando en las cosas celestiales no es solo no hacer cosas. También es tener un estilo de vida pautado por la compasión, la bondad, la humildad, la paciencia, la mansedumbre, el perdón. Es vivir en la práctica el amor de Cristo.

El apóstol Pablo tiene orientaciones claras para la esposa y el marido (amen de verdad y dependan el uno del otro), para los hijos (obedezcan a sus padres) y para los siervos (obedezcan y sean sinceros). El principio para las relaciones es este: todo lo que hagan que sea de corazón, como para el Señor. Eso mismo: no debemos hacer las cosas pensando en agradar a la gente, al jefe, al amigo. Debemos hacer todo pensando en agradar a nuestro Dios.

El empresario alemán Oscar Schindler, durante la Segunda Guerra Mundial, dedicó la mayoría de sus recursos para rescatar a judíos de los campos de concentración. Salvó así a mil cien personas durante el Holocausto nazi. Su cuerpo está sepultado en Jerusalén, en memoria de estos actos de compasión en favor de los demás. Fue homenajeado con una placa con la siguiente inscripción: **"Aquel que salva una vida salva al mundo entero"**. Pero él, más que sentirse elogiado por los mil cien salvados, se repetía a sí mismo: **"Tal vez podía haber salvado a uno más y no hice lo suficiente"**.

Está claro que lo que Dios planeó para nosotros no es este mundo lleno de pecado y de muerte; si no un mundo transformado. Tenemos que caminar en este mundo con los ojos mirando hacia el cielo.

¿A cuántas personas más puedes salvar por el testimonio fiel de tu vida?

"Nadie está inactivo en el cielo, y en las mansiones de los bienaventurados no entrará nadie que no haya manifestado amor a Cristo, y que no se haya esforzado por la salvación de los demás" (Elena de White, *Testimonio para los ministros*, p. 207).

E.S.A.

"Vestíos, pues, como escogidos de Dios, santos y amados" (Colosenses 3:12).

Si seguimos haciendo lo que estamos haciendo, seguiremos consiguiendo lo que estamos consiguiendo.

Está claro que las cosas no están funcionando bien en nuestra sociedad. La familia, como su base, atraviesa su crisis más profunda. Algo tenemos que hacer. Ese algo tiene que ser distinto de lo que hemos hecho hasta aquí. El propósito de Dios para la familia cristiana no es que termine bien, sino que dure para toda la vida, por toda la eternidad. No podemos conformarnos con luchar un año, o muchos años; tenemos que luchar toda una vida, para ser parte de una gloriosa eternidad con los nuestros y con el Señor.

Ahora bien, ¿cómo fortalecer los vínculos de nuestra familia? Pablo nos desafía a vivir como E.S.A.; es decir, como **escogidos** de Dios, **santos** y **amados.** Estas tres palabras eran las preferidas del pueblo judío. Se consideraban el pueblo escogido, la nación santa y los amados de Dios. Pablo, el hebreo entre los hebreos, toma estas tres palabras y las aplica a todos los seres humanos. El amor y la gracia de Dios se han extendido hasta lo último de la Tierra.

La elección es siempre una iniciativa divina. El punto de partida es la soberanía de Dios. Su propósito es la santidad; es decir, la separación del elegido para vivir una vida diferente. Separados por él y para él como hijos y pueblo peculiar.

La santidad es la manifestación de una vida en perfecta concordancia con Dios. Él nos ha creado y redimido para que nuestra vida tenga propósito.

El célebre violinista italiano Nicolás Paganini pidió que, después de su muerte, su violín fuese colocado en una vitrina de su casa en Genova, a fin de que nunca más fuese tocado. En desuso, el instrumento quedo carcomido, arruinado, y llegó a ser una vieja reliquia sin utilidad. Aquel violín de madera solo podría mantenerse en el tiempo si hubiese estado en uso constante.

La vida que no es gastada en el servicio a Dios y al prójimo apenas sí sirve como reliquia en la vitrina, pero aquella que se gasta en el testimonio cristiano emite una música cuyos acordes se proyectan por la eternidad.

VERBO Y ADVERBIO

"De entrañable misericordia, de bondad, de humildad, de mansedumbre, de paciencia" (Colosenses 3:12).

La base del cristianismo son las relaciones. La religión es comunidad: comunión con Dios y comunión con nuestro prójimo. Vivir y convivir. Comunión y relaciones.

Cuando Pablo escribió esto, el sufrimiento de los animales y el de los enfermos no era tenido en cuenta. A los enfermos y a los heridos se los dejaba morir; nada importaba. La forma en que trataban a un demente o a un minusválido era totalmente discriminatoria y despiadada. La mujer era simplemente un objeto. Los ancianos no tenían cabida en la sociedad. **El apóstol los desafía a tener misericordia, piedad, consideración y afecto entrañable.**

También los desafía a cultivar la bondad. Esto es cristianismo en estado puro. El historiador judío Flavio Josefo utiliza esta palabra cuando describe la actitud de Isaac haciendo pozos en busca de agua y luego se los daba a otros para que los aprovecharan y disfrutaran. Una cosa es convidar agua y otra cosa es hacer pozos de agua para otros.

Además, pide **humildad.** No se trata de considerarse menos como persona o de servilismo. La humildad está basada en el sentido de criatura. El ser humano es una criatura del Dios creador. Frente a él, no podemos sentir otra cosa que humildad. Y, considerándonos todos criaturas y dependientes del Creador, debemos expresar humildad frente a los demás, porque somos todos hijos necesitados y dependientes por igual. No hay lugar para la arrogancia.

Por otra parte, solicita **mansedumbre.** Esta es una característica particular que combina extrañamente la firmeza con la dulzura. La persona se controla porque Dios la controla. "Mansedumbre es la ausencia de justificación propia, lo opuesto a agresividad. Es una ecuanimidad dulce y bondadosa. Nuestro Salvador fue el ejemplo perfecto de verdadera mansedumbre" (Elena de White, *El Deseado de todas las gentes*, p. 682).

Por último, aconseja tener **paciencia.** Solo pensar en la forma paciente en que Dios nos ha tratado nos compromete a ser más pacientes con los demás.

Gerson, un destacado teólogo francés del siglo XIV, solía decir: **Dios tiene en cuenta en nuestra vida los adverbios más que los verbos.** ¿A qué se refiere con esto? Es simple. **Los verbos indican acción y los adverbios señalan el modo en que la realizamos.**

Dios no solo mira la acción, mira también aquello que nos mueve a realizarla.

¿CARDO Y ORTIGA O ROSA BLANCA?

"Soportaos unos a otros y perdonaos unos a otros" (Colosenses 3:13).

Ser un soporte es ser un apoyo, una base sobre la cual los demás puedan construir y crecer. Pablo dice, en el texto de hoy, que debemos soportarnos unos a otros. Esta no solo es una tarea de edificación mutua, también es un deber que tenemos como cristianos.

El perdón que Dios nos da nos inspira y compromete para perdonar a los demás. Hemos recibido un perdón tan grande; ¿cómo no perdonar a quienes nos ofenden? La manera, la cantidad, la profundidad con que perdonamos establece la sinceridad de nuestra petición al Señor: Perdónanos como perdonamos a nuestros deudores. **Perdonar es el puente que nosotros mismos tenemos que atravesar para alcanzar el perdón de Dios.**

"Aun para los que pretenden ser seguidores de Jesús, es dificilísimo perdonar como perdonó Cristo. Se practica tan poco el verdadero espíritu de perdón, y se aplican tantas interpretaciones a los requerimientos de Cristo, que se pierden de vista su fuerza y su belleza. Tenemos una visión muy incierta de la gran misericordia y amante bondad de Dios. Él está lleno de compasión y perdón, y nos perdona gratuitamente si realmente nos arrepentimos y confesamos nuestros pecados" (Elena de White, *A fin de conocerle*, p. 180).

El político y escritor cubano José Martí publicó, en *Versos sencillos* (Nueva York, 1891), el poema titulado "Cultivo una rosa blanca", con énfasis en el valor del verdadero amor y la amistad.

"Cultivo una rosa blanca, //en junio como en enero,
para el amigo sincero // que me da su mano franca.
Y para el cruel que me arranca, // el corazón con que vivo,
cardo ni ortiga cultivo, // cultivo la rosa blanca".

Es fácil entregar una rosa blanca a aquel que vive dándonos rosas blancas; lo difícil es darle una rosa blanca a aquel vive llenándonos de ortigas. Lo primero puede ser una transacción o intercambio comercial; lo segundo es transformador. Solo la presencia de Cristo en la vida lo hace posible.

La vida es muy corta como para vivir enemistados. Por eso, escribe el nombre/nombres de aquellos con quienes estás distanciado por alguna razón:

____

____

Ahora, ora por este o estos nombres.
Luego, en lo posible, hazle una llamada o envíale un mensaje.
¡Cultiva una rosa blanca!

GRATITUD

"Sobre todo, vestíos de amor, que es el vínculo perfecto. Y la paz de Dios gobierne en vuestros corazones, a la que asimismo fuisteis llamados en un solo cuerpo. Y sed agradecidos. Soportaos unos a otros y perdonaos unos a otros" (Colosenses 3:14, 15).

El amor es la gracia que corona todo, es una rica vestidura que cubre y da brillo y valor a todas las demás virtudes. Para los hebreos, es un ligamento, o vínculo, que indica algo que une, liga y cohesiona.

"Sin el cinturón del amor, todas las demás virtudes son inútiles; es decir, penden del cuerpo, peligrosamente aflojadas, a punto de caerse", dijo E. F. Scott. **"El amor es el poder motivador de la fe, es la suprema gracia cristiana; por eso, el amor no le hace al prójimo sino solo aquello que es bueno",** sostuvo F. F. Bruce. Es este amor lo que une, liga, realza, valoriza todas las virtudes en una sola persona; el mismo amor que nos liga con las otras personas, en un mismo cuerpo de creyentes.

En las cartas de Filipenses y Corintios, Pablo se refiere a la paz como un custodio, una protección. Cuando el amor y la amargura contienden por la supremacía, la paz es el árbitro para definir la lucha y resolver la contienda; tanto en los conflictos interiores como en los exteriores, o en el individuo consigo mismo o en su relación con los demás.

Estar en paz con uno mismo es el fruto de la relación de comunión con Dios, de vivir en Dios y con Dios. Estar en paz con los demás es el fruto de la relación horizontal. Gobernados por la paz, para vivir y convivir.

Como cristianos, vivimos en paz y agradecidos. Filón de Alejandría, el filósofo judío contemporáneo de Jesús y los apóstoles, escribiendo acerca de los primeros cristianos, dice que a menudo pasaban toda la noche cantando himnos y salmos de gratitud. Plinio el joven, escritor romano del siglo I d.C., al enviar un informe de los primeros cristianos al emperador Trajano, le escribió: "Se reúnen al alba para cantar himnos a Cristo como Dios". ¡Qué bueno que nos conozcan e identifiquen como personas agradecidas! La gratitud nace en el reconocimiento de quién soy yo y quién es el otro.

Elena de White nos dice: "Comience por agradecer al Señor por su hogar, por el agradable ambiente que la rodea y por las muchas bendiciones temporales que le concede. **Al corresponder con gratitud al Señor por su bondad, puede hacer algo por aquel que lo hizo todo por usted. Considere la profundidad de la compasión que el Salvador manifestó hacia usted. Por usted dio su vida y sufrió cruel muerte de cruz. ¿No puede alabar a Dios por esto?"** (*Cada día con Dios*, p. 43).

LA ÚNICA PREVENCIÓN

"La palabra de Cristo habite en abundancia en vosotros" (Colosenses 3:16).

De pronto, oficiales del Ministerio de Salud me estaban buscando. Algo había sucedido en mi último vuelo, y era indispensable que entrara en contacto. Pocos días antes, había volado entre dos capitales de Sudamérica. En tal vuelo había una persona infectada de sarampión y necesitaban cumplir un protocolo de advertencia.

Según el Centro para el Control y Prevención de Enfermedades (CDC), el sarampión es una infección causada por un virus. En una época fue una enfermedad muy frecuente. Aunque las tasas de mortalidad se han reducido en todo el mundo, la enfermedad aún se cobra cien mil vidas cada año, la mayoría menores de cinco años. Por eso, el CDC recomienda que todos reciban la vacuna, pues es la única forma de prevención.

El término "vacuna" fue propuesto por Luis Pasteur en 1881, en homenaje a Edward Jenner. Él, en 1796, inventó la vacuna contra la viruela, una enfermedad erradicada en la actualidad. Jenner observó que las ordeñadoras de vacas afectadas de viruela vacuna no se contagiaban de la viruela humana.

De esta manera, inoculó una leve dosis de una lesión de una ordeñadora a un niño sano de ocho años. En un primer momento, el niño desarrolló la enfermedad de forma leve. Al ser infectado por la viruela humana más tarde, no desarrolló ningún síntoma. La inmunización se había producido.

Pablo dice que la Palabra de Dios debe habitar abundantemente en nosotros. Los judíos tenían unas diez mil palabras en su vocabulario. Para ellos, la palabra era algo más que un sonido. Era algo vivo. Era una unidad de energía cargada de poder. Así lo registra el salmista: "Por la palabra de Jehová fueron hechos los cielos; y todo el ejército de ellos, por el aliento de su boca [...] porque él dijo, y fue hecho; él mandó, y existió" (Sal. 33:6, 9).

Los griegos tenían unas doscientas mil palabras. Para ellos, la palabra era el *logos*; es decir, la razón, la sabiduría, el orden, la perfección y el poder. La Palabra ya existía, no fue creada. Era Dios, estaba con Dios y todo fue creado por él.

Somos infectados por el sarampión del pecado e inmunizados, no por dosis pequeñas de pecado, sino por dosis abundantes de la única fuente de prevención.

Para estar inmunes, se recomienda una dosis diaria, en ayunas, de la abundante y poderosa Palabra del Señor.

3 de septiembre

CONSUMIDOS Y CONSUMADOS

"Amos, haced lo que es justo y recto con vuestros esclavos, sabiendo que también vosotros tenéis un Amo en los cielos" (Colosenses 4:1).

En el capítulo 3 de Colosenses, Pablo tenía un consejo para los siervos, pero en el capítulo 4 hay un consejo para los amos: Traten a sus siervos con justicia, con igualdad. Y sepan que darán cuenta a Dios.

Pablo también dice que debemos orar, manifestar acción de gracias y ser sabios en el modo de actuar con quien no conoce a Dios. Una manera de influir en las personas es usar bien las palabras, de tal forma que sean agradables.

Pablo termina la carta enviando saludos y recomendando a muchas personas. Esto muestra que el gran teólogo y pastor era una persona que valoraba las relaciones, que dependía de las personas y que daba valor a todos individualmente, nombre por nombre.

Pablo sabía que todo buen trabajo nunca se hace solo. Todo trabajo exitoso depende de la participación de personas. Por eso, necesitamos aprender a valorar, respetar y promover a las personas. Al final, el Reino de Dios será formado por gente, y por eso necesitamos construir buenas relaciones.

Tenemos dos maneras de mirar la vida: antropocéntricamente (colocando al hombre en el centro) o cristocéntricamente (colocando a Cristo en el centro). Un enfoque es material, egocéntrico y temporal; el otro es espiritual, altruista y con destino eterno.

Las últimas palabras registradas por el gran comentarista de la Biblia Matthew Henry, ya en su lecho de despedida, fueron las siguientes: **"Una vida consumida en la comunión con Dios y consumada en el servicio al Señor es la vida más feliz y mejor vivida".** Esta experiencia fue también la de Pablo y debe ser la de cada uno de nosotros.

La plenitud del Espíritu y la plenitud de la Palabra son indispensables. Si todos somos controlados por el Espíritu de Dios y la Palabra de Dios, no habrá dificultad en llevarse bien con los demás.

"El hombre necesita un poder exterior a sí mismo para ser restaurado a la semejanza de Dios y ser habilitado para hacer la obra de Dios; pero esto no hace que no sea esencial el agente humano. La humanidad hace suyo el poder divino. **Cristo mora en el corazón por la fe; y mediante la cooperación con lo divino el poder del hombre se hace eficiente para el bien"** (Elena de White, *El colportor evangélico,* p. 107).

¡Vamos a consumirnos y consumarnos en la comunión y en la misión del Señor!

4 de septiembre

PIEDRA ALTA

"Perseverad en la oración, velando en ella con acción de gracias" (Colosenses 4:2).

El Pr. Walter Weiss fue quien me llamó al ministerio cuando terminé la carrera de Teología; fue mi primer presidente, y guardaré siempre una inmensa gratitud y compromiso con él. No solo por el llamado sino por inspirarnos a un fiel y abnegado ministerio. Fue él quien escribió la historia de los orígenes del Instituto Adventista Balcarce, en la zona sur de la provincia de Buenos Aires, Argentina. En su libro *Un gran desafío hecho realidad*, cuenta los años de esfuerzos, luchas y perseverancia en oración.

Después de una búsqueda minuciosa y oración ferviente, se dio con lo que parecía ser la mejor opción. Para eso, había que entrevistar al ingeniero agrónomo Carlos Alberto Del Tortto. El cartel de entrada a la estancia decía "Piedra alta".

El ingeniero quedó sorprendido por la idea de establecer un colegio adventista con internado. Él escuchó la palabra "adventista" por primera vez en su vida. Al final, tasó la propiedad en trescientos cincuenta mil dólares. Al otro día tenía que viajar a las islas del Pacifico Sur, así que pactaron la operación de venta para dentro de tres semanas.

Esos días fueron de intensa oración. Al reencontrarse, el dueño del terreno relató con asombro que en su viaje a las islas del Pacífico había conocido el Colegio Adventista del Fulton, en las islas Fiyi, y que vio allí a un coro, una orquesta y una banda de estudiantes interpretar muy buena música. Por esto, ofreció un descuento de cincuenta mil dólares.

La propiedad fue comprada, y se construyó allí el Instituto Adventista Balcarce, un colegio que sigue formando jóvenes para cumplir la misión. El pastor Heriberto Müller fue nombrado promotor y director del proyecto. Y fue este amigo, que hoy descansa en las promesas del Señor, quien perseverando en la oración, brindando un fiel y abnegado servicio y amando a la juventud, llegó a ser el primer director de la institución.

Pablo dice que debemos velar en oración. Es decir, persistir, continuar firmemente, atender continuamente y perseverar.

Elena de White nos dice que en algunos casos las respuestas a nuestras oraciones vienen de inmediato. Pero otras veces tenemos que esperar pacientemente y continuar rogando por las cosas que necesitamos. "Debemos perseverar en nuestras peticiones, aunque no obtengamos respuesta inmediata a nuestras oraciones" (*Consejos sobre la salud*, p. 377).

Dios quiere elevarnos y llevarnos a una "piedra alta", porque el propósito de la oración perseverante no es que la voluntad del hombre se haga en el cielo, sino que la voluntad de Dios se haga en la Tierra.

5 de septiembre

EL ARTE DE APROVECHAR EL TIEMPO

"Andad sabiamente para con los de afuera, aprovechando bien el tiempo" (Colosenses 4:5).

En 1987, la empresa American Airlines tomó una medida particular: puso una aceituna menos en las ensaladas que servía a bordo en cada uno de sus vuelos. Con eso, logró un ahorro de cuarenta mil dólares anuales.

En todos los ámbitos de la vida, se crea, se busca y se aprovecha cada oportunidad para sacar partido y hacer más sustentable el negocio. Entonces, cuánto más relevante es hacerlo en los planos misioneros, donde en juego están ambas vidas, tanto de quien necesita recibir como de aquel que tiene que compartir.

El término "aprovechar" viene del campo de la administración y las finanzas. Significa "utilizar, usufructuar, aplicar, dedicar, lograr, conseguir, producir, fructificar, redituar y beneficiar".

Estos significados han dado lugar a expresiones tales como "llevar agua para su molino". Estos artefactos sirven para moler granos, y pueden ser movidos gracias a la acción del agua, entre otros factores. Ese tipo de molino precisa que se oriente un curso de agua hacia él para lograr que funcione.

Por su parte, cuando una persona realiza un buen negocio, se dice que "ha hecho su agosto". El origen de esta popular expresión es muy antiguo y surgió con toda seguridad en el medio rural. Parece ser que el dicho "hacer el agosto" alude a la recolección de cereales, aceitunas, uvas y otros frutos del campo durante la época más fructífera y, por extensión, a los beneficios que se obtienen de la venta de una buena cosecha.

Para Pablo, andar sabiamente significa vivir de tal manera que nada dificulte la proclamación del evangelio. Para él, aprovechar bien el tiempo es aprovechar las oportunidades para predicar.

Elena de White dice que tenemos que estar atentos a las oportunidades de presentar el mensaje para este tiempo, y enfatiza: "Sean rápidos en aprovechar las circunstancias para hablar a la gente. Acompañados del poder del Espíritu Santo, presenten al público el mensaje de Juan el Bautista: 'Arrepentíos, porque el reino de los cielos se ha acercado'. **La palabra de Dios ha de ser presentada con claridad y poder, con el fin de que los que tengan oídos para oír puedan escuchar la verdad.** Así, el evangelio de la verdad presente será colocado en el camino de los que no lo conocen, y será aceptado por no pocos, y llevado por ellos a sus propios hogares en todas partes de la Tierra" (*El colportor evangélico*, p. 42).

¡Aprovechemos este tiempo de oportunidades para hacer lo que tenemos que hacer!

SAZONADOS

"Sea vuestra palabra siempre con gracia, sazonada con sal, para que sepáis cómo debéis responder a cada uno" (Colosenses 4:6).

Más allá de que el abuso del consumo de sal puede resultar perjudicial para la salud, no podemos negar sus beneficios. La sal marina tiene numerosas virtudes para nuestra salud ya que aporta minerales, suministra el magnesio necesario, regula los niveles de azúcar en sangre y fija el agua a nuestro organismo.

El cloruro de sodio es fundamental para producir algunos ácidos que nos permiten digerir proteínas y enzimas, regula el funcionamiento equilibrado del cerebro, aumenta y mejora el sistema inmunológico y, por tanto, la resistencia frente a infecciones. Los baños en agua con sal marina mejoran la circulación, favorecen la curación de enfermedades cutáneas e hidratan la piel.

¿Por qué Pablo dijo que nuestras palabras tienen que tener gracia, ser sazonadas y convenientes? Está claro que hay formas y formas de decir las cosas, que podemos invalidar o convalidar un contenido veraz por la forma en que lo expresamos.

Por otro lado, el mismo Jesús nos mostró que la sal (que da sabor agradable a los alimentos) es el símbolo de los hijos de Dios, cuya vida y testimonio deben ser llenos de sabor y atractivo. El creyente es la sal de la Tierra. No hay nada más llano, insípido y mortífero que los cristianos sin influencia, cuya vida es sin relieve y llena de palabras vacías de sentido.

Así como la sal detiene la corrupción y al mismo tiempo produce necesidad de agua, el creyente es un freno a la corrupción y produce sed, lo que lleva a las personas a recurrir a Jesús, la Fuente de agua viva.

Pablo animó a que la forma de hablar de los cristianos fuera "sazonada con sal", metáfora que significaba una actitud saludable y atrayente. Cuando el cristiano abre la boca, deben fluir palabras agradables, provechosas y edificantes. Tal fue la importancia de la sal que durante muchos siglos llegó a servir como moneda de cambio.

Elena de White nos deja este desafío: "Al pronunciar palabras vacías y necias, alentamos a otros para permitirse la misma clase de conversación [...]. Nuestros labios deberían pronunciar únicamente palabras puras y sanas. Nadie puede imaginar cuánto pecado proviene de las palabras descuidadas, necias y sin sentido [...]. **Cada palabra que habláis es una semilla que germinará y producirá frutos buenos o malos de acuerdo con su carácter"** (*La fe por la cual vivo*, p. 238).

Solo de una vida sazonada por la permanente presencia de Cristo pueden salir consejos y palabras sazonadas.

7 de septiembre

EL EQUIPO DE PABLO

"Esta salutación es de mi propia mano, de Pablo. Acordaos de mis prisiones. La gracia sea con vosotros. Amén" (Colosenses 4:18).

Desde el versículo 7 hasta el 18 de Coloseses 4, el apóstol menciona a diez personas de su equipo:

1-Tíquico: Lo trata de consiervo y lo pone en su mismo nivel. Era el portador de la carta y de un mensaje personal del apóstol.

2-Onésimo: Era un esclavo fugitivo de Colosas, convertido en Roma, pero Pablo lo considera amado y fiel hermano.

3-Aristarco: Siempre al lado de Pablo en sus momentos más difíciles. Colaborador y esclavo por voluntad propia.

4-Marcos: Fue secretario de Pablo y Bernabé en el primer viaje misionero, pero los abandonó a mitad de camino, cuando más lo necesitaban. Pablo lo perdonó, lo incluyó nuevamente en la misión y lo recomendó. Pablo hizo con Marcos lo mismo que Dios hace con nosotros.

5-Jesús, llamado Justo: Es la única mención de él en la Biblia. ¿Qué dirían de nosotros si nos tienen que resumir en tres palabras?

6-Epafras: Era uno que nunca se olvidó de los Colosenses. Era el dirigente de un distrito, que oraba y trabajaba por las iglesias.

7-Lucas: Era el médico amado, el autor del Evangelio que lleva su nombre y del libro de Hechos. Había dejado su carrera lucrativa para asistir, consolar, cuidar y fortalecer a Pablo con el fin de que pudiera cumplir la misión.

8-Demas: Era un hermano que no permaneció fiel, abandonó al apóstol y al Señor por amar al mundo.

9-Ninfas: Una hermana fiel, dedicada y misionera, se ofreció a si misma a la causa del evangelio; ella y sus recursos. En su casa se plantó la pequeña iglesia de Laodicea.

10-Arquipo: Filemón y Ninfas habían abierto sus casas para establecer la iglesia, y Arquipo era conductor de la iglesia que funcionaba en la casa de Filemón. En sus comienzos, el hogar y la iglesia eran la misma cosa y debería seguir siendo así. La familia es la primera iglesia.

Como vemos, **Pablo tenía un equipo de diferentes personas.** Había allí desde un fugitivo esclavo hasta un médico escritor. Un lugar para cada uno y cada uno en su lugar.

Como gran discipulador, Pablo integró y formó a todos para la misión con la visión de un profeta, la mente de un erudito, el corazón de un evangelista, la disciplina de un soldado, la fidelidad de un amigo y el amor de un padre.

CRISTIANOS CONVERTIDOS

"Pablo, Silvano y Timoteo, a la iglesia de los tesalonicenses en Dios Padre y en el Señor Jesucristo: Gracia y paz sean a vosotros, de Dios nuestro Padre y del Señor Jesucristo" (1 Tesalonicenses 1:1).

Tesalónica fue la capital de Macedonia. Estaba situada en la península del golfo de Salónica. La vía Egnacia, que unía el Oriente y Roma, pasaba por Tesalónica. La ubicación favorable y el excelente puerto la convirtieron en un centro comercial y turístico de gran importancia. Por esa razón, tenía gran concentración de judíos y una sinagoga.

En el capítulo 1, Pablo demuestra preocupación por los tesalonicenses por medio de acción de gracias y oración, y manifiesta certeza acerca de la sinceridad de fe y conversión de los creyentes tesalonicenses.

Pablo menciona a Silvano, que es el mismo Silas, su compañero de misión y prisión; y a Timoteo, que era un amigo y joven evangelista.

El apóstol es cariñoso con los hermanos, y destaca su fe activa, su dedicación y firmeza en la esperanza en Cristo. Un aspecto importante es que los tesalonicenses se han vuelto imitadores de Pablo, hasta el punto de recibir la Palabra con buena disposición, incluso ante sufrimientos. Y, a causa de esta postura confiada y alegre, los tesalonicenses se convirtieron en ejemplos con referencia a la firmeza con que aceptaron el cristianismo y al celo con el que recibían las enseñanzas.

Así, se constituyeron en ejemplo para los demás después de la conversión, lo que destaca la alta calidad de su testimonio cristiano. Ellos abandonaron una vida de idolatría, y se convirtieron a Dios de verdad, poniendo toda su esperanza en Cristo.

La verdadera conversión es aquella que nos lleva a abandonar todo mal camino, toda enseñanza equivocada, y nos conduce hacia una vida de convicción centralizada en la Palabra de Dios. Los cristianos convertidos son tan impactantes que su buen ejemplo influye en otras personas.

Puede ocurrir que algunos no puedan indicar el momento y el lugar exactos de su conversión, ni explicar las circunstancias por la que fueron llevados a ese momento, pero su testimonio se verá claramente.

"Se notará un cambio en el carácter, en las costumbres y las ocupaciones. El contraste entre lo que eran antes y lo que son ahora será muy claro e inequívoco. El carácter se da a conocer, no por las obras buenas o malas que de vez en cuando se ejecuten, sino por la tendencia de las palabras y de los actos habituales en la vida diaria" (Elena de White, *El camino a Cristo,* p. 57).

Por eso, hoy, **"antes de que se ponga el sol, piensa en un acto que lleve a la conversión de otra persona y ejecútalo con todas tus fuerzas"** (Spurgeon).

9 de septiembre

GRAFITO O DIAMANTE

"Vosotros vinisteis a ser imitadores nuestros y del Señor, recibiendo la palabra en medio de gran tribulación, con el gozo que da el Espíritu Santo" (1 Tesalonicenses 1:6).

Los tesalonicenses recibieron de buena voluntad el mensaje de salvación, le dieron la bienvenida y lo abrazaron con todas sus fuerzas. Ellos se habían hecho cristianos en medio de una gran oposición. **Aceptar la fe era comprometerse con Cristo, con valor y sacrificio.** El precio por pagar era muy alto; muchas veces, la vida misma. Pero, esa gran tribulación era ampliamente superada por el gozo de la entrega. La persecución era una bendición, ya que refinaba y fortalecía los vínculos de comunión con el Señor y entre los hermanos.

En nuestros días tampoco es fácil ser un cristiano cabal. Vivimos y convivimos en una sociedad de pecado, egoísmo y maldad, que suele traernos tribulaciones. Las preguntas más comunes que nos hacemos son: "¿Por qué Dios permitió que me pasara esto?" o "¿Por qué a los buenos les pasan cosas malas?"

El reino mineral tiene muchos misterios. Uno de ellos es la comparación de dos rocas que están compuestas únicamente por carbono y, sin embargo, son totalmente distintas en apariencia y dureza.

El grafito está clasificado con una dureza, en la Escala de Mohs, de entre 1 y 2, y es uno de los minerales más blandos. Por su parte, **el diamante** está clasificado con dureza 10, la más alta que existe en la naturaleza. Pero, **ambos son solamente carbono. ¿Qué los hace diferentes?**

El grafito es blando, quebradizo, gris y semiopaco. Es muy útil, lo usamos para nuestros lápices; sin embargo, debe mezclarse con arcilla para que pueda utilizarse como mina de un lápiz. Se formó a temperaturas no muy elevadas y con baja presión, lo que hace que los lazos entre los átomos de carbono sean débiles.

El diamante es la roca más preciada, tiene el brillo más hermoso y ningún otro mineral pueda rayarla. No nació en un lecho de rosas, se formó en las profundidades de la tierra, a altísimas temperaturas y bajo una gran presión. Esto hace que sus átomos de carbono se entrelacen de forma tal que le dan esa dureza, brillo y transparencia.

Nosotros somos aquel carbono derivado en un gris opaco y quebradizo grafito. Pero, la gracia de Dios y las tribulaciones que enfrentamos por causa de nuestra fe transforman nuestro carbono en diamante. Así, somos hechos fuertes, resistentes y agradables.

El Señor nos representa en el cielo para que nosotros seamos sus fieles y gozosos representantes suyos en la Tierra.

EN LA CUMBRE

"Ellos mismos cuentan de nosotros cómo nos recibisteis y cómo os convertisteis de los ídolos a Dios, para servir al Dios vivo y verdadero y esperar de los cielos a su Hijo, al cual resucitó de los muertos, a Jesús, quien nos libra de la ira venidera" (1 Tesalonicenses 1:9, 10).

El propósito de la vida es servir a Dios y esperar el regreso de Cristo. El apóstol pone un énfasis constante en el magno segundo advenimiento de nuestro Señor. Esa espera no es ociosa. **Es una espera combinada con la acción.** Por eso, el apóstol presenta a Cristo como el Hijo de Dios y su resurrección es una prueba de ello.

Aldo cuenta que el viento helado golpeaba su rostro. El 8 de febrero de 2005 quedó solo en Plaza de Mulas, el campamento base de Aconcagua, la montaña más alta de América. Su compañero de expedición tuvo que regresar a casa por una molesta lesión en su rodilla. En esos momentos, vino a su mente una vieja receta que usaba desde los doce años, superexitosa, la que siempre lo ayudaba: orar buscando la ayuda de Dios.

En su mochila estaba la sección de la Biblia con los Salmos, Proverbios y Eclesiastés. Sentado en la roca, comenzó a leer, renovando fuerzas para retomar la expedición: "¿Por qué te abates, oh alma mía, y porque te turbas? Espera en Dios; porque aún he de alabarle, salvación mía y Dios mío" (Sal. 42:11).

Los que estaban a su alrededor eran extraños. Nadie sube con desconocidos. Tres escaladores decidieron seguir juntos y ayudarse mutuamente. Aldo subió solo. Esto era muy peligroso, no solo por los accidentes, sino también por la salud. Tanto el edema de cerebro, como el de pulmón, pueden provocar la muerte si no son tratados inmediatamente. Finalmente, Aldo llegó a la cumbre. ¡Se terminaron las piedras y el piso se hizo plano! Alguien lo abrazó y le dijo: "¡Llegaste! ¡Y llegaste solo!"

Aldo solía contar que subió el Aconcagua solo, pero que, en realidad, él está seguro de que no lo estaba. Sabe que Dios lo acompañó en cada paso, cuidó su camino, lo guio a la cumbre y lo trajo sano de regreso a casa.

Nosotros también estamos escalando los últimos tramos de la escarpada historia de este mundo. Tenemos que hacer cumbre en el Monte Sion. No estamos solos. No podemos quedarnos en la base del campamento. Tenemos que invitar a otros e ir juntos; esperamos su venida, marchando de manera constante.

"Su don nunca podrá ser sobrepasado [...]. El Calvario representa su obra cumbre" (Elena de White, *Nuestra elevada vocación*, p. 15). **En la cumbre del Calvario, Jesús hizo su obra cumbre, para que pronto hagamos cumbre en su Reino y para siempre.**

11 de septiembre

"ES NECESARIO QUE YO VAYA"

"Vosotros mismos sabéis, hermanos, que nuestra visita a vosotros no fue en vano" (1 Tesalonicenses 2:1).

La predicación en Tesalónica ocurrió poco después de que Pablo y Silas fueran maltratados físicamente en Filipos. El castigo había sido injusto. Además, Pablo era ciudadano romano y, como tal, no debía haber sido castigado.

Por eso, él dice que tuvieron osadía y confianza en Dios al anunciar el evangelio allí. A pesar del desafío de la predicación, el apóstol tenía tanto interés en agradar a Dios que cumplía la misión llevando en poca consideración la opinión de los hombres acerca de sí. Esto no significa que Pablo no respetaba los sentimientos de las personas. Lo que él quiere decir es que su objetivo no era agradar a los hombres y conquistarlos por astucia; más bien, tener la aprobación de Dios y acercar las personas al Maestro. Y por eso, él no adulaba a las personas, no buscaba elogio de las personas. Su negocio era presentar el evangelio de Dios.

Pablo también escribe que propuso ganar su propio sustento, a fin de que el evangelio fuese predicado gratuitamente. Con eso, nadie tendría motivo para acusar al apóstol de predicar por ganancia personal, pues él trabajaba a fin de no ser un peso para sus congregaciones.

Merece ser destacado el hecho de que Pablo enfatiza la relevancia de la Palabra de Dios, como elemento esencial de la predicación y de la transformación de las personas. Pablo fue reavivado por la Palabra de Dios. Ser predicador de la Palabra exige una postura ética correcta, pues la predicación no ocurre solamente por el contenido presentado, sino también por la conducta demostrada.

Elena de White dice que, mientras Pablo proclamaba con santa audacia el evangelio en la sinagoga de Tesalónica, raudales de luz eran derramados. **"Pablo creía en la segunda venida de Cristo. Tan clara y vigorosamente presentó las verdades concernientes a este suceso que ellas hicieron en la mente de muchos que oían una impresión que nunca se borró"** (*Los hechos de los apóstoles*, p. 185).

Pablo era osado y su misión estaba por encima de su función. Dios estaba por encima del ser humano. La Palabra estaba encima de su palabra. El prójimo estaba antes que él. Las cadenas de hierro que ataron sus pies fueron el anticipo de la corona de oro que adornaría su cabeza.

Letie Cowman cuenta que un buen soldado romano era el que, ante el peligroso mandato de guerra de un superior, respondía: **"Es necesario que yo vaya, no que yo viva"**.

"YO TE ESTARÉ MIRANDO"

"También sabéis de qué modo, como el padre a sus hijos, exhortábamos y consolábamos a cada uno de vosotros" (1 Tesalonicenses 2:11).

Con la fidelidad de un administrador, Pablo sabe que el mensaje es propiedad de Dios. No le pertenece, le ha sido confiado en calidad de préstamo. Por eso, lo defiende, lo protege y hace un uso adecuado. No es un dinero para guardar ni un tesoro para esconder; es necesario invertir el capital, producir y hacerlo crecer.

Pablo sabe que no es el dueño, es un encargado. Sabe que tiene que rendir cuentas. Lo trataron de mercenario y pensaban que quería ganar dinero con ese mensaje, pero él está seguro delante de Dios y de los hombres de ser un fiel administrador de todo el mensaje de Dios.

Pablo era padre espiritual de los creyentes, y un buen padre cuida, sostiene y ejemplifica. Pablo vivió una vida santa, justa, íntegra, irreprensible; siempre próximo a las personas. exhortaba, animaba y consolaba. Los hijos espirituales necesitan un ejemplo para seguir más que una disertación para escuchar.

En 1 Tesalonicenses 2:7, **Pablo dice que tuvo ternura y los cuidó tal como lo hace una madre.** Pablo no los dejó en manos de niñeras. El mismo que les predicó siguió orando por ellos, y ahora les escribe, los visita y les dedica su tiempo y energías. Fue amoroso, paciente y perseverante.

Mi madre fue una mujer luchadora. Salió de Italia a sus catorce años, escapando de la guerra, y se abrió paso en la vida, sin estudios, sin conocer el idioma, pero conociendo a Dios. En la fábrica donde trabajaba le daban unas galletas para su almuerzo. En vez de comerlas, las traía a casa para mi hermano y para mí. La he visto trabajar incluso ayudando a mi padre a construir la casa. Ahora quiero detenerme en un detalle: ella me llevaba todos los días de la mano hasta la escuela, que distaba a unos setecientos metros de casa.

Lo hizo hasta aquel día en que me ayudó a cruzar la avenida, me colocó en la vereda que iba directo a la escuela, ya sin otras calles que cruzar, y me dijo: **"Ve tranquilo. Yo te estaré mirando".**

Y así fue. Caminé solo sabiendo que lo hacía bajo la atenta mirada de mi madre. Cada vez que giraba la cabeza, allí estaba ella, acompañándome con su mirada.

Con la fidelidad de un administrador, la protección de un padre y el amor de una madre, caminemos rumbo a la eternidad bajo la atenta mirada de Dios.

LA GLORIA DE PABLO

"Pues ¿cuál es nuestra esperanza, gozo o corona de que me gloríe? ¿No lo sois vosotros, delante de nuestro Señor Jesucristo, en su venida? Vosotros sois nuestra gloria y gozo" (1 Tesalonicenses 2:19, 20).

La gran esperanza de Pablo era encontrarse con los salvos de todos los tiempos y compartir la eternidad. Su corazón estaba lleno de esta esperanza. Se gozaba en esos creyentes con los que soñaba con presentar ante el Señor en el día final, cual tesoros rescatados de la guerra del pecado. Esos fieles ante el Trono y ante el Rey serían su gloria.

Un detalle que no es menor potencia esta historia. La alegría de Pablo y la de Cristo se encuentran. Isaías 53:11 dice que un día Jesús verá el fruto de la aflicción de su alma y quedará satisfecho. **Tanto el Pan de vida como el distribuidor del pan se realizan en la salvación de las personas.**

Este deseo del apóstol de visitar a sus conversos fortalecía su fe y su compromiso con la verdad, y le daba más valor para enfrentar la persecución. Cuánto ánimo produjo en aquellos creyentes saber que eran la esperanza, la corona, el gozo y la gloria del apóstol.

En aquellos días, había dos tipos reconocidos de coronas. Una era la diadema real, símbolo de autoridad y majestad. Otra era una corona olímpica, símbolo de victoria y celebración que se concedía a los vencedores en los juegos realizados por los antiguos griegos en la ciudad de Olimpia. Esta segunda corona consistía en un entramado de ramas de laurel.

Pablo no se refiere aquí a la corona de justicia que el Señor dará en su venida sino a la guirnalda de victoria. La corona de Pablo es una guirnalda de laurel por la victoria de sus conversos.

Elena de White dice que **"se nos permite unirnos con él en la gran obra de redención y participar con él de las riquezas que ganó por las aflicciones y la muerte"** (*El discurso maestro de Jesucristo*, p. 77) y que **"la evidencia de su apostolado está escrita en los corazones de sus conversos y atestiguada por sus vidas renovadas. Cristo se forma en ellos como la esperanza de gloria"** (*Los hechos de los apóstoles*, p. 264).

Si nuestra guirnalda de gloria es la honra de salvar personas para Jesús, en breve el Señor cambiará el laurel perecedero y frágil por la diadema imperecedera y eterna.

PRACTICANDO SIEMPRE

"Pero cuando Timoteo regresó, nos dio buenas noticias de vuestra fe y amor, y que siempre nos recordáis con cariño, y que deseáis vernos, como también nosotros a vosotros. Por eso, hermanos, en medio de toda nuestra necesidad y aflicción fuimos consolados al saber de vuestra fe" (1 Tesalonicenses 3:6, 7).

En el capítulo 3 de 1 Tesalonicenses, Pablo presenta básicamente tres temas:

1. Testifica de su gran amor por los tesalonicenses al enviar a Timoteo para fortalecerlos y consolarlos en medio de las tribulaciones que ellos están pasando. La preocupación del apóstol era que el enemigo se aprovechara de las tribulaciones para debilitar su fe. Los verdaderos pastores actúan de esta manera: conforman y animan a sus hermanos en la fe.

2. Se alegra por el bienestar de los hermanos tesalonicenses. Timoteo llevó buenas noticias: los hermanos estaban firmes, a pesar de las necesidades y las pruebas. Nuestra fe se demuestra justamente en las pruebas. Y recuerda que en los momentos difíciles podemos contar con la protección de Dios.

3. Ora por ellos, deseando ir a verlos, y para que el cuidado y la bondad entre ellos se vuelva aún más fuerte. Y con eso ellos podrán crecer en santidad en la presencia de Dios.

Cuando oramos por los amigos y los hermanos, nosotros mismos somos bendecidos porque aprendemos a interceder y porque aprendemos a depender de Dios.

La vida cristiana de Pablo empezó milagrosamente con el encuentro en Damasco, y la primera oración de Pablo fue preguntarle a Jesús qué quería que hiciera. Durante su ministerio, siempre le hizo a Dios la misma pregunta. Sabía que Dios es quien abres las puertas y el que las cierra. Tal vez por eso algunos no se animan a orar al Señor y decirle: **"¿Qué quieres que yo haga?" Dios consigue las más reales e impactantes victorias de las más aparentes y humillantes derrotas.**

En cierta oportunidad, el gran músico polaco Arturo Rubinstein (conocido por su autodisciplina, ya que llegó a practicar piano 16 horas al día) dijo: "Si paso un día sin practicar, yo noto la diferencia. Si paso dos días sin practicar, mis amigos notan la diferencia. Si paso tres días, el púbico nota la diferencia".

El crecimiento viene de la práctica. Continuamente debemos estar orando, confiando, viviendo la voluntad de Dios, testificando y salvando a otros. En ningún orden de la vida se alcanza un buen rendimiento sin una práctica permanente. Tal como declaró David Livingstone: "Yo decidí nunca parar hasta llegar al fin y cumplir mi propósito".

FIRMES Y ADELANTE

"De modo que ahora hemos vuelto a vivir, sabiendo que estáis firmes en el Señor" (1 Tesalonicenses 3:8).

Antes de que una criatura camine, se pone de pie. En los dos primeros capítulos, Pablo puso a la iglesia de pie y ahora quiere ayudarla a caminar. La palabra clave aquí es "afirmar".

Los conversos deben saber que la nueva vida no es fácil, que vendrán pruebas y persecuciones, pero que pueden mantenerse fieles y misioneros. ¿Cómo ayudó Pablo a que la iglesia se afirmara y marchara hacia delante?

1-Les Envió a Timoteo. Pablo no abandonó a sus ovejas en su hora de peligro. Timoteo era ideal para ayudar; compartía la fe, el evangelio, la esperanza y la misión. Era un ministro amante y paciente. Era un discípulo que había sido discipulado por Pablo.

2-Les escribió una carta. El informe de Timoteo a Pablo fue muy alentador. Los nuevos creyentes permanecían firmes. No creyeron las mentiras del enemigo.

La Palabra de Dios es uno de los mejores instrumentos para afirmar a los nuevos creyentes. Jesús enfrentó al enemigo con el seguro "Escrito está" de la espada del Espíritu. La Biblia, que es inspirada por Dios, nos afirma, nos enseña, nos redarguye, nos corrige y nos instruye.

Pablo adoctrina a los Tesalonicenses sobre Dios el Padre y Jesucristo, el Espíritu Santo, el pecado, la salvación, la iglesia, el ministerio y la Segunda Venida. Para el apóstol, la Palabra de Dios es comida nutriente, luz guiadora y un arma defensora.

3-Oró por ellos. La Palabra de Dios y la oración van juntas. Pablo, igual que Jesús, oró por sus discípulos y pidió tres cosas:

La primera es **que la fe creciera.** Cuanto más usamos fe, más fuerte se hace.

La segunda es **que su amor abundara.** Algunos edifican muros y se encierran en sí mismos, mientras que otros edifican puentes y se acercan más al Señor y a su pueblo. Amarse unos a otros es mandato de Jesús.

La tercera es **que la santidad se desarrolle,** para ser irreprensibles delante de Dios. La oración no era incidental ni accidental; era permanente, de noche y de día y con gran insistencia. "De principio a fin, las lecciones y los ejemplos del Señor nos enseñan que **la oración que no persevera, no insiste en el pedido y no se renueva permanentemente tomando fuerza de cada petición anterior, no es una oración que prevalece"** (William Arthur).

¿Qué podemos hacer para ganar a otro y ayudar a mantenerlo en la fe? Animar y permanecer a su lado, compartir la Palabra y orar. Pablo hizo eso, y le fue muy bien.

16 de septiembre

LO MEJOR ESTÁ POR VENIR

"Por lo demás, hermanos, os rogamos y exhortamos en el Señor Jesús que, de la manera que aprendisteis de nosotros cómo os conviene conduciros y agradar a Dios, así abundéis más y más" (1 Tesalonicenses 4:1).

En el capítulo 4 de 1 Tesalonicenses, el apóstol Pablo alienta a los cristianos de ese lugar a que sigan adelante en una vida verdaderamente piadosa y santa. También enseña que una vida en santidad y justicia consiste en amar a los demás, trabajar y empeñarse por vivir tranquilamente, como resultado de la confianza en Dios.

Pablo expone cuál es la situación de los muertos en Cristo. Él comienza afirmando que, así como Cristo resucitó, de la misma manera quien muere creyendo en él también resucitará. Y ¿cómo ocurrirá esto? Dios dará la orden, los ángeles tocarán la trompeta, y después acontecerá el espectáculo de la resurrección.

Los justos vivos y los resucitados esperarán a Cristo en las nubes del cielo. ¡Será una escena impresionante! Esta promesa debe confortar nuestro corazón, y darnos la certeza de que, para los fieles, la vida no termina en la muerte. Para los fieles, la muerte es solo una pausa, el sueño inconsciente de la muerte. Estas palabras de Pablo deberían producir en nosotros confianza total en Dios, pues él es el Autor y el Don de la vida.

Una mujer había sido diagnosticada con una enfermedad incurable y con poco tiempo de vida. Así que, empezó a poner sus cosas "en orden". Contactó a su pastor y le dijo cuáles canciones quería que se cantaran en su servicio funerario y qué lecturas hacer. También solicitó ser enterrada con su libro favorito y algo más: ¡un tenedor en la mano derecha!

Sorprendido, el pastor exigió una respuesta ante tan extraño pedido. Con una sonrisa, la mujer explicó: **"Cuando la gente se pregunte qué hago con un tenedor en la mano, quiero que usted les diga: 'Se quedó con su tenedor porque lo mejor está por venir' ".**

Cuando Dios creó todas las cosas, lo mejor ya había venido. Por causa del pecado perdimos todo, pero lo mejor está por venir para los pecadores alcanzados por la gracia de Cristo. Vivamos con esa certeza y con esa esperanza. En el regreso de Cristo, los justos vivos serán transformados, los muertos en Cristo serán resucitados y todo será hecho nuevo, y nuevo para siempre.

No lo dudes. Hoy puede ser un gran día, pero lo mejor está por venir.

VENDIENDO HELADOS

"Cómo os conviene conduciros y agradar a Dios, así abundéis más y más" (1 Tesalonicenses 4:1).

El enemigo siempre trabaja para llevarnos a los extremos: o nos agradamos a nosotros mismos o vivimos pendientes de agradar a todos.

La vida no es un feriado donde cada uno puede hacer lo que quiere. **No vivimos en un parque de diversiones sino en un campo de batalla. La iglesia no es un crucero de placeres sino un bote salvavidas. No es un edifico terminado sino un edificio en construcción.** Hacer lo que queremos alimenta nuestro ego. Nadie puede vivir para sí mismo de manera saludable. Tampoco es posible vivir agradando a todos. Si hacemos eso, seguro estaríamos pisando principios, y a la postre nos dañamos.

Steve Jobs solía decir: **"Si queremos dejar a todos contentos, entonces hay que dedicarse a vender helados".** Si queremos agradar a todos, vamos a integrar en nosotros las incoherencias de la sociedad. **Pablo fue muy definido, tenía una prioridad: agradar a Dios. Esto concede estabilidad y seguridad.**

Agradar a Dios debe ser nuestro propósito, responsabilidad y alegría. Agradar es más que obedecer. Incluye la manera, el modo, la forma y la motivación con que lo hago. El agradar a Dios no puede ser algo ocasional, momentáneo o estacional. Debe ser permanente.

Ahora bien, ¿cómo sabemos lo que le agrada? Preguntándo a él a través de su Palabra. Esto nos compromete a obedecer a Dios. Desde luego, en una sociedad sin valores, la obediencia se vuelve complicada en todos los aspectos. En 1 Tesalonicenses 4:4, el apóstol Pablo usa un ejemplo relativo al matrimonio y la pureza moral. Cada hombre deber tener una esposa en santidad y honor en vez de cultivar una pasión desordenada.

Toda actividad sexual fuera de este contexto de un matrimonio heterosexual y monogámico distorsiona el plan de Dios. No necesitamos hacer una encuesta o una investigación para notar cómo se ha cambiado el plan de Dios original.

Nadie agrada, obedece y honra a otro si no es sobre la base del amor. Un fiel y amante esposo ama y hace lo que es agradable para su esposa. Si ama, nada le parece cargoso; si no ama, ni piensa en agradar, sino tan solo en agradarse.

Cuando agradamos, obedecemos y glorificamos. Honramos a Dios en nuestro cuerpo, como también en el cuerpo espiritual, que es la iglesia.

EN PRIMERA FILA

"Porque el Señor mismo con voz de mando, con voz de arcángel, y con trompeta de Dios, descenderá del cielo" (1 *Tesalonicenses* 4:16).

La gente le teme al fin del mundo, pero, por otro lado, se esperanza en el futuro. Cristianos, judíos y musulmanes (cada uno a su manera y con sus interpretaciones, cree que el fin del planeta ocurrirá).

El ritmo se está acelerando. El interés en el futuro está en su apogeo. Más allá de los desastres naturales, de los conflictos entre las naciones, de las hambrunas, de los conflictos étnicos, de la tensión política mundial y de una economía incierta, hay esperanza.

"Venga a ver el fin del mundo en primera fila", decía el cartel en la península de Yucatán, en el sureste mexicano, promocionado el día que marcaba el final de uno de los ciclos del calendario maya: 21-12-12 y que disparó un *boom* turístico apocalíptico. Todo fue excitación. Incluso los ocho mejores chefs del planeta organizaron la "Cena del Fin del Mundo".

Existe otro fin del mundo anunciado y prometido por alguien que nunca falla. Pablo afirma que el Señor mismo, con voz de mando certera y poderosa descenderá del cielo. Elena de White lo resume así:

"Pronto aparece en el este una pequeña nube negra, de un tamaño como la mitad de la palma de la mano. Es la nube que envuelve al Salvador y que a la distancia parece rodeada de oscuridad [...] volviéndose más luminosa y más gloriosa hasta convertirse en una gran nube blanca, cuya base es como fuego consumidor, y sobre ella el arco iris del Pacto. Jesús marcha al frente como un gran conquistador" (*Eventos de los últimos días*, p. 231).

"Ninguna pluma humana puede describir la escena, ni mente mortal alguna es capaz de concebir su esplendor" (*ibíd.*, p. 232).

"Sobre la cabeza de los vencedores, Jesús coloca con su propia diestra la corona de gloria [...]. Jesús abre ampliamente las puertas de perla, y entran por ellas las naciones que guardaron la verdad" (*ibíd.*, p. 237).

Sí, esta esperanza ilumina nuestro futuro:

"El futuro tiene muchos nombres. Para los débiles, es lo inalcanzable. Para los temerosos, lo desconocido. Para los valientes, es la oportunidad", escribió Víctor Hugo.

Sé protagonista y asiste al fin del mundo en primera fila. Participa de la verdadera cena de las bodas del Cordero y de la iglesia.

19 de septiembre

¡QUÉ VENGA JESÚS ESTA TARDE!

"Porque el Señor mismo con voz de mando, con voz de arcángel, y con trompeta de Dios, descenderá del cielo, y los muertos en Cristo resucitarán primero" (1 Tesalonicenses 4:16).

Graciela era parte de nuestro equipo de evangelización. Trabajaba como dedicada y eficiente instructora bíblica, apasionada por la salvación de las personas y el regreso de Jesús.

Un día, su padre descansó en el Señor. Ella misma tuvo que explicar como mamá, a su hijo de cinco años, sobre la muerte de su abuelo. Lo hizo así: "El abuelo se durmió. Lo vamos a poner en una caja y lo guardaremos en el jardín". Enseguida, el niño preguntó: "Y ¿cuándo se va a despertar?" Tragando saliva, Graciela contestó: "Se va a despertar cuando Jesús venga". Entusiasmado, el niño gritó: **"Entonces voy a orar para que Jesús venga esta tarde".**

Y tú, ¿estás orando para que Jesús venga esta tarde? ¿Te estás preparando? ¿Estás preparando a otros al trabajar por el pronto regreso de Jesús?

La vida aquí está envuelta en lágrimas. Todos los días las derramamos. A veces, son visibles. Otras, son disimuladas. Sin duda, las lágrimas más pesadas son la derramadas por la pérdida de un ser que amamos.

Recuerdo el primer sepelio que tuve que realizar como pastor. Una madre estaba llorando por la prematura muerte de su hijo de 32 años. Ella me preguntó si tenía que sepultar a su hijo con zapatos con taco de goma. Nunca había escuchado una pregunta así. En medio de su dolor, y con respeto, pregunté por qué. Me dijo: "Para que cuando el alma se levante a penar pueda caminar en silencio; de esa manera, el diablo no lo molestaría". Con cariño le explique el mensaje bíblico del descanso inconsciente de los que mueren hasta la mañana de la resurrección.

El enemigo ha mezclado tanto la verdad con la mentira, para generar más confusión e independencia de Dios. Varias veces fui al cementerio por familiares, hermanos en la fe, amigos muy queridos, e incluso por incrédulos. En todos hay llanto, pero el llanto del creyente es diferente. Los muertos en Cristo resucitarán primero, afirmó Pablo (1 Tes. 4:16). El que cree en mí, aunque este muerto vivirá, sostuvo Jesús (Juan 11:25).

"¡Oh, cuán glorioso será verlo y recibir la bienvenida como sus redimidos! Largo tiempo hemos aguardado; pero nuestra esperanza no debe debilitarse. Si tan solo podemos ver al Rey en su hermosura, seremos bienaventurados para siempre" (Elena de White, *Joyas de los testimonios*, t. 3, p. 257).

¡Vivamos como para que el Señor venga esta tarde!

ES TIEMPO DE SALIR DEL PLANETA

"Luego nosotros los que vivimos, los que hayamos quedado, seremos arrebatados juntamente con ellos en las nubes para recibir al Señor en el aire, y así estaremos siempre con el Señor" (1 Tesalonicenses 4:17).

Hace pocos años, la prensa publicó algunas declaraciones del gran genio físico Stephen Hawking que revelaban su visión sobre el futuro del mundo. Desde luego, sus conceptos no son bíblicos: es uno de los mayores defensores de la teoría del "Big Bang" para el origen del Universo. No obstante, afirmó: "Yo veo grandes peligros para la raza humana. La solución es abandonar el planeta. Si los seres humanos no dejan la Tierra en los próximos cien años, serán una especie extinta".

Sin embargo, esta no es una solución fácil. Según él, el mayor problema serán las distancias. La estrella más cercana a la Tierra, después del Sol, está a más de cuatro años luz. A las naves del espacio actuales les llevaría cincuenta mil años llegar hasta allá. Sus palabras son provocativas y desafiantes, pero muestran que hasta alguien que no acepta la Biblia comprende y anuncia que pronto no habrá vida en la Tierra.

¿Cuál debería ser nuestra actitud, siendo que conocemos la Revelación clara y profunda? ¿No deberíamos buscar todos los medios de anunciar que lo que sucederá con la Tierra ya fue profetizado en la Biblia? ¿Es posible que las piedras hablen primero para que después tomemos coraje?

Tenemos una razón más para anunciar en alta voz: nosotros conocemos la verdadera solución. Mientras que Hawking, considerado uno de los más importantes físicos del planeta, solo logra encontrar el problema, nosotros tenemos la solución. Eso nos hace más responsables de anunciar este mensaje.

No necesitamos huir del planeta, naves para llegar al espacio o a otros planetas donde habitar. No necesitamos temer una invasión de extraterrestres ni soluciones complejas para las amenazas del futuro. Necesitamos conocer y creer en las orientaciones de la Palabra de Dios. Necesitamos confiar en que el "el Señor no retarda su promesa, según algunos la tienen por tardanza, sino que es paciente para con nosotros, no queriendo que ninguno perezca, sino que todos procedan al arrepentimiento" (2 Ped. 3:9).

Necesitamos poner nuestra esperanza en el regreso del Señor. Entonces viviremos en el cielo por toda la eternidad. De esta forma, sí dejaremos el Planeta. No por manos humanas, sino conducidos por el Señor. La Revelación es clara. Solo necesitamos levantarnos y anunciarla.

"Vivimos en los últimos tiempos, el fin de todas las cosas se acerca. Las señales predichas por Cristo se están cumpliendo rápidamente" (Elena de White, *Consejos sobre salud,* p. 389).

Haz tu parte. Es tiempo de salir de este mundo y entrar en el mundo nuevo para siempre.

¿IMPONER O CUMPLIR?

"Acerca de los tiempos y de las ocasiones, no tenéis necesidad, hermanos, de que yo os escriba" (1 Tesalonicenses 5:1).

En el capítulo 5 de 1 Tesalonicenses, Pablo comienza describiendo el regreso de Cristo. Él afirma que el Día del Señor viene como ladrón en la noche. Aquí, Pablo no está hablando de un rapto secreto. Está enfatizando la idea de que Cristo vendrá en el momento en que no esperamos. Y por eso debemos estar siempre preparados.

Un mensaje importante que Pablo comparte es este: No debemos confiar en discursos que dicen que habrá tiempos de paz, y que los tiempos de paz se instalarán para siempre en nuestro planeta. ¡Eso no es verdad! La paz que se instale en nuestro planeta será una paz aparente, que precede al regreso de Jesús. Por eso, Pablo nos enseña que debemos vigilar y estar sobrios; es decir, atentos. Esto significa que necesitamos conocer las señales, que están claras en la Biblia.

Pablo también orienta a dar atención a los que trabajan entre nosotros predicando la palabra y llamando nuestra atención a las cosas celestiales.

- Debemos animar a los desanimados, motivar a los desmotivados.
- Debemos orar siempre.
- Debemos siempre ser agradecidos.
- Debemos atender las profecías.
- Debemos tener mente juiciosa.
- Debemos huir de todo tipo de mal.
- Debemos mantener una vida santificada.
- Debemos abrir el corazón para la actuación del Espíritu Santo.

Letie Cowman cuenta que un hombre oraba pidiendo aceite, y Dios le dijo que plante un olivo. Luego, oró por lluvias para el olivo, y Dios se las envió. Entonces oró por sol, y el sol apareció. A fin de fortalecer las raíces, pidió nieve, y Dios le mandó nieve. Pero, por esa nevada, el olivo murió. Sorprendido, el hombre vio que su vecino tenía un olivo muy bonito y le preguntó cómo hacía para mantenerlo así. El vecino respondió: **"Solo le confío mi planta a Dios. Yo no le impongo condiciones a Dios; simplemente cumplo condiciones colocando mi vida en sus manos".**

Como Pablo hizo en su vida, como le pidió a los tesalonicenses que hicieran, vamos a colocar nuestra vida plenamente en las manos del Señor.

¡Gracias a Dios porque en él encontramos sentido y significado para la vida, incluso, en las pequeñas cosas! Por la gracia divina nos mantenemos vivos, por su amor tenemos salvación y por su poder podemos prepararnos para recibir a Cristo cuando vuelva a buscarnos.

URGENCIA ANTE LA EMERGENCIA

"Porque vosotros sabéis perfectamente que el día del Señor vendrá así como ladrón en la noche" (1 Tesalonicenses 5:2).

Tanto Jesús como Juan en el Apocalipsis y como Pablo aquí usan la figura de un ladrón para ilustrar lo inesperado y sorpresivo de la llegada del Día del Señor. Puesto que no sabemos cuándo va a venir el gran día de Dios por su pueblo, debemos vivir esperando y velando mientras estamos ocupados en trabajar y testificar.

Ya hemos comentado la tristísima historia del vuelo que impactó sobre la ladera del cerro a escasos cuatro kilómetros del Aeropuerto José María Córdova (Colombia) y que significó la muerte de 71 personas (entre ellos, los jugadores del equipo de fútbol brasileño Chapecoense).

El vuelo de LaMia estuvo a cuatro minutos de aterrizar. Casi se salvaron. Pero estar "casi salvos" es estar totalmente perdidos. No hay mayor fatalidad que el "casi".

Un tripulante que siguió el protocolo de seguridad y salvó su vida estuvo entre los sobrevivientes. **Dios nos ha dado, a través de su Palabra, un protocolo de seguridad para enfrentar el mal y el pecado, y sobrevivir.**

De acuerdo con las investigaciones, la falta de combustible fue la causa de la tragedia. Es imposible llegar a destino sin combustible. El sueño de todos es llegar al destino seguro. Es imposible sin la provisión adecuada de la energía necesaria. La gran diferencia entre las vírgenes que participaron de la gran fiesta de bodas y las que no lo hicieron fue que estas últimas no tenían el aceite suficiente para sus lámparas. Es imposible movernos y llegar al destino anhelado sin combustible. Y Jesús, en su propia experiencia, nos aseguró que no solo de pan vive el hombre sino de toda palabra que sale de la boca de Dios.

El avión podría haberse declarado en emergencia, y la tragedia se habría evitado, pero tan solo expresó un pedido de prioridad para el aterrizaje. Este mundo de pecado es a todas luces un mundo declarado en emergencia. La imagen de Dios en el hombre, en su estado original, ha sido totalmente desvirtuada.

"La mayor y más urgente de todas nuestras necesidades es la de un reavivamiento de la verdadera piedad en nuestro medio. Procurarlo debería ser nuestra primera obra" (Elena de White, *Eventos de los últimos días*, p. 193).

Ya no es suficiente que encaremos las cosas de Dios de manera prioritaria. Necesitamos, además, hacerlo con urgencia. No hay más tiempo. Estamos a "instantes" de la destrucción definitiva o de una vida para siempre.

Necesitamos actuar con urgencia en la emergencia.

23 de septiembre

DEL DÍA Y DE LA LUZ

"Porque todos vosotros sois hijos de la luz e hijos del día; no somos de la noche ni de las tinieblas" (1 Tesalonicenses 5:5).

Pablo dice que somos hijos de la luz y del día, que no podemos dormir frente al gran evento que se aproxima, mientras que los hijos de las tinieblas se esconden y viven en la suciedad del pecado; por eso son de la noche, indiferentes o ajenos al inminente regreso del Señor.

Ser hijos de la noche es rechazar la Revelación, vivir en incredulidad, practicar la inmoralidad y dormir el sueño de la muerte. Ser de las tinieblas significa pertenecer al enemigo y, por lo tanto, actuar en rebeldía contra Dios.

Pero Pablo dice que no somos hijos de las tinieblas y de la noche. No somos hijos de rebeldía, desobediencia, ira, maldición y muerte. Por la redención en Jesús, somos hechos hijos de comunión, obediencia, justicia, bendición, resurrección y vida.

Burt dice que el binomio luz-tinieblas y día-noche vertebra toda la Biblia, desde Génesis hasta Apocalipsis. Cuando todo era tinieblas, las primeras palabras de Dios registradas en las Escrituras fueron "Sea la luz". Y, cuando el Apocalipsis termina ya en la descripción de la Ciudad Celestial, se dice que no habrá más noche, y no tendrán necesidad de luz de lámpara ni de luz de sol, porque el Señor Dios los iluminará.

Cuando el hombre cedió a la tentación, el diablo transformó el mundo en un mundo oscuro por el pecado. Cristo vino cuando todo estaba en tinieblas espirituales para trasladarnos del reino de las tinieblas al Reino de la Luz.

Los hijos de las tinieblas y de la noche viven para el presente siglo, regidos por el príncipe de las tinieblas, mientras que los hijos de la luz y del día viven para el siglo venidero, regidos por el Príncipe de justicia y la Luz del mundo. El príncipe de las tinieblas ha recibido un golpe mortal, pero sigue gobernando. El presente siglo está moribundo, pero aún no acaba. Hasta que Cristo vuelva en gloria, seguirá este período transitorio de convivencia de las tinieblas y la luz, de la noche y el día.

Solo hay dos opciones. O se es hijo de la noche o hijo del día, de la luz o de las tinieblas. O perteneces a este mundo caduco en vías de extinción o al siglo venidero, a pasos de su reestreno definitivo.

La Luz del mundo ya vino, pero está por venir nuevamente. Seamos hijos de Dios, que no viven para este mundo que se termina, sino para el Reino que nunca acabará.

ESTALACTITAS Y ESTALAGMITAS

"Pero nosotros, que somos del día, seamos sobrios, habiéndonos vestido con la coraza de la fe y del amor, y con la esperanza de salvación como casco" (1 Tesalonicenses 5:8).

Las estalactitas y las estalagmitas son formaciones que se encuentran en cuevas, grutas o cavernas y son producidas por un fenómeno llamado precipitación química. Las estalactitas son formaciones verticales que parten de arriba hacia abajo y las estalagmitas se forman al revés: de abajo hacia arriba.

Las estalactitas se originan en el techo y continúan creciendo de forma descendente hacia el suelo. Son formaciones rocosas que tienen en el centro un conducto por el cual circula el agua con los minerales y que con su goteo produce la formación de las estalagmitas.

Las estalagmitas, originadas en el suelo, se dirigen de forma ascendente, no tienen el conducto central, y crecen por los residuos que vienen de arriba. En el momento en el que ambos se juntan, se forma una estructura única denominada columna, o pilar.

Pablo no habló de estalactitas ni de estalagmitas, pero estas figuras ilustran la enseñanza del apóstol. **Nuestra vida es posible no por una precipitación química sino por el descenso y la encarnación de Cristo entre nosotros. Nuestra existencia se origina por un propósito que viene de arriba. En él existimos, en él nos nutrimos, en él crecemos, nos hacemos fuertes y sobrios. Unidos a él, llegamos a ser una columna o pilar firmemente establecido, defensa y baluarte de la verdad.**

Pablo reitera la necesidad de estar protegidos por esta armadura para crecer en las cavernas tenebrosas del pecado de este mundo corrupto. La fe y el amor son como la coraza que cubre el corazón: hacia Dios, y hacia el prójimo. La esperanza es el yelmo que protege la mente. Los incrédulos indiferentes fijan su vista en las cosas de abajo, mientras que los creyentes comprometidos ponen su atención en las cosas de arriba.

"La perspectiva que uno tiene de la vida determina el resultado que se obtiene; y cuando esta perspectiva mira hacia lo Alto, un buen resultado está asegurado", afirmó W. Wiersbe. Reconozcamos nuestra absoluta dependencia del Señor; solo en él somos fuertes y firmes a fin de vivir como hijos de la luz, sobriamente, dependiendo permanentemente, obedeciendo fielmente, siendo un pilar y una columna para sostener a otros.

Así como Cristo es nuestra estalactita –porque se derramó hacia nosotros, nos origina, nos sostiene, nos nutre y nos hace crecer–, nosotros también podemos ser la estalactita que nos derramamos hacia muchos llevando nutrientes salvíficos de amor, fe y esperanza, produciendo nuevas estalagmitas.

DOS TIPOS DE OVEJAS

"También os rogamos, hermanos, que amonestéis a los ociosos, que alentéis a los de poco ánimo, que sostengáis a los débiles, que seáis pacientes para con todos" (1 Tesalonicenses 5:14).

Pablo utilizó la figura del cuerpo humano para ilustrar el papel de la iglesia. En este cuerpo espiritual hay ciertos miembros más débiles, que necesitan un apoyo especial.

1-Los ociosos. Son los que andan fuera del paso, desordenadamente, indisciplinados. Elena de White nos advierte: "La mente y el corazón indolentes, que no tienen propósito definido, son presa fácil del maligno. El hongo se arraiga en organismos enfermos, sin vida. Satanás instala su taller en la mente ociosa" (*La educación*, p. 170).

2-Los de poco ánimo. Son los que se dan por vencidos. Siempre miran el lado negativo de las cosas y renuncian cuando las cosas se vuelven difíciles. Necesitan ser animados, alentados, acercándonos a ellos y hablándoles de que las pruebas de la vida los ayudarán a crecer y a fortalecerse en la fe.

3-Los débiles. Son los que no han crecido en la fe, no se alimentaron, no se desarrollaron, se quedaron en los rudimentos del evangelio.

El primer día como presidente de la Asociación Bonaerense, le pedí a un gran líder y administrador de la iglesia, con años de experiencia, que me diera un consejo. Me dijo: "Ama. La iglesia es un edificio en construcción; aún no está terminado. Es como un hospital que recibe enfermos. No podemos descartar, dejar afuera a nadie".

Por eso, al ocioso hay que darle una ocupación; al de poco ánimo, darle ánimo para que tengan mucho; y a los débiles, darles fuerza, motivando con paciencia y con amor.

Elena de White nos dice que los hijos de Dios deben traer almas al Señor, y así "tendrán la reconfortante seguridad de la presencia del Salvador. No deben pensar que están abandonados a sus débiles fuerzas. Cristo les dará palabras adecuadas para consolar, animar y fortalecer a las pobres almas que luchan en las tinieblas. Su propia fe será afirmada al ver el cumplimiento de la promesa del Redentor. No solo beneficiarán a otros, sino también la obra que hagan para Cristo será una fuente de bendición para ellos mismos" (*Joyas de los testimonios*, t. 3, p. 304).

Dos tipos de ovejas deben estar en el centro de nuestros sueños, oraciones y esfuerzos. Cuidar la que tenemos adentro del redil para que sea más fuerte y misionera, y buscar y rescatar a la que está afuera.

GRACIAS A LOS SUFRIMIENTOS

"Pablo, Silvano y Timoteo, a la iglesia de los tesalonicenses en Dios nuestro Padre y en el Señor Jesucristo" (2 Tesalonicenses 1:1, 2).

En la segunda carta a los Tesalonicenses, Pablo asegura a los cristianos la aceptación del Señor, insiste en que deben agradecer a Dios por las victorias conquistadas, y destaca su crecimiento en las virtudes cristianas de fe, amor fraternal y firmeza frente a la persecución.

En el capítulo 1, el apóstol subraya la fe, el amor y la paciencia. Pablo demuestra felicidad por el desarrollo espiritual de los hermanos y cómo ellos se han mantenido fieles en la fe, aun en medio de las tribulaciones. A mayor sufrimiento, fue mayor la fidelidad y el compromiso con Dios.

Por eso, a veces Dios permite el sufrimiento en nuestra vida, y este resulta precioso porque nos acerca a él, cosa que no haríamos en circunstancias de comodidad. Ante las pruebas, es necesario mantener firme nuestra fe en Dios, no para demostrar nuestra capacidad de fidelidad sino para que Jesucristo sea glorificado en nuestra vida.

Eduardo Zakim es un luchador y un misionero extraordinario. Un sufriente soldado de Jesús. Lo conozco desde hace cuarenta años. Siempre dedicado y comprometido con Cristo y con la iglesia. Alguien que ganó decenas de almas e inspiró a muchos al ministerio.

Pero Eduardo pasó por pruebas tremendas. Perdió a su hija Cinthia, de 27 años, cuando se lanzó a un río helado para rescatar a un niño; a su esposa Ana, por un cáncer, a quien le habían dado tres meses de vida pero vivió tres años más por su fe y su estilo saludable de alimentación; y también perdió a Noelia, de 33 años, la única hija que le quedaba, por un cáncer fulminante.

Eduardo se ha mantenido fiel y es una bendición para muchos, que son consolados por su vida y su predicación. Es invitado permanentemente por iglesias para compartir temas de reavivamiento. Nunca dejó de dar estudios bíblicos y nos animó a cumplir nuestra misión siempre. Él se volvió a casar con Irene, una mujer extraordinaria, cristiana y ejemplar.

En su libro *¿Qué Dios como tú?*, con testimonios de milagros y conversiones, Eduardo nos motiva a confiar plenamente en las promesas de Dios. Así, frente a la próxima prueba, podemos mantenernos fieles y que en cada alma que se cruce en nuestro camino veamos a una persona para el cielo.

Hoy podemos decirle "gracias" a la noche, que nos permite ver las estrellas, y podemos decirles "gracias" a los sufrimientos, que nos permiten ver la consolación y el propósito de Dios.

ALAS Y PESOS

"Vuestra fe va creciendo y el amor de todos y cada uno de vosotros abunda para con los demás [...] vuestra paciencia y fe en todas vuestras persecuciones y tribulaciones que soportáis" (2 Tesalonicenses 1:3, 4).

Las fuerzas centrípeta y centrifuga, al estar en oposición una de otra, actúan y reaccionan de manera tal que la Tierra, en lugar de salir volando por el espacio, se mantiene en la ruta de su órbita equilibradamente girando alrededor del Sol.

De igual manera, **la fuerza impulsora que nos viene de Dios y la fuerza propulsora que es resultado de las presiones recibidas al enfrentar adversidades equilibran nuestro caminar cristiano.** Tenemos que agradecer a Dios por ambas, tanto por las alas para volar como por los pesos que nos frenan. Y así, impulsados por Dios, avanzamos con fe y paciencia en nuestra sagrada vocación.

Pablo elogia **la fe que crece y el amor que sobreabunda. Son las alas provistas por la fuerza impulsora de Dios.** Pero menciona, también, **paciencia y fe para enfrentar los pesos de las persecuciones y las tribulaciones.**

Paciencia y fe combinadas, pues sin la ayuda divina es imposible tener una paciencia que nos lleve al crecimiento. No necesitamos una paciencia estoica, sino activa y productiva, que nos conduzca a soportar; es decir, a mantenernos erguidos, de pie, firmes y caminando.

Las grandes historias fueron escritas con la sangre de sus autores. José no habría alcanzado la cima de la gloria sin pasar por el pozo de la adversidad. Nabucodonosor no se habría salvado si los tres jóvenes fieles no hubieran pasado por el horno de fuego. El carcelero de Filipos no se habría bautizado si Pablo y Silas, en lugar de cantar, hubieran protestado y, en lugar de permanecer en la cárcel después del terremoto, hubieran escapado.

Elena de White adoptó una actitud de alegría en la adversidad, pues su fe no le permitía estar triste. No obstante, hubo veces cuando sufrió muchísimo; por ejemplo, en Australia, viuda y enferma, confinada en cama por meses. Ella misma escribió que el Señor hace bien todas las cosas. "Miro ahora este asunto como parte del gran plan de Dios, para el bien de su pueblo en este país, y también para los de América, y para mi propio bien. No puedo explicar cómo ni por qué, pero así lo creo. Y soy feliz dentro de mi aflicción. Puedo confiar en mi Padre celestial. No dudaré de su amor" (*Consejos para la iglesia*, p. 38).

Dios siempre equilibra nuestros pesos con sus alas. Podemos estar seguros de que, si Dios nos deja caminar entre piedras, nos dará zapatos adecuados; el mismo Señor que permite los pesos propulsores nos otorga las alas impulsoras.

28 de septiembre

UNA CIUDAD SEPULTADA

"Es justo delante de Dios pagar con tribulación a los que os atribulan, mientras que a vosotros, los que sois atribulados, daros reposo junto con nosotros, cuando se manifieste el Señor Jesús desde el cielo con los ángeles de su poder" (2 Tesalonicenses 1:6, 7).

Pablo nos muestra a un Dios que castigará con tribulación a los que atribulan y recompensará con descanso a los que son atribulados. **Un día, los creyentes que hoy sufren descansarán y los malvados que hoy hacen sufrir sufrirán.**

Pablo asevera que **Dios es justo, ya que conoce los hechos y las motivaciones.** Por eso, dice que él puede pagar; es decir, devolver en reciprocidad, pagar con la misma moneda. El pago a los incrédulos es con tribulación, llama de fuego, sufrimiento y perdición eterna. Se contrasta la retribución a perseguidores e incrédulos con la recompensa a los perseguidos y creyentes. Unos recibirán lo que causaron; otros, lo que anhelaron. El alivio y el descanso eterno serán a partir del segundo advenimiento de Cristo.

El 31 de mayo de 1970, en la región central norte del Perú, ocurrió un terremoto de magnitud 7,9 en la escala Richter, con epicentro en la provincia de Yungay. Huascaram es la montaña más alta del país, con 6.678 metros de altura, y es la montaña tropical más alta del mundo. Es parte de la llamada "Cordillera blanca", considerada patrimonio de la humanidad.

Por efecto del tremendo movimiento sísmico, una importante porción se deprendió del Huascaram, y formó un alud de nieve y rocas que alcanzó una velocidad de doscientos kilómetros por hora. Esto arrastró todo lo que encontraba en el camino, saltó por encima de pequeños cerros y sepultó a una profundidad de ochenta metros toda la ciudad de Yungay.

Hoy, una inscripción recibe a los visitantes del lugar, y dice: "Yungay, ciudad sepultada". Solo unos trescientos sobrevivieron; entre ellos, los miembros de una iglesia adventista que había viajado a una ciudad vecina para hacer un trabajo comunitario.

En 1962, dos científicos estadounidenses, David Bernays y Charles Sawyer, habían informado de la existencia de un enorme bloque vertical de roca, cuya base estaba siendo socavada por un glaciar. Sin duda esto podría causar (y de hecho lo hizo) un derrumbe. No obstante, se les ordenó que se retractaran, bajo amenaza de prisión. Los científicos huyeron del país.

Tanto las promesas como las advertencias son condicionales. Si desechamos o silenciamos las advertencias de los profetas y los apóstoles, y si rechazamos a Cristo como nuestro Abogado, mañana lo enfrentaremos como Juez. Él ama al pecador, pero odia el pecado. Cual Médico divino, un día extirpará para siempre el cáncer del pecado.

Hoy todavía estamos a tiempo; aceptemos la misericordia del Señor.

DIGNA Y PODEROSA

"Por esta razón también oramos siempre por vosotros, para que nuestro Dios os tenga por dignos de su llamamiento y cumpla todo propósito de bondad y toda obra de fe con su poder. Así el nombre de nuestro Señor Jesucristo será glorificado en vosotros y vosotros en él, por la gracia de nuestro Dios y del Señor Jesucristo" (2 Tesalonicenses 1:11, 12).

Pablo ruega por tres cosas para los creyentes:

1-Por una vida digna. No solo dignos en la entrada al Reino de la gloria sino también dignos para vivir la fe presente. Necesitamos vivir a la altura de los valores del Reino anunciados por Jesucristo. El ser humano debe representar y reflejar el carácter de Dios. La razón por la cual el cristiano vive una vida digna y superior es porque está orientada y regida por los mismos valores de Dios.

2-Por una vida poderosa. No se trata de poder para hacer lo que uno quiere, sino de poder para hacer la voluntad de Dios. Este poder es resultado de la dependencia de Dios. El mismo Jesús reabastecía su alma de poder a través de la oración.

En el silencio de las noches, Jesús se retiraba para tener comunión con su Padre, e invitaba muchas veces a sus discípulos. "En la oración, Cristo obtenía poder de Dios, y prevalecía. Mañana tras mañana, y noche tras noche, él recibía gracia para poder impartir a otros. Entonces, con su alma henchida de gracia y fervor, salía a ministrar a las almas de los hombres" (Elena de White, *El ministerio pastoral*, p. 324).

3-Por una vida que glorifique a Cristo. El Señor es glorificado en sus hijos en su venida y también en el presente. Las vidas salvadas y las vidas santificadas lo glorifican. El creyente glorifica a Cristo y Cristo glorifica al creyente. Pablo expresa que esto se hace por la gracia de Dios. La gracia nos conduce a la gloria.

Elena de White nos dice que Jesús veía en toda alma a un ser que debía ser llamado a su Reino. "Su intensa simpatía personal lo ayudaba a ganar los corazones. Con frecuencia se dirigía a las montañas para orar en la soledad, pero esto era en preparación para su trabajo entre los hombres en la vida activa. De estas ocasiones, salía para aliviar a los enfermos, instruir a los ignorantes y romper las cadenas de los cautivos de Satanás" (*El Deseado de todas las gentes*, p. 125).

No hay vida digna, poderosa y que glorifique a Dios si no construimos sobre la comunión para ser consumidos en la misión.

ORANDO, ORANDO, ORANDO

"Con respecto a la venida de nuestro Señor Jesucristo y nuestra reunión con él, os rogamos, hermanos, que no os dejéis mover fácilmente de vuestro modo de pensar, ni os conturbéis, ni por espíritu ni por palabra ni por carta como si fuera nuestra, en el sentido de que el día del Señor está cerca" (2 Tesalonicenses 2:1, 2).

En 2 Tesalonicenses capítulo 2, Pablo anima a la iglesia a continuar firmes en la verdad recibida, y que no permitan ser engañados por nada ni por nadie. Anticipa que habría un desvío de la fe, y que el anticristo se manifestará antes del Día del Señor. Describe al hijo de perdición como un poder arrogante y dominador que reclama ser adorado, asume prerrogativas divinas y se presenta como si fuese el mismo Dios.

En un sentido más amplio, este poder se identifica como el mismo Satanás, quien ha pretendido ser como el Altísimo. Satanás extrema sus esfuerzos para presentarse como Dios y destruir a todos lo que se le oponen. Está activo, actuando como acusador y engañador. Todo aquel que descuida su comunión con Dios se constituye en presa fácil de los engaños del enemigo, al dar crédito fácilmente a las mentiras presentadas por aquellos que se oponen al verdadero Dios.

¿Cómo enfrentar a este experimentado engañador? Pablo aconseja permanecer firmes y vivir las buenas enseñanzas recibidas. **Tanto el Salvador y el Consolador como el Acusador y Engañador se disputan el dominio de nuestra mente y corazón. El primero lo hace con cuerdas de amor y verdad; el segundo, con lazos de engaño y mentira.**

Elena de White nos dice que cuando Satanás ve que corre peligro de perder a un alma, hace cuanto puede para conservarla, y mucho más cuando el tentado y afligido busca a Jesús (*Joyas de los testimonios*, t. 1, p. 122).

Jorge Benny comparte seis claves de una experiencia victoriosa: **¿Cómo vencer en la vida? Orando. ¿Cómo vencer al diablo? Orando. ¿Cómo vencer las pruebas? Orando. ¿Cómo vencer las tentaciones? Orando. ¿Cómo vencer las tribulaciones? Orando. ¿Cómo vencer las persecuciones? Orando.**

Sin oración seremos siempre derrotados. Necesitamos hacer de la oración nuestro estilo de vivir permanentemente en la presencia de Dios. **Nuestra única alternativa de victoria es permanecer al lado de Cristo,** orando para que el Espíritu Santo nos conceda sabiduría con el fin de reconocer las mentiras y las fuerzas para permanecer del lado de la verdad.

Es una lucha injusta y desigual, con derrota garantizada, si luchamos solos; sin embargo, **"si el que está en peligro persevera, y en su impotencia se aferra a los méritos de la sangre de Cristo, nuestro Salvador escucha la ferviente oración de fe, y envía refuerzos de ángeles poderosos en fortaleza para que lo libren"** (*ibíd.*).

1º de octubre

CREER, RETENER Y VIVIR

"Así que, hermanos, estad firmes y retened la doctrina que habéis aprendido, sea por palabra o por carta nuestra. Y el mismo Jesucristo Señor nuestro, y Dios nuestro Padre, el cual nos amó y nos dio consolación eterna y buena esperanza por gracia, conforte vuestros corazones y os confirme en toda buena palabra y obra" (2 Tesalonicenses 2:15-17).

El Pr. Mark Finley cuenta que ciertos investigadores, en los Estados Unidos, estudiaban el sistema nervioso central queriendo descubrir cuánta presión era capaz de soportar un individuo. En el experimento, colocaron un cordero en un corral con doce puntos de alimentación. En todos había un estímulo eléctrico. Cuando el cordero comía, los investigadores le dieron un golpe eléctrico. El cordero retrocedió, salió corriendo y nunca más regresó donde había sido golpeado. Ellos continuaron el experimento, dando golpes eléctricos en todos los puntos de alimentación hasta que el cordero, temblando, cayó muerto producto de la tensión nerviosa.

Luego, los investigadores pusieron al gemelo de este cordero en el mismo corral, pero junto con su madre. Cuando aquel estaba comiendo, los investigadores le dieron un golpe eléctrico. Inmediatamente el cordero corrió y se acurrucó con su su madre. Para asombro de los investigadores, después de unos minutos, el corderito volvió al punto de alimentación donde se le había dado el golpe eléctrico. Los investigadores nuevamente hicieron lo mismo. En ese momento, el cordero simplemente miró a su madre y siguió comiendo.

¿Cómo refugiarnos permanentemente en "nuestro Cordero" para enfrentar las descargas eléctricas del enemigo que buscan nuestro agotamiento y nuestra muerte? Toma nota.

1-Creer en la Palabra. Dios ama a todos, pero ese amor se hace válido en los que creen. Dios elige, pero es necesario que aceptemos. Dios llama, pero es necesario que abramos. El enemigo seduce e impone, Dios ofrece y ruega.

2-Retener la Palabra. Pablo anticipó una rebelión futura contra la verdad. Esta debería ser retenida, guardada y custodiada. Las mentiras del enemigo se contraponen a la verdad de la Palabra. Bien decía Martín Lutero: "La paz, si es posible; pero la verdad, a cualquier precio", pues "mantener la verdad de Cristo en la iglesia es más importante que mantener la paz" (J. C. Ryle).

3-Vivir la Palabra. No alcanza con creer y guardar. Hay que vivir la Palabra y aplicarla a diario. Decir que creemos y retenemos pero no vivimos es hipocresía. Es como alguien dijo una vez: "Prefiero convivir con un ateo humanista honesto que convivir con un religioso hipócrita".

Solo "acurrucados en el Cordero" podemos creer, retener y vivir la verdad; y solo creyendo, reteniendo y viviendo la verdad podremos, en breve, pasar de este corral de pecado al redil definitivo del Señor.

ALTO HONOR Y MAYOR GOZO

"Por lo demás, hermanos, orad por nosotros, para que la palabra del Señor corra y sea glorificada, así como lo fue entre vosotros" (2 Tesalonicenses 3:1).

El apóstol Pablo oraba por sus amigos y hermanos; y ahora, en 2 Tesalonicences 3, pide que oren por él y por sus compañeros de ministerio. **Pablo siempre reconoció su insuficiencia y era consciente de la necesidad del poder divino. Por eso, clamaba por oraciones intercesoras.** Él no era un superhombre sino una persona necesitada, como todos. Sin embargo, no necesariamente pide por él, sino por la propagación de la Palabra de Dios. Es decir, es un pedido muy noble.

Pablo asevera que el Señor es fiel. La inestabilidad, variabilidad e infidelidad humana es contrastada con la estabilidad, invariabilidad y fidelidad de Dios. El mismo Pablo era un testimonio de que Dios siempre es fiel.

El apóstol reacciona como un buen líder: pide a los hermanos que se aparten de los infieles. Es decir, no hay un rechazo hacia ellos, pero considerando que ya se había trabajado mucho por ellos y estos insistían en la desobediencia, apartarse de ellos era un recurso y un llamado para que revisen su proceder.

Pablo también advierte a los que andan de manera desordenada y se entrometen en la vida ajena. ¿Por qué será que hay quienes se interesan en la vida de otros y que todo el tiempo viven del chisme? Tal vez porque no tienen nada que hacer, les sobra el tiempo y lo emplean mal. Por eso, el mejor remedio es que esas personas se ocupen de algo productivo, que trabajen, que cumplan sus deberes; pues quienes son cuidadosos en el cumplimiento de sus tareas no encontrarán tiempo para entrometerse en la vida ajena.

En cierta oportunidad, el renombrado psiquiatra Charles Menninger recetó lo siguiente: "Salga de su casa, cierre la puerta con llave, cruce la calle, busque a alguien que necesita ayuda y haga algo por él".

"Tal era el designio de Dios al darnos una parte que hacer en el plan de redención. El concedió a los hombres el privilegio de ser hechos participantes de la naturaleza divina y de difundir a su vez bendiciones para sus hermanos. Este es el honor más alto y el gozo mayor que Dios pueda conferir a los hombres. Los que así participan en trabajos de amor son los que más se acercan a su Creador" (Elena de White, *El camino a Cristo*, p. 79).

¿DÓNDE ESTÁN?

"Pero fiel es el Señor, que os afirmará y guardará del mal. Y tenemos confianza respecto a vosotros en el Señor, en que hacéis y haréis lo que os hemos mandado. Y el Señor encamine vuestros corazones al amor de Dios y a la paciencia de Cristo" (2 Tesalonicenses 3:3-5).

Ya vimos que Pablo recomendó creer, retener y vivir la Palabra. Ahora añade la consecuencia natural: compartir la Palabra (que "corra" y "sea glorificada", según 2 Tes. 3:1). No se puede compartir lo que no se cree y no se puede creer sin compartir. **Cuando creemos, retenemos, vivimos (es decir, hacemos lo que Dios nos manda); entonces compartimos, y de esa manera la palabra crece velozmente y es glorificada en la vida transformada de los que la comparten, así como en la de aquellos que la reciben.** Se puede encarcelar a los Pablos, pero la Palabra de Dios no está presa.

Tuve el privilegio de conocer a la hermana Nilda Aquino, una mujer que se apasionó por el trabajo misionero. Graduada en Pedagogía y posgraduada en Teología, desde 1996 es una misionera voluntaria. Ella misma, con ayuda de voluntarios, ya plantó sesenta iglesias en el nordeste, el sur y el sudeste de Brasil. En tanto, su esposo construyó veinte templos. Nilda realizó más de cien series de conferencias. Ella da estudios bíblicos, dirige *Grupos pequeños*, y dicta conferencias evangelizadoras y seminarios de capacitación misionera.

Nilda define su foco: **"Tengo urgencia por compartir todo lo que he recibido del Señor a fin de aliviar el sufrimiento y promover la despoblación del infierno y la población del cielo".** Un cielo que comienza aquí cuando las personas aceptan a Jesús. No hay nada peor que vivir en el infierno de esta Tierra, cegados por el egoísmo y la corrupción. Es un misterio, un milagro y un privilegio que Dios quiera usar pecadores para alcanzar pecadores.

En sus comienzos misioneros, ella andaba a pie. Era tanto su caminar incansable que le obsequiaron una moto para que "corriera" más rápido. Pero, en lugar de usar la moto, la vendió para construir templos. Ella es una mujer infatigable. **Cristo y su palabra son glorificados en la vida de Nilda. Ella corre, y el eterno mensaje que transforma vidas corre con ella.**

"Cada día termina el tiempo de gracia para algunos. Cada hora, algunos pasan más allá del alcance de la misericordia. Y ¿dónde están las voces de amonestación y súplica que induzcan a los pecadores a huir de esta pavorosa condenación? **¿Dónde están las manos extendidas para sacar a los pecadores de la muerte? ¿Dónde están los que, con humildad y perseverante fe, ruegan a Dios por ellos?"** (Elena de White, *Conflicto y valor*, p. 51).

¿Dónde están los Pablos? ¿Dónde están las Nildas? ¿Dónde está________________________________ (coloca tu nombre)?

EL CÓLERA YA NO MATA

"Pablo, apóstol de Jesucristo por mandato de Dios nuestro Salvador, y del Señor Jesucristo nuestra esperanza, a Timoteo, verdadero hijo en la fe: Gracia, misericordia y paz, de Dios nuestro Padre y de Cristo Jesús, nuestro Señor" (1 Timoteo 1:1).

Esta epístola fue escrita a Timoteo mientras era pastor de la iglesia de Éfeso. Pablo lo orienta a conducirse de manera auténtica ante Dios y el rebaño que le ha concedido. El experimentado apóstol dice al joven pastor que tiene la solemne comisión de defender y predicar la Palabra.

En el capítulo 1, Pablo le pide llamar la atención a ciertas personas que estaban enseñando una doctrina diferente de la verdadera, siguiendo fábulas, mitos e invenciones, pues estas apenas entretienen a las personas y pervierten la verdad solemne de la Palabra de Dios. La Ley Moral es totalmente válida y no debe ser separada del evangelio, pues se complementan en el plan de Dios.

Pablo evalúa su propia vida y admite que, si no fuera por la gracia de Dios, estaba perdido, pues él es el principal de los pecadores. ¿Qué alternativa le queda, entonces, sino dar gloria y honra a Dios por su inmenso amor?

Por eso, el apóstol recuerda a Timoteo algunos deberes pastorales:

1-Aceptar la revelación de Dios a través de los profetas.

2-Liderar de acuerdo con los principios establecidos en la Palabra de Dios.

3-Disciplinar con el propósito de restaurar a los que persisten en sus propias ideas personales, alejados de la sana doctrina.

En 1893, una epidemia de cólera se extendió por la ciudad de San Petesburgo, Rusia. Allí vivía el famoso músico Piotr Tchaikowski, quien, haciendo caso omiso de las indicaciones de salud, seguía su propia opinión y bebía agua sin hervir. Esta conducta lo llevó, pocos meses más tarde, a la misma muerte, víctima del cólera. Los gérmenes de la enfermedad invadieron su organismo, y murió a los 53 años.

El cólera ya no mata; pero el pecado, sí. No es seguro guiarse por nuestro parecer u opiniones personales; estas nos conducen a la muerte. Nuestra conducta debe guiarse no por nuestras opiniones o argumentos, sino por las enseñanzas de la Palabra de Dios, que vive y permanece para siempre. Es lo único seguro.

"Ningún otro libro es tan potente para elevar los pensamientos, para dar vigor a las facultades, como las grandes y ennoblecedoras verdades de la Biblia. Si se estudiara la Palabra de Dios como se debe, los hombres tendrían una grandeza de espíritu, una nobleza de carácter y una firmeza de propósito que raramente pueden verse en estos tiempos" (Elena de White, *El camino a Cristo*, p. 90).

EXPEDICIÓN DE SUMO RIESGO

"A Timoteo, verdadero hijo en la fe: Gracia, misericordia y paz, de Dios nuestro Padre y de Cristo Jesús, nuestro Señor" (1 Timoteo 1:2).

El nombre Timoteo significa **"alguien que reverencia, honra, adora a Dios".** Fue un hijo espiritual, asistente, compañero y discípulo de Pablo. Se convirtió junto a su familia en la primera visita de Pablo a Listra y formó parte del segundo viaje misionero de Pablo. Hijo de madre judía y de padre griego, fue instruido desde pequeño en las cosas de Cristo. Un buen tiempo acompañó a Pablo en las travesías misioneras hasta que fue enviado solo a atender los desafíos de la creciente iglesia.

Timoteo tenía algunos problemas físicos, cierta inconstancia, y había quienes menoscababan su juventud e inexperiencia. Éfeso no era el mejor lugar para pastorear. La ciudad era idólatra, entregada a la diosa Diana, patrona del deseo sexual. Además, Pablo había estado en Éfeso por tres años y realizado una gran obra. Por lo tanto, no era fácil sucederlo. Entonces, le escribe a Timoteo para animarlo y guiarlo en la conducción de la iglesia.

Elena de White nos clarifica: "El verdadero ministro de Dios no rehúye los trabajos pesados ni las responsabilidades. De la Fuente que nunca falla para los que sinceramente buscan el poder divino, saca fuerza que lo capacita para afrontar las tentaciones, sobreponerse a ellas y cumplir los deberes que Dios le impone [...]. Su alma se desvive para realizar un servicio aceptable para su Maestro" (*Los hechos de los apóstoles*, p. 399).

El siguiente anuncio apareció en un periódico londinense: **"Se solicitan hombres para una expedición arriesgada; poco salario, frío intenso, largos meses en completa oscuridad y peligro constante. No se garantiza el regreso. Honra y fama en caso de éxito".** Lo publicó el notable explorador ártico Sir Ernest Shackleton. ¡Y miles de hombres concurrieron!

Si el Señor Jesucristo o Pablo pusieran un aviso clasificado solicitando obreros, ¿qué dirían? "Se buscan misioneros de tiempo completo o parcial para terminar la obra del Señor. Puede encontrarse con indiferencias, oposición, persecución, cárcel, ataques constantes de un enemigo invisible; incluso el martirio. Puede ser que los frutos no sean visibles y la recompensa será contra entrega del producto terminado frente al río de la vida".

¿Cuál sería nuestra respuesta a este desafío?

Si miles respondieron a la invitación del explorador del Ártico, miles pueden responder a la invitación del Explorador del Universo para la última y arriesgada expedición del mayor rescate de la historia.

Alto es el precio de la demanda. Incalculable es el valor de la recompensa.

CUIDA LA DOCTRINA

"Como te rogué que te quedaras en Éfeso cuando fui a Macedonia, para que mandaras a algunos que no enseñen diferente doctrina" (1 Timoteo 1:3).

El mensaje (que está siempre por encima del mensajero) puede y debe ser adaptado, en su forma de presentación, a cada lugar y cultura. No obstante, debe ser guardado en su pureza original.

Por eso, Pablo le pide a Timoteo que no permita que se enseñe una doctrina diferente, que no preste atención a fabulas o cuentos rabínicos, ni busque en las interminables genealogías para descubrir una descendencia de la familia de David.

Somos salvos por la gracia de Dios para vivir en armonía con su voluntad. Este es el evangelio, este es el cuidado de la doctrina. El discipulado es relacional, sí, pero en primer lugar es relacional con el Señor y su doctrina. Seguir al Señor es seguir su doctrina. Por eso, Martín Lutero aseguraba que cualquier enseñanza que no se encuadre con la Escritura debe ser desechada, aunque haga llover milagros todos los días.

Pablo usó distintas palabras bien enfáticas, imperativas (como "te mando" o "te encarezco"), para orientar a Timoteo; para recordarle que no solo era pastor de Éfeso, sino también soldado del ejército celestial. Timoteo tenía que mantener la verdadera doctrina, la sana palabra, y desestimar la falsa doctrina y la vana palabrería.

En ese momento, la falsa doctrina era una inadecuada interpretación de la Ley de Dios. Pretendían sacar a la gente de la esclavitud del pecado para llevarla a la esclavitud del legalismo. Una Ley que, como ya hemos dicho, no tiene la función de salvar, sino de mostrarnos el pecado y llevarnos a Jesús. Somos salvos por gracia, que la recibimos por fe, pero la Ley mantiene su vigencia y su valor.

Las verdades bíblicas son el corazón del cristianismo. Si permitimos la entrada de falsas doctrinas, distorsionamos el mensaje. Cuando respondemos de forma irreverente, blasfemamos; cuando publicamos una teoría controvertida que se opone a la verdad bíblica, nos hacemos herejes; y cuando renunciamos o abandonamos la fe, caemos en la apostasía. Si no nos oponemos a la falsa doctrina, la aprobamos; si no defendemos la verdad, la negamos.

La falsa doctrina puede disfrazarse de tradición, experiencia personal, sentimientos y opiniones propias. "Si las revelaciones privadas concuerdan con las Escrituras, entonces son innecesarias. Si no concuerdan, entonces son falsas" (John Owen). Es así porque, en definitiva, **"no es la iglesia la que debe determinar lo que enseña la Escritura; es la Escritura la que determina lo que enseña la iglesia"** (Martín Lutero).

UNA LUZ QUE NUNCA SERÁ APAGADA

"El propósito de este mandamiento es el amor nacido de corazón limpio, de buena conciencia y fe no fingida" (1 Timoteo 1:5).

Ciertos hermanos de Éfeso habían entrado en largos e infructuosos debates de mitos y genealogías interminables, y habían perdido la esencia del evangelio. Por eso, Pablo desafía a Timoteo a propiciar un ambiente de amor en la iglesia y le da tres consejos:

1-Es necesario tener un corazón limpio. La verdadera religión no se limita a ceremonias o manifestaciones externas; el poder de Dios transforma el interior: los pensamientos, los sentimientos y los motivos. Significa incluir todos los rasgos deseables de carácter y excluir los indeseables. No se trata tan solo de agua por fuera, sino primeramente por dentro.

2-Es necesario tener una buena conciencia. Es la facultad interior de la mente que juzga la rectitud moral de los pensamientos, las palabras y las acciones, independientemente de los gustos o las inclinaciones de la persona. La palabra conciencia significa "conocer con"; es el juez interno que nos acusa cuando hacemos lo malo y nos aprueba cuando hacemos lo correcto.

Pablo menciona una conciencia buena, sin ofensa, iluminada, limpia, en la fe; pero también habla de una conciencia débil, cauterizada y corrompida, que ha llegado a ser insensible a sus culpas por causa de permanecer mucho tiempo en el pecado. Solo la humilde dependencia y la absoluta confianza en el Señor nos proveen de una buena conciencia.

3-Es necesario tener una fe no fingida. Esto implica una fe sin excusas, sin disimulos, sin apariencias, sin hipocresía. Algunos hablan tan "lindo" que nunca deberían bajarse del estrado, pero viven tan "feo" que nunca deberían subirse a él.

Elena de White nos cuenta de la fe no fingida, sino comprometida, que sostuvo a tales reformadores como los valdenses, Wyclef, Lutero, Zuinglio y los que se unieron a ellos, aceptando la infalible autoridad de las Sagradas Escrituras como regla de fe y conducta. Negaban a papas, concilios, patriarcas y reyes el derecho de dirigir sus conciencias.

"La fe en Dios y su palabra sostuvo a estos santos varones al dar su vida en la hoguera. Cuando las llamas iban a apagar su voz, le decía Latimer a Ridley, su compañero de martirio: **'Ten buen ánimo, que hoy, por la gracia de Dios, confío en que encenderemos en Inglaterra una luz que nunca será apagada'** " (*Testimonios selectos*, t. 2, p. 191).

"Señor, danos un corazón limpio, una buena conciencia y una fe no fingida. Danos una fe tan evidente que encendamos una luz perdurable con consecuencias de eternidad".

ES AHORA, SOMOS NOSOTROS

"Palabra fiel y digna de ser recibida por todos: que Cristo Jesús vino al mundo para salvar a los pecadores, de los cuales yo soy el primero. Pero por esto fui recibido a misericordia, para que Jesucristo mostrara en mí el primero toda su clemencia, para ejemplo de los que habrían de creer en él para vida eterna" (1 Timoteo 1:15, 16).

Pablo era la evidencia de que el evangelio funciona transformando vidas. Él no se cansaba de dar testimonio. Antes había sido blasfemo, porque había negado la divinidad de Cristo, y había utilizado toda su influencia y sus fuerzas para destruir el evangelio y la iglesia, con persecución y muerte. Fue injuriador, implacable, soberbio, violento, un ignorante e incrédulo, ciego a la verdad. Esteban lo supo y lo sufrió, entre tantos otros.

Pablo declaró que se requirió una gracia abundante para salvarlo. Él usaba el superlativo, sentía que las palabras no alcanzaban para expresar todo. Seguía considerándose el primero de los pecadores. No dice "fui" el primero; dice "soy" el primero. Este es un mensaje de ánimo: si hubo esperanza para él, la hay para todos.

Pablo se transforma de un perseguidor a un predicador, de un asesino a un pastor, de un comisionado para el mal a un misionero para el bien, de un fanático del formalismo a un heraldo del cristianismo.

Debemos vivir la misma pasión que vivió Pablo. Esa que también sintió la División Sudamericana (DSA). Con el apoyo de todas las uniones y las instituciones, sentimos deuda y gratitud por los sacrificados pioneros que un día llegaron a nuestras tierras con el mensaje del evangelio. Por eso, enviamos a lugares desafiantes y sostuvimos por 5 años a 25 misioneros y sus familias. Por motivos obvios, guardamos sus nombres, pero agradecemos a Dios por haber sido colocados en las manos del Señor para cumplir la misión.

Hay historias de milagros y de luchas. Un matrimonio perdió a su segundo hijo a los diez días de vida. Fue una lucha sepultarlo, porque ningún cristiano podía ser recibido en aquellas tierras. Otros tuvieron que aprender idiomas, culturas, comidas, amistades, diferentes. Muchas conquistas ya ocurrieron en muchos lugares: son vidas transformadas e incorporadas al Reino de Dios.

¿Qué mueve a alguien a salir de su zona de comodidad e ir a zonas desconocidas necesitadas y desprovistas del evangelio? ¿Qué mueve a los que no van pero apoyan con recursos y oraciones? ¿Qué mueve a los que se quedan donde siempre estuvieron a vivir su fe de manera comprometida y fiel? **¿Nos estamos moviendo? ¿Cuántas personas contactamos, influimos en ellas y estudiamos con ellas la Palabra para llevarlas a Jesús?**

En su momento, Pablo y los misioneros para el mundo ya respondieron. Ahora la respuesta es nuestra.

¿MIEL O LIMÓN?

"Exhorto, ante todo, a que se hagan rogativas, oraciones, peticiones y acciones de gracias por todos los hombres" (1 Timoteo 2:1).

En 1 Timoteo 2, Pablo nos desafía a cuatro acciones:

1-Orar en favor de las autoridades, para que legislen de manera correcta y justa.

2-Practicar una vida de oración genuina, ya sea privada o pública, en una atmósfera de amor y perdón.

3-Tener buen gusto, equilibrio y discreción, ya que son elementos esenciales de una vida pautada por los principios bíblicos, incluso en la manera de vestir.

4-Cumplir fielmente el legado de fortalecer el hogar. Dios ha confiado un gran honor a las mujeres con el don de la maternidad. Ellas no solo serán consideradas benditas por su marido y sus hijos, sino también recibirán la aprobación del Señor. Dios recompensa en esta Tierra y en la Eternidad a aquellas madres que depusieron o pospusieron su desarrollo económico o profesional en favor de la formación de sus hijos.

Petrolina es un municipio del Estado de Pernambuco, Brasil. Es la región más productiva de uvas en todo el país. Un día, el Pr. Josanan pasó por los viñedos del hermano Marcos, y este le dio uvas. Pocas semanas más tarde volvió a darle uvas, pero esta vez para su padre.

Al probarlas, notó que había diferencias. Las primeras eran más bien ácidas, mientras que las últimas eran bien dulces. ¿Por qué? Muy simple: habían estado más tiempo ligadas a la vid.

El diccionario, como la vida, definen lo ácido así: algo agrio, avinagrado, alimonado, áspero, desabrido, mordaz e irónico. En cambio, define a dulce como el sabor agradable, algo suave al paladar, como la miel o el azúcar. **¿Cuál es la razón de la diferencia? Más tiempo a los pies de la Vid. Más tiempo escuchando a Dios por su Palabra. Más tiempo hablando con Dios por la oración. Más tiempo produciendo buenos frutos.** Tanto en la vida privada como en la familia, en la iglesia o en la comunidad, el secreto de tener una vida dulce es pasar más tiempo a los pies de Jesús.

Elena de White nos indica el camino para dejar de ser ácidos como el limón y ser dulces como la miel: **"Las palabras de Cristo son espíritu y vida. Al recibirlas, recibís la vida de la Vid [...]. La vida de Cristo en vosotros produce los mismos frutos que en él. Viviendo en Cristo, adhiriéndoos a Cristo, sostenidos por Cristo, recibiendo alimento de Cristo, lleváis fruto según la semejanza de Cristo"** (*El Deseado de todas las gentes*, p. 631).

JUSTO Y EL JUSTO

"Esto es bueno y agradable delante de Dios, nuestro Salvador, el cual quiere que todos los hombres sean salvos y vengan al conocimiento de la verdad" (1 Timoteo 2:3, 4).

Pablo apela a que se hagan oraciones, ruegos, peticiones y acción de gracias por todos los hombres. ¿Por qué? Los argumentos son simples y contundentes: **Dios quiere que todos los hombres sean salvos.**

Constituido heraldo para transmitir un mensaje real, y enviado por voluntad de Dios como maestro discipulador de los gentiles –es decir, de todas las naciones–, Pablo acepta el desafío.

Erli y Justo habían formado una linda familia. Él llegó a ocupar altas responsabilidades en las Fuerzas Armadas de Brasil. Ella era descendiente de familias adventistas misioneras, y su mayor sueño era que Justo aceptara a Jesús, el Justo, como su Salvador personal.

Justo era respetuoso de la religión, pero no quería saber nada de Dios. Durante treinta años, Erli oró, clamó y suplicó por un milagro de Dios. También lo hacía para que sus hijos, Pedro, Isabela y Marcio, se afirmaran en el Señor.

Tuvimos la oportunidad de conocer a esta familia maravillosa. Fueron invitados a participar de un pequeño grupo que teníamos con parte de las familias de la División Sudamericana. El estudio de la Biblia, las oraciones, la confraternidad y, sobre todo, el amor y el poder de Dios, fueron cumpliendo los sueños de Erli.

Justo tomó su decisión, y fue bautizado. Pedro afirmó sus pasos en la fe y fue a estudiar Teología (hoy es pastor, y sirve al Señor y a su iglesia junto con su esposa, Cecilia). Isabela estudió Psicología, y hoy es una profesional que camina en los pasos de Jesús. Por Marcio, la familia sigue orando.

Pablo dice que vamos a orar por todos, pero sobre todo vamos a orar para que todos se salven. Vivimos en el tiempo más solemne de la historia de este mundo. La suerte de las innumerables multitudes está por decidirse. "Debemos velar, obrar y orar como si este fuese el último día que se nos concede" (Elena de White, *Joyas de los testimonios*, t. 2, p. 59).

¿Qué necesitamos? "Necesitamos humillarnos ante el Señor, ayunar, orar y meditar mucho en su Palabra [...]. Debemos tratar de adquirir actualmente una experiencia profunda y viva en las cosas de Dios, sin perder un solo instante" (Elena de White, *Consejos para la iglesia*, p. 84).

Seamos misioneros consagrados porque todavía quedan muchos Justos que necesitan un encuentro definitivo con el Justo.

11 de octubre

UNA LÍNEA DE LADRILLOS ROJOS

"Pues hay un solo Dios, y un solo mediador entre Dios y los hombres: Jesucristo hombre" (1 Timoteo 2:5).

Un mediador es un portavoz, un árbitro, un intermediario, un tercero que actúa entre dos partes que están en disputa con miras a una reconciliación o acuerdo. Así, Pablo afirma que Jesucristo es el único Mediador entre Dios y el hombre. Nada más cierto, ya que representa a Dios ante los hombres y a los hombres ante Dios con el fin de salvar al hombre.

Esto requiere una relación íntima con ambas partes y, para esto, debe poseer la naturaleza y los atributos de ambos; es decir, la divinidad y la humanidad. **Jesucristo es el único que es capaz de cumplir este papel singular: como Dios, puede representar correctamente a la Deidad; como hombre, puede ministrar con simpatía en su favor.**

Dios no necesita un mediador. Somos nosotros los que lo necesitamos. ¿Por qué? Porque hay problemas, diferencias, división, enemistades, contiendas y rebeldías. Las dos partes tienen que estar dispuestas a ser reconciliadas. Dios siempre lo está, y él mismo dispuso el rescate, el mediador y la reconciliación.

Cristo vino para revelar, mostrar, vindicar y glorificar al Padre, y al mismo tiempo buscar, salvar, perdonar, reconciliar y restaurar al pecador. No hace falta un árbitro si hay un solo equipo. Y el equipo de Dios está. Es necesario que el pecador se presente a jugar.

El tiempo está terminando: "Así también Cristo, una vez terminada su obra de Mediador, aparecerá 'sin relación ya con el pecado' y para salvar [...] para bendecir con vida eterna a su pueblo que lo espera. Así el gran plan de la redención alcanzará su cumplimiento en la extirpación final del pecado y la liberación de todos los que estuvieron dispuestos a renunciar al mal" (Elena de White, *Cristo en su Santuario,* p. 118).

Si entre los canales de Venecia un turista quiere llegar a la catedral de San Marcos, tiene que seguir el camino de los ladrillos rojos. Nosotros caminamos como extranjeros entre los canales de pecado de este mundo. Nuestra aspiración no es hacer turismo en Venecia, sino en el vasto Universo de Dios. Nuestro sueño no es visitar la catedral de San Marcos, sino morar en el Trono de Dios.

Hay un solo camino, un solo acceso, un solo Mediador entre Dios y los hombres: Jesucristo Dios y hombre. Sigue hoy la línea de los ladrillos rojos pintados por su propia sangre.

CORONAVIRUS POR CORONA DE LA VIDA

"El cual se dio a sí mismo en rescate por todos, de lo cual se dio testimonio a su debido tiempo" (1 Timoteo 2:6).

Al momento de escribir estas líneas (principios de 2020), el mundo está alterado por el avance del coronavirus. Se trata de un virus originado en la ciudad de Wuhan (China) y que se extendió por todo el mundo. Los coronavirus son una gran familia viral, que causan infecciones respiratorias. En general, son leves a moderadas, como un resfriado. En menor escala producen consecuencias más graves, incluso la muerte.

El virus ha sido considerado una pandemia; al momento de escribir estas líneas, hay más de 270.000 personas fallecidas y casi 4 millones de infectados.

Una pandemia es una epidemia de dolencia infecciosa que se distribuye entre una gran población y región. Se considera una pandemia por el alto grado de contagio y por abarcar una gran extensión de territorio. La viruela es considerada la pandemia que más muertos ha producido en toda la historia. Las diez mayores pandemias, entre las cuales se destacan la viruela, el sarampión, el Virus de la Inmunodeficiencia Humana (VIH), el tifus y el cólera se han cobrado un total aproximado de setecientos millones de vidas.

He visto gente muy preocupada para evitar ser contagiada, pero no veo la misma preocupación por otra pandemia que, desgraciadamente, es aún mayor que todas estas juntas que se han propagado a todo el mundo. Producida por el pecadovirus, se aloja en el corazón y la mente, infectando todo el organismo sin dejar nada sano.

¿Por qué extremamos cuidados por mejorar o extender la vida presente –cuidados que, por supuesto, deben extremarse–, y no hacemos aún más por la vida eterna? Pablo dice que Cristo se dio en rescate por nosotros, asumió el coronavirus de todos, lo llevó a lo alto de una colina y a la vista de todo el Universo, y ocupó mi lugar de infectado para que yo ocupe su lugar como restaurado.

La carga viral mortal de todos los contagiados de "pecadovirus" fue colocada sobre él. Elena de White dice que "su espíritu fue desgarrado y magullado por las transgresiones de los hombres, y aquel que no conoció pecado llegó a ser pecado por nosotros para que pudiéramos ser justicia de Dios en él" (*La maravillosa gracia de Dios*, p. 172).

Jesús asumió nuestro coronavirus para que nosotros podamos asumir su coronadelavida eterna. Se prescribe una dosis de aislamiento diario con nuestro Rescatador para evitar nuevos brotes de la epidemia.

NUNCA TE LAVES LAS MANOS

"Palabra fiel: 'Si alguno anhela obispado, buena obra desea' " (1 Timoteo 3:1).

En 1 Timoteo 3, Pablo presenta las calificaciones para obispos y diáconos. En los tiempos apostólicos, la función de obispo era la misma que la de anciano. Veamos estas cualidades:

1-Irreprensible: Libre de todo mal comportamiento moral.

2-Marido de una sola mujer: Está casado y no debe practicar poligamia o concubinato, ni adulterio.

3-Temperante: No debe consumir bebidas alcohólicas y debe cuidar su cuerpo como templo del Espíritu Santo.

4-Sobrio: Es prudente y tiene dominio propio.

5-Hospitalario: Tiene un espíritu acogedor.

6-Apto para enseñar: Es capaz de instruir en las verdades de la Palabra.

7-No es violento: No es belicoso, y tiene carácter conciliador y pacificador.

8-No es avaro: No ama el dinero.

9-Sus hijos deben demostrar que respetan al padre, por su comportamiento obediente.

10. Buen testimonio: Merece el pleno respeto y la confianza de todos, incluso de los que no pertenecen a la iglesia.

Un dirigente religioso es representante de Dios, y eso solo puede ser alcanzado por la gracia, por el poder de Dios y por una vida totalmente comprometida con Cristo y la misión.

Todo organismo sanitario recomienda lavarse las manos con frecuencia, pues es indispensable para cuidar la salud. Sin embargo, quiero plantear otro desafío. El mundo vive lavándose las manos, en el sentido de faltarle identidad, integridad y compromiso.

Muchos son seguidores de un tal Pilato. Percibió la verdad de Jesús, pero le faltó valor para comprometerse. Se lavó las manos, pero nunca la conciencia. Perdió la gran oportunidad y patentó para siempre esta triste expresión como símbolo de falta de compromiso, determinación y coraje. También hoy muchos viven lavándose las manos.

¿Acaso no nos lavamos las manos cuando nuestra vida no refleja las cualidades enumeradas por Pablo en este capítulo? ¿No nos lavamos las manos cuando nuestra vida no está construida en la comunión y gastada en la misión?

Por eso, mientras practicamos la orden de la **Organización Mundial de la Salud (OMS)** de lavar permanentemente nuestras manos físicas, practiquemos la **Orden del Maravilloso Salvador (OMS)** y nunca te laves las manos. **Las manos generosas son manos poderosas y las manos que se cierran para orar son manos que se abren para dar.**

DERRAMEMOS LUZ

"Para que, si tardo, sepas cómo debes conducirte en la casa de Dios, que es la iglesia del Dios viviente" (1 Timoteo 3:15).

Pablo ilustra el papel de la iglesia con cuatro figuras:

1-La casa. En los días de Pablo, las iglesias funcionaban en los hogares. Muchas casas, así como muchas vidas, eran el templo en el que Dios moraba. Donde esos creyentes adoraban al Dios vivo, se transformaba en la casa de Dios. En la casa viven las familias; en la casa de Dios vive la familia de Dios. La familia nos provee sustento. La iglesia no crece por adición sino por la nutrición de la Palabra. Después de una de sus grandes conquistas navales, el Almirante Nelson aseveró que tal victoria se debió a que pudo comandar "una banda de hermanos" (Barclay). La casa, la familia de Dios, nos hermana a todos.

2-La asamblea. En los días de Pablo, en Atenas se usaba esta palabra para referirse a la convocación de todos los ciudadanos. La iglesia es como una asamblea: todos los que están afuera son llamados y convocados; los que responden y se congregan son la asamblea, la iglesia de Dios. Hay muchas asambleas, pero la iglesia es la asamblea del Dios viviente.

3- La columna. El gran templo de Diana tenía 127 columnas. Todas eran de mármol, adornadas con joyas y recubiertas de oro. Así como una columna está a la vista, se admira por su porte y sostiene el edificio, la verdad tiene que estar a la vista, ser contemplada, admirada, y sostener el edificio de la iglesia. Las columnas unían el piso con el techo; la columna de la verdad une el Cielo con la Tierra.

4- El baluarte. Es una base, un sostén y un fundamento. Las personas, la iglesia, su conducta y su estilo de vida defienden la verdad. Como baluarte, la iglesia protege la verdad y la guarda, para que la verdad no tropiece. La mantiene en pie y en alto.

Elena de White claramente amonesta: **"La iglesia de Cristo es la intermediaria elegida por Dios para salvar a los hombres. Su misión es llevar el evangelio al mundo. Esta obligación recae sobre todos los cristianos. Cada uno de nosotros, hasta donde lo permitan sus talentos y oportunidades, tiene que cumplir el mandato del Salvador. El amor de Cristo que nos ha sido revelado nos hace deudores de cuantos no lo conocen. Dios nos dio luz, no solo para nosotros, sino para que la derramemos sobre ellos"** (*El camino a Cristo*, p. 81).

MUY GRANDE

"Indiscutiblemente, grande es el misterio de la piedad: Dios fue manifestado en carne, justificado en el Espíritu, visto de los ángeles, predicado a los gentiles, creído en el mundo, recibido arriba en gloria" (1 Timoteo 3:16).

El texto de hoy fue un himno cantado por la iglesia primitiva.

1-Encarnado: Antes, en visiones por los profetas; ahora, revelado en persona, manifestado en la carne, visible, palpable, cercano, íntimo, cerca de Dios y cerca de los pecadores.

2-Vindicado: Es decir, justificado.

3-Testificado: Los ángeles testificaron de su divinidad.

4-Predicado: A todos los pueblos, hasta lo último de la Tierra.

5-Creído: Jesús les predicó a todos y fue creído por muchos.

6-Recibido: Resucitar y ascender al cielo fue el triunfo definitivo de la misión redentora. Cristo Jesús vino al mundo para salvar a los pecadores, se encarnó, fue reivindicado por el Espíritu, fue ayudado por los ángeles, fue anunciado a todos los pueblos, fue creído en todo el mundo. Y hay más. Después de morir, resucitar y ascender al cielo, de donde había venido, Dios lo recibió reconociendo el cumplimiento total de su misión y celebrando su victoria definitiva sobre el pecado, otorgándole toda la gloria.

Enir tiene 71 años de edad y 43 de adventista. Ella moviliza a su iglesia a la acción misionera, incluida ella misma. Se levanta todos los días a las 4 de la mañana, hace su culto devocional y los trabajos de la casa hasta las 13. Luego sale hasta la noche, todos los días, para dar estudios bíblicos. En toda su vida ya ha llevado a más de dos mil personas a Cristo y a la iglesia a través del bautismo. Ella dice: **"Vamos a salir de la ociosidad y la comodidad porque Jesús está más ansioso por volver que nosotros por verlo regresar".**

El Cristo encarnado sigue siendo vindicado, testificado, predicado, creído en todo el mundo. Como Enir, podemos y debemos ser instrumentos que revelen a otros este maravilloso misterio.

Por eso, Elena de White nos motiva: **"¿Por qué nuestros labios guardan silencio acerca del tema de la justicia de Cristo y su amor por el mundo? ¿Por qué no damos a la gente lo que le dará nueva vida?"** (*Mensajes selectos*, t. 3, p. 209).

INVIRTIENDO EN LA VIDA

"Pero el Espíritu dice claramente que, en los últimos tiempos, algunos apostatarán de la fe, escuchando a espíritus engañadores y a doctrinas de demonios" (1 Timoteo 4:1).

En 1 Timoteo 4, Pablo afirma que en los últimos tiempos habría apostasía y muchos abandonarían la fe porque obedecerían a espíritus engañadores.

Pablo habla de apariencia exterior y de los maestros del engaño que fingen lealtad a la verdad mientras dispersan sus doctrinas de demonios. Muchas veces, los apóstatas no están aliados abiertamente bajo la bandera del error y de la traición a la causa de Cristo; mezclan verdades con errores y, de esa manera, engañan a muchos.

En este contexto, Pablo le aconseja a Timoteo que sea un buen ministro de Jesucristo y que huya de las enseñanzas de Satanás. Debe mantener a la iglesia atenta, alertando sobre los peligros y enseñando sobre la verdad.

Esta enseñanza no se concentra solo en ciertos textos y hechos bíblicos, pues el mismo diablo domina las Escrituras. El propósito del estudio auténtico de las Escrituras es conocer personalmente a Cristo y obtener una experiencia de salvación. También debemos rechazar fábulas. Nuestro tiempo no debe ser gastado aprendiendo cosas especulativas, que en nada edifican.

Además, Pablo le dice a Timoteo que nadie lo menosprecie por ser joven (1 Tim. 4:12). Probablemente Timoteo no llegaba a los cuarenta años de edad y algunos hasta creen que Timoteo era tímido y callado por naturaleza, más dado a obedecer que a comandar. La juventud no es barrera para una rica comunión espiritual con Dios, así como la edad avanzada no es garantía de un pensamiento sano o de consagración completa.

En cierto país que no se puede mencionar, uno de los misioneros enviados por la División Sudamericana fue testigo de una escena que nunca olvidará: un taxi atropelló a una mujer, que quedó mal herida. Muchos pasaban a su lado sin hacer nada. De repente, otro vehículo volvió a atropellarla, con lo que causó su muerte. Impactado, luego se enteró de que, en esa nación, quien auxilia a alguien herido en la calle debe pagar todos los gastos, pues se sospecha de que fue el responsable del accidente (incluso, a veces, hasta recibe la venganza de la familia).

¡Hasta dónde nos lleva la degradación del pecado! Necesitamos más que nunca personas que vivan fielmente las verdades bíblicas. No podemos dejar desangrando hasta la muerte a los que sufren los ataques del mal.

Independientemente de nuestra edad, todos podemos y debemos tener nuestra experiencia personal con Dios, cultivando nuestra fe y creciendo en madurez y compromiso para salvar. El gran uso de esta vida es invertirla en algo que dure por la eternidad.

EJERCICIOS VITALES

"Ejercítate para la piedad, porque el ejercicio corporal para poco es provechoso, pero la piedad para todo aprovecha, pues tiene promesa de esta vida presente y de la venidera" (1 Timoteo 4:7, 8).

Se equivocan quienes piensan que, en este texto, Pablo está desestimando el cuidado del cuerpo. Él mismo había dicho que es templo del Espíritu Santo y que somos propiedad adquirida por Dios.

El cuidado del cuerpo requiere esfuerzo y el ejercitarse para la piedad involucra compromiso. El cuidado corporal es poco provechoso en el sentido de que se limita a esta vida, mientras que el ejercitar la piedad nos proyecta por la eternidad. La corona de la vida es mucho más preciosa que un trofeo o una corona de guirnaldas obtenidos en una carrera.

Ejercitarse físicamente beneficia tanto al cuerpo como la mente, ya que reduce la hipertensión, y las probabilidades de enfermedades cardíacas, de derrames cerebrales, de diabetes y de depresión, entre otros beneficios.

La Organización Mundial de la Salud (OMS) recomienda 150 minutos a la semana de actividad física ligera o moderada.

Aquí les brindo algunos consejos para comenzar con la actividad física: Encuentra un lugar adecuado para practicar actividad física, como parques, plazas y similares. Luego, comienza con una actividad que no requiera una buena forma física. Seguidamente, practica la actividad física cerca de tu hogar, sin requerir grandes desplazamientos. Por último, busca ayuda a fin de mantener este hábito. Es bueno involucrar en la actividad física a nuestra familia y a nuestros amigos.

En cuanto a ejercitarse para la piedad, se recomienda dosis diarias de oración, meditación, autoexamen, confraternidad, servicio y testimonio. Pablo dice que por esto luchamos, como el atleta, al máximo de nuestras posibilidades, con esfuerzo y compromiso.

Ejercitarse para la piedad no solo nos beneficia a nosotros, sino también a aquellos sobre quienes ejercemos influencia. Tenemos que ser ejemplo en palabra, con un hablar genuino, transparente, veraz y amable. Tenemos que ser ejemplo en conducta, con hábitos y estilo de vida.

"Pablo amaba a Timoteo porque Timoteo amaba a Dios. Su inteligente conocimiento de la piedad experimental y de la verdad le daba distinción e influencia [...]. La influencia moral de su hogar era sólida, no caprichosa, ni impulsiva, ni variable. La Palabra de Dios era la regla que guiaba a Timoteo" (Elena de White, *El Cristo triunfante*, p. 312).

Hagamos ejercicios físicos y de piedad. Son vitales para el cuerpo y el alma; para esta vida y para la eternidad.

DECRÉPITO O VIGOROSO

"No reprendas al anciano, sino exhórtalo como a padre; a los más jóvenes, como a hermanos" (1 Timoteo 5:1).

Si hay un capítulo práctico, ese es 1 Timoteo 5. Allí, el apóstol Pablo da consejos para los ancianos, los jóvenes, las viudas y los presbíteros de la iglesia.

-Los ancianos deben ser tratados como padres respetables.

-Los jóvenes deben ser tratados como hermanos.

-Las ancianas deben ser tratadas como madres.

-Las jóvenes deben ser tratadas como hermanas.

-Las viudas de más edad, que son piadosas y no tienen hijos, deben ser honradas y sostenidas.

-Las viudas con hijos y nietos deben recibir el cuidado de sus familias.

-Los ancianos y los presbíteros son doblemente dignos de honor y jamás deben ser acusados injustamente.

-Deben ser imparciales.

-Deben ser puestos a prueba antes de ser ordenados.

-Deben ser puros.

El versículo 23 es intrigante: "No continúes bebiendo sólo agua; usa un poco de vino, a causa de tu estómago y de tus frecuentes enfermedades".

Algunos argumentan que Pablo aquí autoriza el uso moderado del vino fermentado con propósitos medicinales. Presentan el hecho de que el vino se ha utilizado con ese fin por siglos. Otros sostienen que Pablo se refiere al jugo de uva no fermentado. La verdad es que el apóstol Pablo no daría un consejo incoherente con el resto de las Escrituras, que advierten contra el consumo de bebidas intoxicantes, como Proverbios 20:1 y 23:29 al 32.

Por otro lado, el mismo Pablo dice que debemos cuidar nuestro cuerpo como templo del Espíritu Santo (1 Cor. 3:16; 2 Cor. 6:19) y que todo lo que hagamos, incluso en cuanto a comida y bebida, debe ser hecho para la gloria de Dios (1 Cor. 10:31).

El propósito del consejo de Pablo es que Timoteo estuviera físicamente apto para las pesadas tareas que reposaban sobre él como pastor de las iglesias de Asia Menor. La claridad mental y la moral están estrechamente relacionadas con la aptitud física. Quien sirve a Dios necesita mantener un cuerpo sano, pues una vida con salud es una excelente propaganda para el evangelio.

"La fuerza es un talento, y debe emplearse para glorificar a Dios. Nuestros cuerpos le pertenecen [...]. Podemos servir a Dios mejor con el vigor de la salud que con la decrepitud de la enfermedad; por lo tanto, debemos colaborar con Dios en el cuidado de nuestros cuerpos" (Elena de White, *Consejos sobre mayordomía cristiana*, p. 121).

19 de octubre

¿QUÉ DERRIBA UN PREJUICIO?

"Te encarezco delante de Dios, del Señor Jesucristo y de sus ángeles escogidos, que guardes estas cosas sin prejuicios [...]" (1 Timoteo 5:21).

Un prejuicio es una valoración mental negativa sobre algo o alguien, que proviene no del contacto directo, sino de una consideración previa sin un conocimiento completo. Existen prejuicios raciales, de género, de clase social, políticos, de edad, profesionales, religiosos, étnicos, éticos, educativos y económicos.

Para los griegos, había dos grupos de personas: ellos y los bárbaros. Estos últimos eran lo que no sabían hablar el idioma griego.

Saulo estaba convencido de que el cristianismo era una plaga. Compartía el orgullo y los prejuicios de su nación, y los alimentaba con celos, especulaciones, fanatismos y superioridad. Hasta que su encuentro con Cristo, registrado en Hechos 9, lo transformó para siempre.

Ahora, años más tarde, aconseja a Timoteo que se circuncide, no porque Dios lo requería, sino para que los prejuicios no debilitaran su ministerio. "Sin embargo, mientras condescendía así con el prejuicio judío, creía y enseñaba que la circuncisión y la incircuncisión nada eran, y que el evangelio de Cristo era todo" (Elena de White, *Los hechos de los apóstoles*, p. 166)

Además, Elena de White dice que, cuando trabajamos por los prisioneros del prejuicio y la ignorancia, tenemos que ser sabios como Pablo: "Sed muy cuidadosos de no presentar la verdad de una manera que despierte el prejuicio y cierre la puerta del corazón a la verdad [...]. Si el amor de Cristo se revela en todos vuestros esfuerzos, podréis sembrar la simiente de la verdad en algunos corazones, y traerá fruto para su gloria" (*El evangelismo*, p. 107).

Estábamos con un escribano solicitándole prestado su terreno para colocar una carpa de evangelismo. Estaba a punto de firmar un comodato, cuando su hijo interrumpió gritando: "¡No te metas con religiosos! ¡Yo sé lo que te digo!" Al instante, el padre respondió: "Yo también tenía prejuicios, pero ya no los tengo", y firmó el comodato que nos autorizaba a utilizar sin costo su propiedad.

¿Qué le hizo perder los prejuicios? ¿Nuestra apariencia? ¿Nuestro ofrecido programa de servicios? ¿Algún conocimiento de los ámbitos institucional o doctrinal? Nada de eso. Simplemente, dijo: "Conozco una abuelita adventista. Si todos los adventistas son como ella, estoy confiado y seguro".

No prejuzgues. Si Dios no lo hace con nosotros, ¿por qué lo haríamos nosotros con otros? No construyas prejuicios; más bien derríbalos con mucha oración y un buen ejemplo, porque **"un cristiano bondadoso y cortés es el argumento más poderoso que se pueda presentar en favor del cristianismo"** (Elena de White, *El colportor evangélico*, p. 76).

PARCIALIDAD CERO

"No haciendo nada con parcialidad" (1 Timoteo 5:21).

¿Qué significa hacer algo con parcialidad? Es cierta inclinación, preferencia, favoritismo o arbitrariedad a favor o en contra de una persona o asunto. Si tal persona es designada para asumir una responsabilidad por causa de parentesco, amistad, intereses personales, es por preferencias, favoritismo o parcialidad y no por capacidades.

Las preferencias por determinada persona o asunto pueden verse distorsionadas por la lente egoísta de nuestra naturaleza pecaminosa. Empezamos a recorrer una línea muy delgada. Puede parecer que hice lo correcto pero la motivación no fue adecuada. ¿Entonces? ¿Cuál el camino más seguro?

Necesitamos purificar nuestros corazones, Elena de White escribió: "Si el corazón se purifica mediante la obediencia a la verdad, no habrá preferencias egoístas ni motivos corrompidos; no existirá parcialidad" (*Consejos sobre la salud,* p. 258).

En la Ciudad Autónoma de Buenos Aires, estábamos llevando adelante un plan de evangelismo para establecer una iglesia en la parte más céntrica de la capital de Argentina.

Planificamos cuatro turnos diarios de predicación por tres meses, para llegar a más personas. Héctor, un contador graduado de Harvard, comenzó a asistir a las conferencias, recibió los estudios bíblicos y, junto con su esposa, Adita, fueron bautizados. Con el tiempo, los dos se transformaron en líderes de la nueva iglesia. Hoy descansan en la bendita esperanza.

Un día, Héctor nos contó cómo fue la primera vez que tuvo contacto con nosotros. Obviamente, no sabíamos nada. Al llegar, nos examinó a fondo, asistió a los cuatro horarios, cada día a uno diferente, y así comprobó que no había parcialidad ni preferencias. Notó que existía un equipo unido de trabajo que se brindaba a todos por igual. Ya sea que asistieran pocos o muchos, siempre eran atendidos con el mismo entusiasmo y cariño. "Esta gente debe tener algo importante para dar, por la forma de tratar a todos y la pasión por compartir", pensó. Y se quedó y permaneció para siempre.

Vivimos en una alarmante época de "favoritismos, excepciones y parcialidad, males que reflejan la corrupción y la hipocresía" (Helgir Girodo). Hoy, más que nunca, "el dolor no hace distinción de clase, es imparcial" (Abigail Aquino).

Por esto, un creyente refugiado y comprometido con Jesús busca parcialidad cero. **"Encontrará dificultades, pero siempre debe ser valiente y alegre. Debe tratar a todos como adquiridos por la sangre de Cristo, sin parcialidad ni hipocresía. El Espíritu Santo es su Ayudador"** (Elena de White, *Cada día con Dios,* p. 100).

21 de octubre

UNA BANDERA ENSANGRENTADA

"Todos los que están bajo el yugo de esclavitud, tengan a sus amos por dignos de todo honor, para que no sea blasfemado el nombre de Dios y la doctrina" (1 Timoteo 6:1).

En el último capítulo de 1 Timoteo, Pablo escribe a los trabajadores, a los impíos, a los sabios y a los ricos, a la iglesia y a la comunidad.

A los trabajadores, el apóstol les dice que sean fieles, para que el nombre de Dios no sea difamado. A los impíos, apela porque niegan la fe; son orgullosos, codiciosos y causan confusión. En cuanto a los sabios, ejercen la piedad y el contentamiento. A los ricos, les advierte que el amor al dinero es la raíz de todos los males.

Pablo le dice a Timoteo que huya del mal y siga el bien, que libre el buen combate de la fe, cumpla fielmente su ministerio y rechace las vanas filosofías. Esto solo es posible si lo hacemos por Dios y para Dios, porque solamente él es omnipotente, Rey, Señor, invisible e inmortal.

Por muchos años, la iglesia oraba y soñaba con tener un templo en el centro de la capital argentina. Los costos eran muy elevados; y los recursos, muy escasos. Pero nada es imposible para Dios. Así, se consiguió una propiedad de cuatro pisos, con excepcional ubicación, a treinta metros de una famosa avenida central y a setecientos metros del emblemático obelisco de Buenos Aires.

Fuimos, con la Junta de la Asociación, para observar y decidir. Ese día, el lugar estaba sin luces, con velas y en penumbras. Caminamos por el interior del salón de la planta baja. Para nuestra sorpresa, dibujos demoníacos "adornaban" las paredes. En la zona de los baños, el lugar reservado para damas decía "Satana" y el lugar reservado para varones decía "Satán". En el suelo, encontramos volantes de publicidad de un lugar bailable llamado "Satanasa".

¿Compraríamos aquella propiedad? Salimos a preguntar a los vecinos qué imagen tenían del lugar. Todos dijeron que parecía que allí había un centro de diversión para jóvenes, pero que nunca funcionó.

Oramos, y decidimos comprar ese lugar. El enemigo quiso tener esa propiedad, pero el Señor la adquirió y puso su allí su bandera ensangrentada. Donde Satanás quería destruir vidas, hoy hay un cartel que dice "Un lugar donde encontrar esperanza", cumpliendo el propósito divino de buscar y salvar.

La misma lucha se libra en todos: patrones, empleados, pobres y ricos, sabios e impíos. Somos propiedad de Dios por creación, redención y, en breve, por glorificación.

Que tu vida sea un templo en el que siempre flamee la bandera de un lugar donde encontrar esperanza.

EL FARO DEL FIN DEL MUNDO

"Que guardes el mandamiento sin mancha ni reprensión, hasta la aparición de nuestro Señor Jesucristo. Aparición que a su tiempo mostrará el bienaventurado y solo Soberano, Rey de reyes y Señor de señores" (1 Timoteo 6:14, 15).

Pablo desafía a Timoteo a guardar su compromiso, libre de toda censura, sin tacha e irreprensible para aguardar la manifestación gloriosa de la segunda venida de Jesús.

Diversas palabras nos presentan el advenimiento de Cristo. Aquí se usa "aparición", en el sentido de la irrupción de un emperador. El Señor viene, aparecerá; su manifestación y su presencia establecerán definitivamente su Reino. Será a su tiempo, cuando se cumplan las profecías y el testimonio haya sido dado.

El 22 de octubre de 1844, hace 177 años, un grupo aguardaba con ansias el regreso del Señor. Elena de White relata, en *Primeros escritos,* que Jesús no vino a la Tierra, como algunos esperaban, para purificar el Santuario limpiando la Tierra por fuego. Era correcto su cálculo de los períodos proféticos, y Jesús entró en el Lugar Santísimo para purificar el Santuario al fin de los días. El error fue no comprender lo que era el Santuario, ni la naturaleza de su purificación.

Jesús consideraba con la más profunda compasión a los que se habían chasqueado. Les mostró que esta Tierra no es el Santuario, sino que él debía entrar en el Lugar Santísimo del Santuario celestial para hacer expiación por su pueblo y para recibir el Reino de parte de su Padre, y que después volvería a la Tierra y los llevaría a morar con él para siempre.

El faro de San Juan de Salvamento (1884), conocido como El Faro del Fin del Mundo, está situado en el extremo sur del continente americano y es el primero en aguas australes.

El añadido "de Salvamento" fue impuesto durante la construcción del faro, a fin de mostrar su propósito: auxiliar y salvar a los náufragos. El Faro del Fin del Mundo dejó el servicio el 1º de octubre de 1902, día en que se inauguró el Faro Año Nuevo, levantado en zona más alta y visible.

Nosotros, al igual que aquel faro, solo podemos iluminar por la luz que viene del Sol, y la razón de nuestra existencia es salvar a los náufragos de este mar de pecado. Renueva hoy tu compromiso. Vive sin tacha, irreprensiblemente, aguardando al bienaventurado y soberano Rey y Señor, que aparecerá, se manifestará y se hará presente.

Ya no habrá náufragos que salvar y no será necesaria la luz del Faro del Fin del Mundo porque el mundo habrá llegado a su fin y no habrá más necesidad de luz, porque el Señor iluminará y reinará por los siglos de los siglos.

CADENAS DE ORO

"Porque raíz de todos los males es el amor al dinero, el cual codiciando algunos, se extraviaron de la fe y fueron atormentados con muchos dolores" (1 Timoteo 6:10).

El amor al dinero "es la metrópolis de todos los males" (Demócrito), "el deseo del cual brotan todos nuestros males" (Séneca); "es la madre de todos los males" (Focílides), "el origen de las mayores transgresiones de la ley" (Filón).

La Biblia tiene más de dos mil referencias al dinero, cuatro veces más que respecto a la oración y la fe. Es el tema más mencionado por Cristo, ya que más de dos tercios de las parábolas tienen que ver con el dinero y las posesiones materiales.

Pablo va siempre a la raíz del tema. No se queda en las ramas. Con el dinero se puede comprar muchas cosas, tanto buenas como malas. Por eso, Pablo dice que el problema no está en la rama (el dinero) sino en la raíz (el amor al dinero).

Hay quienes por amor al dinero sacrifican todo principio de moral, ética o religioso. El problema está en la codicia. La abundancia puede producir más daño que la escasez. El joven rico se fue triste por su camino, por haber priorizado su amor por el dinero por encima del amor a Cristo.

A lo largo de sus escritos, Pablo nos responde preguntas fundamentales. **¿Para quién vivimos? Para mí, el vivir es Cristo. ¿Qué es más importante, el motivo o la cantidad? El motivo. ¿Con qué actitud debemos dar? Dios ama el corazón que da con alegría.**

Jesús mismo dijo que, para ser sus discípulos, debemos renunciar a las posesiones en el sentido de prioridad y a todo lo que nos aleje de Dios. "Las riquezas son el ídolo de muchos. El amor al dinero y el deseo de acumular fortunas constituyen la cadena de oro que los tiene sujetos a Satanás. Otros adoran la reputación y los honores del mundo. Una vida de comodidad egoísta, libre de responsabilidad, es el ídolo de otros. Pero estos lazos de servidumbre deben romperse. **No podemos consagrar una parte de nuestro corazón al Señor y la otra al mundo. No somos hijos de Dios a menos que lo seamos enteramente"** (Elena de White, *El camino a Cristo*, p. 44).

¡Cuidado! El diablo trabaja con lazos para enlazar y con cadenas que, aunque sean de oro, buscan esclavizarnos y llevarnos a la ruina. Mejor deja guiarte por las cuerdas de amor de Jesús. **"Cuando Cristo murió en la cruz, los bolsillos de Dios se vaciaron. Él gastó todo; él no podía dar más que darse a sí mismo"** (David Swartz).

Él se dio entero por nosotros, para que nosotros enteramente nos demos para él.

FIDELIDAD Y GENEROSIDAD

"No sean altivos ni pongan la esperanza en las riquezas, las cuales son inciertas, sino en el Dios vivo, que nos da todas las cosas en abundancia para que las disfrutemos. Que hagan bien, que sean ricos en buenas obras, dadivosos y generosos" (1 Timoteo 6:17, 18).

Hemos visto que el amor no tiene que estar en el dinero, sino en Dios. La esperanza no puede estar en las riquezas inciertas y volubles, sino en Dios.

El apóstol dice que no seamos altivos, cosa que fácilmente puede ocurrir por la influencia o el poder que suelen dar las riquezas, lo que lleva a un elevado grado de autosuficiencia. Al administrar lo que Dios nos concede, siguiendo la orientación del Dios vivo, reconocemos que Dios da en abundancia para que los disfrutemos. **En la matemática del hombre, acumular es multiplicar; en la matemática de Dios, se multiplica cuando damos.**

En todas sus cartas, el apóstol presenta dos principios que nos colocan como fieles administradores delante del Señor: **fidelidad en la devolución de los diezmos y generosidad en la entrega de las ofrendas.**

John D. Rockefeller ya tenía su primer millón de dólares a los 33 años, y a los 43 ya había construido el mayor monopolio conocido en aquellos días: la "Standard Oil Company". Estaba tan obsesionado por el dinero que, una década después, su salud fue tremendamente afectada. Era el hombre más rico del mundo, ganaba dos millones de dólares por semana, pero solo dos dólares eran suficiente para comprar lo que podía comer. Tenía las mejores posesiones y comodidades, pero no podía dormir.

Entonces, lo pusieron en una encrucijada: era el dinero o su vida. Escogió la vida. Así, comenzó a pensar más en las personas que en las cosas. Empezó a donar millones de su fortuna para aliviar el sufrimiento de los dolientes; donó dinero para construir templos, escuelas y la misma Universidad de Chicago. Tener la penicilina también fue gracias a sus aportes. A los 53 años, tenía una sentencia de muerte sobre su cabeza, pero él cambió altivez y codicia por generosidad y buena salud. Vivió hasta los 98 años.

No siempre la fidelidad y la generosidad significan más dinero y más vida, pero seguramente significan paz y, más tarde o más temprano, el cumplimiento de las promesas de Dios. Ser generoso no es dar lo que nos sobra. Es dar aquello que nos puede faltar para suplir la necesidad del otro. Dios no dio lo que le sobraba, sino lo más precioso: su vida misma. **"El Cielo pagará cualquier costo que podamos sufrir para ganarlo, pero nada podrá pagar el costo de perderlo"** (Richard Baxter).

Reflexiona, ora, vive con Jesús y haz el bien. Sé rico en buenas obras, dadivoso y generoso. De este modo, atesoras buen fundamento para el futuro y alcanzarás la vida eterna.

PAGANDO EL COSTO

"Pablo, apóstol de Jesucristo por la voluntad de Dios, según la promesa de la vida que es en Cristo Jesús" (2 Timoteo 1:1).

En el capítulo 1 de 2 Timoteo, el apóstol habla de Jesucristo, su Salvador, y de sí mismo. Pablo considera a Timoteo su hijo espiritual; por eso tiene un gran cariño y siempre ora por él. Él es consciente de su sufrimiento, así como de su testimonio correcto y el de su familia.

Pablo le hace cinco peticiones a Timoteo: que reavive su don, que no tenga miedo, que no tenga vergüenza de Jesús ni de Pablo, que esté listo para sufrir por Jesús y que guarde la verdad de la Escritura que le fue confiada

Pablo habla también de su Salvador. Cristo nos redimió por su gracia, nos llamó para una vida santa, ha destruido la muerte y nos da la oportunidad de la vida eterna.

Finalmente, Pablo habla de sí mismo. Fue llamado a ser apóstol, predicador y maestro para los gentiles. Puede sufrir y, sin embargo, no se desanima y no se avergüenza como otros, a excepción de Onesíforo, un amigo fiel.

Ser fiel a Dios tiene su costo, pero ser infiel también tiene su costo. En un país donde no existe libertad para vivir la fe cristiana, un pequeño grupo de jóvenes decidió guardar el sábado pasara lo que pasara. La mayoría de ellos tenían que repetir materias y años enteros, incluso arriesgar perder las becas. Un visitante misionero fue a la universidad, acompañando al líder de la pequeña iglesia local a conversar con un directivo.

La autoridad respondió: "Ellos han venido becados a estudiar, y tienen que priorizar su estudio. La fe cristiana no es excusa".

La batalla parecía perdida; pero, antes de salir, intercedieron una vez más para que les permitieran ser fieles sin afectar su futuro. "Confiamos en Dios y en usted". Hubo silencio, y luego el directivo dijo: "Yo conozco a estos estudiantes; son de los más responsables y de los más honestos que tenemos. Más allá de todo, pueden tener por seguro que mientras yo esté en este cargo ninguno de los estudiantes se verán obligados a perder su libertad de conciencia".

Desde entonces, ningún estudiante adventista ha faltado a la casa del Señor en sábado por motivos académicos en esa universidad. Dios hizo un milagro para sus hijos que lo aman, dispuestos a pagar el costo.

¿Qué costo deseas pagar? Elige ser fiel a Dios, pues ningún sufrimiento se compara con la gloria del mundo por venir.

CORONAS DE GOZO

"Trayendo a la memoria la fe no fingida que hay en ti, la cual habitó primero en tu abuela Loida y en tu madre Eunice, y estoy seguro que en ti también" (2 Timoteo 1:5).

Pablo está preso en la mazmorra romana, pero escribe y destaca la fe de su hijo espiritual. Una fe genuina, pura, verdadera ,y agradece también que le fue transmitida desde su hogar.

No tenemos mucha información de su abuela Loida (cuyo nombre significa "agradable"). Judía de nacimiento, fue la primera de la familia en aceptar el evangelio. Luego, se convirtió Eunice (cuyo nombre significa "Venciendo bien"). El padre de Timoteo era griego, así que Eunice y Loida le enseñaron las Escrituras, y esto preparó el camino para recibir el evangelio por medio de Pablo en su primer viaje misionero.

Dios había ordenado a su pueblo que enseñara a sus hijos el accionar divino, las grandes obras, la liberación de su pueblo, las promesas de un Redentor, y su revelación en la naturaleza y en la Escritura.

"Vemos la ventaja que tuvo Timoteo al recibir un ejemplo correcto de piedad y verdadera santidad. La religión era la atmósfera de su hogar. El poder espiritual manifiesto de la piedad en el hogar preservó la pureza de su lenguaje y lo mantuvo libre de todo sentimiento corruptor" (Elena de White, *Conflicto y valor,* p. 345).

Esto fue así y seguirá siendo así con todos. Somos forjados en el hogar. Moisés, en la humilde choza de Gosén; Samuel, por la fiel Ana; Daniel, antes de que el cautiverio lo separara del hogar de sus padres; Jesús, en Nazaret, con María.

"Padres, hay una gran obra que debéis hacer para Jesús [...]. Satanás trata de aprisionar a los niños como con cintas de acero, y podréis tener éxito en llevarlos a Jesús solamente mediante decididos esfuerzos personales" (*ibíd.*).

Las semillas sembradas por palabra y ejemplo, en la infancia de nuestros hijos, producirán arboles de justicia, florecidos y fructíferos.

"¿Analizarán los padres su obra de educar y adiestrar a sus hijos, y considerarán si han cumplido todo su deber con esperanza y fe para que estos niños lleguen a ser una corona de gozo en el Día del Señor? Padres, de ustedes depende el preparar a sus hijos para ser de máxima utilidad en esta vida, y para compartir con ellos al final la gloria que ha de venir" (Elena de White, *Recibiréis poder,* p. 216).

Sigamos haciendo lo mejor, redimiendo el tiempo, orando, y que la bendición de Dios libre a nuestros hijos de las cintas de acero del enemigo y coloque en ellos la corona de gozo.

27 de octubre

"YO SÉ A QUIÉN HE CREÍDO"

"Por lo cual asimismo padezco esto. Pero no me avergüenzo, porque yo sé a quién he creído y estoy seguro de que es poderoso para guardar mi depósito para aquel día" (2 Timoteo 1:12).

Pablo sufría por causa del evangelio, por eso podía animar a Timoteo a enfrentar sus sufrimientos. El apóstol enfrentaba la máxima humillación y condena por actos criminales contra el Imperio Romano. Pero su fe y su esperanza en el mensaje (y en quien lo envió) estaban más fuertes que nunca. La forma del verbo indica que él hace mucho que confiaba, y seguía confiando intensamente; no solo su presente sino también su futuro. Por eso, estaba seguro y convencido de que su lugar estaba ya reservado.

Elena de White fue mensajera del Señor por 70 años. Tenemos hoy 150 libros disponibles de sus escritos. A los 87 años, se fracturó el fémur el 13 de febrero de 1915. Ella sabía que le quedaba poco tiempo, pero siempre confió en los brazos de Jesús. El 14 de julio, en un susurro, pero con toda la fuerza del corazón y la convicción de la mente, dijo: **"Yo sé en quién he creído"**, y entró en estado de inconsciencia. Dos días después, el 16 de julio ella descansó, como Pablo, segura en la promesa de Dios. Su vida se apagó como la luz de una vela, pero su testimonio y su mensaje siguen brillando fuertemente.

El himno "Yo sé en quién he creído" tiene declaraciones firmes y seguras del escritor Daniel Webster Whittle y del compositor James McGranahan, quien siguió a Philip P. Bliss como director musical en sus campañas de evangelización.

La madre de Whittle, una creyente dedicada, puso una Biblia en el equipaje de su hijo, cuando este se fue a la Guerra Civil. Fue después de sangrientas batallas, perder su brazo derecho y ser capturado por el enemigo, que tomó esta Biblia del fondo de una bolsa y aceptó al Salvador que amaba su madre. Al salir de la guerra, se dedicó a los negocios y poco después al ministerio evangélico. En el himno, testifica de su confianza total en Cristo y su gracia salvadora.

"Hay poder transformador en la religión de Jesucristo, y este poder debe manifestarse en nosotros por una humildad mucho mayor, por una fe viva y más ferviente, a fin de que lleguemos a ser una luz para el mundo. El yo debe ser humillado; y Cristo, ensalzado" (Elena de White, *Consejos sobre la obra de la Escuela Sabática*, p. 122).

Que nuestra vida testifique siempre del poder transformador del Señor, para que humildes y fervientes iluminemos al mundo con la seguridad de saber en quién hemos creído.

UN ONESÍFORO PARA PABLO

"Tenga el Señor misericordia de la casa de Onesíforo, porque muchas veces me confortó y no se avergonzó de mis cadenas" (2 Timoteo 1:16).

Nerón consideraba a los cristianos como una secta proscrita. Se achacó a Pablo haber sido cómplice en el incendio de Roma. Tal acusación era conveniente al Imperio, de manera tal que Pablo fue hacia su última prisión.

Las perspectivas para Pablo no eran buenas. Lo encerraron acusado de ser cómplice de uno de los más viles y terribles crímenes contra el Imperio. Por la persecución de Nerón, había decrecido la cantidad de creyentes en Roma. Algunos habían abandonado la ciudad, otros habían negado su fe, miles habían sido martirizados, y los que quedaban eran intimidados y amenazados.

Pablo iba perdiendo amigos: unos, como Figelo, Hermógenes y Demas, desanimados de la fe, temerosos de los riesgos y los peligros, apostataron. Otros fueron enviados a misionar por el mismo Pablo, tales como Crescente a Galacia, Tito a Dalmacia y Tíquico a Éfeso. Solo le quedaba Lucas. Y ahora necesitaba compañía más que nunca. Pablo estaba debilitado, anciano, enfermo, fatigado y encerrado en una húmeda y oscura celda subterránea de una prisión romana. Timoteo y Marcos llegarían un poco antes de su muerte.

"En ese tiempo de prueba, el corazón de Pablo se regocijaba por las frecuentes visitas de Onesíforo. Este amable ciudadano de Éfeso hizo todo lo que estaba en su poder para aminorar la dureza del encarcelamiento del apóstol. Su amado maestro estaba encadenado por causa de la verdad mientras que él estaba libre; y no escatimó ningún esfuerzo para hacer más soportable la suerte de Pablo" (Elena de White, *Los hechos de los apóstoles*, p. 391).

Onesíforo no se avergonzó de sus cadenas. Él se había convertido al evangelio y buscó a Pablo hasta encontrarlo en su prisión. Fue persistente y paciente en buscarlo. Fue perseverante y valiente en visitarlo. Lo confortó con provisiones y con su presencia. No tuvo reparo en que lo relacionaran con las acusaciones que hacían al apóstol. Esas visitas, en la hora más oscura, en el tiempo de soledad y abandono, evidenciaron su fidelidad y su fe. Fueron de consuelo, paz y alegría para quien había dedicado su vida a servir a otros.

Hay apenas pocas referencias de él en la Biblia, pero ¡cuánto significó él para Pablo! En esta, su última carta, le agradece y lo elogia.

Cuántos están en su hora más oscura, solos, debilitados y atemorizados, esperando y necesitando un encuentro reparador. Debe haber una o varias personas que dejaron marcas en tu vida y marcaron la diferencia.

Sé hoy el Onesíforo del Pablo que te necesite.

EL GANSO Y EL CISNE

"Tú, pues, hijo mío, esfuérzate en la gracia que es en Cristo Jesús" (2 Timoteo 2:1).

En 2 Timoteo 2, Pablo ilustra los deberes del pastor discipulador como maestro, soldado, atleta y agricultor. Desafía a Timoteo a defender las verdades, ser un obrero aprobado por Dios, evitar el mal y practicar el bien. Pablo puede estar preso, pero la Palabra está libre y debe ser defendida con la vida misma.

Los reformadores también pagaron un alto costo. Juan Hus, un joven profesor checo y precursor de la Reforma, resaltó la autoridad de la Biblia. Consideraba algo pequeño sufrir por Cristo y un privilegio morir por él. Lo excomulgaron de la Iglesia Católica y lo coronaron con una mitra de papel con la inscripción "Este es un archihereje". Marchó al suplicio escoltado por ochocientos hombres armados y una muchedumbre.

Al llegar, se arrodilló, repitió salmos y, mientras oraba pidiendo el perdón de sus enemigos, lo amarraron con una cadena a una estaca, mientras lo rodearon con una pila de maderas hasta el cuello. "Mi Señor Jesús fue atado con una cadena más dura por mi causa, ¿por qué debería avergonzarme de esta tan oxidada?", expresó.

Luego le dijo al verdugo: "Vas a asar un ganso (*hus* significa ganso, en lengua bohemia), pero dentro de un siglo te encontrarás con un cisne que no podrás ni asar ni hervir". Y así fue. Martín Lutero apareció al cabo de unos cien años. En su escudo de armas familiar figuraba un cisne.

Al encenderse la hoguera, Hus exclamó: "Jesús, Hijo del Dios viviente, ten misericordia de mí", y cantó un himno con voz fuerte y alegre, que se oía a través del crepitar de la leña y del fragor de la multitud.

Elena de White afirma que **"en la experiencia de Hus hubo un testimonio, se levantó un monumento que llamó la atención del mundo a la promesa: 'Sé fiel hasta la muerte, y yo te daré la corona de la vida'.** Juan Hus vive en el registro de la historia de las naciones. Sus obras de bien y su fe inconmovible, su vida pura y su inalterable seguimiento de la verdad que le fuera revelada; nada de esto cedería, ni siquiera para salvarse de una muerte cruel. Esa muerte triunfante fue testificada por todo el cielo, por todo el Universo" (*El Cristo triunfante,* p. 327).

Vivamos hoy con la pasión y la fidelidad de hombres tales como Pablo, Timoteo y Hus.

EL DISCIPULADOR

"Lo que has oído de mí ante muchos testigos, esto encarga a hombres fieles que sean idóneos para enseñar también a otros" (2 Timoteo 2:2).

Pablo se presenta con los títulos de heraldo, apóstol y maestro. Heraldo, por cuanto su obligación es proclamar los mandatos del que representa; apóstol, porque ha sido llamado, establecido y enviado por Dios; y maestro, porque tiene que enseñar a aquellos para quienes ha sido designado.

La historia de Timoteo y de Tito y la de la cadena de reproducción espiritual iniciada en el apóstol, y continuada por Aquila, Priscila, Apolos y los creyentes fortalecidos de Acaya, muestran en la práctica la teoría de la concepción paulina sobre los dones del Espíritu e ilustran lo que el apóstol entiende y vive en relación con la comisión de hacer discípulos. Pablo no era un solitario evangelista, sino el comandante de un grande y creciente círculo de misioneros.

Pablo entendió también que no solo él como apóstol sino también todos los apóstoles, profetas, evangelistas, pastores y maestros son depositarios de dones que Dios dio a la iglesia. Además, entendió que el propósito por el cual fueron enviados es equipar, entrenar y disciplinar a los creyentes para el crecimiento de la iglesia y el cumplimiento de la misión. Estos ministerios fueron provistos por Dios a fin de preparar al pueblo para el cumplimiento del ministerio, el de ser y hacer más pueblo de Dios.

Para Pablo, la misión apunta no solo a lograr conversiones sino también a formar discípulos, porque la producción de discípulos que se multipliquen es la única manera de cumplir con la gran comisión evangélica, dado que esta incluye claramente la idea de enseñar y formar maestros. Por lo cual, es imperativo trabajar para producir individuos capaces de enseñar a otros.

El discipulado en Marcos es proclamar el evangelio como un heraldo. En Lucas y Hechos, se necesita un testigo, que testifica de su encuentro con Cristo. Para Juan, se necesita un enviado. El envío del Hijo por parte del Padre es único. Solo Cristo podía, con vida propia y sin pecado, dar la vida por el pecador. Y, a raíz de ese envío, los creyentes son incorporados como extensión y enviados al mundo. En Mateo, Jesús usa el verbo imperativo de hacer discípulos a todas las naciones yendo, enseñando, bautizando y formando discípulos reproductivos de otros creyentes y de otros discípulos.

Bien decía Billy Graham: **"La salvación es de gracia, el discipulado cuesta todo". Hacer discípulos no es un optativo declarativo; es un mandato imperativo del Señor.**

¡Vivamos como discípulos para hacer más discípulos!

IRRESISTIBLES

"Tú, pues, hijo mío, esfuérzate en la gracia que es en Cristo Jesús"
(2 Timoteo 2:1).

Hoy celebramos un nuevo aniversario de la Reforma protestante iniciada por Martín Lutero. En el capítulo "En la encrucijada de los caminos", del libro *El conflicto de los siglos,* Elena de White cuenta que "por su medio realizó Dios una gran obra para reformar a la iglesia e iluminar al mundo" (p. 113).

Martín Lutero provenía de una familia de mineros de un humilde hogar de Alemania. El padre soñaba con que su hijo fuese abogado; pero el Cielo tenía otro sueño. El conocimiento de Dios y la práctica de las virtudes cristianas constituyeron su escuela de preparación para la misión.

Lutero estaba cada vez más convencido de su condición pecaminosa, y vivía lleno de mortificaciones y castigos corporales con tal de ganar la aprobación de Dios.

Staupitz le expuso la Palabra: "En lugar de martirizarte por tus faltas, échate en los brazos del Redentor. Confía en la justicia de su vida, en la expiación de su muerte. Ama a quien primero te amó".

Lutero enseñaba en la Universidad de Wittenberg los Salmos, los evangelios y las epístolas, con lo que abría el entendimiento de multitudes. Fue poderoso en las Escrituras y la gracia del Señor, persuadiendo con la verdad.

Mientras ascendía devotamente la Escalera de Pilato, recordó las palabras de Pablo: "El justo vivirá por la fe" (Rom. 1:17), que influyeron en su vida para siempre. Al regresar de Roma, recibió en la Universidad de Wittenberg su doctorado en Teología. Ya no sería un mero monje, sino un heraldo de la salvación, del perdón, la paz y la esperanza de vida inmortal. Se encendió así una luz que aumentaría hasta el fin de los tiempos.

Lutero estaba horrorizado por las blasfemias de las indulgencias. Muchos habían adquirido certificados de perdón, pero la gracia es un don gratuito; por eso, aconsejaba no comprar indulgencias, sino confiar en el Redentor.

Lutero fijó en las puertas de la iglesia del castillo de Wittenberg un papel con las 95 proposiciones contra las indulgencias, listo para defenderlas. Sin embargo, nadie aceptó su reto. Lutero afirmaba que el evangelio es el tesoro más valioso de la iglesia, y que la gracia se recibe por fe como un don concedido a los arrepentidos. Lutero decía que no se guiaba por el consejo humano, sino por el divino.

Estimados lectores: tenemos que terminar la obra de reforma que comenzó Lutero. No somos dueños de nosotros mismos. Permitamos ser impulsados a terminar la misión, apasionados por su amor y su gracia irresistibles.

CON EL SACRIFICIO DE UN SOLDADO

"Tú, pues, sufre penalidades como buen soldado de Jesucristo. Ninguno que milita se enreda en los negocios de la vida, a fin de agradar a aquel que lo tomó por soldado" (2 Timoteo 2:3, 4).

Es difícil ser un buen soldado. La consagración, la lealtad y el compromiso, así como el vigor físico, son requisitos básicos del servicio genuino. Ninguno que sirve como soldado se enreda en otros negocios. Nada lo distrae ni divide su tiempo, ni desgasta sus energías. El servidor de Jesucristo debe dedicarse a la única y gran misión de predicar el evangelio. Además, para discipular, es necesaria una entrega completa a la misión.

Es cierto que a veces quizá sea necesario que se ocupe de alguna actividad secular, como fue el caso de Pablo cuando fabricaba tiendas. Pero, en casos tales, la actividad secular no es sino un medio necesario para el gran fin de predicar con eficacia el evangelio.

La principal preocupación debe ser agradar y servir al que lo contrató para cumplir la misión. Esto requiere pagar un precio. De todas las ocupaciones, la del soldado es la más sacrificada. **El discipulado tiene un precio, y como el soldados tenemos que estar dispuestos a pagarlo.**

Pablo vivió en tiempos fuertes del Imperio Romano, en un Estado militar y muchas veces fue preso; por eso usa esta ilustración muy cercana a él. No sabemos cuántos soldados custodiaron al preso Pablo, pero estamos seguros de que todos escucharon y vieron su testimonio. **Un soldado de Cristo se debe al Comandante y también se debe al ejército. Pablo sufría y vivía por Cristo y por la iglesia.**

Se cuenta que, en cierta ocasión, el caballo del emperador Napoleón I se desbocó. Entonces, un arriesgado soldado pudo detenerlo. Napoleón saludó al soldado: "Gracias, mi capitán". El soldado, sorprendido, preguntó: "¿De qué regimiento, mi Emperador?" El Emperador le contestó: "De mi guardia personal". Poco después, el soldado se presentó como capitán ante el jefe de la guardia personal de Napoleón. El oficial, viéndolo con uniforme de soldado, le preguntó: "¿Capitán? ¿Por órdenes de quién?" El soldado respondió: "Por órdenes de mi Emperador, Napoleón".

Realmente maravilloso y sublime es que podamos ser soldados del Capitán Jesús. Todos podemos y debemos vivir como fieles soldados, sabiendo que "un verdadero soldado no se esconde del combate, va a la lucha, arriesgando su propia vida" (Marylane Gifone).

Elena de White pregunta: **"Y ¿están ellos dispuestos a compartir la suerte de un soldado, tal como Cristo les dio un ejemplo en su vida de abnegación y sacrificio?"** (*Servicio cristiano*, p. 45).

La respuesta es tuya.

CON LA PERSEVERANCIA DE UN ATLETA

"Y también el que lucha como atleta, no es coronado si no lucha legítimamente" (2 Timoteo 2:5).

Para que un entrenamiento se realice con garantías, es necesario respetar el principio de cargas progresivas. El deportista necesita un período de adaptación a cada nueva tabla de ejercicios.

Además, es fundamental empezar de menos a más, lo que permite al organismo la asimilación del trabajo realizado para evitar problemas de sobreentrenamiento o lesiones producidas por la sobrecarga o la fatiga. Por otra parte, los entrenadores deben ayudar durante la ejecución del ejercicio, vigilando en todo momento la salida de la prueba para poder evitar lesiones.

Cada atleta presenta unas características peculiares para la realización del ejercicio. El entrenamiento con garantías de salud para el deportista se debe apoyar en dos pilares: la preparación genérica de todas las capacidades físicas básicas del deportista y el entrenamiento específico que desarrolle las cualidades físicas según cada deporte. **Se requiere perseverancia en la formación de un atleta, tanto del atleta como del entrenador. Esta misma perseverancia y persistencia se requiere en la formación del discípulo.** El atleta que viola las reglas de la competencia es descalificado. El que se hunde es sus vicios e indisciplina no tiene chances.

Jim Thorpe (1887-1953) fue un atleta estadounidense que ganó medallas de oro olímpicas en las pruebas de pentatlón y decatlón, además de jugar al fútbol americano, béisbol y baloncesto en los niveles universitario y profesional. Fue reconocido como el atleta más grande de la primera mitad del siglo XX en Estados Unidos.

Perdió sus títulos olímpicos tras descubrirse que había cobrado por jugar en ligas menores de béisbol antes de competir en los Juegos Olímpicos. Su carrera deportiva profesional fue truncada y vivió sus años finales en la pobreza, sufriendo de alcoholismo crónico. En 1983, treinta años después de su muerte, el Comité Olímpico Internacional le devolvió sus títulos olímpicos.

Para que la corona sea válida, la lucha tiene que ser legítima. Aquel que lucha legítimamente llega a la meta y es aplaudido como ganador. "A plena vista de los espectadores, el juez le otorgaba los emblemas de la victoria: una corona de laurel, y una palma que había de llevar en la mano derecha. Se cantaba su alabanza por toda la tierra; sus padres compartían su honor; y aun la ciudad donde vivía era tenida en alta estima por haber producido tan grande atleta" (Elena de White, *Los hechos de los apóstoles,* p. 250).

En breve, y a la vista del Universo, el Juez en su Trono te otorgará la corona de la vida.

CON LA CONFIANZA DEL AGRICULTOR

"El labrador, para participar de los frutos, debe trabajar primero" (2 Timoteo 2:6).

El labrador es aquel que camina mirando la tierra pero con el corazón puesto en el cielo. Hace lo máximo y lo mejor, conoce los tiempos, cerca el campo, desmaleza, ara la tierra, siembra, cultiva, riega, poda y combate las plagas. Aun así, **espera lo máximo del Señor:** la lluvia a tiempo y la germinación. En plena confianza y sociedad con Dios, levanta la cosecha. Lo mimos ocurre con el discipulado. Es una verdadera aventura de fe y confianza en aquel que no nos mira como somos sino como llegaremos a ser, transformados por su gracia.

Dios no hace milagros donde estableció los recursos para realizar su obra. **Él coopera con nosotros cuando usamos los talentos y el tiempo que nos ha dado al servicio de su causa.** "Si el agricultor deja de arar y sembrar, Dios no obrará un milagro para contrarrestar las consecuencias de su descuido. El tiempo de la cosecha halla a su campo sin fruto: no hay gavillas que recoger, no hay grano que almacenar. Dios suministró la semilla, el suelo, el Sol y la lluvia; y si el agricultor hubiese empleado los medios que estaban a su alcance, habría recibido según su siembra y trabajo" (Elena de White, *La educación cristiana*, p. 223).

El verbo "trabajar", usado en nuestro versículo de hoy por Pablo, en su original significa "trabajar hasta el agotamiento". En la antigüedad, los labradores trabajaban arduamente, muchas horas diarias de trabajo bajo toda situación climática, ya sea sobrellevando frío, calor, vientos, tormentas. Y todo lo hacen pensando que ese esfuerzo será recompensado en la cosecha. Lo que renueva las fuerzas y alivia el desgaste es la esperanza en la cosecha.

En un camporí, un grupo de Conquistadores le preguntaron lo siguiente a un pastor: "Si usted fuera Dios, ¿haría algo diferente?" El pastor pensó que la pregunta venía con alguna trampa, y demoró en contestar. Finalmente, dijo que sí. Entonces, los chicos argumentaron: "¿Quiere decir que usted haría las cosas mejor que Dios?"

No podemos mejorar lo que Dios ha hecho. Él dispone de todo para salvarnos; pero necesita agricultores que lleven la semilla, realicen la siembra y levanten la cosecha.

"¿Apreciáis tan profundamente el sacrificio hecho en el Calvario que estáis dispuestos a subordinar todo otro interés a la obra de salvar almas? El mismo intenso anhelo de salvar a los pecadores que señaló la vida del Salvador se nota en la de su verdadero discípulo" (Elena de White, *Maranata: El Señor viene*, p. 99).

TRIGO Y CIZAÑA

"También debes saber que en los últimos días vendrán tiempos peligrosos" (2 Timoteo 3:1).

El capítulo 3 de 2 Timoteo es una alerta sobre la apostasía futura que sucedería a causa del pecado que está presente en nuestra naturaleza: las personas se aman a sí mismas y al dinero; son orgullosas, abusivas, desobedientes a sus padres, ingratas, sin amor, crueles, sin dominio propio, inhumanas, traicioneras, amigas del placer en vez de amigas de Dios; y tendrán forma de piedad, pero negarán su poder.

Mientras el sembrador Jesús sembró buena semilla en su campo, es decir, en la iglesia, el enemigo vino de noche y sembró cizaña (Mat. 13:24-30). Las armas que usa son la seducción, el engaño y luego la acusación. La misión del enemigo es confrontar y dividir a los amigos. Nos acusa ante Dios y le habla mal de nosotros. Ante nosotros, acusa y habla mal de Dios.

En Palestina, cuando el trigo ya estaba sembrado y alguien venía y sembraba cizaña encima, era considerado un acto de venganza, con el fin de arruinar su sembradío y su cosecha (Mat. 13:27, 28).

La cizaña alcanzaba unos sesenta centímetros de alto, y solo cuando maduraban sus granos de color oscuro podían distinguirse fácilmente de los cereales. Las semillas eran venenosas. Causaban vértigos, convulsiones y, en algunos casos, la muerte.

No tenemos que temer al enemigo, pues tenemos un Amigo sembrador que ya lo ha vencido y **en él podemos ser vencedores.** No solo es el dueño del campo. Es también nuestro Defensor, Consolador y Restaurador.

"En estas horas angustiosas, debemos aprender a confiar, a depender únicamente de los méritos de la Expiación, y en toda nuestra impotente indignidad fiar enteramente en los méritos del Salvador crucificado y resucitado. Nunca pereceremos mientras hagamos esto, nunca" (Elena de White, *Joyas de los testimonios*, t. 1, p. 108).

Pablo insiste a Timoteo para **que permanezca firme, ligado a la Palabra del Señor y al Señor de la Palabra,** porque las Sagradas Escrituras impactan en la vida de las personas. La Palabra le dio a Timoteo rumbo y fuerzas para aceptar la salvación de Dios y para conducir a la iglesia.

Por todo esto, como bien decía Billy Graham: **"Estudie la Biblia para ser sabio, créala para ser salvo y practíquela para ser santo. Recuerde que nosotros somos la Biblia que muchos leen y los sermones que muchos escuchan".**

JANES Y JAMBRES

"De la manera que Janes y Jambres resistieron a Moisés, así también estos resisten a la verdad; hombres corruptos de entendimiento, réprobos en cuanto a la fe" (2 Timoteo 3:8).

¡Qué nombres tan raros! Pablo hace referencia a ellos, pero no están en el Antiguo Testamento (AT). Sí se menciona a Janes y a Jambres en los tárgumes, que fueron traducciones orales del Antiguo Testamento y que comenzaron a escribirse antes del tiempo de Jesús. Al parecer, eran dos los magos que imitaron los milagros de Moisés cuando este se presentó frente al Faraón para pedir la liberación del pueblo.

Más allá de sus nombres, lo concreto es que, así como ellos resistieron a Moisés, los falsos maestros religiosos resisten y se oponen a la verdad. La herramienta usada por los magos egipcios o los falsos maestros es la misma: falsificar el milagro para que parezca verdadero y crear confusión.

Pablo dice que, por resistir la verdad, se vuelven corruptos de entendimiento, insensatos, necios y réprobos (es decir, no aprobados) en la fe. Así como los magos fueron descubiertos, estos también son y serán desenmascarados. Son de fantasía. No van a llegar muy lejos.

Esta estrategia del diablo resulta ventajosa para el pecador porque, generalmente prefiere el engaño que los tranquiliza antes que la verdad que los incomoda. El enemigo ha especializado su poder engañoso e inicuo para personificar a Cristo, para entrampar si fuera posible a los mismos escogidos. ¿Ya viste alguna cosa falsa tan "bien hecha" que se parece a la genuina? Elena de White nos pregunta y desafía: "Hermanos, predicad la Palabra y no invitéis al pueblo a que ponga su fe en cosas inciertas, o a que afirme su confianza en el instrumento humano. Tengo instrucciones del Señor" (*Mensajes selectos*, t. 2, p. 100).

Si has identificado a otros que tienen el espíritu de Janes y Jambres, quería pedirte **que te mantengas siempre defendiendo la verdad, pero que lo hagas con el espíritu adecuado,** ya que "el espíritu de Cristo nos llevará a **odiar el pecado** mientras que estaremos dispuestos a realizar **cualquier sacrificio para salvar al pecador"** (*Mente, carácter y personalidad*, t. 1, p. 314).

Si actitudes como la de Janes y Jambres están en tu corazón, es hora de postrarte arrepentido y tener una experiencia nueva con Jesús. No necesitamos Janes y Jambres. Necesitamos gente como Moisés, Pablo o Timoteo, que "amen la verdad, vivan la verdad, prediquen la verdad y defiendan la verdad; porque el que no habla la verdad traiciona la verdad" (Juan Hus).

6 de noviembre

PERSISTIR EN LA ENSEÑANZA

"Pero persiste tú en lo que has aprendido y te persuadiste, sabiendo de quién has aprendido y que desde la niñez has sabido las Sagradas Escrituras, las cuales te pueden hacer sabio para la salvación por la fe que es en Cristo Jesús"
(2 Timoteo 3:14, 15).

Mi madre, que ya descansa en el Señor, fue una mujer piadosa. Salió de Italia a los catorce años, escapando de la guerra. No tuvo oportunidad de ir a la escuela, pero conoció a Jesús y, junto con mi padre, se bautizaron cuando yo tenía dos años. Ella era incansable. Siempre se brindaba por todos, en especial por la familia. Su apoyo y su influencia fueron fundamentales para el desarrollo de mi fe y mi caminar cristiano.

Cuando yo tenía unos doce años, mis padres se separaron. Entonces, la hermana Pilar, directora de Intermediarios de mi iglesia, me sujetó a Jesús con sus enseñanzas, motivación y cariño. En mi vida, como en tantas otras, el papel de la madre, de la maestra en la iglesia y de los maestros en la escuela resultaron fundamentales para mostrar en los primeros años el camino hacia la sabiduría y la salvación.

Ana entendió que los hijos son herencia del Señor y no son nuestros. Son un regalo de Dios y debemos cuidar de ellos, pues pertenecen al Señor. El Dios que nos oye cuando le pedimos un hijo nos acompaña en el proceso de conducir al niño por el camino de la vida eterna.

El proceso educativo de los hijos debe ser conducido de manera correcta. Pablo aconseja que los hijos deben ser criados "en disciplina y amonestación del Señor" (Efe. 6.4). La vida familiar no es un circo, un picnic o una colonia de vacaciones.

Una familia según el corazón de Dios debe ser un ambiente de aceptación, valorización, afecto, orientaciones adecuadas, con una disciplina correcta. Es una mezcla de cuidado y protección, juntamente con disciplina y amonestación. Porque si faltan esos componentes los resultados serán nefastos y pondrán en riesgo la eternidad de todos los miembros del hogar.

Los padres tienen la responsabilidad de educar a sus hijos de manera consciente y de la forma correcta. Esto no es fácil. Pero, por la gracia de Dios, podemos encontrar orientación en su Palabra y asistencia en sus promesas. Fue por todo esto que Pablo le dijo a Timoteo que persistiera en lo aprendido desde la niñez, de su madre y su abuela, porque persistir en esa enseñanza lo haría sabio y salvo.

"VAMOS A TERMINAR JUNTOS LA CARRERA"

"Te suplico encarecidamente delante de Dios y del Señor Jesucristo, que juzgará a los vivos y a los muertos en su manifestación y en su Reino, que prediques la palabra y que instes a tiempo y fuera de tiempo" (2 Timoteo 4:1, 2).

Segunda de Timoteo es la última carta de Pablo y se convierte en su testamento para Timoteo y para toda la iglesia cristiana. Allí, el apóstol enfatiza la necesidad de predicar la Palabra de Dios para corrección, reprensión y aliento. Le pide a Timoteo que predique siempre con urgencia y que sea un evangelista.

Además, hace una doble advertencia sobre la apostasía: un día algunos se volverán contra la sana doctrina y a favor de la doctrina satánica. Así, transmite su propio testimonio de haber peleado el buen combate, completado la carrera y guardado la fe, en la seguridad de la corona de justicia prometida. También tiene tristeza por el abandono de Demas y otros amigos, y alaba a Dios, que lo libró de la boca del león y que lo conducirá al Reino de los cielos.

Derek Redmond era un atleta que se había preparado toda la vida para competir en los Juegos Olímpicos de Barcelona, en 1992. Había tenido cinco cirugías, pero no desistía. Era el favorito al oro en su especialidad. Toda la carrera fue excelente, pero... a solo 150 metros de llegar a la meta, sintió un dolor intenso en el músculo. Luchó. Hizo un último el esfuerzo, pero no pudo.

De repente, cayó al suelo con dolores insoportables. Cuando el equipo médico se acercó, él decidió ponerse de pie. Quiso llegar, aunque fuera caminando. Lágrimas de dolor e impotencia inundaban su rostro.

La carrera había terminado y sus sueños estaban rotos, pero él decidió continuar. En ese momento, un hombre se abrió camino en medio del público. Era su propio padre, Jimmy Redmond. Se acercó a su hijo y le dijo: "Quédate tranquilo. No necesitas probarle nada a nadie". Derek le respondió: "Papá, tengo que terminar la carrera". El padre abrazó a su hijo y le dijo al oído: **"Vamos a terminar juntos la carrera".**

En la carrera de la vida cristiana, no gana solo el primero. Ganan todos los que perseveran fielmente hasta el final. Tal vez te sientas herido y lastimado. Tal vez estés sin fuerzas para seguir. Mira a Pablo. Incluso encadenado, corrió por Dios y estaba seguro de su corona.

No importa tu situación actual. Tu Padre celestial está a tu lado. Él te dice: "Vamos a terminar juntos la carrera".

NO BASTA CON SER ADVENTISTA...

"Pero tú sé sobrio en todo, soporta las aflicciones, haz obra de evangelista, cumple tu ministerio" (2 Timoteo 4:5).

Distintos evangelistas fueron marcando en mi vida el amor por la salvación de las personas. Destaco, entre tantos, a los pastores Arturo Schmidt y Daniel Belvedere, que me inyectaron esa pasión; al pastor Carlos Rando, que me llevó al bautismo; y al pastor Alejandro Bullón. Estos y tantos otros hombres de Dios, sumados al poderoso testimonio de Pablo, dejaron huellas profundas por las que agradezco a Dios. Sin embargo, hoy quiero dialogar con el pastor Luís Goncalves, director de Evangelismo en la División Sudamericana.

Conversé más de una vez con este amigo, fiel siervo del Señor, quien vive por y para el evangelismo. Así me contó su "camino a Damasco" (Hech. 9:1-19): "Era líder catequista de una parroquia católica. Un día, leyendo la Biblia, me topé con Éxodo 20, en especial con el cuarto Mandamiento, que pide honrar el sábado. Recibí estudios bíblicos de Carlos Maia, su esposa Yolanda y la hermana Elena, de la ciudad de Sorocaba, en Brasil. En poco tiempo, en una campaña de evangelismo, acepté a Jesús y tuve la alegría de ser bautizado por el pastor Alcides Campolongo. Poco tiempo después, me llamó para ser parte de su equipo como obrero bíblico. Hoy soy pastor y evangelista desde hace más de 25 años. Pasé por muchos desafíos, aflicciones, ataques del enemigo, pero el amor de Dios me sostuvo en todo momento".

Le pregunté a Luís qué es el evangelismo para él, y esto respondió: "Todo evangelista vive en la frontera: con una mano tomando a Dios y con la otra a la oveja, con el único propósito de salvarla. Consciente del tiempo en que vivimos, encaro cada predicación como si fuese la última. Hacer obra de evangelista es predicar con convicción, la verdad a tiempo y fuera de tiempo, apasionado por Jesús y por las personas. Necesito evangelizar y bautizar. Es mi urgencia y prioridad vivir para salvar. Dios detiene por un poco de tiempo los vientos del Apocalipsis, y nos presenta el desafío de ir, de llevar esperanza y hacer discípulos hasta lo último de la Tierra".

Tenemos, con sobriedad y equilibrio, que ser los "que escuchan las órdenes de su Capitán: vigilar, esperar, orar y trabajar, mientras se acerca el tiempo para la venida del Señor" (Elena de White, *El evangelismo,* p. 164).

Un evangelista no es un hombre que habla de Dios, sino Dios que habla a través de un hombre. Por eso, es como dice el pastor Goncalves: "No basta con ser adventista, tienes que ser evangelista".

CORONADOS DE GLORIA

"He peleado la buena batalla, he acabado la carrera, he guardado la fe. Por lo demás, me está reservada la corona de justicia, la cual me dará el Señor, juez justo, en aquel día; y no sólo a mí, sino también a todos los que aman su venida" (2 Timoteo 4:7, 8).

Pablo sabía que su tiempo estaba terminando. El momento de su partida había llegado. Él había sido prisionero del Imperio Romano por un tiempo, pero prisionero atado al Señor desde su conversión.

El Pablo que había desafiado a Timoteo a sufrir como buen soldado de Cristo es el que dice: "He peleado la buena, suprema y grandiosa batalla de la fe". Él fue un luchador toda la vida. Luchó contra autoridades de esta Tierra y contra huestes espirituales de maldad. Se vistió de la misma armadura que ofreció a todos. No era Nerón el que terminaría con su vida; era él mismo quien la derramaba como un perfume, entregándola como una ofrenda de gratitud.

El Pablo que le había dicho a Timoteo que corriera como atleta es el que dice: "He terminado". La carrera de su vida tuvo más obstáculos que cualquier otro, pero él corrió sin distracción y nunca claudicó. Había obedecido las reglas y estaba seguro del premio. El que había desafiado a guardar la fe dice que ha guardado la fe; es decir, la ha conservado y mantenido. Su vida no fue cómoda, pero fue fiel. Guardamos la fe cuando vivimos y reflejamos los principios del Señor.

En la antigua Grecia, el atleta ganador era aclamado por la multitud y obtenía la corona del vencedor, que consistía en una corona de laureles. **Sin embargo, a Pablo no se le iba a dar una corona de hojas marchitables, sino una corona de justicia perenne.**

Pablo, que había enfrentado sin temores acusaciones y jueces injustos, estaba listo para enfrentar al Juez justo y verdadero. Estaba seguro de su corona, guardada y reservada. No la recibiría al morir, sino en la resurrección.

Llegó el final, y sabe exactamente cómo morirá. Va a morir como vivió: cumpliendo la misión. Sabe que le espera una corona, como para todos los que aman la segunda venida de Jesús. Esa corona también puede ser para nosotros si amamos el regreso de Cristo, si vivimos en obediencia a su voluntad y si cumplimos la misión que nos ha concedido.

"Los que estén preparados recibirán pronto una corona inmarcesible de vida, y morarán eternamente en el Reino de Dios, con Cristo, con los ángeles y con los que han sido redimidos por la preciosa sangre de Cristo [...] una corona de gloria sobre los que esperan, aman y anhelan la aparición del Salvador [...] coronados de gloria, honor e inmortalidad" (Elena de White, *La segunda venida y el cielo*, p. 56).

SEMBLANTES ILUMINADOS

"Pablo, siervo de Dios y apóstol de Jesucristo, conforme a la fe de los escogidos de Dios y el conocimiento de la verdad que es según la piedad" (Tito 1:1).

Esta epístola pastoral fue dirigida a Tito cuando él estaba involucrando en el ministerio a los cristianos de Creta. Sabemos que Tito es un hijo espiritual de Pablo. El objetivo del escrito es orientar y fortalecer la fe y la vida cristiana de los convertidos. Pablo aconseja la organización de la iglesia más completa y formal, y orienta a Tito acerca de las calificaciones para los ancianos de la iglesia.

En el capítulo 1, Tito es instruido sobre cómo tratar con los dirigentes de su iglesia. Y ¿cuáles son los deberes de los dirigentes o de los ancianos? Un anciano debe ser inmaculado e irreprochable; tener solo una esposa y ser fiel a ella; no debe ser irascible ni arrogante; no debe ser dado al vino, ni violento, ni codicioso. Debe ser hospitalario y amigo del bien, tener dominio propio, y ser justo y santo. Un anciano debe ser apto para usar la doctrina con el fin de animar al sincero y rechazar al simulador.

Tito también es instruido para lidiar con los legalistas de la iglesia. Pablo dice que los legalistas son rebeldes, engañadores, codiciosos, mentirosos, maliciosos y perezosos. Su modo de actuar contradice completamente su discurso. Estas personas deben ser silenciadas y reprendidas públicamente.

Pablo fue muy intenso en la predicación del evangelio, así como en la formación de líderes misioneros. Bernabé discipuló a Pablo; este, a Tito; y Tito discipuló a los ancianos y los jóvenes de Creta. "El apóstol hizo de la enseñanza de jóvenes para el oficio de ministros una parte de su obra. Los llevaba consigo en sus viajes misioneros, y así adquirían la experiencia necesaria para ocupar más tarde cargos de responsabilidad. Mientras estaba separado de ellos, se mantenía al tanto de su obra, y sus epístolas a Timoteo y Tito demuestran cuán vivamente anhelaba que obtuviesen éxito" (Elena de White, *Los hechos de los apóstoles*, p. 296).

Por eso, si eres dirigente de la iglesia, sé un líder misionero como Pablo y vive formando otros discípulos. No te olvides de que **"discipular no es apenas enseñar lo que se aprende, sino vivir lo que se enseña"** (Carlos Moreira).

Por otra parte, si no eres un dirigente, ora y apoya el liderazgo de tu iglesia y participa en la misión, porque **"vendrán siervos de Dios con semblantes iluminados y resplandecientes de santa consagración, y se apresurarán de lugar en lugar para proclamar el mensaje celestial. Miles de voces predicarán el mensaje por toda la Tierra"** (Elena de White, *Eventos de los últimos días*, p. 177).

NO ES OBLIGATORIO APLAUDIR

"Pero tú habla lo que está de acuerdo con la sana doctrina" (Tito 2:1).

El capítulo 2 de Tito tiene instrucciones prácticas para el joven Tito, para los líderes, para las mujeres, para los jóvenes y para los siervos. Además, Pablo también da instrucciones para toda la iglesia, recordando que hemos sido redimidos por la gracia de Dios y, en consecuencia, debemos vivir para él. También tiene consejos para el predicador: debe enseñar la verdadera doctrina, y alentar y reprender con autoridad

La iglesia de Cristo no está formada por personas perfectas que nunca fallan. Está formada por personas de profunda comunión con Dios, de relaciones saludables, apasionadas por defender la verdad y cumplir la misión, dispuestas a pagar el precio por la causa, que crecen y maduran diariamente, por la gracia de Dios.

Los pioneros que vinieron a Sudamérica tuvieron una mezcla poderosa de estos ingredientes con los que Pablo desafío a Tito y a la iglesia de Creta. El pastor Francisco Westphal fue el primer pastor adventista en Sudamérica. Él organizó la primera iglesia en las afueras de Crespo (Argentina) el 9 de septiembre de 1894. Después, viajó hacia Brasil, estableció creyentes en varias localidades y organizó la primera Iglesia Adventista en ese país, ubicada en Gaspar Alto, el 8 de junio de 1895. Luego cabalgó durante horas hasta el puerto de Itajai, donó el poco dinero que tenía para suplir las necesidades de un compañero y realizó su largo viaje en barco de regreso a Buenos Aires. Tuvo que ir en tercera clase; es decir, en un lugar donde las camas no tenían colchón.

Así, se reencontró con su familia después de este viaje misionero de cinco meses. Su esposa, que no hablaba aún el idioma local, lo recibió junto con su hijo pequeño, de cuatro años. Pero Helen, su otra hija, ya no estaba. No fue necesario hacer preguntas. El rostro desconsolado de la madre lo decía todo. Dos semanas atrás, Helen había fallecido. La niña había enfermando de sarampión seguido de escarlatina. Las cartas con la noticia nunca le llegaron al pastor. La madre sepultó a su hija en el Cementerio de la Chacarita, en un lugar destinado a extranjeros. Francisco ni siquiera estuvo para despedir a su hija.

En medio de tantas incomodidades, privaciones y sacrificios, estos valientes siervos del Señor tenían una fuerte comunión con Dios y un apasionado compromiso con la misión. No es obligatorio aplaudir, es imprescindible imitar.

DESEOS CELESTIALES

"La gracia de Dios se ha manifestado para salvación a toda la humanidad, y nos enseña que, renunciando a la impiedad y a los deseos mundanos, vivamos en este siglo sobria, justa y piadosamente, mientras aguardamos la esperanza bienaventurada y la manifestación gloriosa de nuestro gran Dios y Salvador Jesucristo. Él se dio a sí mismo por nosotros para redimirnos de toda maldad y purificar para sí un pueblo propio, celoso de buenas obras" (Tito 2:11-14).

La gracia de Dios se ha manifestado en la encarnación de Cristo. Pablo siempre lo reitera, pues exalta al Salvador. Esa gracia transforma vidas. El ideal de una victoria solo es posible refugiados en la gracia de Cristo. El apóstol plantea los no y los sí. Vaciarse para llenarse. Morir para vivir. Renunciar a la impiedad y los deseos mundanos significa abandonar todo lo que no podemos contarle a Dios y que no vamos a poder llevar al cielo.

Pero, no basta con renunciar. Hay que vivir sobria, justa y piadosamente; es decir, de manera sensata, responsable, a la luz de la Palabra, sin fingimientos y auténticamente. **Es por el Cristo encarnado, que ya vino; y por el Cristo que ya viene. Es por lo que sucedió en la Cruz que la gracia nos es ofrecida. Es por quien viene en las nubes que la gloria nos será concedida.**

Él se dio a sí mismo por nosotros. Nosotros aguardamos y apresuramos. Nuestro destino no son nuestros restos en un cementerio, sino nuestra vida en el Paraíso.

Elena de White dijo que se puede juzgar a las personas por sus "deseos". Pablo dice que renunciemos a los deseos este mundo. La mensajera del Señor reiteraba sus deseos: **Quiero ser como él. Deseo** practicar sus virtudes. **Deseo** estar entre aquellos que tendrán sus nombres escritos en el Libro y que serán rescatados. **Quiero** la recompensa del vencedor. **Deseo** que mi tesoro esté en el cielo. **Deseo** estar con él por las edades sin fin de la Eternidad. **Deseo** conocer más y más de la Palabra de Dios. **Deseo** tener un hogar con los bienaventurados y quiero que tú tengas un hogar allí.

En sus últimos años de vida, Elena de White todavía desempeñaba un papel activo en la preparación de libros. A menudo cantaba un antiguo himno adventista, "La tierra mejor", escrito por William H. Hyde, quien compuso las palabras después de haber oído a Elena describir una visión que había recibido en la primavera de 1845 (véase *Testimonios para la iglesia*, t. 1, pp. 69-71). "Ella a menudo se detenía en la última parte", comenta el hermano Hyde. *"Estaremos allí,* ***dentro de muy poco estaremos allí.*** *Nos uniremos a los santos y bienaventurados. Tendremos la palma, el manto, la corona. Y descansaremos por siempre".*

Si de verdad queremos ir al cielo, cambiemos nuestros deseos y comportamientos mundanales por deseos y comportamientos celestiales.

SOMOS PRODUCTOS DE EXPORTACIÓN

"Recuérdales que se sujeten a los gobernantes y autoridades, que obedezcan, que estén dispuestos a toda buena obra" (Tito 3:1).

En el último capítulo de esta breve carta a Tito, el apóstol Pablo plantea cómo seguir la voluntad de Dios, así como también advertencias para evitar discusiones y divisiones, y su apoyo a los misioneros.

Dios espera que su voluntad se vea reflejada en la vida obediente de sus hijos y que estos se traten tal como sus hijos, con bondad y amabilidad. Pablo nos recuerda nuestro pasado pecaminoso como desobedientes, pero gracias a la bondad de Dios, la encarnación de Cristo, la obra del Espíritu Santo, fuimos lavados de nuestros pecados, justificados y transformados para una vida nueva y a una herencia eterna.

Seguidamente advierte que estemos en alerta sobre asuntos controvertidos: Tito no debe involucrarse en discusiones innecesarias o inútiles.

Finalmente, Pablo termina su carta refiriéndose y saludando a cuatro de sus colaboradores y le pide a Tito que apoye los viajes misioneros de aquellos que están involucrados en la predicación del evangelio.

La actitud de Pablo de dar consejos sobre temas importantes y otros aparentemente simples es un gran ejemplo para todos nosotros. Con eso aprendemos que la iglesia es un lugar donde todos los detalles merecen nuestra atención, y donde todas las personas necesitan ser cuidadas y potenciadas. Se trata de un cuidado que alimenta, refrigera y las conduce a llevar muchos frutos.

El Vale do São Francisco, Brasil, tiene unos 25 años de vida. La innovación y la tecnología buscan mejorar la producción de ciertas frutas. El clima no favorece porque es seco y cálido. Sin embargo, las vides producen uvas tres veces al año. Es el único lugar del planeta donde esto sucede. **No se trata de un milagro de multiplicación, sino del milagro de la irrigación.** Controlando el agua se controla el ciclo de vida. A pesar de que la región presenta restricciones hídricas y suelo semiárido, hay cultivo de esta fruta todo el año.

De la misma manera, si el corazón del creyente es adecuadamente irrigado, desarrollamos vidas más felices, más fieles y más fructíferas. "La vida de Cristo en vosotros produce los mismos frutos que en él. Viviendo en Cristo, adhiriéndoos a Cristo, sostenidos por Cristo, recibiendo alimento de Cristo, lleváis fruto según la semejanza de Cristo" (Elena de White, *El Deseado de todas las gentes*, p. 631).

¿SALMONES EN EL CIELO?

"Pablo, prisionero de Jesucristo, y el hermano Timoteo, al amado Filemón, colaborador nuestro" (Filemón 1).

Filemón es el libro más pequeño escrito por el apóstol Pablo. Es un pedido a un hombre piadoso, a fin de que reciba con cariño a Onésimo, su esclavo fugitivo. Ahora, este hombre se había convertido al cristianismo y Pablo lo está enviando de vuelta a su amo.

Al inicio, Pablo declara aprecio y elogia a Filemón. Lo considera un hombre de familia. Su esposa se llama Apia; y su hijo, Arquipo. Además, es un hombre de mucha fe, fiel, productivo, que siempre ayuda y alienta a todos.

En la segunda parte, Pablo suplica perdón para Onésimo y se compromete a pagar su deuda.

Así, en la tercera parte de la carta, le presenta una garantía y una promesa. La garantía es que Pablo promete pagar a Filemón cualquier débito de Onésimo hacia él. Pablo le recuerda a Filemón del gran débito espiritual que él mismo tiene en relación con el apóstol. Y por eso, él necesita ser bondadoso con el esclavo, y además le pide que mantenga una habitación disponible para cuando el apóstol esté apto para visitarlo.

En esta epístola, vemos a un hombre auténticamente cristiano interceder en favor de un esclavo. La gran lección es esta: **No importa la situación en que una persona se encuentre, debe ser respetada y tratada con dignidad. A fin de cuentas, todos hemos sido hechos a imagen de Dios y, por su gracia, esa imagen será recuperada en el proceso de la salvación.**

El 25 de agosto de 1950, un simple pescador regresaba lentamente al puerto de San Francisco con su barco lleno de salmones. De pronto, divisó a varias personas que luchaban para sostenerse a flote. Eran pacientes del barco hospital *Benevolencia,* que había colisionado con otro barco a causa de la niebla. Inmediatamente se lanzó al agua y, tan rápido como pudo, fue rescatando uno a uno. Tuvo que desprenderse de sus cajones llenos de salmones, que eran la base de su sustento, para hacer más lugar.

Con sus músculos y su corazón doloridos, pedía fuerzas a Dios para salvar a todos. Y así, en una acción heroica, su barco quedó vacío de salmones y lleno de setenta náufragos salvados.

La iglesia es también un barco-hospital, lleno de pacientes y náufragos. ¿Cuán dispuestos estamos a desprendernos de nuestros salmones, de nuestras ideas, posición, bienes y tiempo a fin de dignificar, restaurar y salvar a todos? El cielo no estará lleno de salmones, sino lleno de pacientes restaurados y náufragos rescatados.

EL HIJO DE LA PRISIÓN

"Te ruego por mi hijo Onésimo, a quien engendré en mis prisiones, el cual en otro tiempo te fue inútil, pero ahora a ti y a mí nos es útil" (Filemón 10, 11).

Pablo estaba preso en Roma y su amigo e hijo espiritual Filemón residía en Colosas. Filemón era un fiel creyente y misionero del Señor. Onésimo era un esclavo de Filemón, pero le había robado y había escapado a Roma para esconderse en la gran ciudad. Sus delitos eran suficientes para ser pagados con la misma vida. Pero en Roma se encontró con Pablo y, en consecuencia, con Cristo. El resultado es su conversión a Jesús.

Pablo podría haber apelado a Filemón por la fuerza de su apostolado, con la orden de un superior, de anciano, o como un sufriente prisionero por la causa de Cristo. Pero él clama, pide ayuda e intercede por un ex esclavo y ex ladrón que huye y quiere regresar como cristiano y arrepentido.

Un dicho rabínico dice así: "Si uno le ensena la Ley al hijo de su prójimo, la Escritura lo considera tan hijo propio como si lo hubiese engendrado". Por eso, Pablo dice que Onésimo (que significa "útil") es como un hijo que engendró en la prisión.

El apóstol, aún preso, seguía engendrando nuevos hijos para el Reino de Dios. No dejaba pasar por alto ninguna oportunidad. Onésimo mejoró los días presentes de Pablo; a cambio, Pablo abrió para él los días eternos. El llevar hijos a Cristo es tan importante (o más aún) que traerlos al mundo.

Pablo fue el padre espiritual de Filemón, un amigo, un hermano, un compañero en la misión. Para Onésimo, Pablo fue un padre espiritual, un reconciliador y, también, un compañero en la misión. Pablo vivía construyendo puentes entre las personas, entre las personas y Dios, y entre Dios y las personas.

De Colosas, Onésimo huyó como fugitivo, un esclavo pagano. Ahora, él regresa como un hermano cristiano. Por eso, Pablo apela para que sea recibido con perdón y como socio de Dios en la misión de rescatar personas de la esclavitud del pecado.

Pablo mira a las personas con los ojos de Jesús. Él, en "todos los hombres veía almas caídas a quienes era su misión salvar" (Elena de White, *El camino a Cristo,* p. 12). **Como Pablo en Onésimo, Jesús, "en todo ser humano percibía posibilidades infinitas. Veía a los hombres según podrían ser transformados por su gracia"** (Elena de White, *La educación,* p. 72).

AGRADECIDOS Y COMPROMETIDOS

"Dios, habiendo hablado muchas veces y de muchas maneras en otro tiempo a los padres por los profetas, en estos últimos días nos ha hablado por el Hijo" (Hebreos 1:1, 2).

La carta a los Hebreos consiste, esencialmente, en un contraste entre los símbolos por los cuales Dios presentó el plan de la salvación al pueblo escogido en los tiempos del Antiguo Testamento y la realidad del ministerio de Cristo en favor de los pecadores desde la Cruz, y un contraste entre el Santuario y el sacerdocio terrestre y el celestial.

En el capítulo 1 se presenta a Cristo como el elegido y como el superior.

Es el elegido para ministrar en cuatro áreas muy importantes: La Revelación, la Creación, la Representación y la Purificación.

Y es presentado como aquel que es superior a los ángeles en tres aspectos importantes: es superior en su relación con el Padre, es superior con respecto a su reinado y es superior con respecto a su recompensa.

Así, el Padre dijo que colocará a sus enemigos bajo sus pies. Y esto muestra la naturaleza total de su poder y de su reinado. Jesucristo es la imagen del Padre. Él estuvo entre nosotros, mostrando el carácter y las verdaderas intenciones del Padre. Por eso, nuestro compromiso es con Cristo, nuestra relación es con Cristo y nuestro encuentro glorioso pronto será con Cristo.

Mientras estudiaba Teología, hice una visita pastoral a los Mack, una familia adventista que vivía en una zona rural. Ellos eran activos y fieles en la causa del Señor. Recuerdo muy bien lo emocionada que estaba la hija menor de la familia, Nancy. Visitantes indeseados habían entrado en la chacra y, entre otras, cosas robaron un cordero que pertenecía a Nancy.

Con su tristeza a cuestas, pocos días después, caminado por la ciudad, descubrieron que su cordero estaba a la venta. Ella dijo: "Es mío, vamos a llevarlo". El papá argumentó que ya no le pertenecía, pero que había una salida. Así, entró en el negocio, puso sus manos en sus bolsillos, sacó dinero y compró el cordero. De regreso en la casa, Nancy estaba muy feliz. "Este cordero es mío porque lo criamos, lo mantuvimos y ahora lo compramos", dijo.

Pablo dice que pertenecemos al Señor porque él nos hizo, nos sostiene y no dejó sus manos en los bolsillos. Al contrario, las extendió en la Cruz para pagar el precio de nuestro rescate. Este hecho muestra a viva voz su amor infinito hacia cada uno de nosotros. Vivamos hoy agradecidos y comprometidos.

FIJA TUS OJOS EN CRISTO

"Él, que es el resplandor de su gloria, la imagen misma de su sustancia y quien sustenta todas las cosas con la palabra de su poder, habiendo efectuado la purificación de nuestros pecados por medio de sí mismo, se sentó a la diestra de la Majestad en las alturas" (Hebreos 1:3).

Pablo dice que la revelación de Dios a nosotros es hecha por intermedio del Hijo, debido a estos postulados:

1-Es el resplandor: Es decir, el reflejo que revela al Padre. Cuando miramos el Sol, no se ve el Sol, sino sus rayos. El Hijo es lo visible de la gloria y del carácter de Dios.

2-Es la imagen: Es decir, la representación exacta. Cristo es el sello o la "impronta" de Dios. Es la realidad misma. Son uno en esencia, carácter y pensamiento, propósito y misión.

3-Es el Sustentador: Todo fue hecho por el poder de su Palabra. Él habló, y todo existió. Además de crear el Universo, lo sustenta y lo conserva. El Universo no es un reloj al que Dios le dio cuerda y lo dejó marchando. Requiere atención permanente a través de las leyes y los procesos que él mismo ha establecido.

4-Nos redime: Se necesita el mismo poder usando en la Creación para recrear o redimir. Al purificar al pecador, Cristo busca restaurarlo para siempre.

5-Nos gobierna: En virtud de su muerte y su resurrección, se sentó a la diestra de la Majestad en el Trono de Dios, con plenos poder y autoridad.

Helen Lemmel nació en Inglaterra en 1863, en la familia de un misionero. Estudió música en Alemania y se casó con un hombre adinerado, pero este la abandonó cuando quedó ciega.

A sus 55 años, oyó una frase que la impresionó: **"Vuelve tus ojos hacia él, mira plenamente en su rostro".**

Helen había perdido la visión, pero podía ver a Cristo a través de los ojos de la fe, y por eso escribió:

Te sientes cansado y turbado, sin luz en la oscuridad. Contempla por fe al Maestro, tendrás vida y libertad.

Y, en el coro, colocó las palabras tan conocidas para todos:

Fija tus ojos en Cristo, tan lleno de gracia y amor, y lo terrenal sin valor será a la luz del glorioso Señor.

Fijemos hoy y siempre nuestros ojos en Cristo.

EL SUPERIOR

"Hecho tanto superior a los ángeles cuanto que heredó más excelente nombre que ellos" (Hebreos 1:4).

En Hebreos, la palabra "superior" o "mejor", aplicada a Cristo, es utilizada trece veces. Cristo es superior a los profetas y también a los ángeles. El pastor Mario Veloso comenta que Pablo usa siete referencias del Antiguo Testamento agrupadas en tres grupos para mostrar la superioridad de Cristo sobre los ángeles.

1. El Hijo es único. El Hijo es diferente de los ángeles y superior a cada uno de ellos, y a todos juntos.

2. Los ángeles son eficientes, el Hijo es Dios justo. Los ángeles son seres creados por Dios. Él los hace servidores eficientes, seres de presencia trasladable y de acción rápida. Dedicados a tareas específicas por las cuales deben rendir cuentas. El Hijo es Dios, justo y redentor, y se sentó a la diestra del Trono de Dios.

3. El Hijo es Señor, creador y eterno. Los ángeles no son Dios. El Padre se refiere a Cristo como Señor, con poder, propiedad y autoridad sobre todo. Cristo es el Creador del Universo. Es eterno: no tiene principio ni fin porque es Dios. Los ángeles no son Dios; son servidores, no tienen su poder, ni su majestad. Son de una naturaleza inferior a la Deidad, son espíritus ministradores.

La Biblia y la vida nos muestran cómo Dios envió ángeles para proteger a sus hijos. La vida de Elena de White y de los pioneros está llena de historias emocionantes. En cierta ocasión, cuando Elena ya era viuda y estaba trabajando en Australia para llevar adelante la obra de Dios, debía predicar en un campamento. Los quinientos asistentes se alojarían en unas cien carpas.

Entonces, un grupo de jóvenes malvados decidió derribar la carpa de Elena con ella en su interior. Elena estaba tranquila porque sabía que un ángel la protegía. Aun así, la policía colocó a uno de sus hombres como guardia sobre su carpa. Al verlo, los atacantes desistieron. Pero, en realidad, el policía no estaba solo. Él mismo contó que veía a su lado una luz poderosa en forma de ángel. Quedó tan impresionado que se arrodilló allí mismo. A raíz de este hecho, el policía asistió a todas las reuniones, y después a la iglesia. Aceptó a Jesús como su Salvador y fue bautizado.

Qué reconfortante es saber que para vivir hoy tenemos a disposición la ayuda del superior Cristo; así como también de sus ángeles, sus eficientes servidores.

19 de noviembre

LA CRUZ ROJA

"Por tanto, es necesario que con más diligencia atendamos a las cosas que hemos oído, no sea que nos deslicemos" (Hebreos 2:1).

El capítulo 2 de Hebreos advierte contra la negligencia o la desviación de la fe. El mensaje de la salvación fue predicado por el mismo Señor y por sus apóstoles, y confirmado por muchas maravillas y milagros.

Pablo enfatiza que Cristo es soberano, que creó todas las cosas, que cuida de todos y tiene una misión para cada uno. Sin embargo, para llevar adelante el plan de salvación, se sometió a la voluntad del Padre, haciéndose un poco menor que los ángeles. La rebelión contaminó a todas las personas con el virus del pecado. **Solo Cristo podía salvarnos, no en nuestros pecados, sino de nuestros pecados. Él espera que cada día nos distanciemos del pecado y nos acerquemos a él.**

El ministerio de Cristo es victorioso y el poder de Satanás fue destruido para siempre. Y, en poco tiempo, ya no tendrá dominio sobre nosotros.

Jean-Henry Dunant es considerado "el padre de la Cruz Roja". Nació en 1828 en Ginebra, Suiza, en el seno de una familia de buena posición económica. De joven participó en una organización conocida como la "Liga de los Donativos", para apoyar a enfermos, pobres y presos. En la batalla de Solferino, cuando el personal profesional no daba abasto para atender a los heridos, Dunant ayudó mucho a aliviar el dolor y el sufrimiento. Luego de eso, él tomó la iniciativa para que todos los países entrenaran y organizaran voluntarios para ayudar a atender a los heridos combatientes de guerra. Así, fundó la Cruz Roja.

El gran apoyo inicial que tuvo la organización se fue diluyendo. Dunant perdió sus bienes y vivió de manera precaria. En 1901 le concedieron el Premio Nobel de la Paz junto al francés Frédéric Passy. "No hay hombre que más merezca esta honra, por haber establecido esta organización internacional para confortar a los heridos en el campo de batalla", dijeron justificando el reconocimiento.

Qué decir de aquel que **no se rindió ni quiso dejar que los heridos por el pecado perecieran en el campo de batalla.** Qué decir de aquel que **se hizo pobre para que fuésemos ricos en él.** Qué decir de aquel cuyo **premio será ver a todos los heridos rescatados y redimidos para siempre** ingresando en la Eternidad.

Dunant fundó la Cruz Roja, pero la Cruz de Cristo quedó roja por su sangre. En realidad, esa sangre debería haber sido la nuestra.

ANTIDESLIZANTE

"No sea que nos deslicemos" (Hebreos 2:1).

Pablo ha destacado que estamos en los últimos días de la historia, y por eso debemos prestar mayor atención. Es necesario, no es optativo, y es indispensable tener más diligencia y estar más enfocados, concentrados y afirmados en Cristo y su Palabra. Entonces, y firmemente anclados allí para no tener una vida a la deriva, no nos deslizaremos ni seremos arrastrados, como quien resbala por un tobogán. Sin que nada lo sujete o detenga, solo queda esperar el impacto final que lastima, destruye y mata.

En cierta oportunidad, Junior estaba escalando una montaña llamada Pico da Canastra, ubicada a ochocientos metros de altura en las montañas del sur de Brasil. Era un hermoso día de verano cuando, de pronto, sucedió algo inesperado. Solo faltaban cinco metros para llegar a la cima cuando sobrevino una fuerte tormenta.

El último punto de seguridad que sostuvo la cuerda en la roca se encontraba cuatro metros debajo de donde él estaba. Rápidamente, trató de subir para llegar a la cima antes que la lluvia. Pero no llegó. A solo dos metros de los pasadores de seguridad finales, la tormenta lo alcanzó.

La piedra de basalto húmeda es extremadamente resbaladiza, deslizante. Cualquier movimiento para descender podría generar una caída libre de más de catorce metros. El miedo se hizo cargo. Las piernas comenzaron a temblar. La lluvia y el viento lo atraparon con fuerza. ¿Qué podía hacer? Solo había una opción segura e inteligente: permanecer inmóvil en la roca, bien aferrado. Así lo hizo durante casi una hora. La lluvia de verano pasó y, con el calor, una hora después, la roca estaba lista para ser escalada nuevamente. El grito de victoria en la cumbre, en ese día, fue muy diferente.

En la escalada de la vida espiritual, la única seguridad antideslizante es permanecer firme en la Roca, que es Cristo. Cualquier intento de movimiento humano será de riesgo fatal. Por eso, Elena de White nos pregunta: **"¿Están nuestros pies sobre la Roca de los siglos? ¿Estamos escondiéndonos en nuestro único Refugio?** La tormenta viene, inexorable en su furia. ¿Estamos preparados para hacerle frente?" (*El evangelismo*, p. 149).

Las preguntas son de Dios; las respuestas son nuestras.

PERFECCIONADO POR EL SUFRIMIENTO

"Convenía a aquel por cuya causa existen todas las cosas y por quien todas las cosas subsisten que, habiendo de llevar muchos hijos a la gloria, perfeccionara por medio de las aflicciones al autor de la salvación de ellos" (Hebreos 2:10).

Cristo es presentado como verdaderamente Dios, en el capítulo 1 de Hebreos; y como verdaderamente hombre, en el capítulo 2.

Cristo era infinitamente superior a los ángeles. Cuando se hizo hombre, voluntariamente ocupó su lugar entre los hombres; sin dejar de ser Dios y no usando nunca su divinidad en beneficio propio. Si lo hubiese hecho, habría invalidado su obra.

Era un Cordero sin mancha, ya que no había imperfección en él. No había nada que perfeccionar porque era perfecto. Ese sufrimiento era la preparación de nuestro Señor para su ministerio sacerdotal de ser como nosotros, a fin de representarnos ante el Padre como Mediador. No se enfermó de pecado por uso o abuso; se enfermó de pecado porque asumió nuestra carga de pecado.

Diferente es el sufrimiento como medio de corrección enfocado con una finalidad disciplinaria: la de producir justicia y santidad en nosotros. Existe también el sufrimiento como retribución, como la exigencia de la Ley de Dios, tan inamovible como cualquier otra de las leyes de la naturaleza.

Fue el primer sufrimiento por asumir nuestra naturaleza y nuestra carga de pecado, enfrentando las tentaciones. Cristo es el Autor, Fundador, Guía y Príncipe de nuestra salvación, títulos que se asignaban también a los héroes. Por eso, algunos lo llaman el Pionero, porque hizo posible que los pecadores sean llevados a la gloria de Dios. No obstante, Cristo es mucho más que un pionero: él es el Salvador, y los que lo siguen son los redimidos.

Elena de White lo resume así: **"Nuestro Redentor no manifestó las imperfecciones ni las debilidades humanas; pero murió a fin de obtener nuestro derecho a entrar en la Tierra Prometida"** (*Patriarcas y profetas*, p. 512). Y agrega: "El Capitán de nuestra salvación fue perfeccionado mediante el sufrimiento, y de este modo fue hecho idóneo para ayudar al hombre caído exactamente en lo que necesitaba ayuda" (*Exaltad a Jesús,* p. 27).

El sufrimiento de Cristo no es el resultado de un acto correctivo disciplinario. Tampoco es consecuencia de un hecho retributivo de justicia. El sufrimiento de Cristo fue porque se identificó tanto con nuestra miseria que la llevó hasta la Cruz.

Así lo explicaba Spurgeon: **"No soy salvo por lo que soy o espero ser. No soy salvo por lo que siento o por lo que sé. Soy salvo por lo que Cristo es, por lo que hizo y por lo que hace por nosotros".**

CON FIDELIDAD Y CON FE

"Por tanto, hermanos santos, participantes del llamamiento celestial, considerad al apóstol y sumo sacerdote de nuestra profesión, Cristo Jesús" (Hebreos 3:1).

En Hebreos 3, Jesucristo es comparado con Moisés, el gran líder de Israel, y es considerado aún mayor que él. Pablo dice que tanto Jesús como Moisés fueron fieles a Dios. Sin embargo, hay un contraste: Moisés fue un siervo fiel en la casa de Dios, mientras que Jesús es el Hijo fiel sobre la casa de Dios. Así como el hijo es mayor que el siervo, Jesús fue mayor que Moisés.

Además, el apóstol amonesta sobre la incredulidad, recordando cómo Israel en el desierto dudó, se volvió contra Dios, y una generación entera murió en el desierto, sin entrar en la Tierra Prometida.

A causa de esa historia de infidelidad, hace un llamado a la fidelidad: no debemos ser rebeldes, e irritar a Dios con nuestra incredulidad infundada. Al oír la Palabra de Dios, debemos prestar atención, animarnos unos a otros diariamente para alejarnos de la duda y fortalecer la fe. Somos participantes de un llamado celestial, para desarrollar una vida de fe y fidelidad mientras cumplimos la misión.

Alberto y Ovidio son miembros de la iglesia de Curuguaty, en Paraguay. Desde hace algunos años forman una pareja misionera; entregan sus dones, talentos y recursos al servicio de Dios. Después de orar y pedir la dirección divina, fueron a una zona llamada Maracaná, a unos 65 kilómetros de donde residen (60 de ellos son arenosos y de tierra colorada). En 2018 y 2019, Alberto y Ovidio viajaban en moto 130 kilómetros de ida y de regreso todos los fines de semana para llevar el mensaje adventista. En muchas oportunidades sufrieron caídas como consecuencia de la lluvia y la tierra resbaladiza. Otras veces, tuvieron que empujar la moto por kilómetros hasta encontrar auxilio. Nada los desanimó de seguir la misión encomendada.

Por la gracia de Dios, y los esfuerzos de estos hermanos misioneros, en 2019 seis personas entregaron su vida a Jesús por medio del bautismo. Hoy, la vivienda de uno de los bautizados se transformó en un centro evangelizador y ya tienen un terreno comprado allí para construir una iglesia.

Alberto y Ovidio son hombres fieles y de fe. Ellos siempre **van adelante sin ver obstáculos sino oportunidades.** La fidelidad no se pide, no se compra, no se alquila; no da esperando recibir ni se demora para dar. Así son estos hombres fieles y de fe. Son hombres de Dios que saben muy bien que "la incredulidad no da un paso sin explicaciones previas pero la fe no interroga ni calcula; simplemente, confía" (G. Müller).

Avancemos con fidelidad y con fe.

CUIDADO CON LAS ARTERIAS

"Por eso, como dice el Espíritu Santo: 'Si oís hoy su voz, no endurezcáis vuestros corazones' " (Hebreos 3:7, 8).

Los vasos sanguíneos llevan oxígeno y los nutrientes del corazón al resto del cuerpo mediante las arterias. Así, cuando estas se vuelven gruesas y rígidas, pueden restringir el flujo de sangre hacia los órganos y los tejidos. Las arterias sanas son flexibles y elásticas, pero cuando se endurecen por acumulación de grasas, colesterol y otras sustancias ponen en peligro la salud.

Endurecer el corazón espiritual es una resistencia obsesiva y persistente de oponerse y rebelarse a la voluntad de Dios. Es ser insensible, indiferente, rígido o firme en una postura personal. Uno de los ejemplos más contundentes para ilustrar esto es la actitud del Faraón, frente al pedido de liberar al pueblo de Dios. Cada manifestación del poder de Dios, lejos de sensibilizarlo, endurecía más su corazón y lo alejaba de las bendiciones de Dios. No fue Dios el que endureció el corazón del Faraón. Fue su decisión y su rechazo al llamado de Dios.

En estos versículos, Pablo hace referencia al Salmo 95 y destaca tres conceptos:

1-Oír la voz de Dios que nos llama hoy. Ser obediente es la respuesta al llamamiento divino. Esta respuesta tiene que ser inmediata. Es hoy, ahora, cuando Dios pronuncia su invitación. Dejar la respuesta para después o responder con desobediencia significa endurecer el corazón.

2-No endurezcan su corazón. Cada oportunidad rechazada o desperdiciada son más placas de "colesterol" que acumulamos en nuestras arterias espirituales. Lo que endurece el corazón no son las emociones ni sus sentimientos. Es la voluntad. Endurecer el corazón significa no usar las capacidades racionales. Es tornarse inamovible e insensible a las razones más evidentes.

3-No entrar en el reposo divino. Los israelitas endurecidos y desobedientes no entraron en la Tierra Prometida. El corazón duro, sin fuerza de voluntad e inestable, es rebelde para obedecer a Dios y no está en condiciones de entrar en el cielo.

Un corazón se endurece cuando reiteradamente decimos "no" a la voluntad de Dios, cuando dejamos para mañana nuestra decisión, cuando somos indiferentes a las necesidades del prójimo, cuando desestimamos las advertencias, cuando alimentamos la incredulidad, cuando practicamos el pecado, cuando rechazamos al Espíritu. "El cemento fija el ladrillo en la pared y el pecado endurece el corazón del hombre. El único remedio es el amor de Cristo, que cargó la Cruz para salvarnos" (H. Girodo).

¡Cuidado con las arterias espirituales! No sea que de tanto rechazar la luz nos quedemos a oscuras.

24 de noviembre

EL SOL NACIENTE DE LA MAÑANA

"Temamos, pues, no sea que permaneciendo aún la promesa de entrar en su reposo, alguno de vosotros parezca no haberlo alcanzado" (Hebreos 4:1).

En el capítulo 4 de Hebreos, Dios promete descanso para su pueblo. Dios había dicho que su pueblo entraría en la Tierra Prometida, pero Israel no entró a causa de su incredulidad. **Dios reitera su promesa de ofrecer descanso disponible para todas las personas que desean hacer la voluntad del Señor.** Así, los que creen y confían en Dios entrarán en su descanso. Además, Cristo es presentado como Sacerdote, nuestro gran y único Sumo Sacerdote, que fue tentado en todo, pero que no pecó, y que intercede y actúa en nuestro favor.

El 23 de junio de 2018, el mundo fue sorprendido por la noticia de un grupo de 13 jóvenes atrapados en la cueva Tham Luang, al norte de Tailandia. Ellos pertenecían a un equipo de fútbol llamado "Jabalíes salvajes". Tenían entre 11 y 16 años; y su entrenador, 25. Las anticipadas y copiosas lluvias inundaron parcialmente la cueva donde los chicos habían entrado para hacer un paseo.

El 2 de julio de 2018, 9 días después de haberse extraviado, los buzos descubrieron a los 13 desaparecidos. Estaban vivos y refugiados en una elevada roca a unos 4 kilómetros de la entrada de la cueva. Los rescatistas se abrieron paso durante horas a través de aguas oscuras y frías, siguiendo el camino con cuerdas como guía. A veces las secciones eran tan angostas que solo podía caber un cuerpo.

Fue una hazaña asombrosa: después de dos agonizantes semanas, los niños fueron rescatados sanos y salvos. Ellos, su familia y el mundo reposó de la angustia. ¡Cuánta alegría! ¡Fue una gran victoria!

Sin embargo, a los niños les contaron que uno de los buzos llamado Saman (que significa "el sol naciente de la mañana") perdió su vida intentando rescatarlos mientras colocaba tanques de oxígeno a lo largo del camino inundado. Ellos lloraron, oraron e hicieron un voto en honor a Saman: **"Seremos buenas personas para honrar al que murió por nosotros"**, dijeron.

Así como estos niños, nosotros también estamos en la cueva del pecado, con destino de muerte. Pero, **gracias a Jesús, el Sol de Justicia,** quien dio su vida por nosotros, pronto entraremos en el reposo; parcial ahora y completo en su venida.

Honrando al que nos rescató debemos ahora vivir rescatando a otros. Aún quedan muchos por salvar que están desamparados por el pecado y necesitados del reposo del Señor.

REPOSO SEMANAL Y ETERNO

"Las obras suyas estaban acabadas desde la fundación del mundo, pues en cierto lugar dijo así del séptimo día: 'Y reposó Dios de todas sus obras en el séptimo día' [...]. Porque él que ha entrado en su reposo, también ha reposado de sus obras, como Dios de las suyas" (Hebreos 4:3, 4, 10).

Pablo ilustra el reposo eterno recordando el mandamiento del reposo semanal. Sabemos que el séptimo día es el sábado. Cristo, al establecerlo como monumento recordativo de la Creación, hizo tres cosas que no había hecho con los demás días: reposó de su obra creadora, lo bendijo y lo santificó; es decir, lo puso aparte para una obra sagrada.

Por un lado, el reposo de Dios al concluir su obra creadora; y por otro lado, el reposo de su pueblo celebrando la Creación y adorando al Creador. Si el pueblo no entra en este reposo, desobedece el mandato del Señor. Ese cesar del trabajo de parte del hombre es para encontrarse de manera íntima con aquel que cesó de su obra creadora.

Y este encuentro de reposo y adoración es anticipo del reposo eterno. La entrada al reposo semanal es una señal de fe y de obediencia; y sin estas dos, que en realidad son una sola, es imposible entrar en el reposo eterno, tan imposible como fue para la generación incrédula entrar en el reposo de la Tierra Prometida. **El reposo eterno no está accesible a aquellos que abiertamente rechazan el reposo semanal porque en el fondo están rechazando al Señor mismo y su gracia redentora.**

La familia de Alcir Parizotto vive en Pinto Bandeira, en el Estado de Rio Grande do Sul, Brasil. Allí, tienen una chacra de duraznos. Ellos conocieron el mensaje adventista por un programa televisivo del pastor Bullón. Después de dos años de escuchar por la televisión el mensaje adventista, fueron a la Iglesia Central de Bento Gonçalves. Finalmente, tomaron y concluyeron los estudios bíblicos, y fueron bautizados por el pastor Herbert Boger.

Su primera cosecha de duraznos fue su prueba de fe y de fuego, porque en la cosecha se trabaja 24 horas al día y 7 días de la semana. Los vecinos los trataron de locos cuando se enteraron de que ellos no cosecharían desde el viernes a la puesta de sol hasta el sábado a la puesta de sol. No obstante, por la gracia y un milagro de Dios, terminaron su cosecha junto a todos los demás, sin ser afectados en nada. Ellos respetaron el reposo semanal requerido por el Señor y adoraron a Dios fielmente.

Si lo reconocemos como Creador, lo aceptamos como Salvador y lo adoramos como Señor, pronto lo recibiremos como nuestro Restaurador; porque quienes viven aquí en el reposo semanal en breve entrarán en el reposo eterno.

¡SEAMOS VENCEDORES!

"No tenemos un sumo sacerdote que no pueda compadecerse de nuestras debilidades, sino uno que fue tentado en todo según nuestra semejanza, pero sin pecado" (Hebreos 4:15).

Si Jesús no tenía inclinaciones pecaminosas como nosotros, ¿cómo puede Pablo decir que fue tentado en todo según nuestra semejanza? ¿Fueron sus tentaciones iguales a las nuestras o tuvo ventajas? Es imposible que Jesús haya sido tentado con las tentaciones de todos y de todas las épocas. Por otro lado, era innecesario que Jesús sufriera cada tentación que sobreviene a cada persona. Jesús tenía que vencer donde Adán cayó, tal como lo expresa Elena de White: **"En nuestra humanidad, Cristo había de resarcir el fracaso de Adán"** (*El Deseado de todas las gentes*, p. 91).

Si Jesús no tenía tendencias hacia el mal, ¿cómo es que podría haber sido tentado como nosotros? **En tanto el diablo apela a nuestras malas inclinaciones, en Jesús apelaba a sus buenas inclinaciones.** Apelando a las cosas nobles, el diablo intentaba desviar a Jesús del plan de Dios.

Analicemos brevemente las tres tentaciones de Jesús. La esencia de la primera fue la independencia, en la segunda la superdependencia y en la tercera la adoración.

Por ejemplo, cuando negamos a Dios para ganar nuestra subsistencia, estamos cediendo a la tentación de un andar independiente. Cuando esperamos recibir las bendiciones de Dios sin hacer nuestra parte, cedemos a la tentación de un caminar hiperdependiente. Cuando cambiamos nuestra lealtad a Dios por placer o poder cedemos a la tentación de una falsa adoración.

Las tentaciones de Jesús excedieron las nuestras. Su tentación fue usar su divinidad en beneficio propio para resistir los ardides de Satanás. **En esencia, la principal tentación para Cristo fue la misma de todos nosotros: el deseo de andar solo y depender de uno mismo, en lugar de depender del poder divino.**

Por todo esto, él puede (y quiere) simpatizar, sufrir y padecer junto con nosotros porque sufrió nuestras debilidades en su propia naturaleza humana, pero sin pecar. Por tal razón es nuestro Sumo Sacerdote y Representante ante el Padre. Por eso, Pablo dice que podemos ser más que vencedores (Rom. 8:37).

Jesús venció en el desierto, mientras que Adán pecó en el Paraíso. No se vence con lo que me parece, sino con un "Escrito está". "Cada hombre puede vencer como Cristo venció" (Elena de White, *Mensajes selectos*, t. 3, p. 154).

¡Seamos vencedores!

EL TRONO DE LA GRACIA

"Acerquémonos, pues, confiadamente al trono de la gracia, para alcanzar misericordia y hallar gracia para el oportuno socorro" (Hebreos 4:16).

Pablo nos dice que Cristo simpatiza y se compadece de nosotros. Es que él mismo vivió sin pecar, murió, resucitó, e intercede como Sumo Sacerdote. **Por eso, nos desafía a hacer tres cosas respondiendo las preguntas: ¿Qué? ¿Cómo? y ¿Dónde?**

¿Qué? El apóstol dice **acerquémonos.** El hombre construye muros y abismos, Dios construye puentes y caminos. Cristo es el Camino. Acercarse es nuestra respuesta a la iniciativa de Dios. Nadie que se acerca recibe migajas, o sobrantes. No son monedas las que nos aguardan sino las abundantes riquezas de la gracia de Dios, vida y en abundancia.

¿Cómo? Confiadamente. La confianza no está basada en nuestros méritos, recursos o influencias. La seguridad está anclada en Dios. No es por quién soy yo, sino por quién es él. Elena de White afirma que "debemos recibir la seguridad de que no necesitamos ir al cielo para traer a Jesús junto a nosotros, ni a lo profundo para acercarlo a nuestro lado, porque está a nuestra mano derecha, y su ojo está siempre sobre nosotros. Siempre debemos tratar de comprender que el Señor está muy cerca de nosotros para ser nuestro Consejero y Guía. Es la única forma en que podemos tener confianza en Dios" (*Hijos e hijas de Dios*, p. 29).

¿Dónde? Un trono es un lugar elevado destinado a la realeza. Es también un símbolo de autoridad real y soberanía. No se trata solo de un trono de gobierno, autoridad y juicio, sino también de misericordia, comprensión y gracia. Estos dos pensamientos son combinados en Jesucristo. Por esta razón, **la gracia se sienta en un trono porque ha vencido al pecado, ha soportado el castigo de la culpa humana y ha derrotado a todos sus enemigos.**

Isaac Newton fue un físico, teólogo, inventor y matemático inglés. Es el descubridor de la ley de la gravitación universal y, entre otros descubrimientos científicos, se destacan los trabajos sobre la naturaleza de la luz y el desarrollo del cálculo infinitesimal. Es, a menudo, calificado como el científico más grande de todos los tiempos.

Él sostuvo: **"Tomo mi telescopio y observo el espacio, lo que se encuentra a millones de kilómetros de distancia. No obstante, entro en mi habitación y, por medio de la oración, puedo acercarme más a Dios y al cielo que si contara con todos los telescopios que hay en la Tierra".**

Sí, como muy bien dijo Pablo: **Acerquémonos confiadamente al Trono de la gracia.**

DIOS SERÁ MI DEFENSA

"Porque todo sumo sacerdote es escogido de entre los hombres y constituido a favor de los hombres ante Dios" (Hebreos 5:1).

En el capítulo 5 de Hebreos, Jesucristo, el gran Sumo Sacerdote, es comparado con Aarón, que fue el primer sumo sacerdote, en los tiempos del Antiguo Testamento. Así, Pablo compara los ministerios sacerdotales de Aarón y de Jesucristo.

Y presenta las siguientes **similitudes:**

1. Ambos fueron elegidos por Dios de entre los hombres.
2. Ambos fueron designados para representar al pueblo delante de Dios.
3. Ambos tuvieron que orar y ofrecer sacrificios.
4. Ambos tuvieron que demostrar compasión.

A continuación, Pablo deja claro los **contrastes** entre ellos:

1. Solo Cristo es el Hijo de Dios; lo que significa que es Dios.
2. Solo Cristo recibió el sacerdocio eterno.
3. Solo Cristo fue hecho sacerdote según el orden de Melquisedec.

En la segunda parte del capítulo 5, Pablo muestra frustración, pues tiene mucho que decir, pero sus lectores son lentos para entender. Además, ellos deberían ser maestros, pero tienen necesidad de ser enseñados.

Para terminar, Pablo habla del alimento espiritual. Él explica que los creyentes infantiles, inmaduros, solo pueden ser alimentados con leche, mientras que los creyentes maduros pueden digerir bien los alimentos espirituales sólidos.

Cristo es nuestro único y suficiente Representante ante el Padre en el cielo. Él puede fortalecernos diariamente; pero para eso necesitamos alimentarnos de su Palabra todos los días.

Elena de White resume la experiencia de Lutero de esta manera **"En la contemplación de Cristo se perdía de vista a sí mismo. Se ocultaba detrás del Hombre del Calvario y solo procuraba presentar a Jesús como Redentor de los pecadores"** (*El conflicto de los siglos*, p. 141). Se aproximaban días muy difíciles para el reformador: sus amigos le pedían que se cuidara, ya que sus enemigos pretendían echarlo a la hoguera, como lo habían hecho con Hus. No obstante, cuando Lutero se aproximaba a Worms para ser juzgado, dijo: **"Dios será mi defensa"** (*ibíd.*, p. 142). Esta era la plena confianza de Lutero.

Lutero sabía que, si él confesaba a Cristo delante de los hombres, Cristo confesaría su nombre delante del Padre. Ningún poder ni fuerza podía detener su fe y su compromiso con su Salvador y su Sacerdote. Él sabía que solo Cristo cumplía con todas las condiciones para ser su único y suficiente Sacerdote.

Él es nuestra defensa hoy.

MADURANDO

"El alimento sólido es para los que han alcanzado madurez, para los que por el uso tienen los sentidos ejercitados en el discernimiento del bien y del mal" (Hebreos 5:14).

Una fruta madura es aquella que ha alcanzado un desarrollo completo. Así, una persona biológicamente madura es la que ha completado el proceso natural de crecimiento y desarrollo.

Algunos se refieren a la edad madura como la etapa ubicada entre la juventud y la vejez. Una persona emocionalmente madura desde lo emocional actúa con equilibrio, buen juicio, sensatez, estabilidad y sabiduría, un estado que no se alcanza necesariamente con la edad. Todos los organismos vivos alcanzan la madurez designada por Dios, a menos que el proceso de crecimiento sea interrumpido por circunstancias variadas y la vida sea alterada o destruida.

¿Qué quiere decir Pablo cuando se refiere a un creyente maduro? ¿Será alcanzar un elevado desarrollo moral y espiritual? ¿Cómo se evidencia? ¿Cómo se mide? ¿Hay un tope o toda la vida vamos madurando?

Al comentar Hebreos 5, la Biblia de Estudio Almeida menciona que una manera de evaluar nuestra madurez es mirar hacia las decisiones que tomamos. Crecemos en madurez cuando compartimos conocimiento y experiencia con otros en lugar de apenas recibir, cuando estamos más dispuestos a hacer autoevaluación que autocrítica, cuando priorizamos la unidad antes que promover la desunión, cuando preferimos desafíos espirituales antes que entretenimientos, cuando nos detenemos para hacer una observación y un estudio cuidadoso y profundo antes que una opinión superficial.

Crecemos en madurez cuando fortalecemos la confianza en Dios y disminuimos el miedo; cuando nuestros sentimiento, experiencia y conducta son evaluados a la luz de la Palabra de Dios en lugar de evaluar nuestra experiencia a la luz de nuestros sentimientos.

Todos venimos al mundo como bebés, y todos son hermosos. Sin embargo, más allá de la alegría que un niño nos traiga, y por agradable y tierno que sea tener un bebé en brazos, el sueño de todos los padres es verlo crecer y desarrollarse. Su alimentación de bebé tiene que ser reemplazada por una alimentación más fuerte. Pablo nos habla de una alimentación sólida. Se trata de todo el contenido de la Escritura, que nos nutre de manera adecuada y nos prepara para el testimonio. Se requiere disciplina y ejercicio espiritual guiados y conducidos por el Espíritu Santo.

Elena de White nos dice que **"una madurez noble y bien encuadrada no viene por casualidad"** (*Conducción del niño*, p. 39).

Maduremos día a día y llevemos muchos frutos para el Señor.

30 de noviembre

CONCIENCIA ESCLAVA

"Por tanto, dejando ya los rudimentos de la doctrina de Cristo, vamos adelante a la perfección, no echando otra vez el fundamento del arrepentimiento de obras muertas, de la fe en Dios" (Hebreos 6:1).

En el capítulo 6 de Hebreos, Pablo desafía a sus lectores a luchar por la madurez espiritual. Insiste en la importancia de desviarse del pecado y volver a Dios. Enfatiza la importancia del bautismo, de la imposición de manos, de la Resurrección y del Juicio. Y hace un fuerte llamamiento a seguir adelante fielmente. Esto muestra que vivir el cristianismo tiene que ver con la actuación de Cristo en nosotros, y que eso se evidencia en una vida enfocada en la voluntad del Padre.

Pablo expone una preocupación muy seria. Él se refiere a aquellos que probaron el don celestial, que compartieron al Espíritu Santo y probaron la Palabra de Dios y, después de experimentar esto, volvieron la espalda a Dios.

El apóstol usa una ilustración para eso: Cuando la tierra es fructífera, es bendecida. Pero cuando la tierra es infructuosa, es maldita.

El capítulo termina hablando de promesa. El mismo Dios que prometió bendecir a Abraham, y lo hizo, promete bendecirnos también a nosotros, y lo hará. Y ¿por qué el Padre puede bendecirnos? A causa del sacerdocio del Salvador Jesucristo.

¿Conoces a alguien que se alejó de los caminos de Dios? ¿Tienes un familiar cercano cuya fe en Dios se ha enfriado totalmente o que todavía no conoce al Señor y su mensaje? **La promesa de Dios es clara: su Palabra todavía está actuando en el corazón de esa persona. Por eso, continúa intercediendo en oración por ella, ¡pues Dios está actuando! Aun cuando todo parece en silencio, Dios está trabajando.**

El pastor Samuel Arce estaba con un proyecto de evangelismo en el norte del Paraguay. Cierta noche hubo un corte de energía eléctrica en toda la ciudad por causa de una tormenta. Oraron para que la energía pudiera restablecerse, pero llegó la hora de empezar y todo estaba a oscuras. Mientras tanto, el templo estaba lleno de personas sedientas del mensaje. Entonces, colocaron el auto en dirección al pasillo central de la iglesia, con las luces encendidas. Así, la predicación siguió adelante y siete personas fueron bautizadas, gracias a Dios.

Tal vez tu vida esté a oscuras. Sea cual sea tu situación, hay una poderosa Luz que viene del cielo: Cristo y su Palabra alumbran nuestro camino; la Luz es suficiente para guiar tus pasos. Somos iluminados y libres "cuando nuestra conciencia es esclava de la Palabra de Dios" (Martín Lutero).

LLEGÓ LA HORA DE MADURAR

"Por tanto, dejando ya los rudimentos de la doctrina de Cristo, vamos adelante a la perfección" (Hebreos 6:1).

Como dijimos anteriormente, la madurez es la etapa comprendida entre la juventud y la vejez, caracterizada por la prudencia, buen juicio, serenidad, lógica y responsabilidad. Tal experiencia no siempre coincide con la edad biológica.

Hablando de la madurez en la vida cristiana, Pablo dice que debemos dejar ya los rudimentos de la doctrina de Cristo e ir adelante, hacia la perfección. "Dejando a un lado las enseñanzas elementales acerca de Cristo, avancemos hacia la madurez", dice la *Nueva Versión Internacional* (NVI), y "sigamos aprendiendo más y más, hasta que lleguemos a ser cristianos maduros", dice la *Traducción en Lenguaje Actual.*

Un bebé no crece solo. Crece a medida que recibe amor, cuidado, alimento, descanso, ejercicio e instrucción. ¿Cómo crecemos y maduramos espiritualmente?

1-En relación con Dios: El arrepentimiento, o cambio de actitud y de estilo de vida, sintiendo tristeza y abandono del pecado que nos separó del Señor y produjo su muerte. Esto es posible por la fe en la actuación divina en nuestra vida.

2-En relación con la iglesia: El arrepentimiento y la fe conducen al bautismo y al servicio. El bautismo, como aceptación del plan de Dios y la puerta de entrada a la iglesia; y la imposición de manos como un símbolo de vidas dedicadas a Dios y al ministerio. En un sentido más amplio, **"cada verdadero discípulo nace en el Reino de Dios como misionero. El que bebe del agua viva llega a ser una fuente de vida. El que recibe llega a ser un dador.** La gracia de Cristo en el alma es como un manantial en el desierto, cuyas aguas surgen para refrescar a todos, y da a quienes están por perecer avidez de beber el Agua de la vida" (Elena de White, *El Deseado de todas las gentes*, p. 166).

3-En relación con el futuro: Crecemos y progresamos en la vida cristiana sabiendo que hay un juicio final que enfrentar, y que la vida no termina en la muerte. Tanto para los justos vivos transformados como para los justos resucitados, hay un destino de eternidad.

El fundamento es importante, pero no es suficiente si queremos tener el edificio completo. Dejar el fundamento no significa abandonarlo sino seguir edificando sobre él. Terminemos la construcción siempre basados en las creencias fundamentales de la Sagrada Palabra del Señor.

2 de diciembre

SIN VUELTA ATRÁS

"Es imposible que los que una vez fueron iluminados, gustaron del don celestial, fueron hechos partícipes del Espíritu Santo y asimismo gustaron de la buena palabra de Dios y los poderes del mundo venidero [...]" (Hebreos 6:4, 5).

El sentido corporal a través del cual percibimos y distinguimos los sabores es el gusto. Pero también la gente siente gusto por la lectura, la música, ciertos trabajos o el deporte. Solemos usar como expresión sincera "¡Que gusto saludarte!" Decimos, además, que el gusto puede ser cultivado.

Pablo dice que quienes fueron iluminados por la presencia de Dios han gustado de tres "alimentos esenciales":

1-Gustaron del don celestial, el Espíritu Santo. El Espíritu y sus dones hacen posible la conversión, la fidelidad y el testimonio misionero. La iglesia crecía por los hechos del Espíritu Santo, que transformaban tanto la vida de los evangelizadores como de los evangelizados.

2-Gustaron de la buena palabra de Dios. Habían escuchado la palabra apostólica, admitieron su bondad, que transforma y llena de esperanza. Fueron testigos de la "buena" y poderosa Palabra del accionar divino.

3-Gustaron de los poderes del siglo venidero. Para ellos, la historia se dividía en dos. El siglo presente malo y el venidero; es decir, el cumplimiento de la promesa mesiánica. El Reino de la gracia aquí y el Reino de la gloria en la eternidad. Los poderes del siglo venidero son los poderes de aquel que vino a deshacer las obras del diablo.

Quien gustó del don celestial de la buena palabra de Dios degusta los poderes del siglo venidero: hoy, como vencedor del pecado; y en breve, con una vida para siempre. La plena manifestación del Mesías ocurrirá cuando Jesucristo vuelva en gloria y majestad.

Sin embago, Hebreos 6:6 dice que, más allá de estos beneficios, algunos recayeron. Esa expresión, usada una sola vez, significa "caer al lado", "apostatar", "ser infieles". **No puede ser que después de haber gustado y experimentado nos volvamos atrás.** Para los cristianos de origen hebreo, su volver atrás significaba retorno al judaísmo. La cariñosa amonestación dice que es imposible salvarnos siguiendo nuestro camino y considerando que no pasa por el Calvario; por lo tanto, esto nos conduce a la muerte. El único camino al cielo pasa por la Cruz. No tomemos un camino paralelo, cercano, ni opuesto.

Si ya gustaste, continúa. Si nunca probaste, prueba, porque es lo único que mantiene y perpetuará tu vida. No desestimes el eficiente y suficiente antídoto para el virus del pecado. El enemigo esta apurado para destruir; Jesús tiene prisa para salvar.

VIVIR EN CÁMARA LENTA

"Dios no es injusto para olvidar vuestra obra y el trabajo de amor que habéis mostrado hacia su nombre, habiendo servido a los santos y sirviéndolos aún" (Hebreos 6:10).

Pablo dice que la tierra que recibió abundante lluvia produce abundante fruto para salvación. Por eso, el apóstol nos presenta cinco afirmaciones.

1-Dios no es injusto. Así, no deja sin reconocimiento o recompensa toda obra hecha en favor de sus santos. De la misma manera que Jesús expresó en el evangelio, toda acción realizada o no en favor de un pequeñito es ofrecida o negada al mismo Cristo.

2-Dios no es olvidadizo. El ser humano se olvida de las mercedes recibidas mientras que recuerda las ofensas; en tanto, el Señor olvida nuestros pecados perdonados y recuerda todo gesto de amor brindado a sus hijos. No desestima ningún acto de bondad por pequeño que sea, tanto un vaso de agua fría (Mat. 10:42) como la lágrima de dolor o simpatía (Sal. 56:8).

3-Debemos seguir con la misma solicitud hasta el fin. Es más que un anhelo ferviente; es confirmar el mismo compromiso con sentido de urgencia en la certeza de la esperanza. De nada sirve salir de Egipto si no mantenemos en el desierto un andar dependiente y fiel del Señor. El plan de Dios es llevarnos a la Canaán celestial.

4-No debemos ser perezosos. Si buscamos siempre la comodidad y nos movemos lentamente, somos perezosos, no diligentes. Ser perezoso parece inofensivo; pero, como decía el sabio Salomón, el perezoso es como vinagre agrio que irrita los dientes o humo que hace arder los ojos (Prov. 10:26).

5-Debemos ser imitadores de los confiados y pacientes herederos. El labrador no va a lograr una cosecha contemplando la semilla. Necesita arar, plantar, quitar la maleza y regar la semilla, mientras clama por lluvia. No se puede descuidar el estudio de la Biblia, la oración, la confraternidad y el testimonio misionero. Se requiere fe, paciencia y perseverancia.

Los perezosos son animales tropicales de pequeño porte que viven en las selvas húmedas del centro y el sur de América. Son de desplazamiento lento y caminar cansino. Se alimentan básicamente de hojas, las que le proporcionan pocas energías y tienen una digestión de hasta un mes de duración. Duermen unas 18 horas diarias. Viven "en cámara lenta".

"Amigos, las calamidades en tierra y mar, la inestabilidad social, las amenazas de guerra, como portentosos presagios, anuncian la proximidad de acontecimientos de la mayor gravedad [...] los movimientos finales serán rápidos" (Elena de White, *Eventos de los últimos días,* p. 13).

Ya no es tiempo de vivir en cámara lenta.

4 de diciembre

ANCLADOS EN LO PROFUNDO DEL...

"[...] Hemos acudido para asirnos de la esperanza puesta delante de nosotros. La cual tenemos como segura y firme ancla del alma, y que penetra hasta dentro del velo, donde Jesús entró por nosotros como precursor" (Hebreos 6:18-20).

Pablo enfatiza la salvación en estos términos:

1-La promesa: El apóstol ilustra esto con la vida de Abraham, quien tuvo dudas, errores y pecados, pero para quien el Señor cumplió su promesa, no solo de un hijo sino de una descendencia, promesa basada en la fidelidad divina y no en la conducta humana. Cuando parecía que se demoraba el cumplimiento, Dios lo garantiza con su juramento.

2-El juramento: El ser humano colocaba a un superior a sí mismo como garantía de su palabra. Siendo que Dios no tiene nadie superior que sea su fianza, él mismo se constituyó en garantía. Su palabra ya es segura; y su juramento, como reaseguro, es una evidencia irrefutable de la imposibilidad de incumplimiento de parte de Dios.

3-El heredero: No solo Abraham, sino todo aquel que expresa la misma confianza, acepta la palabra, el juramento, y con ello recibe fuerte aliento y consuelo. Todo aquel que acude –es decir, que se refugia en Cristo– es alcanzado por el perdón, la justicia y la esperanza.

4-La esperanza: Es el ancla para cada heredero. Existen anclas de variados tamaños, formas y pesos. Un ancla pequeña puede afianzar un barco grande. Los barcos llevan diferentes anclas: la temporal, cuando la embarcación se detiene por poco tiempo; la de trabajo, o principal; y la de tormenta, utilizada para hacer frente el fenómeno climático.

Pablo sabía de viajes, tormentas y anclas, ya que, rumbo a Roma, se precisaron cuatro anclas para asegurar el barco. Nadie mejor que él para usar esta figura del ancla a fin de referirse a la esperanza. Para los griegos, el ancla era un símbolo bien conocido de la esperanza, y aparecía tanto en las tumbas paganas como en las cristianas.

Toda ancla bien echada se arroja hacia abajo; pero esta, según Pablo, hay que lanzarla hacia arriba. Más precisamente detrás del velo, en el Santuario, donde está Cristo intercediendo por nosotros y aplicando sus méritos y su justicia a nuestra falta total de ellos.

Nadie podía seguir al sacerdote al Lugar Santísimo. Cristo es el precursor, lo que asegura que no es el único. Él fue para que otros vayan después.

No te ancles en lo profundo del mar, en el suelo movedizo de nuestras pasiones; sino en lo alto del Cielo, en el inamovible Trono de Dios. Ánclate en Cristo, quien por su palabra, juramento y herencia prometida hacen fuerte nuestra esperanza.

¿QUIÉN ES, PARA TI?

Este Melquisedec, rey de Salem, sacerdote del Dios Altísimo, salió a recibir a Abraham que volvía de la derrota de los reyes, y lo bendijo" (Hebreos 7:1).

En el capítulo 7 de Hebreos, Pablo compara el sacerdocio de Jesús con el de Melquisedec. El nombre Melquisedec significa "rey de justicia" o "rey de paz", y fue sacerdote y rey de la ciudad de Salem.

Melquisedec tenía preeminencia o autoridad; por ejemplo: Después de la derrota de sus enemigos, Abraham encontró a Melquisedec, fue bendecido y entregó el diezmo a él; es decir, lo consideraba superior.

Pablo presenta varias características del sacerdocio de Jesús: Real, superior, independiente de la Ley (no por ser contra la Ley, sino por cumplir la Ley), independiente de la tribu de Leví (Cristo vino de la tribu de Judá); con un sacerdocio eterno, garantizado, continuo, permanente, santo e inmaculado. **Él es nuestro Rey, Sacerdote e Intercesor, ruega por nosotros y por él estamos seguros.**

Elena de White cuenta, en el libro *Cristo nuestro Salvador*, en el capítulo "La entrada a Jerusalén", de una gran muchedumbre que lo acompañaba: "Los ciegos recuperados guiaban a la comitiva, los mudos a quienes había dado el poder de hablar prorrumpían en las más fuertes hosannas y aclamaciones. Los tullidos sanados saltaban de gozo. Las viudas y los huérfanos alababan el nombre de Jesús, los leprosos restaurados extendían sus vestiduras sobre su camino, los resucitados -entre ellos, Lázaro- y toda la multitud alababan en vivas de triunfo y alegría".

Cuando los fariseos preguntaban quién era Jesús, "sus discípulos, llenos del Espíritu de inspiración, contestaron: Adán os dirá que es la simiente de la mujer que ha de herir la cabeza de la serpiente. Abraham, que es Melquisedec, Rey de Salem, Rey de paz. Isaías, que es Emmanuel, Admirable, Dios poderoso, Padre eterno, Príncipe de paz. Jeremías, que es el Señor nuestra justicia. Daniel, que es el Mesías. Juan el Bautista dirá: He aquí el Cordero de Dios que quita los pecados del mundo".

Nosotros, sus discípulos, declaramos que este es Jesús, nuestro Mesías, Príncipe de vida, Redentor e Intercesor, quien vino y vendrá a deshacer todas las obras del diablo.

Y tú ¿que dices? ¿Quién es, para ti?

La respuesta es tuya.

6 de diciembre

SUPERIOR

"Pero aquel cuya genealogía no es contada de entre ellos, tomó de Abraham los diezmos y bendijo al que tenía las promesas. Y, sin discusión alguna, el menor es bendecido por el mayor" (Hebreos 7:6, 7).

Los reyes del norte se enfrentaron contra los reyes de la llanura cerca del Mar Muerto. Los del norte ganaron ,y se llevaron toda la riqueza y muchos cautivos; incluso a Lot, sobrino de Abraham. Este se movió rápidamente: organizó a los 318 siervos más destacados y fueron tras los victoriosos. Según el relato de Génesis 14, recuperaron los recursos sustraídos como así también a Lot y a los demás cautivos.

Regresando de su incursión, pasaron por Salem. El rey de la ciudad era Melquisedec, sacerdote de Jehová. No se sabe de dónde salió, ni cómo estaba relacionado con Jehová. Pero Abraham y Melquisedec se conocían. Pablo dice que el patriarca lo aceptó como superior, fue bendecido por él y le entregó los diezmos de todo. La bendición ilustra la obra divina que riega en abundancia la vida de sus hijos y, como consecuencia, la entrega de los diezmos es la respuesta humana que refleja gratitud y sumisión.

El apóstol muestra que Melquisedec es símbolo del sacerdocio superior de Jesús. Nada se sabe de sus padres ni de sus antepasados, ni del principio y el fin de su vida. El sacerdocio de Cristo es universal: sin genealogía y con futuro eterno.

Melquisedec era rey, era rico, era respetado, pero era más grande que eso. Era superior a Abraham, el patriarca de la fe y el más grande de todos los judíos. Así, Pablo compara a este sacerdote con los levitas y dice que es superior, porque los primeros tenían un tiempo limitado, eran mortales y pecadores. Hay un contraste entre los mortales y uno que estuvo muerto y vive porque venció la muerte. Tan superior como la vida lo es con respecto a la muerte.

El oficio sacerdotal en sí es la intercesión en favor del pecador ante Dios. Los intercesores humanos, todos los hijos de Leví y sus descendientes, jamás podrían colocar a los pecadores en contacto directo con Dios. Lo hacían por medio de los sacrificios que simbolizaban el de Cristo. Los símbolos nunca son perfectas expresiones de la realidad. El sacerdocio aarónico era, pues, imperfecto. **Solo Cristo es el sacerdocio perfecto, al colocar a los pecadores en contacto directo con Dios, sin necesidad de sacrificios ni intermediarios. Porque Cristo es nuestro único y suficiente Sacrificio y superior Intermediario.**

En los días del "milenio pasado", cuando cursé la educación primaria, existía el primer grado inferior y el primer grado superior. Que Cristo sea siempre nuestro primer y superior Sacerdote, para que nuestro "milenio futuro" sea eterno.

DISTINTO

"Y esto es aun más evidente si a semejanza de Melquisedec se levanta un sacerdote distinto" (Hebreos 7:15).

Pablo nos presenta un sacerdote "distinto" del sacerdote presentado en Levítico. Allí solo se prefiguraba al que vendría, originario de la tribu de Leví, de la familia de Aarón, con un servicio limitado en días y años. **¿Por qué Jesús era distinto?** El Dr. Mario Veloso lo resume así:

1-Distinto con respecto a la Ley. Según la ley sacerdotal, se imponía que el sacerdote descendiera de la tribu de Leví, pero Jesús pertenecía a la de Judá.

2-Distinto con respecto a la vida. El sacerdocio levítico solo puede otorgar autoridad formal. Cristo, en cambio, es sacerdote por el poder de una vida indisoluble, estable y permanente (Heb. 7:16). No existe ningún sacerdote levítico con vida así. En los días de Jesús, en el Templo, había un sistema de turnos para los sacerdotes que especificaba los tiempos cuando cada uno podía ejercer su ministerio. El sacerdocio de Cristo no posee limitación alguna.

3-Distinto con respecto al tiempo. Él es un sacerdote para siempre. Todos los sacerdotes levíticos murieron. Incluso el sistema sacerdotal aarónico terminó. Sin embargo, Cristo actualmente intercede por los pecadores en el Santuario celestial.

4-Distinto con respecto al juramento. Los otros sacerdotes no fueron hechos sacerdotes por juramento, pero en este caso Dios mismo juró para dar seguridad a la promesa (Heb. 7:20, 21). Ese juramento concede base al sacerdocio del Hijo en contraste con el fundamento legal del sacerdocio levítico.

5-Distinto porque es el fiador de un nuevo pacto. Dice Hebreos 7:22 y 23: **"Por tanto, Jesús es hecho fiador de un mejor pacto. Y los otros sacerdotes llegaron a ser muchos, debido a que por la muerte no podían continuar; pero éste, por cuanto permanece para siempre, tiene un sacerdocio inmutable".**

Este Sacerdote intercesor es el mismo que nos creó, que nos redimió con su sangre, que persiste en su proyecto salvador, y por eso intercede diaria y permanentemente por nosotros. **No necesita ofrecer sacrificios por sí mismo ni tiene que pedir prestada una vida. Él tiene vida propia, y la dio por nosotros.**

Un incrédulo pretendía burlarse de una abuela creyente, a quien le hizo una pregunta: "¿Qué significa para ti ser salva?" Ella, con seguridad, respondió: "Para mí significa que Jesús se pone mis zapatos; y yo, los suyos".

Jesús se puso en nuestro lugar siendo nuestro Sacrificio, nuestra Ofrenda y nuestro Sacerdote. Él murió nuestra muerte para que nosotros vivamos su vida. Se puso nuestros zapatos para que nosotros podamos usar los suyos.

INMUTABLE

"Por tanto, Jesús es hecho fiador de un mejor pacto. Y los otros sacerdotes llegaron a ser muchos, debido a que por la muerte no podían continuar; pero este, por cuanto permanece para siempre, tiene un sacerdocio inmutable" (Hebreos 7:22-24).

No hay muchas cosas inmutables. Casi todo cambia y no necesariamente hacia lo mejor, como pretende la filosofía evolucionista. La prueba más clara se encuentra en la existencia misma del pecado; siempre presente en las personas, dañando y destruyendo. Por esta razón se hizo necesaria no solo la muerte de Cristo sino también su intercesión. "La inmutabilidad es la propiedad peculiar de la eternidad", expresó Marsilio Ficino, dando a entender que es la capacidad de no cambiar o la imposibilidad que un ente cambie en su esencia o en sus propiedades.

El pecado y la muerte parecían enemigos invencibles. Pero el Padre, el Hijo y el Espíritu Santo, en consejo de paz, anterior a la aparición de estos males, crearon un plan de salvación. El Hijo se ofreció a una muerte voluntaria en sustitución de la raza humana pecadora.

Él sería al mismo tiempo Sacrificio y Sacerdote. Su vida inmaculada, su muerte y su intercesión vencerían la muerte causada por el pecado, y harían posible la restauración definitiva de los pecadores.

El Santuario terrenal ilustra el ministerio del Santuario celestial, inmutable, inalterable, sin principio ni fin, universal y permanente en Cristo Jesús. Él es intransferible; su ministerio no es delegado a un sucesor; es constante para salvar perpetuamente a los que por él se acercan a Dios, viviendo todo el tiempo para interceder por ellos.

Esta intercesión no era posible para el sacerdocio aarónico. Todos los sacerdotes, incluyendo el sumo sacerdote, eran sustituidos a través de una sucesión hereditaria. Eleazar sucedió como sumo sacerdote a Aarón; Finees, a Eleazar; y así sucesivamente, de padres a hijos, hasta la destrucción del Templo en el año 70 d.C. Según el historiador judío Flavio Josefo, este hecho se repitió 83 veces. Solo Cristo podía interceder todo el tiempo porque solo él vive todo el tiempo.

Por eso, Pablo dice que este Sacerdote nos convenía, por ser el Sumo Sacerdote adecuado; por su divinidad/humanidad habilitantes para mediar entre los pecadores y Dios; porque solo necesitó hacer un sacrificio, una sola vez y para siempre; y porque siendo sin pecado no necesita ofrecer sacrificios por sí mismo como los sumos sacerdotes aarónicos.

Jesús está habilitado para salvarnos por su perfecto sacrificio en la Tierra y su perfecta mediación en el cielo. Frente a este amor inalterable e inmutable, los únicos que tenemos que cambiar somos nosotros. ¿No te parece? Si lo permites, él también se hace cargo de eso.

ATONEMAKER

"Ahora bien, el punto principal de lo que venimos diciendo es que tenemos tal sumo sacerdote, el cual se sentó a la diestra del trono de la Majestad en los cielos" (Hebreos 8:1).

En el capítulo 8 de Hebreos, Pablo presenta la superioridad del Nuevo Pacto en relación con el Antiguo Pacto. Todo es superior: el Santuario (está en el cielo), su sacerdote (es Jesucristo mismo), su sacrificio (mientras que los sacerdotes ofrecían a los animales en el Santuario terrestre, el Cordero de Dios se ofreció en el Santuario celestial), y la seguridad y la confianza (el Antiguo fue mediado por Moisés, mientras que el Nuevo fue mediado por Cristo).

En 2017 se cumplieron quinientos años de la Reforma protestante. El sueño de los reformadores era ver la Biblia en manos de toda la gente. Las llamas activadas por Lutero estaban encendiendo un fuego que nadie podría apagar. Ya en el siglo XIV, Juan Wiclef había levantado la bandera de las verdades bíblicas en Inglaterra. Se lo conoció como la estrella de la mañana de la Reforma, ya que fue el primero en traducir la Biblia del latín al idioma inglés.

Gracias a Gutemberg y su invento de la imprenta, fue más sencilla la difusión de contenidos escritos. Así, Erasmo de Roterdan, en 1516, publicó su edición griega del Nuevo Testamento. Y luego surge la figura de William Tyndale. Nacido en 1494 y graduado en las universidades de Oxford y Cambridge, amaba la Palabra de Dios y su pasión fue que la Biblia llegara al pueblo inglés en su idioma materno.

Fue perseguido, huyó a Londres y luego a Alemania. Pero, en 1526, publicó su traducción del Nuevo Testamento realizada a partir del texto original griego de Erasmo.

Tyndale fue mártir en 1536, después de muchos meses de estar atado a una estaca. Fue estrangulado y quemado. Sus últimas palabras fueron: "Señor, abre los ojos del rey de Inglaterra". Su oración fue oída porque, poco tiempo después, Enrique VIII publicó la primera Biblia completa impresa en lengua inglesa.

Otro legado de Tyndale fue haber acuñado **el término *atonemaker*, que significa que Cristo es el "Autor de la Expiación"**. Fue **por el sacrifico y el ministerio del Señor que se atienden los intereses de ambas partes, los de la santidad del Cielo y los de la pecaminosidad de la Tierra, reconciliando así al hombre con Dios.**

El Antiguo Pacto fue pasajero, transitorio y escrito en la piedra. El Nuevo Pacto es permanente, eterno y escrito en nuestro corazón.

Sí, Cristo es nuestro *atonemaker*, nuestro Autor de la Expiación y la salvación.

EL ÚNICO Y EL MEJOR

"Pero ahora tanto mejor ministerio es el suyo, cuanto es mediador de un mejor pacto, establecido sobre mejores promesas" (Hebreos 8:6).

Dios ordenó construir el Santuario en el desierto para que los creyentes tuviesen una lección objetiva del plan de salvación. Los sacrificios en los que participaban o presenciaban eran fuertes representaciones destinadas a mostrar la gravedad del pecado, el precio del rescate, la inmensidad de su gracia, la seguridad del Juicio y la extirpación final del pecado.

Pablo dice que Cristo es el único y mejor Mediador, Artífice de un mejor y nuevo Pacto establecido sobre mejores y nuevas promesas. La promesa de un nuevo Pacto fue dada a través de Jeremías, por medio de una profecía que anunciaba la restauración.

Dios liberó a su pueblo de la esclavitud en Egipto y le dio la Ley, para protegerlos y diferenciarlos de las prácticas paganas. **Primero viene la gracia, es decir, la liberación; y como consecuencia, la obediencia por amor.** En el Nuevo Pacto, el Señor coloca sus leyes en nuestra mente, y las escribe en nuestro corazón. Sin embargo, esto requiere nuestro asentimiento, y caminar dependientes y fieles.

Hebreos 8 dice que Dios quiere ser nuestro Dios y que nosotros seamos su pueblo. Alguien, de manera muy familiar, se expresó así: **"Si Dios tuviera un refrigerador, seguro tendría tu foto pegada en la puerta".** Somos especiales y únicos para él; te atiende como único. **¿Es lo mismo Dios para ti?**

Hebreos 8 también declara que Dios quiere ser conocido por la naturaleza, por su Palabra, por su poder, su amor y su justicia. Pero, por sobre todo, quiere ser conocido por lo que tu vida muestra de él.

Este capítulo también afirma que Dios borra nuestros pecados y nunca más se acordará de ellos. **¿Cómo puede ser que el Dios que todo lo sabe se olvide de nuestros pecados?** Si así fuera, ¿no dejaría de ser Dios? Sin duda, él lo sabe todo, pero no guarda ni toma en cuenta los pecados en contra de nosotros. Dios coloca nuestros pecados tras sus espaldas y en lo profundo del mar.

En la Cruz, Cristo fue tratado como si él hubiera hecho el mal, para que nosotros seamos tratados como si no lo hubiéramos hecho, porque el mal fue traspasado de nuestra cuenta a la cuenta de Cristo.

Ahora somos parte de un nuevo Pacto, con nuevas promesas, que nos da nueva esperanza y nos hace partícipes de una nueva naturaleza a fin de que tengamos una nueva vida aquí, más fiel y más misionera. Y, en breve, tendremos una vida nueva que será para siempre.

UNA VOZ DE ESPERANZA

"Ahora bien, aun el primer pacto tenía ordenanzas de culto y un santuario terrenal" (Hebreos 9:1).

El capítulo 9 de Hebreos presenta el Santuario terrenal y el celestial. Detalla la ubicación de los muebles y los deberes del sacerdote y del sumo sacerdote. Describe también el celestial destacando su superioridad. **Cristo mismo ofrece su propia sangre, su vida; es sacrificado solo una vez y produce redención eterna.**

Pablo nos cuenta que los dos santuarios necesitaban ser purificados con la sangre del sacrificio. El Santuario terrenal, con la sangre de los animales. En tanto, el celestial ha sido y será purificado con y por la sangre de Cristo. **Nuestra salvación es posible por este sacrificio de Cristo, por su mediación intercesora, y por su pronta manifestación en gloria y majestad.**

Javier y Sandra eran conocedores del evangelio hasta que la vida los golpeó, la fe se debilitó y dejaron su iglesia. Fueron cuatro años de luchar solos; tiempos muy difíciles, tristes y sin esperanza. Sentían la necesidad de congregarse, y clamaban por un rebaño y un pastor.

Escuchaban siempre una emisora evangélica. Fueron a varias iglesias buscando el Camino, la Verdad y la Vida. Iban con expectativas y regresaban con decepción. Una tarde, "su" radio cristiana, por unas interferencias, estaba pasando música secular. Sin saber cómo, Sandra fue de FM 88.3 a FM 92.9, Radio Nuevo Tiempo Buenos Aires, y quedó atrapada por el mensaje de esperanza emitido desde la música y el mensaje. Al llegar Javier del trabajo, le contó su experiencia, y se hicieron oyentes permanentes.

Después de algunos meses, pidieron "la guía de estudio bíblico". La respuesta llegó el viernes 30 de diciembre de 2016, invitándolos a la iglesia adventista más cercana; en este caso, la de Villa Martelli, Buenos Aires, localizada a solo quinientos metros de su domicilio. Ese sábado tuve el privilegio de predicar en esa iglesia. Javier y Sandra fueron tan solo para pasar, retirar la guía de estudios y seguir. Sin embargo, una iglesia cariñosa los cobijó, y allí se quedaron para siempre. Un año más tarde, tuve la alegría de bautizarlos. Hoy son líderes misioneros, y ya han llevado a otros a Jesús y a los caminos de Dios.

Cristo, desde el Santuario celestial, es una voz de esperanza. Como en esta historia, la iglesia con la Palabra, ACES con sus publicaciones, Granix con sus alimentos y Nuevo Tiempo con su programación son una voz de esperanza.

Haz oír bien fuerte esa voz. Muchos, como Javier y Sandra, están necesitados de escucharla.

"¡SI HUBIERAN ESCUCHADO!"

"Por eso, Cristo es mediador de un nuevo pacto, para que, interviniendo muerte para la remisión de los pecados cometidos bajo el primer pacto, los llamados reciban la promesa de la herencia eterna" (Hebreos 9:15).

La *Biblia del predicador* (preparada por la ACES) presenta el resumen que Pablo hace entre el Pacto antiguo y el nuevo. Así, señala las insuficiencias del primero porque es simbólico, terrenal y temporario.

En contraste, destaca la suficiencia del Nuevo Pacto porque es completo, con Cristo presente. No es simbólico, sino real y encarnado, como Sumo Sacerdote de los bienes venideros. No es terrenal, sino celestial, ya que no fue hecho de manos. No es establecido con sangre ajena, sino con la propia. No solo tiene la capacidad de purificar la carne, sino también la conciencia, otorgando acceso a las inmerecidas bendiciones del Pacto.

Los pactos en la antigüedad incluían una cláusula de castigo con derramamiento de sangre para su transgresor. La muerte de Cristo, en sustitución del pactante infractor, redime de la muerte al pecador arrepentido e inaugura el segundo Pacto.

Posiblemente conozcas algo de Li Wenliang, un médico oftalmólogo del Hospital Central de Wuhan, quien fue el primero en advertir sobre la COVID-19, que tantas consecuencias dolorosas trajo y trae a toda la humanidad.

En diciembre de 2019, después de atender a pacientes con síntomas respiratorios agudos, concluyó que se trataba de una versión más agresiva de un virus que ya había matado a más de setecientas personas al inicio de este milenio. Pocas semanas después, Li comenzó a toser y a tener fiebre. Fue internado. Desde su cama del hospital, compartió por las redes sociales sus últimas palabras: **"Si hubieran escuchado mi mensaje y compartido la información, habría sido mucho mejor".** Li murió el 7 de febrero de 2020, dejando a su esposa embarazada y a su hijito de 5 años. Tenía 34 años.

Esta es la impactante historia de un oftalmólogo que vio el peligro que nadie percibió e intentó salvar a las personas, cuando todavía había esperanza de detener el brote. Las autoridades chinas reconocieron su descubrimiento y lo consideraron un héroe que murió para abrir los ojos del mundo hacia aquello que estaba por venir.

Desde el Santuario celestial, Cristo, quien ocupó en la Cruz nuestro lugar como transgresores, nos ofrece sus servicios como Mediador. Él ve lo que nadie ve: la destrucción de los infectados por el virus del pecado, como la restauración y la vida de los que se someten al tratamiento.

¡Es urgente escuchar su voz y compartir la información!

SANGRE AZUL

"Y según la Ley, casi todo es purificado con sangre; y sin derramamiento de sangre no hay remisión" (Hebreos 9:22).

Cuando el Señor hizo una promesa a Abraham, los pactos se firmaban con la sangre de un sacrificio e implicaban la muerte de quien no cumpliera el contrato. Cristo no derramó su sangre como la parte incumplidora sino en lugar del sacrificio que lo ratificaba. **Nuestra vida es transitoria, pero la vida nueva que Dios ofrece es perdurable.** Fue necesaria la muerte de Cristo a fin de que los términos del Nuevo Pacto entraran en vigor. "Esta copa es el nuevo pacto en mi sangre, que por vosotros se derrama", dijo Jesús en Lucas 22:20.

En 1994, Robert Rodat indagó en la historia de los cuatro hermanos Niland, que fueron combatientes en la Segunda Guerra Mundial. Dos de ellos murieron en combate, pero uno de ellos regresó a los Estados Unidos pensando que el resto de sus hermanos había muerto, pero descubrió que uno de ellos estaba vivo, en un campo de prisioneros de guerra japonés en Birmania. De ese trabajo surgió la idea para el guion de ficción del film *Rescatando al soldado Ryan* (1998). Durante la invasión de Normandía, en plena Segunda Guerra Mundial, el capitán John Miller fue elegido para dirigir a un equipo encomendado a una peligrosa misión: encontrar al soldado James Ryan, cuyos tres hermanos ya había muerto en la guerra, a fin de ponerlo a salvo. ¿El motivo? No se permitía que todos los hijos de una familia fueran muertos en combate.

La batalla por el rescate fue recia, y el capitán Miller estaba a punto de morir. Así, le dijo a Ryan: **"Hemos hecho un gran sacrificio por ti. Vive una vida digna, a la altura de todo esto".** En el final de la película, y ya anciano, Ryan visita la tumba del capitán para rendirle homenaje y le pregunta a su esposa si había vivido dignamente, a la altura del sacrificio de su rescate.

Elena de White escribió **que "el Señor Jesucristo pagó por nosotros el precio del rescate con su propia sangre [...] sois su propiedad"** (*A fin de conocerle*, p. 60). Y que muy pronto el Señor, en la Eternidad, exclamará: **"¡Contemplad el rescate de mi sangre! Por estos sufrí, por estos morí, para que pudiesen permanecer en mi presencia a través de las edades eternas"** (*Consejos para la iglesia*, p. 120).

"Sangre azul" es un término utilizado internacionalmente para designar a descendientes o pertenecientes a familias nobles o reales. **Ninguno puede alcanzar la gracia por sus propios méritos. Todos somos indignos. Pero, como Ryan, somos llamados a vivir vidas dignas, a la altura del precio pagado por nuestro rescate. Fuimos rescatados por la sangre azul derramada del Capitán y Rey para vivir como rescatadores.**

¿Estás viviendo como es digno de un hijo del Rey?

WORLD JUMP DAY

"Así también Cristo fue ofrecido una sola vez para llevar los pecados de muchos; y aparecerá por segunda vez, sin relación con el pecado, para salvar a los que lo esperan" (Hebreos 9:28).

¿Sabías que el versículo de hoy es el único pasaje de la Biblia que contieneC las dos venidas de Jesús? ¡Maravilloso!

En la primera venida, vino para llevar los pecados de los muchos; es decir, de todos. La Biblia dice que el Padre envió al Hijo, que este se ofreció a sí mismo y que fue apresado, mal juzgado, crucificado y muerto por manos impías, y que aparecerá, se hará visible.

En la segunda venida, aparecerá sin relación con el pecado para salvar a los que lo esperan. Por cierto, este es también el único texto en donde se usa el adjetivo "segunda" para referirse a la venida de Cristo en poder y gloria.

El ofrecimiento voluntario de Cristo en el Calvario y su entrada en el cielo fueron actos únicos. Uno hizo posible lo otro. El sacrificio le permitió entrar en el cielo como Mediador, no en virtud de sangre ajena sino propia, y ambos le permitirán volver para completar el rescate.

El 20 de julio de 2006 fue la fecha en que algunos pensaron que la vida sobre nuestro planeta podría sufrir un gran cambio. La propuesta fue un poco insólita: mediante un salto al mismo tiempo de toda la humanidad, se pretendía cambiar el eje de la Tierra. Por eso, el proyecto para ese día se llamó el *World Jump Day*; es decir, el día para un salto multitudinario y mundial.

Para que este "gran salto" diera el supuesto resultado esperado, unos seiscientos millones de personas de Occidente deberían saltar al mismo tiempo. Así, y con este "gran salto", los organizadores pretendían frenar el calentamiento global y mejorar el clima de todo el planeta.

No fue este, ni será ningún otro plan humano, lo que resolverá definitivamente nuestros problemas. **El gran salto de Jesús del cielo a la Tierra hace posible nuestro gran salto de la Tierra al cielo.**

Él quiere salvar a todos. Pero solo salvará a los que lo esperan. Ese será el día de nuestro gran salto, de nuestra miserable casa de pecado a nuestro maravilloso palacio de gloria. Entrenemos diaria y fielmente para el gran y definitivo salto.

TAN SOLO 16.972.500 EUROS

"La Ley, teniendo la sombra de los bienes venideros, no la imagen misma de las cosas, nunca puede, por los mismos sacrificios que se ofrecen continuamente cada año, hacer perfectos a los que se acercan" (Hebreos 10:1).

En Hebreos 10, Pablo explica la limitación de los sacrificios de la Ley. Entonces, enfatiza que el sacrificio de Cristo fue hecho una sola vez y para siempre. Luego, señala la inferioridad de los corderos ofrecidos en el Santuario terrestre y la superioridad del Cordero celestial.

1. Mientras que el sacerdote tenía que ofrecer sacrificios continuamente, Jesucristo se ofreció una vez por todos. Y no fue ni será necesario otro sacrificio.

2. Mientras que el sacrificio de animales jamás consiguió el perdón de un pecado, el sacrificio de Cristo puede purificarnos para siempre.

El apóstol hace algunos llamamientos:

1. Acerquémonos al Trono de Dios con seguridad y con intrepidez.
2. Cooperemos con todos, tratando a las personas con bondad.
3. Aceptemos a Cristo como nuestro Sacerdote intercesor, pues se acerca el momento del Juicio de Dios.
4. Reconozcamos la fidelidad de Dios. Él fue, es y será fiel.
5. Mantengamos firme la fe, con paciencia y acción de gracias.

Las noticias periodísticas daban cuenta del estrago en vidas, salud y economías causados por el avance de la pandemia de la COVID-19. De pronto, una noticia diferente: un italiano de 93 años sale del hospital después de mejorar su situación de salud. Al saldar la cuenta, de 500 euros por el uso del respirador durante un día, se puso a llorar, lo que conmovió a los médicos, quienes le aseguraron que no estaba obligado a pagar, pues entendían su situación. La respuesta hizo llorar a todos: **"No lloro por el dinero que tengo que pagar; puedo hacerlo. Lloro porque he estado respirando aire de Dios durante 93 años, y nunca pagué nada. Ni siquiera agradecí. ¿Sabes cuánto le debo a Dios?"**

Si ese fue el costo de un día, en 93 años serían 16.972.500 euros. ¡Todo ese monto de dinero tan solo por el aire! ¿Cuánto más habría que añadir por el pan, el agua, los alimentos, la sonrisa y el bienestar de un hijo, la paz, el perdón, la fe, la esperanza, la salvación, y por la Eternidad? Nadie debe sentirse inferior, olvidado, rechazado. ¡Nada de eso!

Decididamente, es imposible pagar y no tendríamos cómo. Además, Jesús lo hizo por nosotros con su vida, su muerte, su intercesión y su plan de concedernos la Eternidad.

Vivamos hoy agradecidos, comprometidos y fieles.

ACERQUÉMONOS

"Acerquémonos, pues, con corazón sincero, en plena certidumbre de fe, purificados los corazones de mala conciencia y lavados los cuerpos con agua pura" (Hebreos 10:22).

El hombre construye muros y abismos; Dios, puentes y caminos. Cristo es el Camino. Acercarse es nuestra respuesta a la iniciativa de Dios. Nadie que se acerca recibe migajas o sobrantes. No son monedas las que nos aguardan sino las abundantes riquezas de la gracia de Dios, de vida, y en abundancia.

El acercarnos confiadamente no está basado en nuestros méritos, recursos o influencias. **La seguridad está anclada en Dios. No es por quién soy yo, sino por quién es él.** "Debemos recibir la seguridad de que no necesitamos ir al cielo para traer a Jesús junto a nosotros, ni a lo profundo para acercarlo a nuestro lado, porque está a nuestra mano derecha, y su ojo está siempre sobre nosotros [...]. Es la única forma en que podemos tener confianza en Dios" (Elena de White, *Hijos e hijas de Dios*, p. 29).

Nos acercamos por nuestra propia protección y salvación. Dios no envía el mal, pero Dios suelta los vientos, y el enemigo hace su obra. Dios permite a veces situaciones fuertes, que son su llamado a una vida más espiritual, fiel y misionera. Dios nos concede a todos una oportunidad. No puedo decir que es la última, pero bien podría serlo para mí.

Dios concede oportunidades a todos, porque no quiere que ninguno perezca. Muchas veces el sufrimiento es lo único que nos acerca a Dios, nos sacude, nos purifica y nos transforma.

"Acercarse" significa "experimentar una íntima comunión, con un corazón sincero, íntegro, sin fingimiento, sin hipocresía ni reservas de ninguna clase". Ese acercamiento es en plena certidumbre y seguridad, con una fe firme en el poder de Cristo, que limpia el alma de pecado e imparte gracia para vivir venciendo el pecado.

Los corazones son purificados, rociados por la sangre de Cristo, y los cuerpos son lavados. El agua es de suma importancia y valiosa para la limpieza en general, y es un símbolo adecuado de la eliminación de los pecados de la vida. La evidencia externa da testimonio de la transformación interna que se ha efectuado. El bautismo proclama delante de todos una decisión de participar de los privilegios que siguen a la conversión y de aceptar sus responsabilidades.

En la Cruz, Cristo nos salvó de la condenación del pecado. En el Santuario, nos salva de la culpa del pecado. Y en su venida, nos salvará de la presencia del pecado.

Confía y acércate.

MANTENGAMOS FIRME

"Mantengamos firme, sin fluctuar, la profesión de nuestra esperanza, porque fiel es el que prometió" (Hebreos 10:23).

"El más terrible de todos los sentimientos es el sentimiento de tener la esperanza muerta", dijo Federico García Lorca. "El fin de la esperanza es el comienzo de la muerte", expresó Charles De Gaulle. **¿Cómo hacer entonces para mantener firme y viva la esperanza?** Pablo siempre enfatiza la gloriosa esperanza del creyente.

Cuando la esperanza está puesta en Cristo y en su fidelidad, y miramos hacia delante, hacia su venida, la mantenemos firme, sin fluctuar ni oscilaciones, con paciencia, fidelidad y perseverancia. La generación de israelitas que salió de Egipto fluctuó en Cades-barnea, debilitó su fe, fragilizó la esperanza y no pudo entrar en la Tierra Prometida.

Dios es fiel en cumplir sus promesas: tanto en la liberación de Egipto, como en el acompañamiento en la travesía y la entrada en Canaán; desde la liberación del poder del pecado hasta la entrada a las bendiciones presentes y eternas. No hay motivos para fluctuar. Su muerte asegura nuestra vida.

Eran las tres de la tarde de un viernes bastante convulsionado. Quien había venido a buscar y salvar lo que estaba perdido, para traer vida en abundancia, inclinando la cabeza entregó el espíritu. **Los mortales inclinan la cabeza como efecto de la muerte, pero Jesús la inclinó antes de morir. Nadie le quito la vida, él la puso voluntariamente.**

"Cristo no entregó su vida hasta que hubo cumplido la obra que había venido a hacer, y con su último aliento exclamó: 'Consumado es'. La batalla había sido ganada" (Elena de White, *El Deseado de todas las gentes*, p. 706).

Entonces, el velo del Templo se rasgó en dos, de arriba abajo. Este velo, que separaba el Lugar Santo del Lugar Santísimo, se rasgó por una mano invisible, por un poder sobrenatural. Y eso sucedió en la hora del sacrificio, porque el sacrificio de Jesús terminaba con todos los otros sacrificios. El velo impedía el acceso a la presencia de Dios. La muerte de Cristo quitó el velo. Así, el acceso quedó libre y directo.

La destrucción del pecado y de Satanás, como también la redención del hombre, estaban aseguradas para siempre. Por esto, Pablo dice que mantengamos firme, sin fluctuar, nuestra esperanza, porque la evidencia de su fidelidad y la fortaleza de nuestra esperanza están firmadas con la propia sangre de Cristo.

18 de diciembre

CONSIDERÉMONOS UNOS A OTROS

"Y considerémonos unos a otros para estimularnos al amor y a las buenas obras, no dejando de congregarnos, como algunos tienen por costumbre, sino exhortándonos; y tanto más, cuanto veis que aquel día se acerca" (Hebreos 10:24, 25).

La fidelidad en asistir a la iglesia anima a otros y los estimula al amor y a las buenas obras. En los días iniciales del cristianismo, los creyentes se congregaban y los cultos se celebraban en los hogares.

Algunos en los días de Pablo y algunos otros en el día de hoy, pueden tener por costumbre dejar de congregarse. Quien descuida la comunión con sus hermanos en las reuniones de culto y devoción descuida y perjudica tanto al otro como a sí mismo.

Las palabras de exhortación animan a mantenerse firmes y fieles. A medida que aumentan las dificultades, la exhortación y el ánimo mutuos proporcionan un beneficio aún mayor; cuanto más cerca estamos del día final, más necesitamos "congregarnos".

Ser considerados unos con otros nos estimula y nos provoca. La exhortación y el ejemplo de nuestros hermanos nos despabila, como las espuelas provocan al caballo o como un vaso de agua fría arrojado en nuestro rostro nos despierta y nos hace entender los tiempos en que vivimos.

"Así también, ahora hemos sido advertidos acerca de la segunda venida de Cristo y de la destrucción que ha de sobrecoger al mundo. Los que presten atención a la advertencia se salvarán" (Elena de White, *El Deseado de todas las gentes*, p. 588).

Dos veces en el Nuevo Testamento aparece la expresión "congregarnos", y las dos veces son usadas por Pablo: al escribir a los hebreos desafiando a congregarse en la iglesia y en 2 Tesalonicenses 2:1, "respecto a la venida de nuestro Señor Jesucristo y nuestra reunión con él". Por la fe aceptamos la gracia, entramos en comunión con Dios, y vivimos una vida fiel y misionera, motivados por la esperanza y por el amor.

En un lugar de Sudamérica, el año pasado, cuando la pandemia profundizaba la crisis y el dolor, un grupo de hermanos, siendo considerados con sus prójimos, salieron a repartir cestas de alimentos. Una familia fue beneficiada y, con emoción, agradecieron porque ya no tenían nada para comer. A cambio, entregaron dos sobres que contenían el diezmo y las ofrendas que habían separado. Ellos podrían haber usado ese dinero, ya que bien lo necesitaban para comer, pero pusieron primero a Dios.

Aun en las circunstancias más difíciles, fueron considerados unos con otros y se exhortaron al amor, a las buenas obras y a la fidelidad.

Por la fe, nos acercamos; por la esperanza, nos mantenemos firmes; y por el amor, somos considerados unos con los otros.

¿CUÁNDO CUMPLEN AÑOS?

"No perdáis, pues, vuestra confianza, que tiene una gran recompensa, pues os es necesaria la paciencia, para que, habiendo hecho la voluntad de Dios, obtengáis la promesa" (Hebreos 10:35, 36).

Hoy no es el día de mi cumpleaños. Yo celebro en junio el nacimiento físico; y en agosto, el del bautismo. Pero, un día como hoy celebro porque volví a nacer.

Fue el 19 de diciembre de 2007, viajando en auto con el pastor Víctor Peto desde Bahía Blanca hasta Buenos Aires, Argentina. Regresábamos de cumplir nuestra misión por el sur argentino. Eran las cinco de la tarde, y estábamos ya casi en la mitad de un viaje de setecientos kilómetros. De pronto, una situación inesperada: el vehículo en que íbamos se cruzó de carril, pasó con las ruedas en el aire sobre un cordón de un pequeño puente, y después de dar varios vuelcos en el desnivel del costado de la ruta quedamos en posición normal.

Salimos del auto por nuestros propios medios, al mismo tiempo que los primeros vehículos se detenían para prestar su auxilio. El auto estaba irreconocible, así que la primera pregunta que oímos fue "Y ¿dónde están los que se accidentaron?" "Somos nosotros", respondimos.

Entonces, escuchamos frases del tipo "Si no creen en Dios, van a tener que creer", "No sé cuándo cumplen años, pero de aquí en adelante festejen este día". Las pericias policiales afirmaron que se veían las huellas de las ruedas derechas, pero no las de las ruedas del lado izquierdo. De haber caído el auto, nos habríamos incrustado en el cemento, pero alguien sostuvo el vehículo. Pudimos agradecer a Dios y testificar ante ellos del amor y el poder del Señor. Nos llevaron a un hospital por unos estudios, pero en un par de horas quedamos liberados. Al día siguiente, ya estábamos trabajando. Uno de los médicos que nos atendió ya en Buenos Aires dijo que nunca había visto a alguien tener un accidente así y seguir trabajando al otro día. Es que estábamos agradecidos, alabando y sirviendo a Dios.

La vida está llena de milagros, desde el nacimiento físico, el espiritual y el cuidado permanente de Dios. Muchas veces ese cuidado es tan percibido como explicable; y otras, tan inexplicable como desapercibido.

No pierdas hoy tu confianza. Ella tiene una recompensa eterna, y ese día dejarás de cumplir años, no por quedar inerte en la Tierra, sino por vivir en forma perenne en el cielo.

SOLO UN POCO MÁS

"Porque aún un poco y el que ha de venir vendrá, y no tardará" (Hebreos 10:37).

Algunos cuestionan la inminencia de la segunda venida de Cristo. La Biblia destaca claramente ciertos hechos.

1. La certeza del Segundo Advenimiento.

2. La grandeza y la gloria del acontecimiento, como si fuera el único y exclusivo hecho futuro, donde todo lo precedente parece de menor importancia.

3. El Día del Señor vendrá súbita e inesperadamente. Cristo dijo: "Velad, pues, porque no sabéis a qué hora ha de venir vuestro Señor" (Mat. 24:42). Pablo afirmó: "El día del Señor vendrá, así como ladrón en la noche" (1 Tesalonicenses 5:1). Y Pedro sostuvo: "El día del Señor vendrá como ladrón en la noche" (2 Ped. 3:10). Ante tal trascendencia, ¿qué otra cosa podría esperarse del Advenimiento sino un tono de inminencia?

4. Los autores bíblicos no escribieron solamente para sus días. Ellos exhortaron a todas las generaciones hasta que volviera el Señor.

5. Las profecías bíblicas, en especial Daniel y Apocalipsis, muestran los acontecimientos previos al regreso del Señor, de tal manera que podemos proclamar el mensaje inequívoco de la proximidad del Día de Dios.

6. Elena de White escribió: "Cada día termina el tiempo de gracia para algunos" (*Patriarcas y profetas*, p. 119).

Uno de los himnos más cantados por el cuarteto "Arautos do Rei", que ha transformado a miles de personas, es "Solo un poco más". En 2007, iniciando su etapa en la dirección musical del cuarteto, Ricardo Martin, compuso esta melodía. Él nos dijo que la segunda venida de Cristo es el mensaje principal del cuarteto, y por eso quería que su primera canción tuviera ese enfoque: "Es una música simple, que se centraliza en el mensaje y muestra cómo Dios usa lo simple para alcanzar a tantos corazones", revela. Luego, el Pr. Fernando Iglesias hizo la letra basado en el mensaje de Pablo, porque las sombras pueden cercarnos, la aflicción tornarse insoportable, pero podemos sentir la voz de Jesús.

Una vez más amaneció.
El sol de fe en mí nació.
Y cuando pienso en desistir,
Jesús me llama y dice así:
Es solo un poco más,
Sólo un poco más.
Porque ya te iré a buscar
Hay amor real, hay un río de paz.
Hay un cielo que será mi hogar.

La vida es frágil; la promesa de Dios es segura; y su venida, inminente. Prepárate y prepara a otros porque es solo un poco más.

HÉROES

"Es, pues, la fe la certeza de lo que se espera, la convicción de lo que no se ve" (Hebreos 11:1).

Conocido como el "capítulo de la fe", Hebreos 11 es un capítulo extraordinario. Fe es tener la seguridad de que vamos a recibir lo que esperamos, aunque hoy no tengamos prueba de ello. La fe es imprescindible, porque solo por ella somos capaces de creer en el poder de Dios, y de agradarlo.

Pablo menciona al menos 16 héroes de la fe por su nombre y otros en general, y afirma qué actos de fe han practicado. Así, menciona el sufrimiento de estos hombres y mujeres: pobreza, torturas, vergüenza, golpes muy crueles, prisiones y presiones, apedreamiento, martirios y muerte.

Estos héroes sufrieron y mantuvieron su fe firme en Dios. Resistieron porque contemplaron la Ciudad Invisible, soportaron porque el sufrimiento por Cristo era mucho mejor que todas las riquezas de este mundo. Enfrentaron, incluso, la muerte con la esperanza en la resurrección.

Y ¿cuál es la recompensa de esas personas? El reconocimiento de otras personas, y una aprobación temporal de Dios. Pero, en el futuro muy próximo, estos hombres y mujeres de fe recibirán la aprobación completa y eterna de Dios.

Elena de White cuenta que las catacumbas ofrecieron refugio a millares de cristianos. Debajo de la tierra y la roca de los cerros, en las afueras de Roma, se habían cavado leguas de largas y oscuras galerías subterráneas. En esos lugares, los discípulos de Cristo sepultaban a sus muertos y hallaban hogar cuando se sospechaba de ellos y se los proscribía. "Cuando el Dispensador de la vida despierte a los que pelearon la buena batalla, muchos mártires de la fe de Cristo se levantarán de entre aquellas cavernas tenebrosas" (*El conflicto de los siglos*, p. 38).

El mundo considera como héroes a los que ganan partidos increíbles, imposibles de ganar, en desventaja y frente a la adversidad. La moral considera héroes a aquellas personas comunes que viven responsable y fielmente sus deberes diarios y ocupan su lugar en la sociedad. El Señor y Pablo colocan en esta galería de héroes, todavía inconclusa, a todo aquel que vive fielmente su fe.

¿Tienes una fe firme? Cultiva y fortalece tu fe en las experiencias diarias de una vida de dependencia y fidelidad total a Dios.

¡A LA MANERA DE DIOS!

"Por la fe Abel ofreció a Dios más excelente sacrificio que Caín, por lo cual alcanzó testimonio de que era justo, dando Dios testimonio de sus ofrendas; y muerto, aún habla por ella" (Hebreos 11:4).

La fe no es un producto de nuestras manos, mente o corazón. No. La fe es nuestra respuesta fiel al Señor. Fe es la plena seguridad de que Dios cumple lo que ha prometido, y el testimonio de Dios atestiguando y reconociendo la validez y la veracidad de tal fe, que se refleja en una vida de fidelidad.

La fe es práctica, y va más allá de la definición. Para entender y crecer en la fe hay que caminar con los fieles, porque **la fe "capacita al creyente para ver lo futuro como si fuera presente y lo invisible como si fuera visible"** (J. Oswald Sanders).

Abel experimentó una fe a la manera de Dios. El nombre "Abel" significa "soplo, aliento, transitoriedad, en referencia a la brevedad de su existencia". De hecho, un solo incidente de su vida fue registrado en la Biblia, y dejó marcas para toda la historia. Una ofrenda que contó con la aprobación del Cielo, porque fue la respuesta al pedido divino. Cuantitativamente, la ofrenda de Caín hasta pudo ser mayor, pero no era lo que Dios había pedido.

El ser una ofrenda de lo mejor del rebaño evidenciaba fe en el Redentor prometido, el verdadero Cordero de Dios que quitaría el pecado del mundo. El derramamiento de sangre era un reconocimiento por parte de Abel de su pecaminosidad y su necesidad de perdón divino. Fue lo que Dios pidió y lo mejor que disponía. La de Abel fue una fe a la manera de Dios. Esto agradó a Dios, en tanto que la ofrenda de Caín era inaceptable, porque no fue a la manera de Dios, sino la propia.

"Así será con todos los que deseen vivir piadosamente en Cristo Jesús. Persecuciones y vituperios esperan a todos los que estén dominados por el espíritu de Cristo. El carácter de la persecución cambia con los tiempos, pero el principio, el espíritu que la fomenta, es el mismo que siempre mató a los escogidos del Señor desde los días de Abel" (*Los hechos de los apóstoles*, p. 460).

Pablo destaca el papel de la fe y la fidelidad, íntimamente ligados y fundamentados en la esperanza; la suprema necesidad de los que esperan la venida del Señor.

Vivir a la manera de Dios tiene su costo, pero también su recompensa.

AL PASO DE DIOS

"Por la fe Enoc fue traspuesto para no ver muerte, y no fue hallado, porque lo traspuso Dios; y antes que fuera traspuesto, tuvo testimonio de haber agradado a Dios" (Hebreos 11:5).

Un hacendado que poseía tierras a lo largo del litoral del Sur Atlántico buscaba un empleado. Una misión no fácil, por las tempestades que barrían aquella región, haciendo estragos en las construcciones y las plantaciones. Finalmente, un hombre pequeño aceptó el ofrecimiento. Respondiendo a las preguntas de rigor, respecto de su experiencia y su disposición, contestó con un "puedo dormir incluso cuando sopla el viento".

El hacendado estaba muy satisfecho con su trabajar responsable. Hasta que, una noche, el viento sopló fuertemente. El hacendado buscó rápidamente a su empleado, pues una gran tormenta se avecinaba, pero él estaba durmiendo.

El propietario salió a recorrer y descubrió que todo estaba en orden, la cosecha cubierta con lonas firmemente atadas al suelo. Los animales estaban protegidos, y todas las puertas y las ventanas muy bien trabadas. Entonces entendió lo que significaba: "Puedo dormir cuando sopla el viento". No dormía por falta de responsabilidad, sino por seguridad y confianza.

Estamos viviendo días tormentosos. Los vientos están soplando por doquier. En consecuencia, hay preocupación y angustia. Las crisis pueden revelar la desesperación o la confianza, pero **los que logran caminar como Enoc tienen fuerzas diferentes. La experiencia de quien caminaba al paso de Dios puede ser también la nuestra.**

¿Qué es caminar con Dios? Es tenerlo presente y estar en armonía con la voluntad de Dios. Enoc mantuvo intimidad con Dios. Su nombre significa "dedicado", "disciplinado". Por esto, Enoc pudo caminar en santidad ante Dios por trescientos años. La caminata de Enoc con Dios ocurría en todos los deberes de la vida diaria. No se convirtió en un ermitaño. Caminó con Dios, pero cumplió sus deberes en su familia y en sus relaciones como amigo y ciudadano.

Normalmente, **nosotros caminamos con alguien cuando ese alguien es necesario en nuestra vida. ¿Es Dios completamente necesario para ti?** ¿O es solo un accesorio que usas el sábado, durante el culto, y luego lo desechas? ¿Es Dios tu amigo, hasta el punto de que a menudo merece una buena caminata contigo, de tal forma que dedicas tiempo leyendo su Palabra?

Enoc caminó con Dios, creyendo en su existencia, reconociendo su necesidad, profundizando la amistad, fortaleciendo la comunicación y perseverando en la esperanza.

Habían pasado tres siglos tan exultantes juntos que Dios quería que fueran una eternidad; por eso, Enoc "desapareció, porque se lo llevó Dios". Tanto en la Tierra como en el cielo, Enoc caminaba y camina al paso de Dios.

A LA ORDEN DE DIOS

"Por la fe Noé, cuando fue advertido por Dios acerca de cosas que aún no se veían, con temor preparó el arca en que su casa se salvaría; y por esa fe condenó al mundo y fue hecho heredero de la justicia que viene por la fe" (Hebreos 11:7).

D y D son una pareja de misioneros en uno de los lugares más desafiantes del mundo, donde nadie quiere ir, a menos que te sientas llamado por Dios. En ocasión de realizar una visita ministerial de apoyo, los visitantes sobrevolaron el Monte Ararat, de 5.137 metros de altura, y recordaron la historia de Noé. Él y su familia, ocho personas en total, estuvieron en ese mismo lugar como los únicos en toda la faz de la Tierra (Gén. 8:13).

La emoción embargó a D y D al recibir a los pastores. Ellos habían dejado todo, incluso a su familia no adventista. Antes de salir al campo misionero, la madre de D pidió a su hija que le enseñara a orar, así podría pedir a Dios por ellos. Así como Noé, D y D escucharon y obedecieron.

Noé había invertido todo en la construcción del arca. Pasado el diluvio, Dios lo hizo dueño de todo. Lo primero que hizo Noé al salir del arca fue edificar un altar para adorar a Dios. La gratitud se apoderó de sus corazones porque Dios recomenzó la historia humana con la familia que preservó nuestra raza, porque confiaron y actuaron en consecuencia.

"En esto había una lección para las futuras generaciones. Noé había tornado a una Tierra desolada; pero antes de preparar una casa para sí construyó un altar para Dios. Su ganado era poco, y había sido conservado con gran esfuerzo. No obstante, con alegría dio una parte al Señor, en reconocimiento de que todo era de él" (Elena de White, *Patriarcas y profetas*, p. 96).

Según Dave Kraft, una investigación de la publicación *USA Today* descubrió que si la mayoría de las personas le pudieran hacer una pregunta a Dios sería esta: **"¿Cuál es mi propósito en la vida?"** Noé lo supo muy bien: obedecer a Dios. La fe de Noé influyó en su mente y escuchó la advertencia de Dios. Su corazón fue movido a temer, a confiar y a hacer su voluntad, aunque parecía ridículo construir un arca sin antecedentes de lluvia.

La fe de Noé influyó en toda su familia, y todos fueron salvos. Su fe también condenó a todo el mundo, porque puso en evidencia la incredulidad de ellos al rechazar su mensaje y desperdiciar la oportunidad que Dios les concedió con 120 años de predicación.

Noé significa "consuelo" y "consolación". Él fue consolado para consolar. El descubrió y cumplió un propósito para la vida. ¿Lo descubriste tú?

AL PEDIDO DE DIOS

"Por la fe Abraham, cuando fue probado, ofreció a Isaac: el que había recibido las promesas, ofrecía su unigénito, habiéndosele dicho: 'En Isaac te será llamada descendencia' " (Hebreos 11:17, 18).

Dios le pidió a la primera pareja que tuviera hijos y se multiplicaran. Dios le pidió a Noé que generara hijos. Dios le prometió descendencia a Abraham, y ¡no se la daba! Su edad y la infertilidad de Sara, su mujer, parecían impedir el cumplimiento de la promesa. Sin embargo, la promesa, a su tiempo, se cumplió.

Ahora bien, surge algo muy extraño. Cuando Isaac es ya un joven, Dios le pide a Abraham que lo ofrezca en sacrificio. **¿Por qué querría Dios quitarle a su hijo si él mismo se lo había dado?**

Abraham obedece el pedido divino. Isaac también, y "se somete al sacrificio porque cree en la integridad de su padre. Pero, cuando todo está listo, cuando la fe del padre y la sumisión del hijo están plenamente probadas, el ángel de Dios detiene la mano levantada de Abraham y le dice que es suficiente: 'Ya conozco que temes a Dios, por cuanto no me rehusaste tu hijo, tu único' " (Elena de White, *A fin de conocerle*, p. 22). De este modo, **Isaac era un símbolo del Hijo de Dios, que sería dado en sacrificio por los pecados del mundo.**

Hoy es Navidad, y la cristiandad celebra el nacimiento de Cristo, aunque sabemos que no es la fecha correcta. El niño nació, para ocupar el lugar de Isaac y el nuestro. La Biblia dice que cuando Jesús nació los sabios de oriente hicieron un largo viaje, llevando presentes para el niño. El incienso era utilizado en rituales religiosos. La mirra era una resina extraída de un árbol, usada con el fin de preparar los cuerpos para la sepultura. El oro era símbolo de realeza. Así, el recién nacido fue homenajeado y reconocido como Sacerdote, Salvador y Rey.

"Los magos trajeron al Salvador las cosas más valiosas que tenían [...] nos dieron ejemplo. Muchos obsequian regalos a sus amigos, pero no tienen nada para el Amigo celestial de quien reciben todas las bendiciones. No debemos obrar así, sino reservar para Cristo lo mejor de todo lo que tenemos: de nuestro tiempo, nuestro dinero y nuestro amor" (Elena de White, *Cristo nuestro Salvador*, p. 17).

El Cielo dio. El Padre dio. El Hijo dio. Los sabios dieron. Hoy te propongo una Navidad diferente: una que implique regalarte por entero a Jesús, recociéndolo como Sacerdote, Salvador y Rey con el oro de tu fe y tu amor, con el incienso de tus oraciones y con la mirra de tu testimonio.

AL PROPÓSITO DE DIOS

"Por la fe Moisés [...] fue escondido [...] rehusó [...] prefiriendo [...] teniendo por mayores riquezas el oprobio de Cristo [...] puesta la mirada en la recompensa. Por la fe dejó a Egipto [...] se sostuvo como viendo al Invisible" (Hebreos 11:24-27).

Moisés fue hijo de Amram y Jocabed, padres llenos de fe en Dios. Escondido del Imperio y refugiado en el Señor, la princesa que lo rescató del río lo llamó "Hapimosis", o "Irumosis"; es decir, "el nacido o sacado del Nilo". Cuando Moisés rehusó llamarse hijo de la hija de Faraón, eliminó la referencia a un dios egipcio "Hapi" o "Iru" y quedó solo como Moisés; listo para vivir una vida de fe.

Al acostar a Moisés en un arca de juncos y ponerlo en el Nilo, Jocabed estaba cumpliendo con la exigencia pagana de ofrecer a todo hijo varón como sacrificio al río, al que los egipcios adoraban como dios. Moisés, flotando en su pequeña cesta, fue considerado por la princesa como un don de los dioses. Así, ella lo tomó como un hijo y contrató a la propia madre de Moisés como su nodriza.

Como hijo adoptivo, Moisés tenía acceso a una vida de comodidades, privilegios, posición, prestigio, riqueza y poder. Como príncipe real, fue educado en la sabiduría de los egipcios, sus letras, ciencia, religión, liderazgo, administración y mando militar. Su mente sobresaliente lo llevó a ser el orgullo de la nación. Su aspecto pudo haber parecido egipcio pero su corazón siempre fue hebreo. Su fe, su lealtad y su devoción siempre fueron a Jehová. Su esperanza era librar a Israel por la fuerza de las armas. Arriesgó todo, pero fracasó. Derrotado y desalentado, se transformó en fugitivo y desterrado en un país extraño.

"Moisés gastó cuarenta años pensando que era alguien, cuarenta años aprendiendo que no era nadie y cuarenta años descubriendo lo que Dios puede hacer con aquel que sabe que es nadie" (D. L. Moody). Por eso, en los desiertos de Madián como pastor de ovejas, aprendió humildad, dependencia, dominio propio, sabiduría, austeridad y sencillez.

Dios siempre recompensa en el tiempo justo la fe verdadera de sus hijos. Moisés puso lo imperecedero por sobre lo perecedero; y lo invisible, por sobre lo visible. Por eso, alcanzó lo imposible. La fe permitió que tanto él como su pueblo pudieran salir de la esclavitud y la muerte hacia la liberación y la vida.

El cuerpo momificado del faraón que ocupó el lugar de Moisés tiene un lugar de distinción en el Museo de El Cairo. Por su compromiso de fe, Moisés perdió ese lugar. Por la gracia del Señor, aunque pasó por el descanso de la muerte, ha resucitado y vive en el Palacio de la nueva Jerusalén.

A LA FIESTA DE DIOS

"Porque Dios tenía reservado algo mejor para nosotros, para que no fueran ellos perfeccionados aparte de nosotros" (Hebreos 11:40).

Abel percibió la promesa de un Redentor e hizo las cosas a la manera de Dios. Enoc se convirtió en amigo de Dios y se fue a vivir con él. El arca fue un testimonio de la fe de Noé en Dios. Abraham y su familia salieron y siguieron obedientes la ruta de Dios. Moisés rechazó honores y el poder del momento, debido a su confianza en el elevado destino que Dios les había señalado a él y a su pueblo. Rahab, convertida y refugiada en la sangre de Jesús, llegó a ser parte de la genealogía registrada por Mateo como uno de los honorables progenitores de Cristo.

¿Qué más puede decir Pablo? El tiempo faltaría para hablar de Gedeón, Barac, Sansón, Jefté, David, así como de Samuel y de los profetas. Todos ellos, por fe, conquistaron reinos, hicieron justicia, alcanzaron promesas, taparon bocas de leones, apagaron fuegos impetuosos, evitaron filo de espada, sacaron fuerzas de debilidad, se hicieron fuertes en batallas, pusieron en fuga ejércitos extranjeros. Experimentaron oprobios, azotes, prisiones, cárceles, apedreamiento, ser aserrados y muerte (Heb. 11:32-39).

Pablo no pretende enumerar a todos los fieles de todos los tiempos; tan solo destacar que **la fe y la fidelidad son esenciales para la paciente y comprometida espera de la venida del Señor.**

Los identificados y los no identificados no tienen aún "lo prometido", pero ya recibieron el testimonio de Dios de que su fe será galardonada. La celebración espera hasta el fin. Los fieles del pasado y los del presente aguardan la promesa del futuro. Una multitud atravesará los portales de la Resurrección y serán los primeros del desfile victorioso, seguidos por los vivos transformados.

La fe crece oyendo su Palabra y hablando con su Autor. No es un lujo para unos pocos, sino una necesidad para todos. "Es privilegio de cada cristiano no solo esperar sino apresurar la venida del Salvador. Por la fe podemos estar en el umbral de la Ciudad Eterna, y oír la bondadosa bienvenida dada a los que en esta vida cooperan con Cristo" (Elena de White, *Los hechos de los apóstoles*, pp. 479, 480).

La galería de los héroes de la fe está incompleta. Aún hay lugar. El Dueño del Universo aguarda por ti y por todos los que, por su gracia, llevarás a la fiesta de los fieles.

AL RITMO DE DIOS

"Por tanto, nosotros también, teniendo en derredor nuestro tan grande nube de testigos, despojémonos de todo peso y del pecado que nos asedia, y corramos con paciencia la carrera que tenemos por delante, puestos los ojos en Jesús, el autor y consumador de la fe" (Hebreos 12:1, 2).

En Hebreos 12, el apóstol Pablo exhorta a la perseverancia en la fe, la paciencia y la piedad. Presenta la superioridad de la Nueva Alianza sobre la antigua. Compara la vida piadosa y de fe con una gran carrera que requiere disciplina y hace un llamado de alerta contra la incredulidad.

Estamos en una gran competencia espiritual, y necesitamos ser fieles. Esto es posible mirando únicamente a Cristo, origen, motivo y objetivo de nuestra fe. Fue él quien soportó sufrimiento y murió en la Cruz a fin de que nuestra fe esté cimentada sobre una base sólida.

"Ninguno que cumpla con las condiciones se chasqueará al fin de la carrera. Ninguno que sea ferviente y perseverante dejará de tener éxito. El santo más débil, tanto como el más fuerte, puede llevar la corona de gloria inmortal. Puede ganarla todo el que, por el poder de la gracia divina, pone su vida en conformidad con la voluntad de Cristo. **La recompensa dada a los que venzan estará en proporción con la energía y el fervor con que hayan luchado"** (Elena de White, *Los hechos de los apóstoles*, p. 252).

Dios nos disciplina porque nos ama y nos hace crecer en la dependencia de él. Nos exhorta a buscar la paz con todos, sin seguir el ejemplo de Esaú, que despreció el derecho y el privilegio de la primogenitura. Nos advierte de los terribles resultados de la incredulidad y del juicio de Dios.

En los momentos críticos ocasionados por la pandemia de la COVID-19, la prensa se hizo eco de una noticia diferente. Suzanne Hoylaerts, una belga de noventa años, falleció por la acción del virus porque renunció al uso del respirador. Fue una acción altruista porque quería que el aparato fuera utilizado para salvar a otros. Ella dijo: "No quiero usar respirador artificial. Guárdalo para los pacientes más jóvenes. Yo ya he tenido una buena vida". Lamentablemente, Suzanne murió el 22 de marzo de 2020 de neumonía y por la falta de oxígeno.

En las redes sociales, muchos lamentaron el fallecimiento y la calificaron de heroína. Su historia es un ejemplo de solidaridad y bondad. Emociona y compromete.

¿Cuántas personas están necesitando un equipo respirador en este mundo falto de oxígeno? ¿Cuán dispuesto estás en tener una vida altruista, solidaria y bondadosa? **¿Cuán dispuestos estamos a dar algo, mucho o toda nuestra vida para que otros vivan?**

Vive despojándote de todo peso y pecado, y corre con paciencia al ritmo de Dios, con la vista permanente en Jesús.

“ÉL ME SALVÓ, ÉL ME SALVÓ”

“Por eso, levantad las manos caídas y las rodillas paralizadas, y haced sendas derechas para vuestros pies, para que lo cojo no se salga del camino, sino que sea sanado. Seguid la paz con todos y la santidad, sin la cual nadie verá al Señor” (Hebreos 12:12-14).

Las manos caídas y las rodillas paralizadas indican cansancio, desánimo e inactividad. Esto es lo opuesto a paciencia y perseverancia, indispensables para la carrera cristiana victoriosa. Por eso, Pablo presenta órdenes originadas en la gracia de Dios a fin de mantener una fe viva y un testimonio eficaz.

“La paciencia y el gozo de Pablo, su ánimo y su fe durante su largo e injusto encarcelamiento, eran un sermón continuo. Su espíritu, tan diferente del espíritu del mundo, testificaba que moraba en él un poder superior al terrenal. Y, por su ejemplo, los cristianos fueron impelidos a defender con mayor energía la causa” (Elena de White, *Los hechos de los apóstoles*, p. 370).

De este modo, apela a seguir la paz y la santidad. La paz es con todos; la santidad, con el Señor. Así, **el hijo de Dios es responsable de vivir en, por y para que la gracia de Dios llegue a todos.**

El 12 de marzo de 2019, Samuel Melquiades estuvo con nosotros en una reunión de líderes misioneros de toda la División Sudamericana realizada en la sede de Nuevo Tiempo. Él era un apasionado del Club de Conquistadores y de la Escuela Sabática, tanto que hacía diseños que resumían diariamente el mensaje de la Escuela Sabática. Yo mismo era uno de los que colocaba en las redes sociales todos sus gráficos.

Al día siguiente, la Escuela Estadual Professor Raúl Brasil (en Suzano, San Pablo), en la que estudiaba Samuel, fue atacada a tiros por dos ex alumnos. Gersialdo, el padre de Samuel, estaba acompañando a su hija menor a una consulta médica, cuando fue alertado de la tragedia. De inmediato fueron al lugar, y se encontraron con muchos padres angustiados. Uno a uno, los chicos salieron de la escuela, pero Samuel nunca salió. Una madre, con su hija llorando y su ropa manchada de sangre, se acercó al padre de Samuel. **“Él me salvó, él me salvó”**, decía la joven. Sí, Samuel se había interpuesto entre las balas asesinas, y salvó dos vidas, pero no pudo salvar la suya.

Unas 10.000 personas acompañaron el sepelio de este misionero de 16 años que dio su vida para que otros pudieran vivir. Su padre pudo testificar en varios medios un mensaje de fe y esperanza. Esta historia es real y conmovedora, y debería movilizarnos a todos.

Como Pablo y como Samuel, debemos estar dispuestos a dar la vida para salvar vidas, porque Jesús nos salvó para salvar.

AYUDADOS PARA AYUDAR

"No te desampararé ni te dejaré. Así que podemos decir confiadamente: El Señor es mi ayudador; no temeré lo que me pueda hacer el hombre" (Hebreos 13:5, 6).

Conocí a Mirta en 1998. Era y es una mujer luchadora y apasionada por sus hijos. En 1995, Nicolás, su hijo menor, había comenzado a padecer mucho dolor en su pierna. Después de semanas de estudios médicos, se confirmó que se trataba de una enfermedad llamada Perthes, que produce una necrosis en la cabeza del fémur. El diagnóstico médico indicaba que Nicolás debía utilizar una prótesis y sus posibilidades de volver a caminar eran mínimas.

Tal noticia golpeó fuertemente a la familia. Nicolás pasó tres meses en cama. Mirta sufrió depresión. La situación económica se hizo crítica y, en esas circunstancias, un amigo adventista se acercó a orar por ellos. En su fragilidad, ellos comprobaron la maravillosa presencia de Jesús, **el Ayudador** siempre pendiente de sus ovejas. Después de tres meses postrado, Nicolás se levantó con la **ayuda** de muletas, las que lo acompañarían los siguientes tres años.

Las muletas tan solo fueron un **apoyo** para su cuerpo, pero la Palabra de Dios fue **sustento** para su vida y la de su familia. Pasó el tiempo, y llegó la hora de la cirugía. Una junta de medicos se reunió en los días previos para evaluar el caso de Nicolás, y notaron algo impensado: el hueso estaba creciendo "milagrosamente" dentro de la cadera sin ninguna explicación médica. **La intervención quirúrgica no fue necesaria. La intervención divina fue poderosa.**

El jueves 26 de noviembre de 1998, Nicolás y su mamá fueron a un control... ¡y resultó ser el último! Al sábado siguiente, tuve la alegría de bautizar a Nicolás, quien junto con su madre, Mirta, se entregó al **Ayudador** que nunca desampara. Poco después se bautizaron la tía y la abuela. Y tres años más tarde ocurrió un nuevo milagro: Javier, el hermano de Nicolás, abandonaba su banda de *rock* para unirse a la "banda del Señor".

Durante ocho años, hasta que la iglesia de su localidad consiguiera un lugar definitivo, la casa de Mirta fue el templo. Todos los ambientes de la casa fueron también las dependencias de la iglesia; y en el patio funcionaba el Club de Conquistadores.

Hoy Nicolás, aquel niño destinado a estar postrado antes los hombres, se postra ante Dios y corre llevando el evangelio como un bendecido líder y pastor adventista, al igual que Javier. Mirta, agradecida con su **Ayudador,** sigue **ayudando** a los jóvenes, en una institución educativa adventista.

¡Gracias, Señor, por ser nuestro Ayudador! ¡Ayúdanos para que vivamos ayudando!

EL TESTAMENTO DE PABLO

Hemos recorrido juntos la vida del apóstol Pablo y el incansable caminar misionero de este paladín de la verdad y del evangelio. **Apasionado por Cristo y por la misión, motiva y genera compromiso. Su testimonio siempre me ha movilizado, y ahora aún más. Me siento deudor, y renuevo mi fe y mi esperanza.**

Quiero dejarte para el final estas dos páginas. Es su testamento para ti y para todos, basado en sus propios escritos extraídos de la Biblia.

Los dejo con Pablo, una voz de esperanza.

"Pablo, apóstol de Jesucristo por la voluntad de Dios, gracia y paz.

Señor, ¿qué quieres que yo haga? Miserable de mí. ¿Quién me librará de este cuerpo de muerte? Todos pecaron y están destituidos de la gloria de Dios, pero gracias doy a Dios, por Jesucristo quien vino al mundo para salvar a los pecadores, de los cuales yo soy el primero.

Indiscutiblemente, grande es el misterio de la piedad: Dios fue manifestado en carne, justificado en el Espíritu, visto de los ángeles, predicado a los gentiles, creído en el mundo, recibido arriba en gloria.

Ninguna condenación hay para los que están en Cristo Jesús porque el justo por la fe vivirá; por eso, no me avergüenzo del evangelio, pues es poder de Dios para salvación, porque somos sepultados juntamente con él para muerte por el bautismo, para que andemos en vida nueva, porque todos los que son guiados por el Espíritu son hijos de Dios.

¿Qué, pues, diremos a esto? Si Dios es por nosotros, ¿quién contra nosotros? El que no escatimó ni a su propio Hijo, ¿cómo no nos dará también con él todas las cosas?, ya que somos más que vencedores por medio de aquel que nos amó. Os ruego que presentéis vuestros cuerpos como sacrificio vivo, santo, agradable a Dios, aborreciendo lo malo, siguiendo lo bueno, pues habéis sido comprados por precio; haced todo para la gloria de Dios.

Es hora de levantarnos del sueño, pues cada uno dará a Dios cuenta de sí y nuestra salvación está más cerca que cuando creímos. La fe viene por oír la Palabra, orando sin cesar, unánimes, amando unos a otros, gozosos en la esperanza, regocijaos en el Señor siempre y compartiendo las necesidades de los santos.

Si alguno está en Cristo, nueva criatura es; nos reconcilió y nos dio el ministerio de la reconciliación; nos consuela para consolar. Con Cristo estoy juntamente crucificado, y ya no vivo yo, más vive Cristo en mí a fin de perfeccionar a los santos para la edificación del cuerpo de Cristo, hasta que todos lleguemos a la unidad de la fe, a la estatura de la plenitud de Cristo.

Haya, pues, en vosotros este sentir que hubo también en Cristo Jesús. Vestíos de toda la armadura de Dios, para que podáis resistir en el día malo y, habiendo acabado todo, estar firmes. Todo lo puedo en Cristo que me forta-

lece; es el único Mediador, Sacerdote inmutable y eterno, por quien todo fue creado y todas las cosas en él subsisten. Él es también la cabeza del cuerpo que es la iglesia, porque para mí el vivir es Cristo y el morir es ganancia.

Si, pues, habéis resucitado con Cristo, buscad las cosas de arriba, no las de la Tierra, las que ojo no vio ni oído oyó ni han subido al corazón del hombre, las que Dios ha preparado para los que lo aman; por eso, ay de mí si no anunciara el evangelio.

Que el mismo Dios de paz os santifique por completo; y todo vuestro ser sea guardado irreprochable para la venida de nuestro Señor. Permanezca la fe, la esperanza y el amor. Cada uno dé como propuso en su corazón, porque Dios ama al dador alegre. Recordando que esta leve tribulación momentánea produce en nosotros un cada vez más excelente y eterno peso de gloria; cuando lo corruptible sea vestido de incorrupción y esto mortal de inmortalidad.

Si oís hoy su voz, no endurezcáis vuestros corazones, pues está establecido para los hombres que mueran una sola vez, y después de esto el Juicio. Cristo fue ofrecido una sola vez para llevar los pecados de muchos; y aparecerá por segunda vez, sin relación con el pecado, para salvar a los que lo esperan.

No pretendo haberlo alcanzado; pero una cosa hago: olvidando lo que queda atrás, extendiéndome a lo que está delante, prosigo a la meta, al premio del supremo llamamiento.

Porque aún un poco, y el que ha de venir vendrá, y no tardará; por lo tanto, despojémonos de todo peso y del pecado que nos asedia, y corramos con paciencia la carrera que tenemos por delante, puestos los ojos en Jesús, Autor y Consumador de la fe.

Porque nuestra ciudadanía está en los cielos, de donde también esperamos al Salvador. Él transformará nuestro cuerpo mortal en un cuerpo glorioso semejante al suyo.

Tú, pues, sufre penalidades como buen soldado de Jesucristo, lucha como atleta, trabaja como labrador. Porque yo ya estoy para ser ofrecido, y el tiempo de mi partida está cercano.

He peleado la buena batalla, he acabado la carrera, he guardado la fe, y me está reservada la corona de justicia, la cual me dará el Señor, Juez justo, en aquel día; y no solo a mí, sino también a todos los que aman su venida.

La gracia del Señor Jesucristo, el amor de Dios y la comunión del Espíritu Santo sean con todos vosotros. Amén".

Nos encontraremos en el cielo.

Tu hermano Pablo, reavivado por una pasión.

GUÍA PARA EL AÑO BÍBLICO EN ORDEN BÍBLICO

ENERO

- ❑ 1Gén. 1-3
- ❑ 2Gén. 4-7
- ❑ 3Gén. 8-11
- ❑ 4 Gén. 12-16
- ❑ 5 Gén. 17-19
- ❑ 6 Gén. 20-23
- ❑ 7 Gén. 24-25
- ❑ 8 Gén. 26-28
- ❑ 9 Gén. 29-30
- ❑ 10Gén. 31-33
- ❑ 11Gén. 34-36
- ❑ 12Gén. 37-39
- ❑ 13 Gén. 40-42
- ❑ 14 Gén. 43-45
- ❑ 15 Gén. 46-47
- ❑ 16 Gén. 48-50
- ❑ 17 Éxo. 1-4
- ❑ 18 Éxo. 5-7
- ❑ 19 Éxo. 8-10
- ❑ 20 Éxo. 11-13
- ❑ 21Éxo. 14-16
- ❑ 22 Éxo. 17-20
- ❑ 23 Éxo. 21-23
- ❑ 24Éxo. 24-27
- ❑ 25 Éxo. 28-30
- ❑ 26Éxo. 31-34
- ❑ 27Éxo. 35-37
- ❑ 28 Éxo. 38-40
- ❑ 29 Lev. 1-4
- ❑ 30 Lev. 5-7
- ❑ 31Lev. 8-11

FEBRERO

- ❑ 1Lev. 12-14
- ❑ 2 Lev. 15-17
- ❑ 3 Lev. 18-20
- ❑ 4Lev. 21-23
- ❑ 5 Lev. 24-25
- ❑ 6 Lev. 26-27
- ❑ 7 Núm. 1-2
- ❑ 8 Núm. 3-4
- ❑ 9 Núm. 5-6
- ❑ 10 Núm. 7-8
- ❑ 11Núm. 9-11
- ❑ 12 Núm. 12-14
- ❑ 13 Núm. 15-17
- ❑ 14Núm. 18-20
- ❑ 15 Núm. 21-23
- ❑ 16 Núm. 24-26
- ❑ 17 Núm. 27-30
- ❑ 18 Núm. 31-33
- ❑ 19Núm. 34-36
- ❑ 20 Deut. 1-2
- ❑ 21 Deut. 3-4
- ❑ 22Deut. 5-7
- ❑ 23 Deut. 8-11
- ❑ 24 Deut. 12-15
- ❑ 25 Deut. 16-19
- ❑ 26 Deut. 20-23
- ❑ 27 Deut. 24-27
- ❑ 28 Deut. 28-29

MARZO

- ❑ 1Deut. 30-31
- ❑ 2 Deut. 32-34
- ❑ 3 Jos. 1-4
- ❑ 4 Jos. 5-7
- ❑ 5Jos. 8-10
- ❑ 6 Jos. 11-14
- ❑ 7Jos. 15-18
- ❑ 8 Jos. 19-21
- ❑ 9Jos. 22-24
- ❑ 10 Juec. 1-3
- ❑ 11Juec. 4-5
- ❑ 12 Juec. 6-8
- ❑ 13 Juec. 9-11
- ❑ 14Juec. 12-15
- ❑ 15 Juec. 16-18
- ❑ 16 Juec. 19-21
- ❑ 17 Rut 1-4
- ❑ 18 1 Sam. 1-3
- ❑ 19 1 Sam. 4-7
- ❑ 20 1 Sam. 8-10
- ❑ 211 Sam. 11-13
- ❑ 221 Sam. 14-15
- ❑ 231 Sam. 16-17
- ❑ 24 1 Sam. 18-20
- ❑ 251 Sam. 21-24
- ❑ 26 1 Sam. 25-27
- ❑ 27 1 Sam. 28-31
- ❑ 28 2 Sam. 1-3
- ❑ 29 2 Sam. 4-7
- ❑ 30 2 Sam. 8-11
- ❑ 31 2 Sam. 12-13

ABRIL

- ❑ 12 Sam. 14-15
- ❑ 2 2 Sam. 16-18
- ❑ 3 2 Sam. 19-20
- ❑ 42 Sam. 21-22
- ❑ 5 2 Sam. 23-24
- ❑ 6 1 Rey. 1-2
- ❑ 7 1 Rey. 3-5
- ❑ 8 1 Rey. 6-7
- ❑ 9 1 Rey. 8-9
- ❑ 10 1 Rey. 10-12
- ❑ 111 Rey. 13-15
- ❑ 12 1 Rey. 16-18
- ❑ 13 1 Rey. 19-20
- ❑ 141 Rey. 21-22
- ❑ 15 2 Rey. 1-3
- ❑ 16 2 Rey. 4-5
- ❑ 17 2 Rey. 6-8
- ❑ 18 2 Rey. 9-11
- ❑ 19 2 Rey. 12-14
- ❑ 20 2 Rey. 15-17
- ❑ 212 Rey. 18-20
- ❑ 22 2 Rey. 21-23
- ❑ 23 2 Rey. 24-25
- ❑ 241 Crón. 1-2
- ❑ 25 1 Crón. 3-5
- ❑ 26 1 Crón. 6-7
- ❑ 27 1 Crón. 8-10
- ❑ 28 1 Crón. 11-13
- ❑ 29 1 Crón. 14-16
- ❑ 30 1 Crón. 17-20

MAYO

❑ 11 Crón. 21-23
❑ 2 1 Crón. 24-26
❑ 3 1 Crón. 27-29
❑ 42 Crón. 1-4
❑ 5 2 Crón. 5-7
❑ 6 2 Crón. 8-11
❑ 7 2 Crón. 12-16
❑ 8 2 Crón. 17-19
❑ 92 Crón. 20-22
❑ 10 2 Crón. 23-25
❑ 11 2 Crón.26-29
❑ 122 Crón. 30-32
❑ 13 2 Crón. 33-34
❑ 14 2 Crón. 35-36
❑ 15 Esd. 1-4
❑ 16 Esd. 5-7
❑ 17 Esd. 8-10
❑ 18 Neh. 1-4
❑ 19Neh. 5-7
❑ 20Neh. 8-10
❑ 21 Neh. 11-13
❑ 22 Est. 1-4
❑ 23Est. 5-10
❑ 24 Job 1-4
❑ 25 Job 5-8
❑ 26 Job 9-12
❑ 27 Job 13-17
❑ 28 Job 18-21
❑ 29 Job 22-26
❑ 30 Job 27-30
❑ 31 Job 31-34

JUNIO

❑ 1 Job 35-38
❑ 2Job 39-42
❑ 3 Sal. 1-7
❑ 4 Sal. 8-14
❑ 5Sal. 15-18
❑ 6 Sal. 19-24
❑ 7 Sal. 25-30
❑ 8 Sal. 31-34
❑ 9 Sal. 35-37
❑ 10 Sal. 38-42
❑ 11Sal. 43-48
❑ 12Sal. 49-54
❑ 13 Sal. 55-60
❑ 14 Sal. 61-67
❑ 15 Sal. 68-71
❑ 16Sal. 72-75
❑ 17 Sal. 76-78
❑ 18 Sal. 79-84
❑ 19 Sal. 85-89
❑ 20 Sal. 90-95
❑ 21 Sal. 96-102
❑ 22Sal. 103-105
❑ 23 Sal. 106-108
❑ 24 Sal. 109-115
❑ 25 Sal. 116-118
❑ 26 Sal. 119
❑ 27 Sal. 120-131
❑ 28 Sal. 132-138
❑ 29 Sal. 139-144
❑ 30 Sal. 145-150

JULIO

- ❑ 1Prov. 1-3
- ❑ 2Prov. 4-7
- ❑ 3 Prov. 8-10
- ❑ 4 Prov. 11-13
- ❑ 5 Prov. 14-16
- ❑ 6 Prov. 17-19
- ❑ 7 Prov. 20-22
- ❑ 8 Prov. 23-25
- ❑ 9Prov. 26-28
- ❑ 10 Prov. 29-31
- ❑ 11 Eccl. 1-4
- ❑ 12Eccl. 5-8
- ❑ 13 Eccl. 9-12
- ❑ 14 Cant. 1-4
- ❑ 15 Cant. 5-8
- ❑ 16 Isa. 1-3
- ❑ 17 Isa. 4-6
- ❑ 18 Isa. 7-9
- ❑ 19Isa. 10-13
- ❑ 20 Isa. 14-16
- ❑ 21 Isa. 17-21
- ❑ 22 Isa. 22-25
- ❑ 23Isa. 26-28
- ❑ 24 Isa. 29-31
- ❑ 25 Isa. 32-34
- ❑ 26 Isa. 35-37
- ❑ 27 Isa. 38-40
- ❑ 28 Isa. 41-42
- ❑ 29Isa. 43-44
- ❑ 30Isa. 45-47
- ❑ 31 Isa. 48-50

AGOSTO

- ❑ 1 Isa. 51-53
- ❑ 2Isa. 54-57
- ❑ 3 Isa. 58-60
- ❑ 4 Isa. 61-64
- ❑ 5Isa. 65-66
- ❑ 6.Jer. 1-3
- ❑ 7.Jer. 4-5
- ❑ 8.Jer. 6-8
- ❑ 9 Jer. 9-11
- ❑ 10Jer. 12-14
- ❑ 11Jer. 15-17
- ❑ 12Jer. 18-21
- ❑ 13 Jer. 22-23
- ❑ 14 Jer. 24-26
- ❑ 15Jer. 27-29
- ❑ 16 Jer. 30-31
- ❑ 17 Jer. 32-34
- ❑ 18 Jer. 35-37
- ❑ 19Jer. 38-41
- ❑ 20 Jer. 42-45
- ❑ 21 Jer. 46-48
- ❑ 22 Jer. 49
- ❑ 23 Jer. 50
- ❑ 24 Jer. 51-52
- ❑ 25 Lam. 1-2
- ❑ 26 Lam. 3-5
- ❑ 27 Eze. 1-4
- ❑ 28 Eze. 5-9
- ❑ 29Eze. 10-13
- ❑ 30 Eze. 14-16
- ❑ 31 Eze. 17-19

SEPTIEMBRE

- ❑ 1 Eze. 20-21
- ❑ 2Eze. 22-23
- ❑ 3 Eze. 24-26
- ❑ 4 Eze. 27-28
- ❑ 5 Eze. 29-31
- ❑ 6 Eze. 32-33
- ❑ 7 Eze. 34-36
- ❑ 8 Eze. 37-39
- ❑ 9 Eze. 40-42
- ❑ 10 Eze. 43-45
- ❑ 11 Eze. 46-48
- ❑ 12Dan. 1-2
- ❑ 13 Dan. 3-4
- ❑ 14 Dan. 5-6
- ❑ 15 Dan. 7-9
- ❑ 16 Dan. 10-12
- ❑ 17 Ose. 1-4
- ❑ 18 Ose. 5-9
- ❑ 19 Ose. 10-14
- ❑ 20 Joel 1-3
- ❑ 21 Amós 1-3
- ❑ 22Amós 4-6
- ❑ 23 Amós 7-9
- ❑ 24Abdías y Jonás
- ❑ 25 Miq. 1-4
- ❑ 26 Miq. 5-7
- ❑ 27 Nah. 1-3
- ❑ 28 Hab. 1-3
- ❑ 29 Sof. 1-3
- ❑ 30 Hag. 1-2

OCTUBRE

- ❑ 1 Zac. 1-6
- ❑ 2Zac. 7-10
- ❑ 3 Zac. 11-14
- ❑ 4 Mal. 1-4
- ❑ 5 Mat. 1-4
- ❑ 6 Mat. 5-7
- ❑ 7 Mat. 8-9
- ❑ 8 Mat. 10-12
- ❑ 9 Mat. 13-14
- ❑ 10 Mat. 15-17
- ❑ 11 Mat. 18-20
- ❑ 12Mat. 21-22
- ❑ 13 Mat. 23-24
- ❑ 14 Mat. 25-26
- ❑ 15 Mat. 27-28
- ❑ 16 Mar. 1-3
- ❑ 17 Mar. 4-6
- ❑ 18Mar. 7-9
- ❑ 19 Mar. 10-13
- ❑ 20 Mar. 14-16
- ❑ 21 Luc. 1
- ❑ 22 Luc. 2-3
- ❑ 23Luc. 4-5
- ❑ 24 Luc. 6-7
- ❑ 25 Luc. 8-9
- ❑ 26 Luc. 10-11
- ❑ 27 Luc. 12-13
- ❑ 28Luc. 14-16
- ❑ 29Luc. 17-18
- ❑ 30 Luc. 19-20
- ❑ 31 Luc. 21-22

NOVIEMBRE

- ❑ 1Luc. 23-24
- ❑ 2Juan 1-3
- ❑ 3 Juan 4-5
- ❑ 4 Juan 6-7
- ❑ 5 Juan 8-9
- ❑ 6 Juan 10-11
- ❑ 7 Juan 12-13
- ❑ 8Juan 14-15
- ❑ 9 Juan 16-17
- ❑ 10 Juan 18-19
- ❑ 11 Juan 20-21
- ❑ 12Hech. 1-2
- ❑ 13 Hech. 3-4
- ❑ 14 Hech. 5-6
- ❑ 15 Hech. 7-8
- ❑ 16 Hech. 9-12
- ❑ 17 Hech. 13-16
- ❑ 18Hech. 17-19
- ❑ 19 Hech. 20-23
- ❑ 20 Hech. 24-28
- ❑ 21 Rom. 1-3
- ❑ 22Rom. 4-7
- ❑ 23 Rom. 8-10
- ❑ 24 Rom. 11-13
- ❑ 25 Rom. 14-16
- ❑ 26 1 Cor. 1-4
- ❑ 27 1 Cor. 5-9
- ❑ 28 1 Cor. 10-13
- ❑ 29 1 Cor. 14-16
- ❑ 30 2 Cor. 1-4

DICIEMBRE

- ❑ 1 2 Cor. 5-7
- ❑ 22 Cor. 8-10
- ❑ 3 2 Cor. 11-13
- ❑ 4 Gal. 1-3
- ❑ 5 Gal. 4-6
- ❑ 6 Efe. 1-3
- ❑ 7 Efe. 4-6
- ❑ 8 Fil. 1-4
- ❑ 9 Col. 1-4
- ❑ 10 1 Tes. 1-3
- ❑ 111 Tes. 4-5
- ❑ 122 Tes. 1-3
- ❑ 13 1 Tim. 1-6
- ❑ 14 2 Tim. 1-4
- ❑ 15 Tito & Filemón
- ❑ 16 Heb. 1-4
- ❑ 17 Heb. 5-7
- ❑ 18 Heb. 8-10
- ❑ 19 Heb. 11-13
- ❑ 20 Sant. 1-5
- ❑ 21 1 Ped. 1-5
- ❑ 22 2 Ped. 1-3
- ❑ 23 1 Juan 1-5
- ❑ 24 2 Juan, 3 Juan & Judas
- ❑ 25 Apoc. 1-3
- ❑ 26 Apoc. 4-7
- ❑ 27 Apoc. 8-12
- ❑ 28 Apoc. 13-16
- ❑ 29 Apoc. 17-19
- ❑ 30 Apoc. 20-22
- ❑ 31 Repaso